BIBLIOTHEEK DEN HAAG
Filiaal Bomenbuurt
Fahrenheitstraat 707, 2561 DE Den Haag
e-mail: bomenbuurt@dobdenhaag.nl
telefoon: 070-353 69 70

D1580509

DE ITALIAANSE MINNAAR

Van Judith Lennox verschenen eerder:

Het winterhuis
Schimmenspel
Voetstappen in het zand
Schaduwkind
Bloedzusters
Het zomerverblijf
Wilde aardbeien
Voor mijn zussen
Moederziel
Stilte voor de storm
Het hart van de nacht

Judith Lennox

De Italiaanse minnaar

OPENBARE
AFGESCHREVEN
BUURT
ENHAG

VAN HOLKEMA & WARENDORF
Uitgeverij Unieboek | Het Spectrum bv, Houten – Antwerpen

Oorspronkelijke titel: *Catching the Tide*
Vertaling: Titia Ram
Omslagontwerp: Wil Immink
Omslagfoto: Yolande De Kort / Trevilion Image
Opmaak: ZetSpiegel, Best

www.judithlennox.com
www.unieboekspectrum.nl

ISBN 978 90 475 1604 0 / NUR 302

© 2011 Judith Lennox
© 2011 Nederlandstalige uitgave: Uitgeverij Unieboek | Het Spectrum bv,
Houten – Antwerpen
Oorspronkelijke uitgave: Headline Review, an imprint of Headline
Publishing Group

Alle rechten voorbehouden. Niets uit deze uitgave mag worden verveel-
voudigd, opgeslagen in een geautomatiseerd gegevensbestand, of openbaar gemaakt, in enige vorm of op enige wijze, hetzij elektronisch, mechanisch, door fotokopieën, opnamen, of op enig andere manier, zonder
voorafgaande schriftelijke toestemming van de uitgever.

Voorzover het maken van kopieën uit deze uitgave is toegestaan op
grond van artikelen 16h t/m 16m Auteurswet 1912 dient men de daarvoor wettelijk verschuldigde vergoeding te voldoen aan de Stichting
Reprorecht te Hoofddorp (Postbus 3051, 2130 KB) of contact op te
nemen met de uitgever voor het treffen van een rechtstreekse regeling.

Proloog

Zomer in villa Millefiore, 1933

Het was de bedoeling dat iedereen in de villa lag te rusten. Zowel mama als mevrouw Hamilton geloofde dat het de constitutie ten goede kwam om na de lunch even te gaan liggen. Tessa vond rusten tijdverspilling, dus ze pakte haar zonnehoed en ging naar buiten.

Villa Millefiore was in het begin van de negentiende eeuw gebouwd. De kleur op de gestuukte muren was verbleekt tot licht okergeel; langs de achtermuur groeiden blauweregen en druiven. De marmeren vloer in de hal van de villa was zelfs op de heetste dagen donker en koel. In de zomer stonden de deuren die eraan grensden altijd open zodat de lucht erdoorheen kon stromen.

Tessa was zeventien. Haar moeder Christina en haar zusje Frederica van twaalf woonden al vier jaar in de villa, sinds de vader van de meisjes, Gerald Nicolson, was overleden. Tessa en Freddie hadden nog nooit zo lang in hetzelfde huis gewoond. Gerald Nicolson was kunstenaar, en zijn zoektocht naar succes en erkenning had het gezin door heel Europa gedreven. Mevrouw Hamilton, een oude vriendin van Christina, had haar na het overlijden van Gerald uitgenodigd met de meisjes te komen logeren en ze waren er om de een of andere reden gebleven. Toen ze net in de villa woonden hadden Tessa en Freddie de enorme, donkere kasten, de smalle raampjes met tralies ervoor en de uilen die in de nabijgelegen bossen krasten zo eng gevonden, dat ze samen op één kamer waren gaan slapen.

Mevrouw Hamilton was een Engelse dame van midden zestig.

Het gerucht ging dat de man van mevrouw Hamilton Engeland had moeten verlaten na een indiscretie met een aantrekkelijke lakei. Het huwelijk van het echtpaar Hamilton was een *marriage blanc*, een poging om respectabiliteit uit te stralen, en er waren geen kinderen. Na de dood van meneer Hamilton was zijn weduwe blijven wonen in haar enorme villa, op een uitgestrekte heuvel die uitkeek over Fiesole, waar ze voor de Engelse bewoners van Florence lunches organiseerde en waar waterige soep en stoofpot van twijfelachtige afkomst werden geserveerd.

Wijlen meneer Hamilton was verzamelaar geweest, maar spijtig genoeg voor zijn verarmde weduwe geen gewiekste. De villa stond vol buitenissige en onverkoopbare schatten: een marmeren buste van een man, meer dan levensgroot en zonder neus; een portret van een jongen die op een mandoline met gekleurde linten speelde; en een ingelijste foto van een papegaai. Op de foto stond in vervaagde inkt geschreven: 'Liefste Bobo, een vriend in tegenspoed'. In de kamers waarin gasten werden ontvangen hing een sfeer van vergane glorie. De met zijde beklede banken waren sleets, voor de ramen hingen damasten gordijnen die door de motten waren aangevreten en de allegorische fresco's op de muren bladderden. De hoge plafonds zaten zo vol scheuren dat er af en toe wolkjes pleisterstof naar beneden dwarrelden. In de meest afgelegen delen van het pand had het verval de oude grandeur bijna volledig verdrongen. De kamers daar waren al jaren in onbruik, de meid negeerde ze, en het was er net of ze zich tevreden nestelden in het stof dat was neergedwarreld.

Vanaf het terras achter het huis kon Tessa de terracottakleurige daken en koepels van Florence zien liggen, glinsterend in de heiige nevel van hitte. 's Avonds bereikte het geluid van de kerkklokken de villa op de heuvel. Tessa rende de stenen trap van het terras af en een pad op dat tussen een muur van buksbomen en cipressen door liep. Aan een kant van de tuin lagen een moestuin en een boomgaard; aan de andere kant stonden eikenbosjes die werden omringd door laurier. Achter de tuin lagen wijn- en olijfgaarden die ooit bij de villa hadden gehoord, maar die al lang geleden waren verkocht om de rekeningen te kunnen betalen.

Tessa was dol op de tuin van villa Millefiore. Er waren overal hoekjes en boogjes waarachter je zomaar op iets heel bijzonders kon stuiten: een laantje met pioenrozen, een border vol enorme witte lelies waarboven dikke bronskleurige motten als kolibries zoemden, of een vijver vol goudkleurige karpers, met een schelpvormige fontein, die stroompjes water recht omhoog spoot. Overal klonk het geluid van water, dat in een strak gordijn achter de zeemeermin in haar grot stroomde en via smalle kanaaltjes uiteindelijk samenkwam in een diepe, ronde vijver, waar een stenen zeemonster met zijn staart vol schubben om zich heen sloeg, terwijl er water uit zijn open bek liep.

Tessa trok haar sandalen uit en liep blootsvoets over de bovenrand van een muurtje dat om de vijver stond. Langs de muur stond een hele rij standbeelden. Tessa wist niet meer of het muzen of nimfen waren. Hun witte borsten en bolle billen waren bedekt door schaarse marmeren gewaden. Hun vingers grepen vruchteloos naar de ontsnappende flarden stof. Tessa vond dat ze karakterloze, stomme gezichten hadden.

Onder haar zomerjurk droeg ze haar badpak. Ze trok haar jurk over haar hoofd uit en legde hem op het muurtje. Toen dook ze het water in.

De vijver was diep, ruim drie meter. Mevrouw Hamilton had haar verteld dat de huishouding er in periodes van grote droogte water uit had gedronken. Tessa hoopte maar dat ze het eerst hadden gekookt, want het stikte van het wier in de vijver. Ze dook er altijd in zonder erover na te denken, bijna als in een reflex, voor ze tijd had om zich voor te stellen hoe die zachte, kleverige draden wier, die als spinnenwebben tussen haar vingers en tenen wriemelden, aan haar lichaam voelden. Het water onder de oppervlakte was donkergroen en troebel. Midden in de vijver stond de stenen pilaar waarop het beeld van het zeemonster steunde. Toen het gezin Zanetti op bezoek was geweest, hadden ze een wedstrijdje gedaan wie er het vaakst om de zuil kon zwemmen zonder boven te komen om lucht te happen. Guido had gewonnen; Tessa zag zijn lenige, donkere lichaam nog voor zich in het water.

Het gezin Zanetti – de tweeëntwintigjarige Guido, zijn achttienjarige broertje Alessandro, die ze Sandro noemden, en hun veertienjarige zusje Faustina – was bevriend met het gezin Nicolson en mevrouw Hamilton. Guido's vader, Domenico, was de minnaar van Tessa's moeder. Dat had Guido vorig jaar aan Tessa verteld, waarop Tessa het weer aan Freddie had verteld. Tessa en Freddie hadden er geen van beiden moeite mee dat hun moeder en Domenico elkaar hadden gevonden. Domenico maakte mama gelukkig, op een manier waarop hun vader, die een opvliegend karakter en een scherpe tong had gehad, dat nooit had gedaan. Tessa had de neiging haar moeder, van wie ze erg veel hield, te beschermen. Domenico Zanetti was de eigenaar van een zijdeatelier in het San Frediano-district in Florence. Zijn vrouw, Olivia, had een lang gezicht en een kleine boezem. Haar bruine en crèmekleurige japonnen vielen ondanks de goede kwaliteit niet mooi om haar lange, magere lichaam: kraagjes hingen af over haar hoekige schouders en gekreukte mouwen vielen over haar knokige vingers. Als iemand ernaar zou hebben gevraagd, zou Tessa haar koraalroze of zeegroen hebben aangeraden, kleuren die Olivia's grauwe huid veel beter zouden doen uitkomen. Tessa vermoedde dat Guido haar over haar moeder en zijn vader had verteld om haar te choqueren. Als dat zo was, had het geen effect gehad. Tessa was opgegroeid tussen de voortdurend wisselende populatie van schilders en dichters in Italië die de beklemmende mistroostigheid van hun Noord-Europese thuislanden waren ontvlucht en er was maar weinig wat haar choqueerde.

Haar longen ontploften bijna en daarom zwom ze naar het smaragdgroene licht aan de oppervlakte. Toen haar hoofd boven water kwam, hapte ze naar adem. Met gesloten ogen zwom ze op haar rug rond. Ze gingen die avond bij het gezin Zanetti eten. Tessa zou haar nieuwe violetkleurige zijden jurk aantrekken, en Freddie haar amandelroze. Domenico Zanetti had mama de stof gegeven, die was geweven in zijn atelier, en mama en Tessa hadden de jurken gemaakt. Tessa was dol op mooie kleding; als ze de kans kreeg verslond ze modebladen en ze was een uitstekende naaister. Ze besloot mama te vragen of ze haar Wakeham-granaten erbij mocht dragen. Ze waren van mama's grootmoeder geweest en behoorden tot de weinige sieraden die het huwelijk van Christina met Gerald Nicolson hadden overleefd. Ze zouden prachtig staan bij haar nieuwe jurk.

Een stem zei: 'Er zit wier in je haar.'

Tessa opende haar ogen. Guido Zanetti stond aan de rand van de vijver, met één voet op het muurtje.

'De huishoudster zei dat jullie allemaal lagen te slapen,' zei hij, 'dus ik ben even gaan wandelen. Kom eens hier, Tessa.'

'Waarom?'

'Zodat ik dat wier uit je haar kan halen.'

Zijn ogen lachten. Guido zag er erg zelfingenomen uit, vond Tessa. Hij had Romeinse trekken, met krullend zwart haar en donkerbruine, vurige ogen. Hij droeg een lichtgekleurd linnen pak met een lichtblauw overhemd. Hij was ijdel, zich ervan bewust dat hij aantrekkelijk was – Tessa zag voor zich hoe hij zijn revers op hun plaats had geklopt voordat hij het palazzo van het gezin Zanetti verliet, en hoe hij zijn haar met zijn hand zou hebben gladgestreken. Guido hield graag afstand van de rest: zij waren kinderen, leek hij ermee aan te willen geven, en hij was een man.

Tessa zwom naar de rand van de vijver. De aanraking van zijn vingers terwijl hij een streng wier uit haar haar haalde deed haar sidderen. Ze voelde dat hij zich bewust was van zijn macht terwijl hij op haar neerkeek: zijn uiterlijk, zijn lengte, zijn leeftijd. Ze wilde hem een toontje lager laten zingen, hem van zijn voetstuk stoten.

'Kom ook zwemmen,' zei ze.

'Dat kan jammer genoeg niet. Ik heb geen zwemspullen bij me.'

'Ik bedoelde gewoon zo.'

'Mijn kleren…'

'Ik daag je uit.'

Ze zwom van hem weg, keerde op haar rug en trapte met haar voeten in het water. 'Ik daag je uit, Guido!' herhaalde ze.

Hij begon te grijnzen en trok zijn schoenen en jasje uit. Als een pijl dook hij het water in. Guido zwom met een snelle, sterke crawl. Toen hij vlak bij haar was, begon Tessa te lachen.

'Zo,' zei hij terwijl hij wat water uitspuwde, 'ik heb gewonnen.' Zijn overhemd kleefde aan zijn torso, nu donkerblauw gekleurd. 'Dan wil ik nu graag mijn beloning.'

'Ik trakteer op een ijsje bij Vivoli.'

'Dat is niet de beloning die ik in gedachten had.'

'Waar dacht je dan aan, Guido?' vroeg ze. De vurigheid in zijn ogen wond haar op; ze wist al wat hij ging zeggen.

'Ik wil een kus,' zei hij.

'En als ik je die nou niet wil geven?' lachte ze, al watertrappelend.

'Dan kom ik hem toch halen.'

Ze zwom zo hard ze kon van hem weg, maar hij was sneller en ze begon te gillen toen hij haar om haar taille greep.

'Een kus,' zei hij. 'Een kus, mijn mooie Tessa.'

Zijn lippen raakten de hare. Hun gezichten waren naar elkaar toe gedraaid, ze dobberden in het water. Toen sloeg hij zijn armen om haar heen. Hun monden smolten samen, ze sloot haar ogen en het tweetal zonk onder het wateroppervlak.

Het schemerige licht, de zachte aanraking van het wier. Donkere vormen in het water, als de ruïnes van een verzonken stad, en het lachen dat verstilde tot genot toen zijn mond de hare verkende.

Ze had geen adem meer en hij duwde haar naar de opper-vlakte. Ze hapten naar lucht en hoorden in de ontwakende villa Millefiore een deur dichtslaan.

'Kom op,' zei hij, 'snel.'

Hij klom op het muurtje en gaf haar een hand om haar uit de vijver te helpen. Ze trokken snel hun schoenen aan en hij pakte zijn jasje en haar jurk. Toen begonnen ze hand in hand te rennen, Tessa met haar andere hand voor haar mond om haar lachen te onderdrukken, over de kiezelstenen de lauriergaard in die langs een kant van de tuin liep. Onder het groene bladerdek werden hun kussen steeds dringender, hun natte lichamen drukten tegen elkaar terwijl het zonlicht in diamantachtige facetten tussen de bladeren door schitterde.

Ze was zeventien en de zomer van hun liefde was er een van verlangen en genot, van zijn vingers die door de hare waren gestrengeld terwijl ze over een pad liepen, en van zijn voet die tijdens het diner haar kuit streelde onder een tafel. Van 's nachts op haar tenen door de villa sluipen, langs de tafels en stoelen die in het donker opdoken als rotsen in een rivier. Tegen een van de muren stond een hoge, hoekige kast, als een zwarte toegangspoort naar een andere wereld. Er klonk een geluid, en Tessa bleef stokstijf staan, al haar zintuigen op scherp, maar het was slechts een muis die naar zijn hol achter de lambrisering vluchtte. Toen ze heel zachtjes de deur naar het terras opende, werd ze overvallen door de warme geur van de nacht. Met de lichte, zekere tred van een dromer, rende ze over het terras en daalde ze af langs het pad.

Guido wachtte op haar; er klonk een gekraak van zijn schoen in het grind toen hij zich naar haar toe keerde. Ze werden uit het zicht gehouden door de cipressen die tussen hen en het huis in stonden, als wachters opgesteld aan weerszijden van het pad. Hij sprak niet, maar nam haar in zijn armen en kuste haar. Zijn hand ging over haar haren en ze voelde de warmte van zijn huid. Ze liepen naar het laurierbosje, waar ze gingen liggen op het zachte bladerbed. Zijn vingers streken langs de rondingen van haar kuit en langs haar zachte, tengere dijen. Toen hij haar buik aanraakte ontbrandde er een vuur in haar en ze leidde hem verwelkomend bij haar naar binnen.

Na afloop dreef er een koele bries over hen heen terwijl ze in de duisternis lagen. Het geklater van de fontein klonk als muziek in de verte. Op dat moment dacht ze dat ze elkaar voor altijd zouden liefhebben en dat hun geluk nooit zou eindigen.

Deel 1

Betovering

Oxfordshire, Engeland, 1937

1

Achter Freddies school was een vijver; tijdens koude winters mochten de leerlingen er wel eens schaatsen. Dat vertelde Freddie die middag aan Tessa toen ze in een theehuis in Oxford zaten.

'In de derde en vierde mag je vóór studietijd een halfuur schaatsen. En in het weekend een uur.'

'Weet je nog,' vroeg Tessa, 'dat we toen we in Genève woonden altijd op het meer gingen schaatsen?'

'En dan kwam mama kijken,' zei Freddie. 'Dan zat ze in het café warme chocolademelk te drinken.'

Ze hadden het vaak over hun moeder; dat hadden ze, gezamenlijk en onuitgesproken, drie jaar eerder besloten, in het najaar nadat ze uit Italië waren vertrokken, nadat hun was verteld dat ze was overleden door een acute astma-aanval. Zo hield je iemand in leven.

'We logeerden in dat gekke pensionnetje,' zei Freddie. 'Hoe heette de eigenaresse ook al weer? Madame... Madame...'

'Madame Depaul.' Tessa glimlachte. 'We kregen er elke avond kaastosti's. Madame Depaul dacht dat Engelsen die graag eten. Mama trok 's ochtends na het ontbijt altijd haar bontjas aan en dan liepen we samen naar het meer.'

Tessa had die bontjas van haar moeder geërfd. Toen hij was opgestuurd uit Italië had hij nog naar haar geroken. Ze had hem aangetrokken, had haar ogen gesloten, de Mitsouko opgesnoven en was in tranen uitgebarsten, terwijl haar verdriet en eenzaamheid in het zachte bont van de kraag sijpelden. Die geur was allang vervlogen, maar als Tessa haar ogen sloot en haar best deed, kon ze hem nog naar boven halen.

'Ze maken nergens zulke lekkere warme chocolademelk als in Zwitserland,' zei ze.

'Die bij ons op school is waterig.' Freddie, die altijd honger leek te hebben, had net haar eieren met toast verorberd en was intussen aan de gebakjes begonnen.

Tessa glimlachte. 'Rustig maar liever, we hebben geen haast.'

'Sorry. Maar als je niet snel bent, krijg je geen tweede keer. Weet je dat niet meer?'

Dat wist Tessa nog wel, nu ze erover nadacht. Ze had ook op Westdown gezeten, hun moeder had haar en Freddie er in de winter van 1933 voor zes weken naartoe gestuurd. Tessa had de eerste dag al geweten dat het niets voor haar was, maar ze was lang genoeg gebleven om er zeker van te zijn dat Freddie het er zonder haar wel zou redden. Nu, iets meer dan drie jaar later, was wat ze zich van die school herinnerde dat ze altijd haast had en dat ze er in een enorm tempo nutteloze dingen moest doen.

Sinds ze Westdown had verlaten, woonde Tessa in Londen, waar ze aan een carrière als model was begonnen. Ze had in eerste instantie een kamer in een pension gehuurd, maar sinds ze was doorgebroken, had ze al in een hele reeks appartementen gewoond, het ene nog mooier dan het andere. Haar huidige woning, in Highbury, was schitterend, met een gigantische woonkamer en een luxueuze badkamer. Tessa was meestal dol op Londen, maar nu en dan werd ze herinnerd aan vroeger en dan verlangde ze ineens hevig naar haar oude leven. Ze dacht nu terug aan schaatsenrijden op het bevroren meer in Genève, voortglijdend op één ijzer, haar arabesk een smal spoor op het ijs.

Ze keek terloops naar het bord en zag dat er alleen nog een plak krentencake en een plak citroencake lagen, dus ze bestelde een tweede bord. Ze namen ook een verse pot thee, en Tessa stak een sigaret op.

Freddie zat verlekkerd naar de chocolade-eclair te kijken, dus Tessa zei: 'Neem jij hem maar.'

'Hij is eigenlijk van jou.'

Tessa schudde haar hoofd. 'Laat ik het niet doen. Ik moet aan mijn lijn denken. Als dikke mannequin kan ik niet werken.'

'Mag ik ook een sigaret?'

'Nee, lieverd. Pas als je zeventien bent.'

'Mag ik dan een stukje in je auto rijden?'

'Misschien op een landweggetje, als er geen ijs ligt, tenminste.'

Toen ze later op weg terug waren naar Oxford liet ze Freddie een stukje in haar rode MG rijden over de smalle kronkelweg en de oprijlaan naar Westdown op. Hoewel Tessa wel begreep dat Freddie vol ongeduld wachtte tot ze van alles mocht proberen – autorijden, roken, champagne drinken, naar een nachtclub gaan – had ze de neiging haar te beschermen. Ze hadden per slot van rekening alleen elkaar. Het laatste wat mama tegen haar had gezegd toen ze naar Engeland waren vertrokken, was: 'Zorg goed voor Freddie voor me, lieverd.' Het leek wel zo'n afgrijselijk sentimentele Victoriaanse roman, bedacht Tessa wel eens opstandig, maar beloofd was beloofd, dus daar hield ze zich aan.

Freddie hing haar jas in de schoolgarderobe.

Tessa zei: 'Als je iets nodig hebt...'

'Nee, dank je.'

'Ik zal shampoo en talkpoeder opsturen. Ik heb een hele kast vol van de Coty-campagne.'

'Heerlijk.'

'En wat spulletjes van Fortnum's.'

'Graag, anders sterf ik hier van de honger.'

Er klonk een bel. Freddie schakelde onmiddellijk over op haar Westdown-routine en streek de plooien van haar overgooier glad.

'Studietijd, laat ik maar snel gaan.' Ze omhelsde Tessa. 'Fijn dat je er was. Bedankt voor de thee.'

Freddies schaatsen lagen in het rekje achter haar jassenhaak. Tessa vroeg: 'Mag ik je schaatsen even lenen?'

'Natuurlijk. Leg je ze wel terug als je klaar bent? Anders krijg ik straf.'

Ze omhelsden elkaar nog een keer en toen keek Tessa toe hoe haar zusje, rustig, weloverwogen, donker en mager in haar donkerblauwe uniform en op haar onelegante binnensandalen, de garderobe uit liep en de gang in verdween.

Tessa pakte de schaatsen uit het rek en liep naar de achterkant van de school. De hemel was donkermauve gekleurd en om de volle maan hing een halo van bleek licht. De vijver lag in een met gras begroeide kom achter de sportvelden en tennisbanen. Het uitzicht op de vijver vanuit school werd geblokkeerd door een rij bomen; erachter glooide het land als een bevroren grijsgroene golf.

Tessa ging op een bankje zitten en trok de schaatsen aan. Toen liep ze naar de vijver en zette een ijzer op het ijs. Het kwam al snel allemaal weer terug: het glijden en de balans, hoe je je gewicht verdeelde bij elke beweging van de schaats. Een paar rondjes op het ijs en haar zelfvertrouwen was weer terug.

Het voelde zalig vrij om zo alleen in het donker te zijn. Ze had een nauwsluitende zwarte wollen jas aan met een randje konijnenbont erlangs, met een bijpassende rok tot halverwege haar kuiten: de perfecte combinatie om in te gaan schaatsen. Op haar hoofd droeg ze een zwarte fluwelen baret, waar haar lange haar onder vandaan sprong toen ze een pirouette draaide. Ze vergat alles – haar werk, haar eetafspraakje met Paddy Collison die avond – en verloor zich in haar solitaire dans op het ijs.

Milo Rycroft maakte zich liever uit de voeten als zijn vrouw, Rebecca, een feest aan het voorbereiden was. Ze gaf hem het gevoel dat hij in de weg liep, deed kortaf tegen hem. Hij had bovendien een hekel aan al dat rondvliegende stof, en haatte het dat alle meubels werden verplaatst.

Milo besloot met de hond in de velden te gaan wandelen. Het was een heldere, koude dag. Hij hield van wandelen; hij genoot van de beweging en het veranderende landschap, en een wandeling maakte vaak gedachten los, bracht hem na een frustrerende ochtend op nieuwe ideeën en maakte dat hij zich weer geïnspireerd voelde. Sommige schrijvers tuinierden; hij wandelde. Dat had hij een keer laten vallen tijdens een interview, waarop de journalist, een verbeeldingsloze vent die Milo een paar keer in zijn club had gesproken, had voorgesteld dat ze een foto van het wandelpad zouden maken. De fotograaf had grommend zijn driepoot en camera het modderige pad op gezeuld, maar de afbeelding die bij het interview in het *Times Literary Supplement* had gestaan was erg aanlokkelijk geworden, en Milo stelde zichzelf sindsdien, als hij met de hond in de heuvels ging wandelen, graag voor zoals hij er toen had uitgezien: in een lange zwarte jas, met blond haar dat door de wind door elkaar was geblazen (hoewel Rebecca hem er altijd standjes over gaf, droeg hij vrijwel nooit een hoed), stevig stappend door struikgewas en over bruggetjes, met de spaniël die voor hem uit rende.

Het was half januari en midden in een koude periode. Milo's route voerde hem langs geploegde velden die langzaam maar gestaag omhoog liepen. Op de brede en hoge richels donkerbruine aarde lag een laagje rijp. Geelgrijs ijs had zich in de greppels gevormd en elke bleke stengel riet en gras was bedekt met ijskristallen. De spaniël, Julia, had een langharige kastanjebruin met witte vacht. Haar adem maakte wolkjes.

Milo, die voelde dat er ergens in hem een rauw, sterk gedicht over Oxfordshire in hartje winter smeulde, probeerde een eerste regel te bedenken terwijl hij het pad opklom, het veld aan zijn ene kant en een bosje zilverberken aan de andere. De collectie gedichten waaraan hij werkte was iets nieuws; tot nu toe waren er enkel romans van hem uitgebracht. Een stukje verderop stonden geen bomen meer, en het pad bereikte er het hooggelegen grasland. Hij bleef even staan, keek om zich heen en stak een sigaret op. Hij werd altijd vrolijk van dit uitzicht. De heuvels hingen hoog boven het blauwe waas van de valleien, waar de torenspitsen zilverkleurig glansden. Milo besloot dat hij vandaag tien kilometer zou wandelen. Hij stelde zich voor hoe hij het die avond op het feest achteloos zou laten vallen: 'O, vanochtend heb ik er even een gedicht uit geperst en vanmiddag heb ik tien kilometer gelopen.' Hij zag zichzelf graag als iemand die van alle markten thuis was, als een moderne *homo universalis.* Sommige schrijvers waren rondgeschouderd en verfomfaaid; hij had zichzelf beloofd dat hij nooit zo zou worden.

Een van zijn favoriete wandelingen bracht hem naar het schoolterrein van Meriel. Milo zorgde altijd dat hij op het wandelpad bleef en nergens kwam waar hij Meriel zelf tegen het lijf zou kunnen lopen. Ze was een saaie ouwe vrijster en kon erg kwetsend uit de hoek komen. Het was soms moeilijk te geloven dat Rebecca en zij zusjes waren. Milo probeerde altijd vriendelijk tegen Meriel te zijn, omdat hij wel kon zien dat het lot haar niet goedgezind was geweest; de alledaagse zus, de zus zonder charme. Meriels verloofde was omgekomen tijdens de oorlog, waarmee haar enige kans op een huwelijk verloren was gegaan. Milo was opgelucht dat ze die avond vanwege haar werk niet naar zijn verjaardagsfeest kon komen.

Het hoogste punt van dit stukje land heette Herne Hill. Milo, die het leuk vond om in oude mythologieboeken te bladeren, had niets kunnen vinden wat de omgeving met de Keltische god verbond, maar de heuveltop had niettemin een mysterieuze uitstraling. Het leek er altijd kouder, en er waaide soms een felle wind die cirkels maakte. De eerste regel van zijn gedicht was er bijna, net buiten bereik: *Het huis van Herne, de gehoornde god gaat...* Nee, te veel alliteratie, zo leek het net een tweederangs gedicht van Gerard Manley Hopkins. Maar de titel voor zijn collectie wist hij al wel: *Winterstemmen.* Ja. Milo glimlachte, maar toen fronste hij zijn wenkbrauwen. Was *Midwinterstemmen* misschien beter? Hij had de dag ervoor de eerste twaalf gedichten aan zijn secretaresse, juffrouw Tyndall, gegeven zodat zij ze kon uittypen. Juffrouw Tyndall, die ergens in de vijftig was en borstelige wenkbrouwen en een harige moedervlek had, werkte buitengewoon efficiënt. Het was Rebecca geweest die haar uit zes sollicitanten had uitgekozen.

Hij had een paar jaar geleden voorgesteld dat ze van het platteland naar Oxford zouden verhuizen, maar Rebecca had ronduit geweigerd dat zelfs maar te overwegen. Ze was gek op hun huis, een verbouwde molen. Ze woonden op een ideale plek, had ze benadrukt, lekker in de buurt van Meriel, en ver genoeg bij haar moeder vandaan. En mensen kwamen graag op bezoek in het molenhuis. Het zou niet hetzelfde zijn – zíj zouden niet dezelfden zijn – als ze in Oxford woonden. Mill House was een deel van hun identiteit: de dinertjes en feesten van het echtpaar Rycroft bleven de mensen bij. 'Ik ben uitgenodigd op Mill House,' had Milo een van zijn studenten eens triomfantelijk tegen een ander horen pochen. Rebecca had gelijk, had hij besloten; als ze naar Oxford zouden verhuizen, zou dat misschien ten koste van een deel van hun distinctie gaan. Dus waren ze gebleven.

De situatie zoals hij nu was beviel hem wel: een of twee keer per week naar Oxford, waar hij mocht werken in de studeerkamer van een vriend die een deel van het jaar in het buitenland woonde. In sommige opzichten, hielp Milo zichzelf met een licht schuldgevoel herinneren, was het ook prettiger om niet altijd thuis te zijn. Hij had meer vrijheid als hij weg was van Mill House. Meer speelruimte, zou je kunnen zeggen, binnen de huidige regeling. Milo's gedachten dreven naar de half voltooide roman die thuis lag. Hij zat vast, was gestrand, had er al drie weken geen woord aan geschreven, maar het boek moest over vier maanden al bij zijn uitgever liggen. Als hij in Oxford zou wonen, zou het hem misschien wel lukken. Misschien dat het steeds veranderende stadsbeeld hem zou inspireren.

Milo had een lange reis gemaakt voor hij in Mill House was neergestreken. Als het enige wonderkind van ouders op leeftijd hadden zijn schoonheid en voorlijkheid zijn vader en moeder verheugd en verbijsterd. Het hele huishouden had om de behoeften van Milo gedraaid; zijn ouders hadden zichzelf veel ontzegd om een particuliere opleiding voor hun zoon te kunnen bekostigen. Ze aten zo goedkoop mogelijk en gingen nooit uit. Ze woonden in een kleine villa van rode baksteen in een levenloze buitenwijk van Reading. Milo's favoriete uitje was naar de openbare bibliotheek een paar straten verderop. Als journalisten hem naar zijn achtergrond vroegen, paste Milo het verhaal altijd een beetje aan, want hij wist dat het veel te saai was om een onverbeterde versie van zichzelf te presenteren.

Nadat de oorlog ten einde was gekomen, had hij een beurs voor Oxford gekregen, waar hij sociaal had uitgeblonken en academisch bijna evenveel indruk had gemaakt. Na zijn afstuderen had hij onderzoek gedaan naar een of ander obscuur detail in de metafysische poëzie, en in die periode had hij op gestolen momenten *Penelopes weefgetouw* geschreven. De roman was onmiddellijk na de publicatie ingeslagen als een bom. De criticus in de *Times* schreef: *De roman weeft mythe en moderniteit op briljante wijze dooreen… een triomf.* Een tweede en even succesvolle roman had erop gevolgd. Tegen die tijd had Milo kunnen stoppen met zijn verwaarloosde onderzoek en was hij een serie colleges moderne poëzie gaan geven voor de Workers' Educational Association in Oxford, colleges die enorm populair waren geworden en gretig werden bezocht. Hij wist dat hij een goede docent was; hij gebruikte nooit aantekeningen en zijn geïnspireerde colleges van een uur sloegen vaak uiteindelijk een heel ander pad in dan hij van tevoren van plan was geweest.

Milo gaf twee keer per jaar een serie colleges, die goed werden bezocht. Het was hem direct opgevallen dat ze opmerkelijk veel vrouwen aantrokken, en dat zijn studenten niet alleen arme winkelbediendes en kantoormeisjes waren die naar cultuur hongerden. Allerlei soorten mensen – allerlei soorten vrouwen – bezochten zijn literaire praatjes. Sommigen waren getrouwd, net als hijzelf tegen de tijd dat hij die colleges was gaan geven, anderen waren alleenstaand of weduwe. Sommigen waren studentes van Somerville of St. Hilda's; anderen woonden thuis bij hun ouders, waar ze wachtten op de prins op het witte paard. Aan het eind van elk college darde er een groepje dames met vragen om hem heen. Vervolgens ging een selectief gezelschap met hem mee iets drinken in de Eagle & Child in St. Giles. Rebecca noemde zijn studentes 'Milo's Maenaden', naar de uitzinnige vrouwelijke volgelingen van de Griekse god Dionysos. Toen Rebecca de bijnaam bedacht, had ze een bepaalde uitdrukking in haar ogen gehad, dus was Milo gaan lachen en had hij haar gelijk gegeven en gezegd dat zijn studentes inderdaad luidruchtige, slecht geklede en niet altijd bepaald vrouwelijke vrouwen waren. En toen had hij Rebecca voordat ze er verder iets over had kunnen zeggen gekust.

Milo liep verder door de heuvels. Zijn pad voerde hem over de toppen voordat hij langzaam afdaalde naar de bossen die aan een kant van Meriels school lagen. Hij liep graag in een bocht door het bos voordat hij op weg terug naar Mill House ging.

Naast het bos lag een ronde vijver die in de zomer vaak opdroogde. Milo zag door de bomen heen iets bewegen, liep naar de rand van het bosje en tuurde tussen de naakte wintertakken door.

Er schaatste een meisje op de vijver. Ze was helemaal in het zwart gekleed en haar haar zwiepte als een vlag onder haar nauwsluitende zwarte baret vandaan. Milo stond bewegingloos naar haar te kijken. Dit was geen Engelse scène, bedacht hij als in trance naar haar starend; het was zelfs geen hedendaagse. Het meisje was geheel in beslag genomen door haar solitaire ijsdans. Hij zag vervoering in hoe ze gleed en draaide; anders kon hij het niet noemen.

Hij dacht dat ze hem niet had gezien, maar toen riep ze: 'Is die hond van jou?'

'Ja.' Milo liep naar de rand van het ijs. 'Ze heet Julia.'

'Leuke naam.'

Ze gleed met haar voeten bij elkaar over het ijs op hem af, en hij zag dat ze opmerkelijk mooi was. Haar huid was crème- kleurig, nu roze van de kou, en ze had lange, donkere wimpers en rechte wenkbrauwen.

Hij vroeg: 'Heb jij ook een hond?'

'Jammer genoeg niet.' Ze glimlachte. 'Daar reis ik te veel voor, maar ooit zou ik er wel een willen.' Ze boog zich aan de rand van het ijs voorover en aaide Julia. 'Je hebt geluk met haar. Wat een schatje.'

'Ze is wel érg levenslustig. Ze moet elke dag flink wandelen, maar gelukkig hou ik daar wel van. Ik kom hier vaak. Het voet- pad loopt door het bos.' Milo maakte een vaag handgebaar in de richting van Mill House. 'Ik woon in Little Morton, een kilo- meter of vijf hiervandaan.'

'Misschien moet je dan maar eens teruggaan. Verdwaal je an- ders niet in het donker?'

'Nee hoor. Ik ken het hier als mijn broekzak.'

Hij kon in het schemerdonker niet zien wat voor kleur ogen ze had. Grijs misschien, of lichtbruin. Hij zei: 'Toen ik je daar zo zag schaatsen dacht ik even dat ik was teruggevoerd naar het oude Rusland, of naar het Wenen van de eeuwwisseling. Ik dacht even dat je een geestverschijning was.'

Ze begon te lachen. 'Ik ben helaas geen geest. Ik ben helemaal echt en heel saai modern.'

Hij keek haar aan en werd nogmaals geraakt door haar op- merkelijke schoonheid. 'Toen je aan het schaatsen was,' zei hij, 'leek het net of je je in een andere wereld bevond.'

'Ik ben dol op schaatsen.'

Ze maakte aanstalten het ijs weer op te gaan, dus hij zei snel: 'Ik breng zelf veel te veel tijd achter mijn typemachine door. Ik ben schrijver. Milo Rycroft.'

Hij stak zijn hand naar haar uit, die ze kort aanraakte. 'O ja, dan heb ik wel eens van je gehoord,' zei ze. Toen bewoog ze met korte achterwaartse beweginkjes bij hem vandaan. De toenemende afstand bracht een onverwachte steek in zijn hart teweeg; hij had het gevoel dat hij haar kwijtraakte.

'Hoe heet jij?' riep hij haar na.

'Tessa Nicolson.' Ze keek hem glimlachend aan. 'Dag, meneer Rycroft. Ik moet me gaan omkleden, want ik moet nog terug naar Londen vanavond.'

De cateraars hadden de verkeerde cake meegenomen: vruchten in plaats van citroen, en dat terwijl Milo vruchtencake afschuwelijk vond. En de stofzuiger weigerde spontaan dienst. Waar bleef Milo eigenlijk? Als hij er was, dan kon hij de stofzuiger repareren terwijl zij de catering belde. Bovendien moest hij de drankjes klaarzetten.

Rebecca Rycroft pakte de telefoon en belde de cateraars. Er volgde een korte woordenwisseling: 'Citroen, ik had expliciet citroencake besteld,' gevolgd door: 'Dus nu zegt u dat er alleen vruchtencake is en anders niets?', waarna ze met een knal de hoorn op de haak gooide en de voor de gelegenheid ingehuurde dienstmeid, die glazen aan het poetsen was, haar een nerveuze blik toewierp.

Een deel van haar vond het voorbereiden van een feest heerlijk en een deel van haar haatte het. Wat ze het leukst vond, was het kiezen van de gastenlijst. Het echtpaar Rycroft had enorm veel vrienden en als Milo en zij eenmaal hadden besloten dat er een feest kwam, zat Rebecca heel lang haar adresboekje te bestuderen. Het was zo belangrijk dat je de goede combinatie koos. Ze genoot van het samenstellen van de groep, het zich afvragen of een bepaald iemand de avond goed zou laten verlopen, hem bijzonder zou maken. Ze stelde wel eens mensen aan elkaar voor die vervolgens vrienden werden, of zelfs een liefdesrelatie kregen. Je had natuurlijk ook altijd wat rustigere mensen nodig; alleen opscheppers uitnodigen zou rampzalig zijn. En er moesten altijd nieuwe mensen zijn, interessante mensen, niet alleen van die saaie meisjes die naar Milo's colleges kwamen, al moest Rebecca toegeven dat ze heel bruikbaar waren om voor wat glamour te zorgen.

Hoewel het samenstellen van de gastenlijst altijd heel erg leuk was, waren de uren direct voordat het feest van start ging een nachtmerrie. Hoe lang van tevoren ze ook begon met de voorbereidingen, ze leek altijd tijd te kort te komen. Als ze alles in haar eentje kon doen, zou het misschien allemaal wel prima verlopen, maar dat was nu eenmaal onmogelijk. Er moesten diensters ingehuurd en er moest eten worden gebracht. En de meisjes die ze van het uitzendbureau kreeg waren vaak zo lui of incompetent. De meid van vandaag was een huilebalk. Bij het minste of geringste commentaar dreigde ze in tranen uit te barsten. Rebecca had uiteindelijk maar zelf het bestek gepoetst, aangezien het meisje een trillende onderlip had gekregen toen Rebecca haar op een etensrestje op een vork had gewezen.

Godzijdank had ze mevrouw Hobbs tenminste nog. Mevrouw Hobbs was de vaste huishoudster van het echtpaar Rycroft. Ze stond op dit moment bij gebrek aan de stofzuiger energiek het halkleed te bezemen. Rebecca en mevrouw Hobbs dronken na elk feest altijd een kop thee in de keuken, met een sigaret erbij. Over het algemeen waren ze dan te moe om te praten, maar Rebecca voelde altijd hun band van gezamenlijke opluchting dat alles weer voorbij was en goed was verlopen.

Als het goed ging, tenminste. Daar was ze altijd zenuwachtig over, maar ze hielp zichzelf herinneren dat haar feesten altijd een weergaloos succes waren. Maar dit feest kon de uitzondering worden. Deze keer had ze reden tot bezorgdheid, bracht haar twijfelende zelf naar voren, want Milo zou moeilijk doen over de cake, ze was erg onzeker over de jurk die ze had aangeschaft, en voor hetzelfde geld zou die meid halverwege de avond hysterisch op de vlucht slaan. De jurk was rood, niet donkerrood, maar helder, intens rood, haar lievelingskleur. Ze had hem gekocht bij haar lievelingswinkel in Oxford, Chez Zélie. Hij was gemaakt van een fijne, gladde wol die zich naar het lichaam vormde. Was ze met haar achtendertig jaar niet veel te oud voor een felrode jurk die aan haar lichaam kleefde?

Terwijl ze op de vloer zat om de stofzuiger uit elkaar te halen, liet Rebecca de lijstjes nogmaals door haar hoofd gaan. Eerst de cocktails, daarna champagne, en dan later voor de mannen whisky. Het werd een informeel koud buffet, veel gemakkelijker dan een warme maaltijd, en gasten vonden het prettig als ze zelf konden kiezen wat ze aten. Koude kip, ham, pasteitjes, hartige sandwiches, Russische salade, olijven, chips en gezouten amandelen. Muziek, ze moest nog bedenken welke muziek er zou komen. Meestal zorgde Milo voor de langspeelplaten. Rebecca stond op, trok een gordijn opzij en keek naar buiten. Het was bijna donker, waar was hij in 's hemelsnaam naartoe? Ze zuchtte geïrriteerd en liep terug naar de stofzuiger, hield de slang omhoog en tuurde erin. Zo te zien zat er iets klem, maar het zat zo ver dat ze er met haar vingers niet bij kon. Misschien met een vork? Nee, ook te kort.

Ze liep naar buiten. Het was ijskoud, maar wel een schitterende avond, de lucht was helder en bezaaid met sterren. Het bevroren gras kraakte onder haar voeten. Ze ademde de koude lucht diep in en voelde zich direct rustiger. Nog een angstig voorgevoel bekroop haar terwijl ze de schuur opende om een plantenstok te zoeken. Januari was een rotmaand om een feest te organiseren. Stel nou dat er mensen niet kwamen omdat het glad was op de weg? Of omdat ze verkouden waren of griep hadden? Er had niemand afgebeld, maar sommige mensen, vooral de vrienden van Milo, waren heel laks met dat soort dingen.

Ze pakte een plantenstokje uit de hoek van de schuur en liep terug naar binnen. Ze stak de stok in de slang van de stofzuiger en duwde er een van haar kousen uit, die gevangenzat in een grijs balletje van stof en hondenhaar. Ze legde de kous weg om te wassen, zette de stofzuiger weer in elkaar en riep naar mevrouw Hobbs dat hij het weer deed. Toen liep ze alle kamers na om te controleren of alles op zijn plaats stond, zette hier een kandelaar en daar een lampje recht en raapte mopperend een snoeppapiertje achter een stoel in de hal vandaan. Ze keek even snel in Milo's werkkamer om zich ervan te verzekeren dat die netjes was, of tenminste aantrekkelijk slordig. Terwijl ze de boeken en papieren op Milo's bureau recht legde – een heel klein beetje maar, want Milo had er een hekel aan als er mensen aan zijn spullen zaten – zag Rebecca dat zijn roman nog steeds bij pagina 179 was blijven steken. Arme Milo, hij voelde zich altijd zo ellendig als het niet lukte met zijn werk. Rebecca liet de jaloezieën zakken, liep de kamer uit en sloot de deur achter zich.

In de eetkamer stonden aan een kant van de tafel stapels borden met bestek erop. De tekening die ze vanochtend had gemaakt lag nog op haar bureautje, dus pakte ze die. Ze tekende bijna nooit meer tegenwoordig, maar vanochtend, met die schitterende winterzon die door het raam naar binnen had geschenen en niet gestoord door Milo, die zat te werken, had ze plotseling de drang gevoeld de sneeuwklokjes te tekenen die ze de dag ervoor had geplukt. Ze bladerde door de schetsen. Ze had de meeste weggegooid, maar een ervan was niet onaardig. Ze legde hem in een lade van haar bureau en verfrommelde de mislukte. Ze had haar tijd er niet aan moeten verdoen.

Ze keek op haar horloge en zag dat het al na zessen was. De gasten kwamen over minder dan een uur. Rebecca schonk een glas gin met citroen voor zichzelf in en haastte zich naar boven om in bad te gaan. Toen ze in het warme water lag en van haar drankje nipte, voelde ze dat ze ontspande, en daarmee kwam ook de eerste flikkering van een aangename spanning over het komende feest. Ze had helemaal geen zin om uit bad te gaan, maar ze dwong zichzelf op te staan en droogde zich energiek af. Ze trok een badjas aan en liep naar de slaapkamer. De rode jurk hing aan een gestoffeerde kleerhanger aan de deur van haar kledingkast. Rebecca staarde er bedenkelijk naar en liet haar handen over haar heupen gaan. Er zou een handjevol van Milo's Maenaden naar het feest komen. Milo had erop gestaan, want 'ze komen elke week trouw naar mijn colleges en luisteren zonder een onvertogen woord naar mijn onzin.' Ze had deze Maenaden nog nooit ontmoet, maar hun voorgangsters waren vrijwel zonder uitzondering dunne, jongensachtige meiden. Rebecca was al sinds haar veertiende niet meer dun of jongensachtig.

Ze ging op het krukje van haar kaptafel zitten en keek in de spiegel. Met haar haar onder een sjaal zodat het niet nat zou worden en zonder make-up zag haar gezicht er afgetobd en frêle uit. Ze trok aan de huid bij haar ooghoek en vroeg zich af of die losser was geworden. Ze stak haar kin omhoog om haar hals te inspecteren. Zowel zijzelf als haar zus Meriel was doodsbang om net zo'n hals te krijgen als hun moeder. De pezen in de hals van mevrouw Fainlight stonden als gespannen snaren onder haar rimpelige huid.

Rebecca begon zich met de seconde ellendiger te voelen; ze nam een grote slok gin. Morgen ging ze samen met Meriel bij hun moeder op bezoek. Hun maandelijkse bezoekjes, met hun afgezaagde routine, waarbij ze in het slecht verlichte vrijstaande achttiende-eeuwse huis zaten te wachten terwijl hun moeder zich klaarmaakte voor het uitje, gevolgd door de onvermijdelijke kritiek van mevrouw Fainlight op de chauffeurskunsten van haar dochter – welke dochter er ook reed –, waren ronduit deprimerend. Meriel en zij hadden dan niet veel gemeen, had Rebecca wel eens tegen haar zus gezegd, maar ze wisten wel dat ze allebei op hun eigen manier een teleurstelling waren voor hun moeder. Mevrouw Fainlight was steevast ontevreden over het restaurant. Als ze dan eenmaal terug waren in het huis in Abingdon, dan waren de stilte, de spanning, de krakende voetstappen van de oude dienstmeid en de thee, die altijd zo raar smaakte, ondanks het feit dat het Ceylon was, allemaal even ondraaglijk. En dan kwam altijd het moment dat mevrouw Fainlight opmerkte: 'Aangezien het geen van mijn beide dochters heeft behaagd me van een kleinkind te voorzien...', commentaar dat hen keer op keer kwetste, maar dat vanwege de onvermijdelijkheid bij Rebecca en Meriel tegelijkertijd steevast een slappe lach veroorzaakte die stante pede moest worden onderdrukt.

Hoe je er ook tegenaan keek, het was wreed om zoiets tegen Meriel te zeggen. Meriel was twee jaar ouder dan Rebecca en haar hoop op het moederschap was vervlogen in 1916, bij de slag aan de Somme, toen haar verloofde, David Rutherford, was omgekomen. Meriel behoorde tot die generatie vrouwen voor wie er gewoon niet genoeg mannen waren. Er was na David maar één andere man in haar leven geweest, dokter Hughes, de arts van de kinderen op haar school. Dokter Hughes was getrouwd en had voorzover Rebecca wist geen enkele notie van de gevoelens die Meriel voor hem koesterde. Rebecca had dokter Hughes maar één keer gezien. Hij had een rood gezicht en was eind veertig, introvert en kaal, en Rebecca had niets van Meriels geheime passie begrepen. Toen ze een keer te veel martini's had gedronken, had ze Milo verteld over Meriel en dokter Hughes, en daar had ze nog steeds spijt van. Milo had het een hilarisch verhaal gevonden, en Rebecca, die dol was op haar zus, had zich geschaamd dat ze Meriels geheim met hem had gedeeld. Ze was nog steeds bang dat Milo het slecht vermomd in een van zijn romans zou gaan gebruiken.

Milo en zij hadden nooit kinderen gewild. Of nee, dat was niet helemaal waar; Milo had nooit kinderen gewild. Hij was er in de verste verte niet in geïnteresseerd, maar als hij toen zij begin twintig was en ze net waren getrouwd tegen haar had gezegd dat hij vier kinderen had willen hebben, dan had ze dat waarschijnlijk geweldig gevonden. Ze was zo stapelverliefd op hem geweest dat ze alles wat hij zei een briljant idee vond, en ze had het heel belangrijk gevonden dat ze het altijd over alles helemaal eens waren.

Hoe dan ook, het was een goede beslissing geweest. Ze waren in eerste instantie straatarm geweest, in die tijd zou een kind hebben betekend dat ze financieel nog meer zouden hebben moeten sappelen en het was maar de vraag of er nadat Milo was doorgebroken nog wel ruimte in hun leven was geweest voor een kind. Het kostte vreselijk veel tijd en energie om Milo en Rebecca Rycroft te zijn, het glamoureuze en bekende stel dat ze waren. Ergens in de afgelopen jaren waren ze steeds onzorgvuldiger geworden met het voorkomen van een zwangerschap, maar toch was er nog steeds geen kind.

De laatste tijd vond Rebecca het echter wel eens jammer dat ze niet toch een kind hadden gekregen. Ze stelde zich een zoon voor, een frisse, mooie en intelligente zoon die op zijn vader leek. Hij zou haar groene ogen hebben, de ogen die Milo zo hadden betoverd op het Chelsea Arts Ball, al die jaren geleden. Hij zou Oscar heten, of Archie, en hij zou een onafhankelijke jongen zijn die er geen moeite mee had om aan het begin van elke schoolperiode naar kostschool te vertrekken, maar die in de vakantie net zo opgewekt terug zou komen naar zijn ouders.

Waar bleef Milo toch? Rebecca keek nogmaals op haar horloge. Ze was zowel geïrriteerd als bezorgd. Ze was de laatste tijd altijd bezorgd als ze niet wist waar Milo was. Toen ze pas getrouwd waren, hadden ze enorme ruzies gehad als ze hem erop betrapte dat hij buitensporig veel aandacht had voor een andere vrouw. Ze hadden geschreeuwd, gevloekt en met dingen gegooid. Ze had een keer een botervloot tegen zijn slaap gesmeten die een bult had achtergelaten, waar ze zich vreselijk schuldig over had gevoeld. Toch had die intensiteit van hun gevoelens ook iets aangenaams gehad, iets opwindends, en als ze het dan in bed weer goedmaakten, vreeën ze gepassioneerder dan ooit, wat de ellende van haar jaloezie meer dan goed had gemaakt en waarmee hij haar aan zich had gebonden.

Maar dat was verleden tijd. Tegenwoordig lieten hun ruzies een bittere nasmaak achter in plaats van dat ze haar opluchtten. Ze was bang dat Milo niet meer zo naar haar verlangde als vroeger. Milo had toen ze net waren getrouwd werkelijk alles voor haar overgehad. Hun eerste zomer samen had hij haar elke dag een rode roos gegeven. Ze hadden geen cent te makken en sommige van die rozen zagen eruit of ze bij iemand uit de tuin kwamen in plaats van uit de bloemenwinkel, maar het was zo vreselijk romantisch geweest.

Hun leven was in de loop der jaren veranderd. De triomf van *Penelopes weefgetouw* en de boeken erna had het mogelijk gemaakt dat ze Mill House hadden kunnen kopen. In eerste instantie hadden ze de verbouwing samen gepland en hadden ze een deel van het werk zelf gedaan. Enkele van Rebecca's gelukkigste herinneringen waren aan hoe ze samen plinten hadden geschilderd en behang hadden geplakt.

Maar naarmate Milo's carrière een hogere vlucht had genomen had hij steeds minder tijd gehad voor het huis. Uiteindelijk was Rebecca degene die het behang uitkoos en de loodgieter belde als er een leiding lekte. Om Mill House heen lag een grote tuin, van bijna eenzesde hectare, en ook dat was Rebecca's domein. Een groot deel van Milo's leven speelde zich tegenwoordig zonder haar af. Milo ging in Londen naar lunches en feesten waarvoor zij niet werd uitgenodigd. Er werden krantenartikelen over hem geschreven en hij werd nu en dan gevraagd om voor programma's op een nationale radiozender te spreken. Rebecca had wel eens het gevoel dat ze hem niet kon bijhouden.

Ze wist dat haar leven er aan de oppervlakte erg benijdenswaardig uitzag. Maar Milo had vier jaar geleden een verhouding met een van zijn studentes gehad. Zodra Rebecca erachter was gekomen, had hij er een einde aan gemaakt, had haar bezworen dat het allemaal niets voorstelde, dat het in een impuls was gebeurd, dat het meisje zich op hem had geworpen, dat hij te veel had gedronken en dat het verder niets had voorgesteld. Niets. Maar Milo's ontrouw had haar wereld doen instorten. De ruzie was gruwelijk en kwetsend geweest en had littekens achtergelaten. Ze had een maand lang nauwelijks tegen hem gesproken en had hem tot heel lang erna angstvallig in de gaten gehouden. Haar zelfvertrouwen was zwaar geschaad en ze was gaan twijfelen of ze nog wel aantrekkelijk was. Hoewel de blikken en complimentjes van andere mannen haar in de loop der tijd wel hadden gerustgesteld – er was nooit iets gebeurd wat verder ging dan bewondering, nog geen kus, want ze had nooit een moment behoefte gehad aan iemand anders dan Milo – was ze vanbinnen nog steeds kwetsbaar. Als dit nog een keer zou gebeuren, zou het haar best eens kunnen breken. Er was gesproken over een scheiding, maar de gedachte dat hij haar zou verlaten had haar doodsbang gemaakt. Ze hield van hem, adoreerde hem, had hem nodig. Wat zou ze zonder hem zijn? Ze had altijd geweten dat ze niet zo slim was als Milo – en natuurlijk ook niet zo beroemd – en als haar enige pluspunten, te weten haar uiterlijk en haar seksuele aantrekkelijkheid, minder werden naarmate ze ouder werd, waarom zou hij dan bij haar willen blijven?

Het was hun op de een of andere manier gelukt om toch verder te gaan. Milo had berouw getoond en Rebecca was uiteindelijk gaan geloven dat hij oprecht was. Zes maanden nadat ze zijn overspel had ontdekt, waren ze voor een lange vakantie vertrokken naar Frankrijk, waar de zon en rust in Lot hun voormalige passie weer hadden aangewakkerd. Aan de oppervlakte waren ze weer het echtpaar van vroeger: succesvol, beroemd en verliefd. Maar Rebecca wist dat er iets was veranderd. Milo's berouw was uiteindelijk verdwenen; haar wrevel was gebleven. Ze hield hem in de gaten. Ze hield altijd een oogje in het zeil, hoewel ze wist dat hij dat vreselijk vond. Ze kon niet anders.

Rebecca concentreerde zich op haar make-up. Toen ze in de twintig was had ze nooit foundation en poeder gebruikt, maar ze vond dat ze die nu nodig had. Ze maakte haar ogen nooit op, want ze had van nature koolzwarte, krullende wimpers die geen kunstmatige verbetering nodig hadden. Toen haalde ze de rode jurk van het haakje, trok hem over haar hoofd, streek het materiaal glad over haar heupen en duwde de schouderbandjes op hun plaats. Ze deed wat lippenstift op en maakte de sjaal los;

haar dikke, donkere haar viel in weelderige golven om haar schouders.

Beneden werd een deur dichtgeslagen. Milo's stem klonk: 'Dag schat! Waar ben je?'

Ik ben me aan het klaarmaken voor ons feest, dat over een kwartier begint, dacht ze razend.

Ze hoorde hem naar boven komen. De slaapkamerdeur zwaaide open. Hij stond in de deuropening. Toen hij haar zag, zette hij grote ogen op.

Waar was je nou? Ze had het bijna hardop gezegd, maar hij was haar voor: 'Godallemachtig, wat zie je er beeldschoon uit.'

'Echt waar? Vind je hem mooi?'

'Geweldig.'

Haar twijfels over de jurk waren verdwenen. Toen hij haar kuste, liep er een rilling over haar rug. 'Milo, je bent steenkoud!'

'Het vriest.'

'Wat deed je dan buiten?'

'Ik ben een eind gaan wandelen.' Hij trok een wolfachtige grijns. 'Ik dacht dat het wel een goed idee was om vast een beetje trek te krijgen.'

Zijn koude mond duwde tegen haar hals. Ze giechelde. 'Mijn jurk…' zei ze, maar hij had haar al in zijn armen genomen. Hij rook naar winter en buiten. Zijn handen reikten onder de open helften van haar jurk en Rebecca slaakte een tevreden zucht.

Ze hoorden allebei de voordeurbel. Maar hij bleef haar kussen, tot ze mompelde: 'Schat…'

'Verdomme,' zei hij. 'Dat zullen Charlie en Glyn wel zijn. Zoals altijd te vroeg.'

Ze wisselden een blik van verstandhouding en geamuseerdheid uit: het echtpaar Rycroft tegen de rest van de wereld.

Charlie en Glyn Mason waren altijd de eersten die arriveerden en de laatsten die vertrokken. Milo had Charlie tijdens de oorlog leren kennen. Ze zaten in hetzelfde regiment en hadden in

eerste instantie allebei het geluk ver achter de linie te worden ge-
plaatst toen het bloedbad van Passendale zich voltrok. De dag
voordat hun regiment naar het front zou gaan was Milo bij een
auto-ongeluk betrokken geraakt. Vanwege zijn verwondingen
was hij naar een revalidatiecentrum in Engeland verscheept. Hij
had er nog een vaag, wittig litteken van op zijn voorhoofd. Als
iemand ernaar vroeg, zei hij: 'Ik ben gewond geraakt tijdens de
oorlog.' Maar Charlie was degene die in de loopgraven en aan
het front had gevochten, niet Milo. Milo was wel eens jaloers op
hem, maar niet vaak.

Charlie was ondertussen de eigenaar van drie autobedrijven,
een in Oxford en twee in Londen. Hoewel hun levenspaden heel
verschillende wendingen hadden genomen, waren ze bevriend
gebleven. Charlie was een paar jaar eerder met Glyn getrouwd
dan Milo met Rebecca; ze waren elkaars getuigen geweest. Milo
had Glyn Mason altijd een beetje masculien gevonden. Alleen al
haar naam, de verkorte vorm van het vrouwelijkere Glynis, en
haar korte, krullende, asblonde haar, zonverbrande gezicht en
gespierde, pezige lichaam, met nauwelijks bespeurbare heupen
en borsten. Als ze een pantalon of tennisbroekje droeg – Glyn
was een fantastische tennister – zou je je kunnen vergissen en
denken dat ze een tienerjongen was. Milo had zich vaak afgevraagd hoe het zou zijn om met Glyn te vrijen. Vast heel leuk,
dacht hij, maar niet zo zacht en geruststellend als met Rebecca.
Hij had haar natuurlijk nooit proberen te versieren, want dat
zou hij Charlie niet aandoen. De echtparen Rycroft en Mason
dineerden regelmatig samen. De vrouwen waren officieel ook
vriendinnen, maar Milo voelde aan dat dat niet echt zo was, dat
Rebecca en Glyn te verschillend waren en het alleen goed konden vinden omdat dat zo uitkwam. Rebecca had sowieso geen
vriendinnen, alleen wat vrienden.

Milo begon spijt te krijgen van dat laatste glas whisky met
Charlie nadat alle gasten waren vertrokken. Hij kreeg hoofdpijn
van whisky. En Charlie had iets heel confronterends tegen hem

gezegd, wat maar door zijn hoofd bleef spoken. Charlie had Milo en Rebecca uitgenodigd voor de lunch de zondag daarop, om de verjaardag van zijn oudste dochter Margaret te vieren. 'Ik ben bang dat we haar verkering ook zullen moeten vragen,' had Charlie toegevoegd. 'Haar verkering?' had Milo herhaald voordat hij zijn woorden had kunnen inslikken. 'Er is nauwelijks een woord uit te krijgen,' was Charlie verder gegaan. 'Hij zit erbij als een bang konijn.' 'Haar verkering,' had Milo nogmaals stompzinnig herhaald, waarop Charlie hem geamuseerd had aangekeken en Milo had helpen herinneren dat Margaret zeventien was, en dat Glyn maar een jaar ouder was geweest toen hij met haar was getrouwd.

Milo had zichzelf tot de orde geroepen en had nog wat zinnige dingen weten te zeggen. Maar het had hem geschokt dat Margaret Mason, die hij nog beschouwde als een meisje, ondertussen verkering had. Over een jaar zou Charlie haar misschien wel weggeven. Godallemachtig, nóg een jaar verder en Charlie zou misschien grootvader zijn. En aangezien Charlie en hij even oud waren, zou hem dat ook hebben kunnen overkomen als Rebecca en hij kinderen hadden gekregen. Hij werd over twee jaar veertig. Toch zag hij zichzelf nog als jonge man.

Nu hij om halftwee 's nachts in de badkamer zijn tanden stond te poetsen, betrapte hij zichzelf erop dat hij bedacht dat zij godzijdank geen kinderen hadden gekregen. Niets onderstreepte zo duidelijk dat je ouder werd als de komst van de volgende generatie. Kinderen maakten mensen ouder. Gelukkig wist hij dat hij er jonger uitzag dan Charlie, die al grijs begon te worden.

Milo spuugde tandpasta in de wastafel en spoelde zijn mond. Toen zette hij de koude kraan aan en waste zijn gezicht. Rebecca wilde altijd graag vrijen na een feest, en hoewel een groot deel van hem eigenlijk alleen wilde zijn om de gebeurtenissen van die dag te overdenken, wist hij dat dat niet kon. Rebecca had die avond een beetje gek gedaan over het feit dat hij met Grace King had gepraat, hoewel ze daar geen enkele reden toe had.

Grace, die altijd helemaal vooraan zat bij zijn colleges, lachte raar en had een konijnengebit.

Milo liep terug naar de slaapkamer. Rebecca had haar rode jurk nog aan. Ze zat aan haar kaptafel en smeerde haar gezicht in met crème. Hij liep naar haar toe en kneep in haar schouder. Ze duwde haar wang tegen zijn hand, waarmee ze een vettige plek achterliet.

'Ben je moe?' vroeg hij.

'Uitgeput. Maar het was wel een succes, hè?'

'Een van onze beste.'

'Ik moest ze uiteindelijk bijna de deur uit duwen.'

'Dan komen ze graag nog een keer.'

Hij trok langzaam de rits op haar rug open. Ze was met een tissue overtollige crème van haar gezicht aan het vegen, maar hield daarmee op en sloot met een zachte zucht haar ogen. Hij vroeg zich even bezorgd af of hij het wel zou kunnen – hij was doodmoe en had te veel gedronken – maar toen hij in Rebecca's jurk reikte en haar borsten voelde, zag hij dat schaatsende meisje op de vijver voor zich en voelde de eerste huivering van verlangen.

Het werd een heerlijke afsluiting van een heerlijke avond. Rebecca was altijd een gepassioneerde en ontvankelijke minnares geweest. Een kwartier later lagen ze naast elkaar in de kussens, uitgeput en voldaan.

Toen hij weer op adem was gekomen keek hij van opzij naar haar. Haar ogen waren gesloten, hij nam aan dat ze sliep. Hij stond zacht op en trok zijn badjas aan.

Toen hij de deur opende, hoorde hij haar vragen: 'Wat ga je doen?'

'Ik heb een idee voor mijn boek.'

'Een gedicht?'

'Nee, nee, voor de roman.'

'O. Mooi.' Ze ging anders liggen en deed haar ogen weer dicht.

Milo liep naar beneden. Hij schonk in de keuken een glas water in en dacht terug aan het feest. Hij had een verhitte discussie met Godfrey Warburton gehad, die vond dat de raciale zuiverheid van het Engelse volk werd bedreigd door de toestroom van vluchtelingen uit heel Europa. Milo had Godfrey helpen herinneren aan de vele stromen volkeren die door de eeuwen heen in Engeland waren neergestreken, waarop Godfrey hem uitermate zelfgenoegzaam had aangekeken en had gezegd: 'Maar dat is geschiedenis, beste kerel. Dat is iets heel anders.' Het ontaarde volk waarnaar Godfrey had verwezen was natuurlijk het Joodse. Milo had Godfrey Warburton eigenlijk niet op de gastenlijst willen hebben – hij was bekrompen en neerbuigend – maar hij was helaas een invloedrijk man. Hij schreef artikelen in de *Listener* en sprak regelmatig voor de BBC. Godfrey Warburton had Milo's praatjes op de radio geregeld.

Milo liep met het glas water naar zijn werkkamer en ging aan zijn bureau zitten. Een deel van hem had de hele avond verlangd naar dit moment, waarop hij eindelijk rustig de gebeurtenissen van die dag zou kunnen overdenken. Als hij één moment kon vangen en kon vereeuwigen, zou hij het moment hebben gekozen waarop hij tussen de bomen door keek en dat meisje alleen op het ijs zag schaatsen. Iets in hem had pijn gedaan. Het had gevoeld alsof ze hem had gewezen op iets wat in zijn leven miste.

Nadat ze afscheid van hem had genomen was ze over de vijver geschaatst, was met voorzichtige stapjes het gras over naar een bankje gestapt, waar een paar met bont gevoerde laarzen had staan wachten. Hij had zijn handen diep in zijn zakken gestoken – hij had het ondertussen vreselijk koud gekregen – en was om de vijver heen naar het bankje gelopen.

'Ik ben regelmatig in Londen,' had hij tegen juffrouw Nicolson gezegd. 'Zullen we een keer samen iets drinken?'

Ze zat haar schaatsen los te knopen. Haar haar was over haar gezicht gevallen en hij had de blik in haar ogen niet kunnen zien.

Toen had ze gezegd: 'Ja, dat lijkt me leuk.'

Een gevoel van triomf was door hem heen gestroomd. 'Waar kan ik je vinden?'

Ze was opgestaan en had haar schaatsen onder een arm gestoken. 'O, je vindt me wel. Leest u de *Vogue*, meneer Rycroft?'

'Ik ben bang van niet.'

'Misschien moet u dat eens doen.' En toen was ze over het bevroren gras weggelopen.

Milo had haar nagekeken tot hij haar niet meer zag, had Julia toen bij zich geroepen en was aan de lange tocht terug naar Mill House begonnen. Tessa Nicolson had gelijk gehad; hij had met moeite de weg terug kunnen vinden. Hij had zich verstapt in een konijnenhol en was verstrikt geraakt in een doornstruik. Zijn handen en voeten waren zo koud geweest dat hij zich zorgen was gaan maken over wintertenen. Het vooruitzicht te verdwalen in het donker beangstigde hem en hij had zich opgelucht gevoeld toen hij eindelijk de verlichte ramen van Mill House onder zich had zien opdoemen.

De herinnering aan het meisje dat alleen op het ijs schaatste was hem de hele avond bijgebleven; haar vervoering, haar veranderlijke, beeldschone gezicht, hoe ze opgeslokt was door haar eigen, solitaire dans. Ze had er zo mooi uitgezien, zo vol leven. Een paar jaar geleden had hij toen hij op vakantie was aan de westkust van Schotland een goudkleurige arend over de kliffen zien gieren. Tessa Nicolson had hem daaraan doen denken.

Maar toch vormden zich, zelfs nu, in een ander deel van zijn hoofd, woorden, die het beeld van het meisje verdrongen.

Milo pakte de bovenste vijf pagina's van zijn manuscript, scheurde ze doormidden en gooide ze in de prullenbak. Toen schroefde hij de dop van zijn vulpen en begon te schrijven.

Tessa was met grote snelheid van Freddies school naar Londen gereden en was maar drie kwartier te laat voor haar afspraak met Paddy Collison. Na het eten waren ze wat gaan drinken met een stuk of zes vrienden, met wie ze vervolgens naar een nachtclub in Piccadilly waren gegaan.

Het was ondertussen drie uur 's nachts, en het was zo heet in die nachtclub dat Tessa even naar buiten was geglipt om een sigaret te roken. Een ander zou het misschien een gecompliceerde – wellicht een té gecompliceerde – avond vinden als er twee of drie ex-minnaars tegelijk aanwezig waren, en dan ook nog een handjevol bewonderaars, maar Tessa genoot daar juist van. Ze vond het fijn als haar minnaars het met haar eens waren dat liefde een heerlijk en opwindend spel was dat je niet te serieus moest nemen.

Vandaar dat de mannen met wie ze naar bed ging over het algemeen ouder waren dan zij. Zo was Raymond Leavington op het moment dat ze minnaars waren geworden drieëndertig geweest, vijftien jaar ouder dan Tessa zelf. Tessa had Ray leren kennen een paar maanden nadat ze was gestopt op Westdown en naar Londen was vertrokken. Het was ook de periode dat ze als model was begonnen.

Tessa's affaire met Ray had een halfjaar geduurd. Raymond was in die tijd ongelukkig getrouwd met Diana, zijn tweede vrouw. Hoewel Tessa wist dat heel wat mensen haar erom zouden veroordelen dat ze naar bed ging met een getrouwde man, had ze een rein geweten. Ze zou nooit proberen een gelukkig getrouwde man te verleiden. Ze had eerlijk gezegd hoe dan ook nog nooit iemand geprobeerd te verleiden. Ze zag zichzelf niet als verleidster, ze was gewoon Tessa, en hoewel het hypocriet van haar zou zijn te doen alsof ze niet wist dat mannen haar aantrekkelijk vonden en dat ze er niet van genoot door hen nagejaagd te worden, liet ze de jacht aan hen over. Ze maakte altijd direct duidelijk dat ze niet op zoek was naar een vaste relatie. Ze zou het vreselijk vinden om in haar vrijheid te worden beperkt. Ze wist dat ze een groot risico nam door met een man naar bed te gaan. Ook al had ze geprobeerd voorzorgsmaatregelen te nemen, toch had ze een paar keer voor een zwangerschap gevreesd. Gelukkig waren die zorgen ongegrond geweest.

Ray was een lieve, zachtaardige man en ze waren sinds hun affaire was beëindigd vrienden gebleven. Tessa zag het graag zo; ze kon die 'scènes', zoals ze het zelf noemde, wanneer iemand haar zijn oneindige liefde verklaarde of begon te roepen dat hij zonder haar niet kon leven, niet serieus nemen. Tessa leefde graag op goede voet met haar voormalige minnaars: dat vond ze wel zo beleefd. Het was niet haar bedoeling geweest iemand te kwetsen of zelf gekwetst te raken. Het had pijn gedaan om afscheid van Guido Zanetti te nemen; dat hij de brieven die ze hem vanuit Engeland had geschreven niet had beantwoord was nog pijnlijker geweest. Ze had al haar liefde voor hem in die brieven gestoken, maar toen ze na een tijdje nog steeds geen antwoord kreeg was ze gestopt met schrijven. Ze had afstand genomen en was haar affaire met Guido met andere ogen gaan bekijken. De oudste zoon van Domenico Zanetti zou nooit toestemming krijgen om te trouwen met de oudste dochter van Domenico's minnares. Nooit ofte nimmer.

Vier jaar geleden, toen ze Italië verliet, had ze geen kans gehad om behoorlijk afscheid te nemen van Guido. Het einde van hun affaire was schokkend abrupt geweest. Mama had haar en Freddie verteld dat ze naar een school in Engeland gingen, en tegelijkertijd had Domenico Guido weggestuurd op een langdurige zakenreis. Ze hadden elkaar voor de ogen van hun familie vaarwel moeten zeggen.

Er was niet veel inzicht voor nodig geweest om te bedenken dat mama en Domenico erachter moesten zijn gekomen dat ze verliefd op elkaar waren geworden. Mama had haar en Freddie juist vanwege Guido naar een school in Engeland gestuurd. Die laatste Italiaanse zomer waren ze zo in elkaar opgegaan dat ze onvoorzichtig waren geworden. Elke dag hadden ze dezelfde ambitie gehad: even alleen zijn met elkaar. Vijf gestolen minuten zonder de nauwlettende blik van hun moeders en chaperonnes was heerlijk geweest. Een halfuur was extase. Tijdens picknicks en familiegelegenheden waren ze van de anderen weggeslopen om elkaar te kussen en te strelen in de beschutting van een geheime valei of in de schaduw van een afbrokkelende Etruskische muur.

Tegen die tijd was haar moeders astma chronisch geworden. Het was overduidelijk dat ze vocht om te kunnen ademen, dus Tessa had het erbij gelaten. Ze had Freddie de reis naar Engeland tenslotte niet alleen kunnen laten maken. Bij haar vertrek uit Italië had ze een afschuwelijke leegte gevoeld. Het was alsof ze zich op de verkeerde plek bevond, zo ver weg van alles waar ze van hield, op een plek vol mist en regen en vallende bladeren. Ze had een hekel aan de school, vond het vreselijk om als een klein kind behandeld te worden en ze had niets gemeen met de andere meisjes. 's Nachts in de slaapzaal die ze met vijf andere meisjes deelde had ze om Guido gehuild.

En zo ging het ook in Londen. Ze was Guido blijven missen. Een van de redenen waarom ze naar bed was gegaan met Raymond Leavington was dat ze had gedacht dat het haar zou helpen om Guido te vergeten. Er waren ook andere redenen geweest – Raymonds vriendelijkheid, zijn uitbundigheid en levenslust, zijn vrijgevigheid. Na Raymond was André gekomen, die ze tijdens een fotosessie in Parijs had leren kennen. André was buitengewoon rijk, aantrekkelijk en amusant. Hij had een jacht in Cannes en een raceauto op Le Mans. Het was André geweest die haar de MG had gegeven, ter gelegenheid van haar negentiende verjaardag. Ze hadden allebei een druk leven en André was getrouwd, dus moesten ze zich discreet gedragen. Hun affaire had af en aan anderhalf jaar geduurd.

Tessa was heel goed in discreet zijn. Ze haatte roddel en had nooit begrepen waarom je iemand zwart zou willen maken. Ze wist dat er over haar werd gepraat – laat ze maar kletsen, het was haar om het even – maar ze had het nooit met iemand over haar affaires, zelfs niet met Freddie. Ze vond dat alles wat zich

44

tussen twee minnaars afspeelde privé was. Ze was er heel bedreven in geworden de nieuwsgierigen met een kluitje in het riet te sturen.

Nadat André en zij uit elkaar waren gegaan, waren er anderen geweest. Een jaar geleden had Tessa Max Fischer leren kennen. Max was een gevierde fotograaf in Berlijn tot de nazi's in 1933 aan de macht waren gekomen. Hij was joods en had zijn mening over het nieuwe regime niet onder stoelen of banken geschoven, en was in 1935 gedwongen uit Duitsland te vluchten om gevangenneming of erger te voorkomen. Max was al snel Tessa's favoriete fotograaf geworden. Hij was intelligent en vermakelijk en in heel veel opzichten de ideale minnaar: attent, creatief en een beetje afstandelijk.

Maar Tessa had een melancholieke kern in Max aangetroffen. Hij dronk soms te veel – dat deden heel veel mannen, maar Max dronk alleen, sloot zichzelf op in zijn appartement en kwam er dan dagen later pas weer uit, bleek en trillend. Max' cynisme verhulde een diepliggend gevoel van desillusie, en Tessa had zich er overweldigd door gevoeld. Ze had in Max een wanhoop gezien die ze niet kon bereiken. Ze waren vrienden gebleven en deelden af en toe nog steeds het bed, omdat het zo fijn was.

Een paar maanden nadat ze een eind aan haar affaire met Max had gemaakt, leerde Tessa Julian Lawrence kennen. Hoe goddelijk aantrekkelijk en onuitsprekelijk heerlijk hij ook was, Tessa had niettemin moeten toegeven dat Julian een vergissing was. Hij had de gewoonte haar belachelijk overdreven cadeaus te sturen, waarvan ze wist dat hij ze helemaal niet kon betalen, die ze daarom allemaal terugstuurde. Hij was al snel begonnen over een verloving, een bruiloft, kinderen. Hij had niet eens zijn best gedaan haar te begrijpen toen ze zijn aanzoek had afgewezen, en hun gesprek was uitgedraaid op een stroom van gekwelde verwijten. Hij was te jong en te serieus, en hij had een enorme scène getrapt op de avond dat Tessa de affaire had beëindigd.

Een man als Julian Lawrence zou haar waarschijnlijk een

wreed kreng vinden als ze hem de waarheid vertelde: dat haar carrière belangrijker voor haar was dan welke man dan ook, maar dat was wel hoe het was. Tessa was dol op haar werk en wist dat ze er goed in was. Ze was altijd gek geweest op kleren en had altijd geweten dat ze belangrijk waren omdat ze een vrouw het zelfvertrouwen gaven om haar pad in de wereld te vinden. Ze wist hoe ze een jurk het best kon laten uitkomen en hoe ze dat innerlijke licht kon ontsteken waarmee ze een foto zo kon oplichten dat hij de aandacht van de toeschouwer trok. Ze vond alles aan haar werk geweldig, maar het allerleukste was dat ze ervoor moest reizen. Ze was al drie keer met een oceaanstomer naar New York geweest, en ze werkte jaarlijks een paar maanden in Parijs. De laatste keer dat ze ernaartoe ging, had ze aan boord gezeten van een piepklein vliegtuigje dat zweefde als distelpluis, maar toch veilig was geland op het vliegveld van Le Bourget.

Tessa's carrière was vrijwel vanaf het moment dat ze haar handtekening onder het contract bij het modellenbureau had gezet een succes. Ze was begonnen als mannequin in warenhuizen en bij modeshows. Ze was mannequin geweest voor Chanel, Molyneux en Schiaparelli, en was nu een veelgevraagd fotomodel. Ze werkte nog steeds als mannequin, maar ze vond haar werk als fotomodel leuker, omdat het haar gevoel voor drama aansprak. Ze had geposeerd voor artikelen in de Londense, Parijse en New Yorkse edities van *Vogue*. Ze vond het betoverend te zien hoe een goede fotograaf, zoals Max Fischer, iemand van haar kon maken die ze niet was.

Haar leven was glamoureus, opwindend en afwisselend. Ze verdiende goed; het jaar ervoor had ze meer dan duizend pond verdiend. Couturiers gaven haar prachtige jurken en ze had volop parfum en cosmetica gehad van Coty, het merk waarvoor ze een campagne had gedaan. Ze gaf haar geld vrijelijk uit en spaarde nauwelijks, omdat ze geen reden zag om anders te leven dan voor het heden alleen. Hoewel ze al heel wat huwelijksaanzoeken had gehad, had ze nog nooit de behoefte gevoeld er een aan te nemen. Waarom zou ze willen trouwen als ze alles wat haar hartje begeerde al had en ze ook nog onafhankelijk was? Samenwonen met iemand anders zou betekenen dat ze compromissen zou moeten sluiten en offers zou moeten brengen, en ze was nooit ook maar enigszins geïnteresseerd geweest in een van beide. Ze wilde succesvol zijn, rijk en beroemd, ze wilde reizen en kasten vol prachtige kleren bezitten, en ze was van mening dat een huwelijk haar wensen alleen maar in de weg kon staan. Echtgenoten wilden hun vrouw commanderen, was haar opgevallen. Tessa was niet van plan iemand haar ooit te laten voorschrijven wat ze moest doen.

Haar huidige minnaar heette Paddy Collison. Ze hadden elkaar leren kennen op de racebaan van Newmarket; Paddy was gek op de paardenrennen. Hij was lang en sterk, met rossig haar, opmerkzame lichtbruine ogen, een scherpe kaaklijn en een geprononceerde mond. Paddy had een groot deel van zijn leven in het buitenland gewoond en had eerst theeplantages in India geleid en daarna in Kenia. Hij had het zelfvertrouwen dat bij zijn koloniale achtergrond hoorde, en daarbij een excentrieke inslag.

Een van de dingen die Tessa tot Paddy aantrokken, was zijn onverschrokkenheid. Hij daagde gevaar uit, bloeide ervan op. Paddy was degene die haar naar Parijs had gevlogen. Hij was dol op paardrijden, jagen, zeilen en zwemmen in ruwe zee. Hij schuwde niets.

Tessa herkende iets soortgelijks in zichzelf. Andere meisjes klaagden over vlinders in hun buik voordat ze de catwalk op stapten, maar Tessa was nooit nerveus. Ze had net zo genoten van in Andrés raceauto over Le Mans scheuren als van haar vlucht naar Parijs.

Tessa keek omhoog naar de sterren. Zij, die zo vaak omringd was door veel mensen, vond het een heerlijk bevrijdend gevoel om alleen zijn. Ze liet haar gedachten teruggaan naar de vijver achter Freddies school. Ze had er zo van genoten dat ze alleen was, van het draaien van die rondjes op het ijs terwijl de avond zich om haar heen ontvouwde en de sterren in de lucht zichtbaar werden.

Ze dacht aan Milo Rycroft. Een aantrekkelijke man met zijn warrige haar en intense blik. *Toen ik je daar zo zag schaatsen dacht ik even dat ik was teruggevoerd naar het oude Rusland, of naar het Wenen van de eeuwwisseling. Ik dacht even dat je een geestverschijning was.* Wat een belachelijke woorden, maar wat een betoverend beeld.

Tessa gooide haar peuk op de tegels van het binnenplaatsje en verpulverde hem onder de zool van haar pump. Ze liep de nachtclub weer in en vroeg zich af of ze Milo Rycroft nog eens zou zien. Ze betrapte zichzelf erop dat ze hoopte dat dat het geval zou zijn.

2

Milo had zijn roman, *De gebroken regenboog*, in een acht weken durende golf van creativiteit voltooid. Hij bracht zijn manuscripten altijd persoonlijk naar zijn redacteur, Roger Thoday. Roger en hij hadden al jaren een prettige routine samen. Milo nam de trein uit Oxford en arriveerde eind van de ochtend in Rogers kantoor aan Golden Square. Dan lunchten ze in het Café Royal, met champagne vooraf om te vieren dat het manuscript er was, wijn bij de maaltijd en cognac toe.

Milo had tegen Rebecca gezegd dat hij van plan was in Londen te overnachten. Hij zou bij een vriend op bezoek gaan die sinds een operatie aan huis was gekluisterd, en hij wilde wat onderzoek doen in het British Museum.

Beide waren waar geweest. Maar wat er ook nog was, omhoog borrelend in zijn geest als een luchtbel die het wateroppervlak zoekt, was Tessa Nicolson. Milo had niet geprobeerd contact met haar op te nemen sinds hun ontmoeting bij de vijver. De dag erna, met een kater en een zwaar gemoed van de melancholie die hem vaak overviel na een feest, had hij geweten dat hij haar niet meer moest zien. De scène aan de vijver moest blijven zoals die was: een vervliegend, perfect moment. Hun ontmoeting had iets poëtisch gehad, iets waarvan hij in zijn zwaarmoedige bui vond dat hij het zo moest laten. Als hij zou proberen de perfectie te verlengen, zou dat zijn alsof hij een stanza poëzie geforceerd lang liet voortslepen. En hoe dan ook, als Rebecca erachter zou komen, zelfs als er niets zou gebeuren, zouden de gevolgen niet te overzien zijn. Milo huiverde nog als hij terugdacht aan Rebecca's razernij toen ze zijn affaire met Annette Lyle had ontdekt. Rebecca was heetgebakerd en niet echt vergevingsgezind. Milo was bang voor haar als ze kwaad was. Hij was eraan gewend dat Rebecca hem adoreerde; haar kille minachting was moeilijk te verdragen geweest. Rebecca was een sterke vrouw, en haar kwetsen was geweest alsof hij een leeuwin had onderworpen en vernederd. Hij had weg moeten kijken. Sinds Annette was hij zorgvuldig. Wat niet betekende dat hij nooit meer een scheve schaats had gereden.

Leest u de Vogue, *meneer Rycroft?* had Tessa Nicolson hem gevraagd. Hij had tijdens zijn eerste bezoekje aan Oxford na hun ontmoeting meteen een exemplaar aangeschaft. Op de voorkant stond een foto van Tessa Nicolson; een paragraaf in het blad had hem verteld dat ze mannequin en fotomodel was. Ze zat op het portret aan een tafeltje in een café, met een slanke pols vol gouden en geëmailleerde armbanden omhoog gestoken. Ze zag er ijselijk mooi uit, bijna streng.

De daaropvolgende weken had Milo als een razende geschreven. Hij was zijn kamer alleen uit gekomen om te eten, om eens per week naar Oxford te gaan voor een college en om met een wandeling door de heuvels zijn hoofd leeg te maken voor de volgende periode van schrijven. Hoewel hij nu en dan tot de vijver liep, was Tessa er nooit. Zijn aanvankelijke vastberadenheid begon naarmate de weken verstreken minder te worden, en het drong tot hem door dat zijn beslissing geen contact met haar op te nemen enkel een poging tot uitstel was, niet tot afstel. Hij had bijna onbewust een pact met zichzelf gesloten: eerst zijn boek afmaken en haar daarna als beloning bellen. Tijdens de verrukking die volgde toen zijn roman was afgerond ging hij geloven dat hij het verdiende.

Milo en Roger Thoday hadden het tijdens de lunch over het literaire leven in Londen, de verslechterende politieke situatie en Rogers aankomende verjaardag, wanneer hij op zalm zou gaan vissen in de Spey. Ze schudden elkaar na een heerlijke maaltijd de hand en Roger vertrok naar zijn kantoor. Milo liep naar een telefooncel, waar hij de telefoniste naar het nummer van Tessa Nicolson vroeg. Hij moest even wachten tot hij werd doorverbonden, en kreeg een dienstbode aan de telefoon. Milo gaf zijn naam. Daarna moest hij langer wachten; hij hoorde lachende stemmen en muziek, beide gereduceerd tot een blikkerig geluid door de telefoonlijn. Toen hij daar zo in die telefooncel stond, vroeg Milo zich af of juffrouw Nicolson zich hun korte ontmoeting bij de vijver nog zou herinneren.

Er klonk gekraak en toen werd de hoorn weer opgepakt. Tessa Nicolson zei: 'Meneer Rycroft, ik dacht dat u me was vergeten.' Haar stem klonk laag en geamuseerd. Nu hij haar weer hoorde, gingen de haartjes in Milo's nek omhoog staan.

'Hoe zou ik u kunnen vergeten?' vroeg hij. 'Hoe is het, juffrouw Nicolson?'

'Prima. En met u? Gaat u nog steeds wandelen in het donker?'

Hij begon te grinniken. 'Ik ben net klaar met mijn roman. Ik heb hem vandaag bij mijn uitgever ingeleverd.'

'Gefeliciteerd. Betekent dat dat u in Londen bent?'

'Inderdaad.' Milo had een droge mond. 'Ik vroeg me af of u tijd heeft voor dat drankje waarover we het hadden.'

Een stilte. Zijn hart begon te bonken. Toen zei ze: 'Ja hoor, waarom niet? Waar spreken we af?'

Milo stelde het Savoy voor. Dat was niet het soort plaats waar hij vrienden zou tegenkomen. De mensen die hij kende gingen naar het Café Royal, de pubs in Bloomsbury of het losbandige Fitzrovia. Ze vonden het Savoy protserig, een plek voor opschepperige aristocraten en leeghoofdige actrices. Milo, die wel van glitter en glamour hield, had altijd een zwak voor de Amerikaanse bar gehad.

Hij nam een taxi naar de Strand, bestelde een drankje en wachtte. En wachtte. Zijn opgetogenheid ebde weg en zijn humeur verslechterde gestaag tijdens de anderhalf uur dat hij, enkel in het gezelschap van meerdere martini's, zat te wachten tot juffrouw Nicolson zou komen opdagen. Ze had een telefoonnummer in Highbury, hoe lang deed je er van daar met een taxi over naar de Strand? Had ze zich bedacht nadat ze had opgehangen? Was er iets interessanters tussen gekomen?

En toen, uiteindelijk, kwam ze. Ze droeg een groen-witte jurk met een groen jasje en haar blonde haar was opgestoken onder een groene hoed. Ze was adembenemend mooi. Het was tijdens het wachten door hem heen gegaan dat hij misschien teleurgesteld zou zijn als hij haar voor de tweede keer zou zien, dat de maan en het ijs van hun eerste ontmoeting voor een betovering hadden gezorgd die nu weg was. Maar toen hij opstond om haar te begroeten smolten al zijn twijfels weg, en hij voelde zich geweldig, onderwerp van afgunst van elke man in de bar.

Maar vanaf dat moment ging het allemaal snel bergafwaarts. Het leek wel of ze iedereen kende die er was. Mensen kwamen naar hun tafeltje, noemden haar 'mijn liefste Tessa' en vroegen: 'Hoe is het met je?' terwijl ze haar op de wang kusten. Het was in eerste instantie fascinerend om Tessa Nicolson in actie te zien en toe te kijken hoe ze iedereen even levendig en charmant bejegende, nooit weifelend, altijd stralend, maar hij begon zich al snel niet meer dan iemand in de menigte te voelen, en vervolgens kreeg hij hoofdpijn en voelde hij zich vreselijk moe. Tessa had om zes uur een afspraak, en Milo besloot uiteindelijk om toch maar gewoon terug te gaan naar Mill House. Toen hij in de trein zat, bonkte zijn hoofd; hij had een vieze smaak in zijn mond, en voelde zich vreselijk vernederd. Terwijl hij de Londense buitenwijken voorbij zag razen drong het tot hem door dat hij had gehoopt dat ze hem speciaal zou vinden – wat vreselijk stom van hem was geweest, dat zag hij nu wel in.

Toch had ze hem op het allerlaatste moment, toen hij afscheid van haar had genomen, een troostprijs aangeboden. 'Ik geef een feest,' had Tessa gezegd. 'Voor mijn verjaardag. Op de zesentwintigste, in de 400. Als je het leuk vindt om te komen ben je van harte welkom, Milo.'

'Zijn dat nieuwe gordijnen?' vroeg mevrouw Fainlight. 'Ik dacht dat er hier blauwe gordijnen hingen.'

'Ik heb ze voor het voorjaar laten maken, mama,' zei Rebecca. 'Vrolijk, hè?'

'Je zult wel geld te veel hebben, Rebecca, dat je alleen omdat het lente is nieuwe gordijnen koopt! Ik heb altijd een hekel aan geel gehad.' Mevrouw Fainlight richtte zich weer tot haar geroosterde lamsvlees.

Op 21 maart vierden Rebecca, Milo en Meriel de verjaardag van mevrouw Fainlight. Na de lunch zouden er cadeaus worden uitgepakt, gevolgd door thee met taart, en dan zou Meriel haar moeder thuisbrengen. Rebecca had een keer geprobeerd het echtpaar Mason uit te nodigen om de dag wat draaglijker te maken, maar dat had desastreuze gevolgen gehad. Mevrouw Fainlight had Glyn niet gemogen en had haar uitermate grof bejegend.

Milo vroeg: 'Wil er iemand nog iets drinken?'

'Ik drink nooit wijn bij de lunch,' zei mevrouw Fainlight.

Milo vulde Rebecca's glas bij. 'Meriel?'

'Ja, graag.'

Mevrouw Fainlight zei: 'Ik moet altijd aan Tommy Mackintyre denken. Zo'n leuke en slimme jongen, en uit een heel goed gezin. De drank heeft zijn leven verziekt.'

'Ik denk niet dat een van ons van plan is zich kapot te drinken, moeder,' zei Rebecca.

Mevrouw Fainlight maakte een geringschattend geluidje. 'Ik wil niet dat je je zo vulgair uitdrukt...' Ze keek Milo met half samengeknepen oogleden aan, alsof ze hem er verantwoordelijk voor hield.

'Nou,' zei Meriel opgewekt, 'wat een heerlijke dag om uw verjaardag te vieren, vindt u niet, mama?'

'Is dat zo?' Mevrouw Fainlight tuurde uit het raam. Het was een mooie en heldere dag. De narcissen op het grasveld begonnen uit te komen.

Meriel zette door. 'Het is eindelijk lente. We voelen ons allemaal beter als de zon schijnt.'

'Als ik een kleinzoon had om mijn verjaardag mee te vieren, zou het voorjaar misschien betekenis voor me hebben. Het valt me erg zwaar om opgewekt te zijn in de wetenschap dat de familie op uitsterven staat.'

Meriel haalde een zakdoek uit haar mouw en snoot luidruchtig haar neus. Het gesprek kwam tot stilstand en het viertal at in stilte verder.

Meriel was de eerste die herstelde. 'Volgens mij heeft Joanna Moore de mazelen,' zei ze. 'Ze heeft uitslag en vanochtend had ze koorts.'

'O hemel,' zei Rebecca. 'Wat vervelend.'

'Niet alle ouders zijn helaas eerlijk. Ze ondertekenen het formulier zogenaamd naar waarheid, maar vaak is dat onzin.'

'Welk formulier?'

'Het quarantaineformulier. Joanna heeft me verteld dat haar broer onlangs de mazelen heeft gehad. Haar ouders hadden haar nooit terug mogen sturen naar school. Mevrouw Moore is natuurlijk niet Joanna's echte moeder. Weet je nog dat ik je heb verteld dat de eerste mevrouw Moore ervandoor is met iemand die in kroegen zong?'

'Meriel!' zei mevrouw Fainlight.

'Iedereen weet het, mama. Het heeft in alle kranten gestaan.'

Meriel was een gruwelijke roddelkous. Rebecca was altijd voorzichtig met wat ze haar zus over haar persoonlijke leven toevertrouwde. Zo had ze haar bijvoorbeeld nooit verteld over Milo's affaire met Annette Lyle. Toen die gedachte door haar heen schoot, ging haar blik terug naar Milo. Het was wel duidelijk dat hij had besloten verder niet zijn best te doen het gesprek op gang te houden. Milo en haar moeder hadden het nooit met elkaar kunnen vinden, en Rebecca zou het aan verveling hebben kunnen wijten dat hij zo afgeleid was, ware het niet dat het haar de afgelopen weken al vaker was opgevallen dat hij zo dromerig voor zich uit zat te staren, wat haar achterdochtig maakte.

Meriel zat nog te praten. 'Ze schijnen op vakantie te zijn in Zuid-Frankrijk.'

'Wie?'

'Het echtpaar Moore, natuurlijk.'

'O,' zei Rebecca.

'Het is echt een ellende, nu de wedstrijden tegen de andere schoolhuizen eraan komen. Joanna is een van onze beste aanvalsters.'

'Wat naar.'

'Anne is dit jaar erg zwak, maar Victoria heeft vreselijk sterke speelsters.' De vier huizen van Westdown waren vernoemd naar Engelse vorstinnen. 'Ik zal Imogen Carstairs wel moeten plaatsen, maar die is er helemaal niet aan toe. Godzijdank hebben we Freddie Nicolson, die heeft het de laatste wedstrijd geweldig gedaan.'

Milo's hoofd schoot omhoog. 'Nicolson?'

'Ja, Freddie Nicolson,' zei Meriel, en ze voegde nogal sarcastisch toe: 'Ik wist niet dat je zo geïnteresseerd was in lacrosse, Milo.'

Milo zei: 'Een jongen. Ik wist niet dat jongens ook lacrosse speelden.'

Meriel begon te lachen. 'Nee, je begrijpt het verkeerd. Freddie is een meisje. Ze heet Frederica, maar we noemen haar altijd Freddie. En lacrosse werd oorspronkelijk door mannen beoefend. De indianen hebben het uitgevonden, hoewel het spel sindsdien aanzienlijke veranderingen heeft ondergaan...'

Meriel vervolgde haar monoloog over de oorsprong van lacrosse. Milo zat haar nog steeds aan te staren. Toen hij Rebecca's blik ving, wierp hij haar een allercharmantste glimlach toe en zei: 'Ik heb nooit iets van sport begrepen. Dat zal ook wel niet meer komen.' Toen schonk hij het laatste beetje wijn uit de karaf in zijn glas en dronk het leeg. Behoorlijk snel, viel Rebecca op.

Toen Milo zich na de lunch in zijn werkkamer had teruggetrokken en mevrouw Fainlight een dutje lag te doen op de bank wandelden Rebecca en Meriel door de tuin.

'Hoe is het met je verkoudheid?' vroeg Rebecca.

'O, dat stelt niets voor. Het zal wel snel weer overgaan. Ik heb overwogen thuis te blijven, maar…' Meriel haalde haar schouders op.

Meriel was kleiner en breder dan Rebecca en ze droeg een mantelpakje van ruw, vaalgeel materiaal. Onder het jasje had ze een zelfgebreid bruin truitje met korte mouwen aan. Meriel gebruikte nooit lippenstift of poeder en haar haar was geknipt door hetzelfde meisje dat eens per maand naar school kwam om het haar van de leerlingen te knippen. Meriel had ereprijsblauwe ogen en een mooie teint; Rebecca had altijd het gevoel dat ze er veel beter uit zou kunnen zien. Rebecca had wel eens voorgesteld dat ze samen naar de stad zouden gaan om nieuwe kleren te kopen, maar Meriel had gezegd dat ze een hekel had aan winkelen en geen enkele behoefte voelde om haar middagen in Selfridges door te brengen.

Meriel had vandaag een rode neus waar velletjes aan hingen. Rebecca vond dat ze er moe uitzag. 'Ik ben zo blij dat je toch bent gekomen,' zei ze, en ze omhelsde haar zus kort. 'Hoe was je week?'

'Afgrijselijk. Ik heb gisteren ruzie gehad met juffrouw Lawson.'

Juffrouw Lawson was de onderdirectrice. Ze was jonger dan Meriel en het jaar daarvoor aan de staf van de school toegevoegd.

'Waarover?'

Meriel vertelde haar verhaal. Ze had een aantal stoelen uit de zitkamer van de meisjes opnieuw willen laten bekleden, maar daar had juffrouw Lawson een stokje voor gestoken om de school geld te besparen. Rebecca begreep de onderliggende reden dat Meriel kwaad was: juffrouw Lawson had zich bemoeid met wat Meriel als haar thuis beschouwde.

Rebecca vroeg in een poging haar zus op te vrolijken naar dokter Hughes.

'Ik denk dat ik hem vanochtend ben misgelopen,' zei Meriel. 'Hij zou voor Joanna komen.'

'Wat jammer.'

'We hebben wel een leuk telefoongesprekje gehad. Deborah is weer ziek. Hij moet het koor misschien opgeven.'

Arme Meriel, dacht Rebecca. Haar romance, voorzover je het zo kon noemen, moest het doen met een wekelijkse koorrepetitie in de kerk (Meriel had een sterke altstem en dokter Hughes was een bas) en af en toe een kopje thee in Meriels kamer als dokter Hughes voor een leerling kwam. Wat vreselijk, dacht Rebecca vaak, als zulke sporadische momenten alles waren wat je had.

De zussen hadden een strikte opvoeding genoten. Hoewel het gezin niet arm was, werd zuinigheid als een deugd gezien die in alle opzichten werd gepraktiseerd. Het eten was eenvoudig, en er was weinig verwarming in het grote en tochtige huis van het gezin Fainlight. Rebecca en Meriel moesten weer of geen weer de bijna vijf kilometer naar school en weer terug lopen. Er werd van hen verwacht dat ze het academisch goed deden en elke mislukking werd begroet met teleurstelling en ongenoegen. Van kritiek word je sterk, geloofden meneer en mevrouw Fainlight. Hoewel hun vader een aversie tegen elke vorm van religie had, had hij zijn dochters naar een anglicaanse school gestuurd. Zowel Rebecca als Meriel herinnerde zich de eerste weken op school als een onafgebroken ellende van verwarring en vernedering. Hun uniformen, goedkoop gemaakt door een plaatselijke naaister, weken af van die van de andere meisjes, en hun religieuze onwetendheid was direct opgevallen. Ze hadden zich leren aanpassen – Rebecca, die altijd een mooi meisje was geweest, was zelfs populair geworden – maar ze hadden geweten dat ze anders waren.

Rebecca was op haar twintigste aangenomen aan de kunstacademie. Twee jaar later had ze Milo ontmoet tijdens het bal van de Chelsea Arts Club. Een jaar later was ze met Milo getrouwd. De vader van de zusjes was in 1927 overleden, waarna mevrouw Fainlight het grote huis had verkocht en in een kleiner in Abingdon was getrokken. Rebecca was in eerste instantie hoopvol geweest dat de verhuizing, die hun moeder geografisch dichter bij beide dochters had gebracht, emotioneel tevens voor meer toenadering zou zorgen. Maar mevrouw Fainlight was nog steeds onmogelijk tevreden te stellen. Rebecca en Meriel gingen behoedzaam met de buien van hun moeder om. Als ze boos en teleurgesteld wilde zijn, vond ze altijd iets om boos en teleurgesteld over te zijn. Om de een of andere reden bleven ze het steeds proberen, omdat de hoop altijd bleef dat het deze keer anders zou zijn. Maar het was allemaal vreselijk vermoeiend.

Ze liepen naar de rivier die aan de voet van de tuin stroomde. Rebecca keek over haar schouder naar het raam van Milo's werkkamer. Hij zat te bellen – dat wist ze bijna zeker, ze tuurde er met half samengeknepen oogleden naar – maar met wie?

'Monica heeft me uitgenodigd om in de vakantie naar Cleethorpes te komen,' zei Meriel. 'Ik was niet van plan om te gaan, want de treinreis is onbetaalbaar, maar ik wil er eigenlijk heel graag een paar dagen tussenuit. En zeelucht is altijd zo verfrissend, vind je niet, en…'

Rebecca zag dat Milo de hoorn op de haak had gelegd. Ze vond dat hij na de lunch wel erg snel naar zijn werkkamer was vertrokken. Vanwege dat telefoontje? Ze dacht terug aan het rare gesprekje tijdens de lunch. Wat had Meriel ook alweer gezegd dat Milo's aandacht had getrokken? Ze had het over lacrosse gehad, over een meisje in haar schoolhuis, een meisje dat Freddie Nicolson heette. Milo was in de war geweest omdat hij dacht dat het om een jongen ging. Dat was alles, niets om je zorgen over te maken. Maar Milo had zo in de war geleken.

Maar ze maakte zich toch zorgen. Ze speelde het gesprek keer op keer in haar hoofd af terwijl Meriel het over Cleethorpes en Monica's bungalow had, en ze bleef zich onrustig voelen. Milo kon onmogelijk verliefd zijn op die Freddie Nicolson. Ten eerste was het een schoolmeisje, en Milo viel niet op schoolmeisjes, en hij had bovendien gedacht dat het een jongen was, dus hij kon haar niet kennen. Tenzij, schoot het ineens door haar heen, dat een afleidingsmanoeuvre was geweest...

Rebecca had naar Milo zitten kijken toen Meriel Freddie Nicolsons naam had laten vallen. En zijn uitdrukking was er geen van verwarring geweest. Rebecca zag hem weer voor zich; hij had geschokt gekeken. Milo was ergens van geschrokken.

Club 400 was aan Leicester Square, naast het Alhambra Theatre. Milo liep naar de kelder waar de club was gevestigd en leverde zijn jas en hoed in bij de garderobe.

Een van Milo's vrienden had wel eens opgemerkt dat de 400 binnengaan voelde alsof je terugkeerde naar de baarmoeder. Die vriend was psychotherapeut en freudiaan, maar Milo begreep wel wat hij bedoelde. De muren van de club waren bekleed met donkerrode zijde, en ook de gordijnen en de vloeren waren donkerrood. De enige verlichting kwam van de kaarsen op de tafeltjes en kleine spotjes op de lessenaars van de muzikanten, die hen hielpen hun bladmuziek te lezen.

Tessa Nicolson was ook in het rood. Milo stond bij een muur van de ruimte toe te kijken hoe ze danste. Haar avondjurk was donker paarsrood – de kleur, bedacht hij, van een heel goede rode wijn – en ze droeg een collier van grote, donkerrode stenen. Ze danste met een lange, aantrekkelijke man met rossig haar. Toen de foxtrot ten einde was, werd er geapplaudisseerd en kuste de rossige man Tessa. De kus duurde voort tot Tessa zich van de man losmaakte.

Milo weefde een weg tussen de tafeltjes door. 'Gefeliciteerd, Tessa,' zei hij tegen haar. 'Met je verjaardag.' Hij boog zijn hoofd en kuste haar hand.

'Milo, wat ouderwets.' Ze glimlachte naar hem. 'Wat leuk dat je er bent. Zullen we dansen?'

De band zette 'Night and Day' in. Stelletjes haastten zich naar de kleine dansvloer.

Hij vroeg: 'Zijn al die mensen vrienden van je, Tessa?'

'Ja, de meesten wel.'

'Heb je het naar je zin op je feest?'

Ze trok haar neus op. 'Niet echt. Paddy heeft een rothumeur.'

'Paddy?'

'Paddy Collison.' Haar blik ging naar het tafeltje waar de rossige man zat te roken.

'Paddy werkt bij Lipton,' legde Tessa uit. 'Ze hebben net laten weten dat ze willen dat hij in Londen blijft, maar hij wil terug naar Kenia. Hij is razend. Voor het feest hebben we bij vrienden gegeten, en hij snauwde er tegen iedereen.' Tessa's ogen, die een mengeling van groen, lichtbruin en goud waren, lachten. 'De meeste andere gasten waren intellectuelen uit Cambridge. Een van hen had lang haar en droeg een gestippeld vlinderdasje. Paddy haatte hen. Hij gaat erg prat op zijn ijzeren mannelijkheid.'

Milo vroeg zich af of die Paddy Collison Tessa's minnaar was. Hij voelde terwijl ze dansten haar pezen en spieren bewegen onder de dunne zijde van haar jurk.

Hij zei: 'Volgens mij hebben we een gezamenlijke kennis.'

'Wie?'

'Meriel Fainlight.'

Tessa zette grote ogen op. 'Juffrouw Fainlight? Ken je juffrouw Fainlight?'

'Meriel is mijn schoonzus.'

'Mijn hemel.' Ze begon te lachen. 'Wat een toeval.'

'Niet echt. Die avond dat we elkaar ontmoetten bij de vijver, toen was je toch bij je zusje op bezoek?'

'Ja, dat klopt. Freddie en ik hadden thee gedronken in een theehuis. Ik kon het niet laten haar schaatsen even te lenen.'

'Ik ben blij dat je dat hebt gedaan, anders had ik jou niet leren kennen.'

'Ik ben dol op juffrouw Fainlight. Ze is zo heerlijk praktisch ingesteld, en ze is zo aardig.'

Milo, die Meriel in al de jaren dat hij haar nu kende nooit aardig had gevonden, zei: 'Ze was verpleegster in de oorlog, wist je dat?'

'Nee, maar dan was ze vast een goede.' Tessa bestudeerde hem. 'Wat is er? Mag je haar niet?'

'Meriel kan nogal stroef uit de hoek komen.'

'Stroef... Milo toch.' Ze bestudeerde hem geamuseerd aandachtig. 'Bedoel je nou dat ze niet ontvankelijk is voor je charmes?'

'Ik heb altijd het gevoel dat ze me haat.'

'Als een vrouw niet voor je valt, wil dat niet automatisch zeggen dat ze je haat.'

Hij glimlachte. 'Nee, daar heb je wel gelijk in.'

'En zelfs als ze je een heel klein beetje zou haten, zou je dat dan erg vinden?'

'Ik word graag aardig gevonden, jij niet?'

'Het is natuurlijk niet leuk om te worden gehaat. Maar ik ben nooit op zoek naar goedkeuring.'

De dans was afgelopen en ze applaudisseerden. Paddy Collison stond op. De band zette 'Let's Fall in Love' in. Collison greep Tessa's hand en zei: 'Kom.' Hij rukte aan haar pols en trok haar terug de dansvloer op.

Milo voelde een golf van woede door zich heen gaan. Hij overwoog Paddy Collison een mep te verkopen, maar Collison was groter en breder dan hij, en hij vermoedde dat een knokpartij voor hem zou eindigen in een vernedering. Hij liep tussen de tafeltjes door terug naar de zijkant van de ruimte en stak een sigaret op. De rok van Tessa's jurk zwiepte wijd om haar heen terwijl ze danste, en de stenen om haar hals glinsterden. Ze glimlachte; misschien vond ze het niet erg om zo behandeld te worden door een bruut als Collison. Milo bleef aan de zijlijn van het feest staan, zijn blik op haar gericht, zijn verlangen naar haar vermengd met de jaloezie en afkeer die hij voor haar partner voelde.

Hij liet haar woorden nog eens de revue passeren. Frederica Nicolson was Tessa's zusje, zoals hij al had vermoed, wat betekende dat er een link was, hoe subtiel ook, tussen Tessa en Rebecca. En dat was gevaarlijk. Jezus, hij was zich kapot geschrokken toen Meriel tijdens die afgrijselijke lunch de naam Nicolson had laten vallen.

Tessa danste nog steeds met Collison. Milo keek op zijn horloge, maakte zijn sigaret uit in een asbak en verliet de ruimte. Hij had net zijn kaartje aan de garderobejuffrouw gegeven toen een stem achter hem zei: 'Ga je nu al weg, Milo?'

Hij draaide zich om en stond oog in oog met Tessa Nicolson. 'De laatste trein gaat over een halfuur,' zei hij. Maar hij zag iets in haar ogen, een openheid, een verwachting, die maakte dat hij toevoegde: 'Maar ik kan natuurlijk altijd in mijn club overnachten.'

'Mooi.' Ze maakte haar piepkleine tasje met gouden lovertjes open en haalde er een garderobekaartje uit.

'Wat doe je?'

'Ik heb behoefte aan een wandeling.'

'Dat lijkt me heerlijk, maar hoe zit het dan met je feest?'

Ze haalde haar schouders op. 'Dat ben ik zat.'

'Je kunt niet weggaan van je eigen feest.'

'O nee?'

Hij zei lachend: 'Ach, waarom ook niet… Maar hoe zit het dan met Collison?'

Ze haalde nogmaals haar schouders op, en deze keer ging het gebaar gepaard met een zuchtje dat, bedacht Milo triomfantelijk, aangaf: Paddy kan wachten.

De garderobejuffrouw gaf hun hun jassen; perzikkleurig satijn met platte plooien op de schouders voor haar, zwarte wol voor Milo. Toen ze de trap op liepen zei hij: 'Ik had hem bijna geslagen.'

62

'Had dat maar gedaan, Milo, dan was er tenminste wat leven in de brouwerij geweest.' Tessa stak haar hand door zijn arm en ze liepen de frisse nachtlucht in. 'Maar misschien is het eigenlijk maar goed dat je je hebt ingehouden. Ik vrees dat je het onderspit zou hebben gedolven. Paddy is vroeger bokskampioen geweest.'

Het miezerde; hij stak zijn paraplu boven beiden op. 'Waar wil je naartoe?' vroeg hij.

'Maakt niet uit. Ik ben dol op Londen in het donker, jij ook?'

Ze liepen over Charing Cross Road. Een taxi stopte langs de kant van de weg en een man in avondkostuum en een meisje in een wolk van bleekgroene tule stapten in. Een vrouw in lagen rafelend breiwerk en een versleten jas lag in een portiek te slapen; Milo gooide een muntje in de gebarsten theekop die naast haar stond.

Toen ze op Shaftesbury Avenue kwamen, zei hij: 'Ik vind Soho altijd erg leuk, maar misschien wil jij liever ergens anders naartoe. Of we kunnen een taxi naar het Savoy nemen.'

'Ik winkel vaak in Soho,' zei Tessa. 'Ze hebben er heerlijk Italiaans eten.'

'Alles is er 's nachts heel anders.'

'Ik ben dol op de nacht.'

Ze liepen Romilly Street in. Weg van de glitter van de theaterbuurt waren de straten besloten en donker, en er hing een mysterieuze sfeer, zelfs een ietwat bedreigende. Hoewel Milo het Soho van overdag best goed kende, leek het labyrint van smalle straatjes in het donker ineens wel in het buitenland thuis te horen. Ze liepen langs een etalage waar Chinese gemberpotjes in verschillende kleuren stonden, met draken die vuur spuwden op hun bolle buiken van keramiek. Een stelletje, arm in arm, verdween door een deur en er klonk een echo, iets tussen een lach en een gil. Ergens op een bovenverdieping klonk het gejammer van een saxofoon.

Toen ze over Greek Street liepen renden een stuk of tien zeelieden, tegen elkaar schreeuwend in een Oost-Europese taal – Pools, misschien – over straat op hen af. Milo duwde Tessa in de beschutting van een portiek terwijl de zeemannen hen dronken schreeuwend en lachend passeerden. Haar geur vermengde zich met die van de regen, en hij stond nu zo dicht bij haar dat hij de fijne poriën van haar huid kon zien.

Hij boog zich voorover en drukte zijn lippen zacht tegen de hare. Ze sloeg haar armen om zijn nek en ze kusten elkaar. Zijn handen rustten onder de perzikkleurige jas op haar heupen, en hij voelde de warmte en de gladde gespierdheid van haar tengere lichaam.

Ze rilde. 'Je hebt het koud,' zei hij. 'Laten we doorlopen.'

Er ging een huivering over zijn ruggengraat bij de herinnering aan hun kus. Hij sloeg zijn arm om haar heen en trok haar naar zich toe terwijl ze over de verlaten straat liepen. De regen gaf een glans als van zwart satijn aan het asfalt. Ze nestelde zich in de holte van zijn arm, en hij genoot zo van het gevoel van haar hoofd tegen zijn schouder, dat hij voor eeuwig zo door had willen lopen.

Ze liepen naar een eetcafé aan Soho Square dat de hele nacht open was. Toen ze binnen waren leek het net of Tessa iets van zich afschudde, alsof ze schrok van het felle licht. Een handjevol mensen zat aan de zes tafeltjes. Milo haalde thee bij het buffet en ging naast Tessa zitten.

'Ik heb een verjaarscadeautje voor je,' zei hij.

'Milo! Wat spannend.' Ze wierp hem een stralende lach toe.

Hij haalde een bruine envelop uit zijn jaszak en gaf die aan haar. 'Gefeliciteerd met je verjaardag, Tessa.'

Tessa maakte de envelop open en trok er de gevouwen pagina's van een kleinfolio uit. Ze las de titel op het voorblad voor.

'"*Midwinterstemmen*, door Milo Rycroft". Heb jij dit geschreven, Milo? Wat geweldig!'

'Het is het manuscript van mijn dichtbundel. Misschien vind je het wel vreselijk verwaand van me dat ik jou ermee opzadel. Misschien heb je wel een hekel aan poëzie.'

'Nee, helemaal niet.'

'Of misschien heb je wel een hekel aan die van mij. Dan gebruik je hem maar om de haard mee aan te maken. Of je gooit hem weg. Wat je wilt.'

'Ik voel me vereerd dat ik hem krijg.' Ze kneep onder hun tafeltje in zijn hand.

'Je bent de eerste die hem ziet. Mijn redacteur heeft hem nog niet eens. Het is een primeur. Ik heb hiervoor alleen romans geschreven.'

'Ben ik ook een primeur, Milo?'

'Hoe bedoel je?'

Ze keek hem ernstig aan. 'Je bent toch getrouwd?'

'Ja.' Schaamte en verwarring; hij liet zijn hoofd zakken. 'Ik had het meteen tegen je moeten zeggen,' mompelde hij. 'Maar ik wachtte op het juiste moment.'

'De eerste keer dat we elkaar zagen, bij de vijver, hebben we het over honden gehad.'

'Niet alleen over honden.'

'Niet?' Haar ogen glinsterden. 'Nu weet ik het weer. Je zei dat je dacht dat ik een geestverschijning was.'

'Toen je me vertelde hoe je heette...'

'Wat?'

'Ik verwachtte iets Russisch. Natasja, of Anastasia, of Tatjana.'

'Was je teleurgesteld?'

'Natuurlijk niet. Hoe zou ik dat kunnen zijn?' Hij wilde haar zo graag weer in zijn armen nemen, zelfs hier, in het zicht van die twee mietjes die samen op een bankje zaten en die oude lichtekooi met haar met rouge besmeurde wangen en kohl-omlijnde ogen.

Hij fronste zijn wenkbrauwen en staarde naar de vloer. 'Het was niet mijn bedoeling je te bedriegen.'

'Dat dacht ik ook niet, schat. Maar ik heb een boek van je gekocht.'

Hij kon zich er niet van weerhouden te vragen: 'Welk?'

'*De duistere en verre heuvels*. Omdat het zich in Toscane af-speelt. Daar ben ik opgegroeid.'

'Echt waar? Wat heerlijk. We hebben er een zomer doorge-bracht, toen ik het boek aan het schrijven was. Ik vond het er zalig. Ik had er altijd kunnen blijven, maar Rebecca wilde naar huis.'

'Op de flap stond dat je bent getrouwd. Maar dat had ik zelf ook al bedacht.'

'Hoezo?'

'Je ziet er getrouwd uit, Milo.'

Hij schoot verrast in de lach en de mietjes en de lichtekooi staarden hem aan.

'Hoe bedoel je?'

'Je ziet er goed verzorgd uit. Vrijgezellen lopen in gerafelde overhemden met smerige kraagjes.'

'Is dat zo?'

'Misschien de rijken met lijfknechten niet.'

'Ik ben bang dat ik die niet heb.' Hij was opgelucht dat ze van een gevaarlijk onderwerp weg bewogen.

'Ik vond het een geweldig boek. Zo mooi en magisch.'

'Dank je. Ben je in Italië geboren, Tessa?'

'In de buurt van Siena. We verhuisden vaak. Mijn vader hoopte altijd ergens fortuin te maken. Hij was kunstenaar, niet bepaald succesvol, eerlijk gezegd ook bepaald niet slecht, maar hij dronk te veel en was nogal heetgebakerd. Hij zal wel te veel ruzie heb-ben gemaakt met galeriehouders en beschermheren. We hebben een tijdje in een huis in de heuvels van Zuid-Frankrijk gewoond. De geur van lavendel doet me daar altijd aan denken. We zijn eens naar Engeland gekomen omdat mijn vader hoopte dat hij in het testament van een neef stond. Ik weet nog dat het heel erg koud was en constant regende. Onze cottage lag aan een rivier. Freddie en ik speelden er langs de oever. Freddie viel constant in het water en dan moest ik haar eruit vissen.'

Hij voelde hoe hij verliefd werd terwijl hij naar haar luisterde.

De hoek van haar kaaklijn, de manier waarop ze nu en dan achteloos haar glanzende, honingkleurige haar uit haar gezicht zwiepte: het was allemaal zo betoverend. Ze raakten elkaar af en toe aan, als zij haar theekop oppakte of haar aansteker uit haar tasje met gouden lovertjes haalde. Toen hij door Sicilië reisde had hij de aarde eens voelen beven. Bij Tessa zijn deed hem daaraan denken: hij was uit balans geraakt, en de normale, dagelijkse ijkpunten waren niet meer betrouwbaar.

'En toen?' spoorde hij haar aan.

'Nadat mijn vader was gestorven, zijn we teruggegaan naar Florence. Mijn moeder heeft Freddie en mij toen ik zeventien was in Engeland naar school gestuurd.'

'Vond je dat leuk? Was je gelukkig?'

'In eerste instantie niet.' Ze keek omlaag en roerde in haar thee. 'Ik had in Italië iemand achtergelaten op wie ik nogal gesteld was en ik miste hem.'

Op wie ik nogal gesteld was, dacht ze, dat lag niet eens in de buurt van de waarheid. Ze had van Guido Zanetti gehouden. Het had haar veel tijd gekost om hem te vergeten.

Ze vroeg hem naar zijn familie. 'Mijn vader is zes maanden nadat hij met pensioen ging overleden,' zei Milo. 'Ik heb zijn leven altijd vreselijk en saai gevonden. Hij werkte bij de gemeente. Niets belangrijks of interessants, hij vulde alleen maar formulieren in. We gingen elk jaar op vakantie in hetzelfde hotel aan hetzelfde strand. Mijn vader kocht om het jaar een nieuwe hoed en elke vijf jaar een nieuwe winterjas. Hij kon zich geen auto veroorloven, dus als ik hem voor me zie, is dat op de fiets, met van die klemmetjes om zijn broekspijpen. Vreselijk deprimerend.'

'Arme Milo.'

'Nee, arme pa. Ik kon ontsnappen. Toen hij stierf, was ik in Oxford. Mijn moeder heeft nog zes jaar geleefd. Ze heeft het succes van *Penelope* nog meegemaakt. Ze was zo blij voor me.'

'En trots op je, neem ik aan.'

'Dat ook, ja.'

'Je zult haar wel missen.'

Dat deed hij niet, nauwelijks tenminste. Hij had als jonge man zijn moeders ademloze bewondering voor zijn prestaties – school, beurs, Oxford, publicatie – eerlijk gezegd irritant en gênant gevonden, maar hij zei: 'Ja, uiteraard.' Toen voegde hij er zonder nadenken aan toe: 'Wat je wilt als je achttien of twintig bent is niet per definitie hetzelfde wat je wilt als je achtendertig bent. We beseffen niet altijd hoe belangrijk de beslissingen zijn die we nemen als we jong zijn.'

Hij voelde een golf van wanhoop. Hij kon de laatste tijd de onvrede, die als een zwarte en giftige zwerm vliegen over hem heen hing, niet meer van zich afschudden.

'Ik heb altijd geprobeerd,' zei Tessa, 'om niet gevangen te raken. Verplichtingen, verantwoordelijkheden... die heb ik allemaal nooit gewild. Mijn moeder zat gevangen. In haar huwelijk.'

'Denk je dat het huwelijk altijd een val is?'

'Voor vrouwen wel, ja. Een huwelijk kan een vorm van slavernij zijn voor vrouwen. Voor mannen... weet ik het niet.'

Hij zei: 'Ik zag het huwelijk als een avontuur.'

'En was het dat ook?'

'In eerste instantie wel, ja. Rebecca en ik dachten dat we op een nieuwe manier leefden. We deden het beter dan onze ouders. We begonnen hand in hand aan een spannende reis.'

'Hebben jullie kinderen?'

'Die wilden we niet. Ze zouden ons hebben beperkt. Ik heb kinderen – niet het huwelijk – altijd als een beperking gezien.'

'Een vrouw blijft vanwege de kinderen in een slecht huwelijk. Het huwelijk impliceert iets bezitterigs, een vorm van eigendom die ik haat. Ik heb zoveel waardeloze huwelijken gezien... niet alleen dat van mijn eigen ouders, maar hier in Londen ook, van stellen die bij elkaar blijven vanwege het geld, of vanwege de vorm, omdat ze de schande van een scheiding niet aankunnen. Dan gaat het niet over liefde, Milo, dan gaat het om een wettelijk contract, en een heel slecht contract. Volgens mij vernietigt een huwelijk de liefde.'

Bleef hij bij Rebecca uit liefde of uit gewoonte? Ze was de laatste tijd zo kritisch. Alles moest perfect zijn. Het huis, de tuin… Hij vroeg zich wel eens af of ze hem op een dag zou aankijken, zou besluiten dat hij niet perfect was en korte metten met hun huwelijk zou maken. Wanneer was dat gebeurd? Wanneer was Rebecca veranderd van de adorerende, seksueel aantrekkelijke vrouw op wie hij verliefd was geworden in een vrouw die moeilijk deed over een kussen dat niet goed lag, over een modderige schoenafdruk op de tegels in de hal? Na *Penelopes weefgetouw*, bedacht hij, maar vóór Annette. Ergens in de jaren ertussen, ergens in de jaren van zijn succes als schrijver en hun sociale succes als stel.

'Sorry, Milo.' Tessa keek hem meelevend aan. Ze legde haar hand op zijn arm. 'Ik wil je niet deprimeren.'

'Dat doe je niet. Volgens mij ben ik nog nooit zo gelukkig geweest.'

Ze keek uit het raam. 'Het is droog. Zullen we gaan?'

Ze liepen het eetcafé uit. Milo bood aan een taxi aan te houden, maar Tessa wilde liever lopen.

'En liefde?' vroeg hij terwijl ze over Charing Cross Road wandelden. 'Is liefde ook een valkuil?'

'Nee.' Ze stak haar hand door zijn arm. 'Liefde is het belangrijkste wat er is. Maar het is een vergissing te proberen liefde in een keurslijf te dwingen. Als je dat doet, vervorm en vernietig je haar. Liefde duurt zolang ze duurt, zo denk ik erover. En als ze er niet meer is, ga je weg.'

Had hij zelf geprobeerd zich vast te klampen aan de liefde, tot lang nadat het beste ervan al was verdwenen? Was hij daarom zo ontevreden? Er liepen nauwelijks mensen over straat, en er reden vrijwel geen auto's. Milo had het gevoel dat de stad zichzelf speciaal voor hen leeg had gemaakt, zodat zij ongestoord konden wandelen, praten en kussen.

'Ik zou nooit iemand willen kwetsen,' zei Tessa.

'Nee, natuurlijk niet.'

'Jij moet doen wat jij denkt dat goed is. Dan doe ik hetzelfde.'

Ze beet op haar onderlip; hij bedacht hoe jong ze er op dat moment uitzag. Een golf van opwinding ging door hem heen, en hij wist dat hij op het punt stond iets geweldigs mee te gaan maken, iets wat zijn leven zou veranderen. Hij pakte haar hand en drukte die tegen zijn gezicht, duwde zijn wang tegen haar vingers.

Ze waren bij de Embankment aangekomen en stonden naar de rivier te kijken. Toen keek Tessa op haar horloge. 'Het is al laat. Ik ben niet meer jarig.'

'Heb je genoten?'

'Het was een van de leukste.' Ze stonden met hun gezichten naar elkaar toe en ze duwde haar handen onder zijn jas. 'Je moet naar huis, Milo,' mompelde ze.

'Dat wil ik niet. En dat kan ook niet... Ik heb de laatste trein gemist.' Hij streelde met zijn duim over haar wang. Toen zei hij zacht: 'Ik denk niet dat ik terug kan.'

'Naar je club dan...'

'Dat bedoel ik niet.' Hij kuste haar. 'Dit voelt te belangrijk. Voel jij het ook, Tessa?'

'Ja,' fluisterde ze.

'Ik vind het soms zo belachelijk om te bedenken hoe strak we zijn ingesnoerd door conventie, door sociale regels. Waarom zou het verkeerd zijn dat ik met iemand praat, dat ik tijd met iemand doorbreng?'

'Praten... tijd doorbrengen... Is dat wat je wilt?'

'Als dat alles is wat ik kan krijgen, neem ik het graag aan. Maar ik wil meer, Tessa, je weet vast wel dat ik meer wil.'

Toen begroef hij zijn handen in haar haar en kuste haar nog-maals. Je kunt eindeloos over dit soort dingen blijven praten, bedacht hij, maar uiteindelijk was de behoefte aan te raken, vast te houden, te consumeren, jezelf in een ander te verliezen on-

ontkoombaar. Als ze elkaar aanraakten was het net of ze elkaar diep in hun ziel aanraakten. De rivier stroomde, oneindig en tijdloos, terwijl ze kusten.

En zo begon het.

Ze was met Milo Rycroft van het feest vertrokken om Paddy een hak te zetten, maar vervolgens was ergens in een woord, een gebaar, een kus haar verlangen aangewakkerd, eerst enkel een vonkje, dat echter al snel gloeide, oplaaide. Ze genoot van de lijn van zijn kaak, van het gleufje boven zijn bovenlip, en de manier waarop zijn ogen – die het bleekgrijs van ijs in een ondiepe vijver waren en zo gemakkelijk kil hadden kunnen zijn – begonnen te glinsteren als hij haar zag. En ze was dol op zijn intellect, hoe snel en origineel hij dacht, bijna magisch.

Ze had zich direct de eerste keer dat ze hem had gezien tot hem aangetrokken gevoeld. Hij was het bos uit gekomen bij de bevroren vijver, een wezen van ijs en duisternis. Een glimp, die avond, van wat het was dat betoverde, zijn capaciteit het uitzonderlijke te zien, zijn talent een verhaal te maken van het geluid van een schaats op het ijs en het zwieren van de zoom van een rok in de avond. *Toen ik je daar zo zag schaatsen dacht ik even dat ik was teruggevoerd naar het oude Rusland, of naar het Wenen van de eeuwwisseling. Ik dacht even dat je een geestverschijning was.* Hij schilderde beelden met woorden, zoals Max ze ving in de lens van een camera, en de beelden die hij maakte betoverden haar.

Het was niet de bedoeling geweest dat ze verliefd op hem zou worden. Ze had gedacht dat ze nu en dan minnaars zouden zijn. Hij zou haar cinq-à-sept zijn, haar tussendoortje in de saaie, vroege avonduren. Ze zou voorzichtig zijn, ze zou deze affaire niet uit de hand laten lopen. Hij was getrouwd, dat stond op de flap van zijn boek: 'Milo Rycroft is gehuwd en woont in Oxfordshire'. Acht woorden die haar waarschuwden voorzichtig te zijn. Ze zouden vrijen, och, eens per maand of zo, als hij naar Londen kwam, en nadien zou hij teruggaan naar zijn mooie vrouw op het platteland. Mevrouw Rycroft moest mooi zijn, want Milo omringde zichzelf graag met mooie dingen. Een Mont Blanc-pen, een Burberry-jas, en een beeldschone vrouw, die hij zoveel jaar geleden had uitgezocht, voordat hij zich was gaan vervelen. Ze zou incidenteel het bed met hem delen, en nadien zou hij naar huis gaan, naar Rebecca, geen probleem.

Zo had ze het beredeneerd en geprobeerd de onrust in haar geweten glad te strijken: voor mij een willekeurige andere. En dan ben ik een betere keuze, want ik wil hem niet bezitten. Ik leen hem alleen even, dat is alles. Alles. Wat neerbuigend, begon ze in te zien naarmate de tijd verstreek, en wat wreed. Het koren nemen en het kaf voor de echtgenote achterlaten. Als zij Rebecca Rycroft was geweest, zou ze dat ondraaglijk hebben gevonden.

Hun affaire nam een specifieke vorm aan. Ontmoetingen in het British Museum, waar zoveel heimelijk geliefden kwamen, hun vingers ineengestrengeld en dan weer uit elkaar drijvend als ze langs een monumentale stenen hand liepen, zo uit de woestijn gerukt, en langs de sarcofaag van een Egyptische koningin. Koffie en dinertjes in anonieme cafeetjes in anonieme straatjes, ver weg van zijn of haar vrienden. Telefoontjes uit een telefooncel of zijn kantoortje in Oxford, gesprekken die voortduurden tot de middag overging in de avond omdat geen van beiden als eerste kon ophangen. Ze vreeën in een weide in Oxfordshire, waar de lucht naar meibloesems rook. Deze zogenaamde deeltijdaffaire, die ze had willen beperken tot bepaalde uren, sijpelde door elk deel van haar dag heen.

'Ik herinner me hete, kleine kamertjes in hete, kleine Italiaanse stadjes,' zei ze tegen hem op een middag dat ze in haar appartement samen in bed lagen. 'Het leek wel of mijn ouders altijd 's avonds ruziemaakten. Dan legde mijn moeder Freddie en mij in bed, dan ging ze naar beneden om mijn vader zijn eten te serveren en dan begon het. Eerst werd hij sarcastisch. Ik kon soms verstaan wat hij zei, andere keren hoorde ik alleen de toon. In eerste instantie probeerde mijn moeder hem te sussen. Als ik er nu op terugkijk, denk ik dat dat hem alleen maar bozer maakte. Hij schreeuwde en schold haar uit. Dan begon ze te huilen. Dan ging hij soms met dingen gooien. Borden, glazen, wat er maar binnen handbereik was. Ik weet niet of hij haar sloeg. Ik ben een keer naar beneden gegaan omdat ik dacht dat hij haar pijn deed, maar toen gilde mijn moeder tegen me dat ik moest teruggaan naar mijn kamer. Ik heb nog steeds spijt dat ik heb gedaan wat ze zei.'

'Arm klein meisje,' zei hij.

Ze krulde zich op in zijn armen. 'Mijn moeder was met mijn vader weggelopen en haar familie sprak niet meer met haar. Ze had twee dochtertjes, maar geen cent om voor hen te zorgen. Die fout zal ik nooit maken. Ik zal nooit afhankelijk van iemand zijn. Het enige huwelijk dat ik van dichtbij heb meegemaakt was een oorlogszone, geen verbond. Mijn vader heeft mijn moeder bijna te gronde gericht en zichzelf al helemaal. Mensen denken altijd dat kinderen zulke dingen vergeten, maar dat is niet zo.'

Soms kun je je zo concentreren op het vermijden van de fouten die een ander maakt, dat je de valkuilen die je daarmee voor jezelf creëert niet ziet. Ze had er een eind aan moeten maken. Ze had hem een briefje moeten schrijven, hem moeten bellen, ze had met een ander moeten flirten terwijl hij het zag. Ze had moeten zorgen dat hij haar ging haten. Ze had in zijn gezicht moeten zeggen dat het moest ophouden. Dat had ze moeten doen. Maar dat had ze niet gedaan, want tegen de tijd dat ze dat bedacht hield ze al van hem.

Toen kwam de vermoeidheid. Ze had zich haar hele leven nog nooit moe gevoeld, had de late nachten en vroege ochtenden altijd van zich afgeveegd als kleine ongemakjes. Ze was misselijk en dacht een paar weken dat het aan de onregelmatige werktijden en het onregelmatige eten lag. Een hardnekkig buikgriepje, of uitputting na de modeshows van het voorjaar.

Stom van haar, natuurlijk. De eerste keer dat het door haar heen ging dat ze misschien wel zwanger was, was tijdens een feest in een buitenhuis in Hertfordshire. Ze was in de slaapkamer die voor de dames was gereserveerd, en ze zat voor de spiegel haar make-up bij te werken. Een meisje lag op het bed met haar vriendin te kletsen. 'Ik ben doodmoe en moet elke ochtend overgeven. Ik had geen idee dat je je zo afgrijselijk zou voelen van een zwangerschap.' Tessa staarde naar haar spiegelbeeld terwijl de puzzelstukjes op hun plaats vielen.

Een vriendin, een model dat Stella Bishop heette, schreef de naam van ene dokter Pomeroy voor haar op een stukje papier, met daaronder een adres aan Harley Street. 'Het is een angstaanjagende vent,' had Stella toegevoegd, 'maar je hebt geen keus…' Waarop ze haar schouders had opgehaald.

Dokter Pomeroy had een zwart jacquet aan. De knoopjes van zijn grijs gestreepte vestje waren onder spanning over zijn bolle buik dichtgeknoopt. Zijn klinkers klonken aristocratisch en zijn brede bovenlip en Neville Chamberlain-snor verhulden de zwarte gaten in zijn voortanden niet. Hij onderzocht Tessa met rubberen handschoenen en zei dat ze veertien of vijftien weken zwanger was. Ze had eerder naar hem toe moeten komen; ze was dom dat ze zichzelf in deze situatie had gebracht. Hij nam aan dat er geen echtgenoot was? Hij kon haar wel helpen, maar dat kostte vijftig pond. Ze moest het niet langer uitstellen. Ze moest dat nummer bellen en dan zou zijn secretaresse een afspraak maken bij zijn kliniek. Dat werd allemaal gezegd terwijl ze op de bank lag, met de leren bekleding koud tegen haar rug en haar benen gespreid, als een kikker die wordt ontleed.

Tessa dacht de daaropvolgende dagen veel aan dokter Pomeroy. Die glinstering in zijn ogen, het gevoel van die dikke in rubber geklede vingers die in haar porden. Ze was niet snel bang, maar ze vond ziekenhuizen ziekmakend en eng. Ze voelde zich als verlamd. Als ze er niet over nadacht, was het misschien niet echt.

Tessa reisde een paar dagen na het consult naar Parijs. Ze bleef er twee weken. Toen ze weer terug was in Londen kon ze als ze op haar rug lag de kleine harde bobbel in haar buik voelen. Ze was het papiertje kwijt waarop dokter Pomeroy het nummer van de kliniek had geschreven. Er verstreken nog een paar weken en toen ze op een ochtend in bed lag, voelde ze iets vlinderachtigs in haar bewegen. Ze legde haar handpalm op haar buik en bedacht: als je een meisje bent, noem ik je Christina.

Passiviteit besloot uiteindelijk voor haar: de keuze van een lafaard, dat wist ze, en stom ook. Het kind moest zijn verwekt tijdens de eerste hartstochtelijke weken van haar affaire met Milo Rycroft. Ze moest dat ellendige ding een keer hebben vergeten. Dat ellendige ding. Zo noemde Tessa haar pessarium. Misschien die middag dat ze naar Oxford was gereden en ze op de rivieroever hadden gevreeën. Of misschien had ze tijdens een van de avonden in haar appartement gedacht dat ze dat ellendige ding had ingedaan, maar had ze het vergeten.

Ze moest het aan Milo vertellen, bedacht Tessa. Het drong tot haar ontzetting tot haar door dat ze dat niet durfde.

3

Op de middag na haar laatste schooldag voor de zomervakantie nam Freddie de trein van Oxford naar Londen. Ze had mevrouw Fainlight ervan verzekerd dat Tessa haar kwam ophalen op station Paddington, maar toen Tessa daar niet stond te wachten, verraste dat Freddie geenszins en dook ze in haar eentje de bedompte duisternis van de metro in.

Ze nam de Hammersmith & City-lijn naar Moorgate, waar ze overstapte op de Great Northern & City Railway. Ze zat tijdens de reis naar het appartement van Tessa met haar koffertje aan haar voeten en genoot van het ratelen en piepen van het rijtuig, van het feit dat ze haar eigen kleren aanhad in plaats van haar schooluniform en van het vooruitzicht van zes weken vrij.

Freddie was dol op Londen. Ze hield van de compactheid, van de doelmatigheid en de indruk die de stad wekte dat er achter de smerige voorgevels van de panden interessante en doelgerichte levens werden geleid. Ze genoot van het contrast tussen haar leven in Londen en dat op school. Op school was elk moment van de dag gereserveerd voor een vaste taak. Haar dagen in Londen zaten niet in een stramien en waren onvoorspelbaar, voerden haar vaak in onverwachte richtingen. Haar twee levens pasten bij verschillende delen van haar bestaan die ze duidelijk gescheiden hield.

Freddie stapte de metro uit en liep over Highbury Place naar het appartementencomplex van rode baksteen waarin Tessa woonde. De portier begroette haar toen ze naar binnen liep en bood aan haar koffer naar boven te dragen. Freddie bedankte hem glimlachend en zei dat de koffer helemaal niet zwaar was, dus hield de portier de liftdeur voor haar open en liep ze de lift in.

Ze liet zichzelf op de tweede verdieping binnen in het appartement. Ze voelde meteen dat Tessa er niet was. Ze wist het altijd als ze er wel was; Freddie vroeg zich wel eens af of Tessa de lucht deed vibreren of zo. Ze zette haar koffertje in de gang en keek om zich heen. Het appartement was opgeruimd, wat betekende dat de schoonmaakster die ochtend was geweest. Haar eigen kamer zag er nog exact zo uit als ze hem had achtergelaten toen ze na de vorige vakantie naar school was teruggegaan. Tessa had haar toen ze in het appartement was gaan wonen beloofd dat ze niemand anders ooit gebruik zou laten maken van haar kamer.

Freddie trof na enig zoeken in de keuken een brood en een pot aardbeienjam aan, en ze smeerde wat brood voor zichzelf. Tessa at nauwelijks, alleen af en toe een crackertje, wat druiven of een stukje kaas, maar er was godzijdank altijd eten in huis voor vrienden. Tessa's taille was vijfenveertig centimeter. Freddies taille had maar drie centimeter meer omvang, wat niet slecht was, bedacht ze, gezien het feit dat ze alles at wat los en vast zat. Ze was de laatste tijd enorm in de lengte gegroeid en ze vroeg zich af of dat al die niertjespastei compenseerde die ze op school te eten kreeg.

Freddie keek goed uit dat ze geen klodders aardbeienjam op het witte vloerkleed knoeide en dwaalde wat door het appartement om zich er weer thuis te gaan voelen. Er hingen wat nieuwe foto's aan de muren in de zitkamer, van Tessa in een reeks elegante jurken en geweldige hoeden. Ze stond op een van de foto's in een vijver, en op een andere stond ze in een zwart-witte jurk een zebra te aaien. In de rechter onderhoek van de zebrafoto stond iets geschreven: 'Hommage van Max Fischer aan de serene Tessa'. Op de schoorsteenmantel stonden wat ansichtkaarten, die Freddie omdraaide en las. 'Parijs is niets zonder jou'. En:

'Het is hier afgrijselijk, het regent pijpenstelen en het hotel is smerig'. En, heel mysterieus: 'Ik heb het schaakspel gevonden'.

Tessa's slaapkamer was ruim, met een erker die uitkeek over een straat met platanen. Freddie wierp zichzelf op het grote tweepersoonsbed, dat een hoofdeinde in de vorm van een kamschelp had, en slaakte een zucht van tevredenheid. Zo'n groot deel van haar leven werd opgeslorpt door haar verlangen naar dingen die ze niet kon hebben: heerlijk eten, mooie kleding, champagne, sigaretten, ritjes in een sportauto. Ze had ook andere verlangens, die ze niet eens onder woorden kon brengen, maar die nu en dan voor haar werden samengevat in een regel uit een liedje of een passage in een roman.

Haar blik werd getrokken door een pakje op de toilettafel, en ze liet zich van het bed glijden. Naast het pakje lag een gouden poederdoos op een briefje van vijf pond en een opgevouwen stukje papier waar 'Freddie' op stond geschreven. Freddie vouwde het papiertje open en las Tessa's briefje aan haar:

Lieverd, wil je dit alsjeblieft even voor me bezorgen? 'Dit' zou wel verwijzen naar dat pakje, nam Freddie aan. *Er ligt geld voor een taxi. Je moet het persoonlijk aan Julian geven.* 'Aan Julian' was meermalen onderstreept. *Kom je daarna thee met ons drinken in het Ritz? Ik heb vreselijk* – ook een paar keer onderstreept – *veel zin om je te zien.*

Het pakje was geadresseerd aan Julian Lawrence. Toen Freddie het oppakte, hoorde ze een zacht rammelend geluid.

Freddie trok Tessa's garderobekast open en zocht door de brede rij hangertjes. Tessa zou het wel goed vinden, ze leende haar kleren altijd uit. Freddie koos een nauwsluitende jurk met jasje van zwarte katoensatijn met een crèmekleurig biesje erlangs. Ze trok haar geelwitte katoenen jurk uit en deed de zwarte jurk en het jasje aan over haar donkerblauwe onderbroek, witte beha en hemdje. Ze complementeerde het geheel met een paar zijden kousen en schitterende Italiaanse pumps. Freddie ging aan de kaptafel zitten. Haar steile donkere haar was in een bob

78

geknipt met de scheiding opzij. Haar ogen waren donkerbruin en haar huid was gaaf en licht. Zorgvuldig bracht ze lippenstift en een poederlaag aan. Ze bestudeerde haar spiegelbeeld. Ze had de gewoonte haar kin naar voren te steken en haar voorhoofd te fronsen als ze diep nadacht, en dat deed ze nu ook. Ze hield op met fronsen en liet haar oogleden iets zakken. Dat was beter. Het schoolmeisje was verdwenen en ze zag er ouder en verfijnder uit. Was ze mooi? Ja, ze dacht misschien van wel.

Ze deed het pakje en het biljet in een mooi leren handtasje, pakte een paraplu, want het regende, en verliet het appartement.

Beneden hield de portier een taxi voor haar aan, en ze gaf de chauffeur het adres dat op het pakje stond. Freddie vroeg de chauffeur te wachten terwijl ze het pakje wegbracht. In de voortuin stond een enorme vlinderstruik met paarse speren die dropen van de regen. Naast de voordeur hingen vier bellen; Freddie drukte op de bel waar LAWRENCE naast stond.

De deur ging open. Julian Lawrence was jong, donker en aantrekkelijk, en hij zag er slaperig uit. Hij droeg een grijze broek met een wit overhemd, zonder stropdas, en zijn zwarte haar zat in de war.

'Ik ben Frederica Nicolson. We hebben elkaar een keer gezien, in het theehuis van Fortnum & Mason's.' Ze stak het pakje naar hem uit. 'Tessa heeft me gevraagd of ik je dit wilde geven.'

Julian zag er ineens achterdochtig uit. Hij scheurde het bruine papier van het pakje en trok er een parelcollier uit. 'Jezus,' zei hij kwaad. 'Ik wil het niet terug. Hier, neem maar weer mee.' Hij gooide het collier bijna naar Freddie, die een stap achteruit deed.

'U moet het terugnemen, meneer Lawrence. Dat wil Tessa.'

Hij smeet de parels en het verfrommelde bruine papier razend in de vlinderstruik. Toen ging hij op de trap naar de voordeur zitten, met zijn hoofd in zijn handen, en hij begon te kreunen.

'Waarom doet ze me dit aan? Weet jij waar ze is? Ik probeer haar al dagen te bereiken.'

'Ik heb een afspraak met haar in het Ritz.'

'Is dat je taxi?'

Freddie knikte. Julian Lawrence stond op van de trap. 'Mooi,' zei hij. 'Ik ga met je mee. Wacht even. Ik ben zo terug.'

Hij verdween het huis in en kwam een paar minuten later naar buiten met een jasje en een stropdas in zijn hand.

'De parels,' zei ze, terwijl hij het pad af stampte.

'Laat die rotparels maar liggen.' Hij rukte het portier van de taxi open en ze reden weg. Het parelcollier hing als een slinger regendruppels aan een tak van de vlinderstruik.

Onderweg naar Mayfair sprak hij over Tessa. Waar en wanneer ze elkaar hadden leren kennen, dat ze samen uit waren geweest, hoe mooi ze was, en hoe wreed. Freddie overwoog hem te proberen uit te leggen dat Tessa nooit de bedoeling had wreed te zijn, dat ze bewust koos wat ze van zichzelf aan de wereld liet zien en dat ze de rest voor vrijwel iedereen verborgen hield, maar dat waren Tessa's zaken en als ze zo naar hem luisterde dacht ze bovendien dat het geen enkele zin zou hebben. Dus vroeg ze hem in plaats daarvan naar zijn familie en zijn werk, en hij vertelde dat hij uit Kent kwam en als privésecretaris van een industrieel werkte, maar dat hij in zijn vrije tijd bezig was zijn vliegbrevet te behalen.

'Het is zo heerlijk om te vliegen,' zei hij, en zijn gezicht lichtte op. Toen vroeg hij haar wat zij deed, dus moest ze hem vertellen dat ze nog op school zat, en toen zei hij: 'Mijn god, echt waar? Ik dacht dat je minstens twintig was.' Wat heel bevredigend was.

Freddie en Julian werden in het Ritz naar Tessa's tafeltje geleid. Juffrouw Nicolson was er nog niet, vertrouwde de ober hun toe, maar Tessa's vrienden wel. Er zaten twee mannen en een vrouw aan de tafel. Freddie herkende beide mannen. De ene was Raymond Leavington, en de andere een Spaanse dichter,

Antonio, die zijn land was ontvlucht toen de burgeroorlog uitbrak. Freddie begroette hen.

'Dag lieverd. Hebben ze je even vrijgelaten uit de gevangenis?' Raymond stond op en omhelsde haar. 'Wat zie je er weer beeldschoon uit, Freddie.'

Raymond was lang, breedgeschouderd en zwaar gebouwd. Hij had een rood gezicht en zandkleurig haar dat bij de slapen wit begon te worden. Zijn snor kriebelde tegen Freddies wang toen hij haar een kus gaf. Raymond was vastgoedmakelaar, hij had Tessa's appartement in Highbury voor haar gevonden. Hij was altijd opgewekt, behalve als hij het over zijn vrouwen had. Raymond had twee ex-vrouwen; de eerste heette Harriet, de tweede Diana.

Raymond stelde Freddie en Julian aan de jonge vrouw voor, die Bee heette. Bee was danseres. Ze was donker en piepklein, met een gezicht, vond Freddie, dat lelijk had kunnen zijn, maar dat niet was omdat het zo levendig en intelligent was.

'Waar is Tessa?' vroeg Julian.

'Ze kan wat later zijn.' Raymond schoof de etagère met sandwiches naar Freddie. 'Ga je gang. Champagne?'

'Graag.' Ze werd 20 juli zeventien, over een paar dagen al, en Tessa was er niet om het haar te verbieden.

Freddie at sandwiches, dronk champagne en praatte met Raymond over zijn werk, terwijl Antonio en Bee zaten te flirten en Julian Lawrence met een razende, hongerige blik in zijn ogen naar de ingang van het hotel zat te staren. Toen bestelde Raymond nog meer sandwiches en taart, en nog een fles champagne om te vieren dat Freddie vakantie had. De champagne was heerlijk; Freddie stelde zich voor dat ze zo rijk was als Tessa en elke dag champagne dronk bij haar sandwiches met gebak.

'Hoe is het op school?' vroeg Raymond.

'Hetzelfde als altijd. Volgens mij vind ik dat daar het leukst, dat alles altijd hetzelfde is.' Freddie keek op de klok. 'Op school zou ik nu net uit zijn, en dan zou ik brood met margarine zitten te eten in de eetzaal van mijn schoolhuis.'

Raymond begon te grinniken. 'Brood met margarine. Bij mij op school was het brood met bakvet. Neem nog een taartje, Freddie.' Zijn gezicht betrok. 'O god, daar heb je Diana.'

Raymonds tweede vrouw, gekleed in een smaragdgroen mantelpakje, kwam op hen aflopen. Freddie vond dat ze een gemene blik in haar ogen had. Diana ging naast Raymond zitten en begon een gepikeerd, mompelend gesprek, dus Freddie concentreerde zich maar op het spel van de pianist, die 'Let's Face the Music and Dance' speelde, en keek toe hoe de dame aan het tafeltje naast dat van hen haar mopshondje stukjes brood zat te voeren.

Uiteindelijk droop Diana af en Raymond trok een gekweld gezicht. Toen glimlachte hij. 'Daar is mijn meisje dan.' Freddie keek op en zag Tessa op hen af komen lopen.

Ze had een witte jurk met een bolero aan. Ze droeg een middenscheiding in haar haar, dat in vormen was geduwd die Freddie aan ijshoorntjes deden denken. Op Tessa's piepkleine hoedje, dat scheef op een zijkant van haar hoofd stond, prijkte een orchidee.

'Lieverds,' zei ze met een stralende glimlach. 'Het spijt me verschrikkelijk dat ik zo laat ben.' Hoewel dat niet doorklonk in haar stem. Tessa was altijd te laat en het speet haar nooit.

Julian stond op en zei: 'Tessa, ik moet met je praten,' waarop Tessa haar wenkbrauwen naar Freddie optrok, die in één beweging begroeting en samenzweerderigheid overbrachten. Julian opende met zwaaiende armen en uitspraken als: 'Ik hou het niet meer vol,' en 'je lijkt niet te beseffen wat je me aandoet, Tessa,' maar tegen het eind van de dialoog was hij gekalmeerd en zat Tessa met haar handen over de zijne glimlachend geruststellende geluidjes naar hem te maken. Freddie keek gefascineerd toe hoe het Tessa, zoals altijd, ook nu weer lukte haar gecompliceerde liefdesleven op het goede spoor te trekken.

Nog meer thee en nog meer sandwiches. Tessa knabbelde aan een schijfje komkommer. Een halfuur later haastten de zusjes zich terug naar Tessa's appartement om een avondjurk aan te trekken. Freddie vertelde Tessa in de taxi over tenniswedstrijden en de schoolexamens, en Tessa somde de hoogtepunten uit haar afgelopen week in New York op. Eenmaal in het appartement aangekomen gingen ze om beurten in bad terwijl ze verder kletsten. Toen Freddie haar tanden stond te poetsen gaf Tessa een vreselijk geestige imitatie van een keer dat ze kleding had getoond aan een klant in Selfridges, waarbij ze afwisselend zichzelf en de klant speelde. Freddie moest er zo hard om lachen dat ze een hand voor haar mond moest houden om te voorkomen dat ze al haar tandpasta uit zou proesten.

Toch viel haar nu en dan heel even op dat Tessa afgeleid was, dat ze er vermoeid en in zichzelf gekeerd uitzag. Freddie had het gevoel dat er iets was veranderd in de zes weken sinds ze elkaar voor het laatst hadden gezien. Ze vroeg er niet naar, want ze wist dat Tessa haar pas iets zou vertellen over wat haar dwarszat als zij daar behoefte aan had. Of helemaal niet. Of je haar nu iets probeerde te vragen of probeerde haar over te halen, het haalde bij Tessa allemaal niets uit.

Freddies avondjurken waren allemaal te klein geworden, dus leende Tessa haar een geweldige japon, van koffiekleurige tule over een slanke koker van crèmekleurig satijn. Tessa's jurk was van bronskleurige zijde. De zussen verlieten het appartement in hun avondcapes, met bepoederde gezichten en lippenstift op.

Ze aten die avond met zijn tienen in het Mirabelle. Het gezelschap werd in het Ritz vergezeld door Paddy Collison en een vriend van hem die Desmond Fitzgerald heette. Desmond had zijn twee jongere zussen meegebracht, die allebei hetzelfde lichte haar hadden als hijzelf. Halverwege de avond arriveerde de fotograaf, Max Fischer. Max was mager en pezig, met donker haar en een fascinerend, ingevallen gezicht.

Julian Lawrence riep razend: 'Max!' en hij stond zo snel op dat zijn stoel omviel.

Er kwam direct een ober aansnellen om hem overeind te zetten. Julian wierp met een dramatisch gebaar zijn servet op tafel, marcheerde naar Max en snauwde: 'Wat denk jij dat je hier komt doen?'

'Ik kom mijn vrienden opzoeken. Wat denk je dan?'

Julian zwaaide met een vuist naar hem. Tessa zei rustig: 'Jules,' waarop Julian zijn gebalde vuisten liet zakken en fluisterde: 'Stik er dan maar in met zijn allen,' en het restaurant uit beende.

'Ach gut, prille liefde, wat aandoenlijk allemaal,' mompelde Raymond.

Max liep om de tafel heen, begroette iedereen, kuste de vrouwen op de hand – een wat langere kus voor Tessa – en schudde de mannen de hand. Bij Freddie aangekomen zei hij: 'Mijn liefste juffrouw Nicolson. *Enchanté*,' waarbij hij zich over haar hand boog. Toen hij zijn hoofd weer hief, zag Freddie dat zijn zwarte kraalogen glansden en heel geamuseerd stonden. 'De zusjes Nicolson in het Mirabelle,' zei hij. 'Dat klinkt net als een portret van John Singer Sargent, vinden jullie ook niet?'

Freddie zag de foto's in Tessa's appartement voor zich. 'Waarom heb je Tessa met een zebra gefotografeerd, Max?'

'Omdat ik surrealist ben, en dat is wat surrealisten doen.' Hij ging naast haar zitten, op de stoel van Julian Lawrence.

Max en Freddie bespraken het daaropvolgende halfuur de problemen die een fotosessie met een zebra en een python met zich meebrengt. Toen hadden ze het over de toneelstukken die op West End speelden. 'Ze zijn allemaal even banaal en idioot en het niet waard om een paar uur van je leven aan te vergooien,' zei Max geringschattend. 'Ik stuur je wel kaartjes voor iets van een vriend van me in een pub in Whitechapel. Heel opmerkelijk.'

Na de koffie zei Tessa: 'Ik weet niet hoe het met jullie is, maar ik wil dansen.'

Ze haalden hun jassen en paraplu's en liepen naar buiten. De portier hield taxi's voor hen aan. Freddie zat achterin met Bee en Max en keek uit het raam. Het was ondertussen donker geworden en de druppels regen op het glas deden de lichten van Piccadilly schitteren en zich vermenigvuldigen. Een stuk of zes meiden in regenjas en pumps renden lachend naar een bus, allemaal glinsterend en vergankelijk in de nacht.

Ze gingen naar een nachtclub aan Shaftesbury Avenue. Jassen die vochtig waren van de regen werden afgegeven bij de garderobe en make-up werd bijgewerkt. De muziek – een schreeuwende trompet en een tingelend arpeggio van een piano – trok hen de nachtclub in. De muren waren behangen met glanzend zwart spul, en een enorme kroonluchter, met trompetjes van glas met bladgoud, hing aan het plafond. Een spot was op de band gericht en op de tafeltjes stonden kaarsen.

Hoofden draaiden toen Tessa de ruimte binnenkwam: zij waren de entourage, bedacht Freddie, en Tessa was hun koningin.

De nacht werd gekleurd door de kreun van de saxofoon, zwierende bronskleurige zijde en schaterend lachen terwijl Tessa een quickstep danste.

'Was ik maar ouder,' zei Freddie in de vroege uurtjes van de volgende ochtend tegen Max. 'Maakte ik hier maar echt deel van uit in plaats van altijd aan de zijlijn toe te kijken.' Ze kon niet precies hebben gezegd wat 'hier' was: Tessa's vrienden, Londen, misschien de volwassen wereld. Misschien was ze toch een beetje dronken.

Toen ze later een tango met Antonio danste waren haar bewegingen vloeiend als water en haar stappen exact in de maat. De muziek, die zowel sensueel als opzwepend was, sijpelde haar lichaam in. Toen de dans was beëindigd lachte Antonio schalks naar haar. Toen boog hij zijn hoofd en kuste haar. Zijn snor schuurde over haar bovenlip, maar wat was dit geweldig, bedacht Freddie: op één avond haar eerste champagne en haar eerste kus.

Kort daarna gingen ze op weg naar huis. Het was gestopt met regenen. Het eerste ochtendlicht glinsterde op de natte stoep en de kar van een melkboer stopte langs de rand van de weg en kwam weer op gang. Beelden gingen door Freddies hoofd terwijl de taxi door de stille straten reed: de zangeres in de nachtclub die de microfoon streelde, die zwerver in de portiek, de parels aan de vlinderstruik. Ze vroeg zich af of ze er nog hingen.

De taxi stopte voor het pand waar Tessa woonde. Ze stonden gapend in de lift, wierpen elkaar een vage glimlach toe en verzuchtten terwijl ze hun schoenen uit trapten: 'Au, mijn voeten.'

Tessa maakte de voordeur open. 'Heb je het leuk gehad, lieverd?'

'Heerlijk.' Freddie gaapte nogmaals.

'Heb je ergens zin in? Chocolademelk... warme melk...'

'Nee, dank je.'

'Ga maar lekker naar bed, dan.'

'En jij?'

Tessa had een sigaret uit haar tasje gepakt. Ze stak hem op en sloot haar ogen terwijl ze inhaleerde. 'Ik denk dat ik nog even opblijf.'

'Tessa, wat is er?'

'Niets, helemaal niets.' Tessa stond rokend uit het raam te staren.

Freddie ging op de bank zitten en duwde een voet onder zich. 'Ik ben geen kind meer,' zei ze.

'Zo bedoelde ik het niet,' zei Tessa met een verontschuldigende handbeweging.

'Voel je je niet lekker? Wat is er? Heb je hoofdpijn? Is het die tijd van de maand?'

'Was dat maar waar.' Tessa lachte kort.

Freddie staarde haar aan. 'O.' Ze was ineens klaarwakker. 'O, Tessa!'

Tessa tuitte haar lippen. 'Ik hoopte dat het vals alarm was. Dat heb ik al twee keer eerder gehad en toen was er niets aan de hand.'

'Maar deze keer wel?'

Tessa schudde haar hoofd. 'Ik ben bang van wel.' Ze staarde naar haar sigaret. 'Smerige gewoonte. Ik probeer te stoppen.' Ze maakte de sigaret uit in een asbak. 'Ik heb overwogen er iets aan te doen... Aan de baby, bedoel ik. Ik had iemands naam van een vriendin gekregen – ik wist dat mijn huisarts me nooit zou helpen, die is veel te ouderwets – maar toen…'

Freddie zei bijna: 'Er iets aan doen? Hoe bedoel je, er iets aan doen?' maar toen drong het ineens tot haar door. Het was erg veel om in één avond te leren, bedacht ze; té veel, eigenlijk: de smaak van champagne, de aanraking van mannenlippen en het nieuws dat je zus had overwogen haar ongeboren kind weg te laten halen.

'Arme Tessa,' zei ze.

'O, je hoeft geen medelijden met me te hebben, hoor. Had ik maar niet moeten zondigen. Ik probeer er echt aan te denken voorzichtig te zijn, maar ik ben duidelijk niet voorzichtig genoeg geweest.'

'Wat ga je nu doen?'

Een korte lach. 'Over vijf maanden krijg ik een baby, dat ga ik doen.' Tessa beet met gefronste wenkbrauwen op haar onderlip. 'Ik kan me er niets bij voorstellen. Het voelt nog niet echt.'

Freddie vroeg: 'Is het van Paddy?' Ze hoopte maar van niet.

Tessa gaf geen antwoord. Ze stond met haar rug naar Freddie toe, met hangende schouders.

'Tessa.'

Tessa draaide zich om. 'Ik vertel niemand wie de vader is. Zelfs jou niet, Freddie.'

'Weet hij het zelf?'

'De vader van de baby? Nee.'

'Tessa, je moet het vertellen.'

'Dat wil ik niet. Ik weet niet wat ik moet zeggen.'

Het verontrustte Freddie haar zus zo verloren te zien. 'Ga je met hem trouwen?'

'Absoluut niet. Geen haar op mijn hoofd.' Tessa kreeg iets geslotens in haar blik; ze wendde zich af. 'Ik red het alleen wel. Ik heb niemand nodig.'

'Je hoeft het niet alleen te redden, je hebt mij. Ik ga je helpen. Ik stop met school en dan ga ik je met de baby helpen.'

'Nee,' zei Tessa fel. 'Dat wil ik niet. Maar lief dat je het aanbiedt, je bent een schat.' Ze leek zichzelf tot de orde te roepen.
'Het komt wel goed, dat weet ik zeker. Misschien wordt het wel
leuk.'

Tessa had een onpraktische kant die Freddie soms zorgen
baarde. Ze zei: 'Tessa, zelfs als je het aan niemand anders vertelt, zul je het wel tegen de vader van de baby moeten zeggen.'

'Is dat zo? O jee.' Tessa zuchtte. 'Hij zal het vreselijk vinden,
dat weet ik zeker.' Ze sloeg haar handen ineen. 'Hij wil geen
baby, hij heeft nooit een baby gewild en heeft nooit om een baby
gevraagd.'

'Jij ook niet.'

'Voor vrouwen is het anders, hè? We weten in ons achterhoofd
altijd dat we risico lopen. En als we dat risico niet willen nemen,
zijn we braaf en wachten we netjes tot we getrouwd zijn. Ik ben
nooit braaf geweest, dat weet je.'

Freddie was misselijk. Van het eten in het Mirabelle, nam ze
aan, of de champagne. Misschien was de avond te overdadig
voor haar geweest, te onverteerbaar.

Ze vroeg nieuwsgierig: 'Hou je van hem?'

'Nogal.' Tessa klonk vermoeid. 'En ik ben bang...'

'Waar ben je bang voor?'

'Dat dit in de weg gaat staan.'

'Voel je je heel vreselijk?'

'Het gaat ondertussen wel weer. Ik ben een tijdje elke ochtend
ontzettend misselijk geweest.' Tessa reikte naar haar hoofd, trok
de spelden uit haar haar, en de hoorntjes krulden in asblonde
strengen los over haar schouders.

Freddie wist niet veel over zwangerschappen. Op school hadden ze het alleen over konijnen gehad, en dat onderwerp was
ook nogal afgeraffeld.

'Wanneer ga je het zien?'

Tessa keek naar haar buik. 'Wat ben je toch weer praktisch, lieverd, maar je hebt wel gelijk dat ik moet gaan nadenken over der-

gelijke dingen. Een vriendin van me heeft het zes maanden weten te verbergen. En je kunt altijd een korset aantrekken, toch?'

Ze zaten even in stilte. Freddies blik ging door de kamer en bleef hangen bij de zwart-wit betegelde open haard, bij de foto's aan de muren en de klok, waarvan de elegante, vierkante wijzerplaat zei dat het bijna zeven uur 's ochtends was.

Tessa zei: 'Ga maar naar bed, lieverd. Het is laat.'

Freddie trok in haar kamer haar koffiekleurige jurk uit en hing hem op een hangertje. Ze probeerde in bed te lezen, maar kon zich niet concentreren. Ze deed het licht uit en liet zich in de kussens zakken. Het komt wel goed, dat weet ik zeker. Ze betrapte zichzelf op de gedachte dat het erg moeilijk was te geloven dat dat waar was.

De zomer volgde het gebruikelijke patroon. Het echtpaar Rycroft vertrok begin augustus naar Frankrijk. Milo en Rebecca verbleven altijd op dezelfde plek in een stenen huisje in Lot dat van een vriend van Milo uit Oxford was. Milo leek dit jaar erg rusteloos. Hij was midden in een nieuwe roman, had hij gemopperd voordat ze uit Engeland vertrokken; hij wilde zijn schrijfproces niet onderbreken. Zijn gedrag suggereerde, tot Rebecca's ergernis, dat hij op vakantie ging om haar een plezier te doen. Ze stelde voor dat hij de ochtenden zou gaan werken. Dan zou zij uitgaan, zodat hij ongestoord kon schrijven, en dan kon zijn secretaresse, juffrouw Tyndall, alles uittypen als ze weer in Engeland waren. De volgende ochtend vertrok Rebecca in de roestige oude Citroën die ze van Milo's vriend mochten gebruiken en bracht een heel aangenaam uur op een dorpsmarkt door, waar ze kaas en vleeswaren kocht. Het was een hete en vochtige dag; ze parkeerde nadat ze op de markt was geweest onder wat hoge bomen, trok haar zwempak aan en ging zwemmen in het luie groene water van de Dordogne. Toen ze weer thuiskwam, zat Milo in de tuin een glas wijn te drinken. Het was te heet om te werken, zei hij, te heet om na te denken.

Uiteindelijk gingen ze een week eerder terug naar Mill House. Rebecca vond het niet erg, want ze organiseerden begin september een feest om de publicatie van Milo's roman *De gebroken regenboog* te vieren, en ze maakte zich zorgen om de tuin. Maar toen ze op de boot stonden en het Kanaal over voeren, zij aan zij uitkijkend hoe de witte klippen opdoemden als gebleekte linten franje uit de blauwgroene zee, kristalliseerde de angst die ze al maanden voelde. Achterdocht: zo'n klein, gefluisterd woord dat de pijn die het in zich droeg niet goed uit leek te kunnen drukken. Maar iets in Milo's blik vertelde het haar, een glinstering van afwachting en opwinding, prikkend, zelfgenoegzaam en heimelijk, als een pauw die op het punt staat zijn staart uit te klappen, een uitdrukking die verdween op het moment dat tot hem doordrong dat ze naar hem stond te kijken. Op dat moment viel er ineens een heleboel op zijn plaats: zijn stemming eerder dat jaar, tussen verrukking en verstrooiing, zijn tegenzin om op vakantie te gaan en zijn ongeduld om weer naar huis terug te keren. Hij had een verhouding; ze wist het zeker.

Wist ze het maar zeker. Haar overtuiging ontglipte haar vaak, als zand dat tussen haar vingers door gleed. Het stijgen en dalen, de ondermijning van elkaar afwisselende achterdocht en opluchting vermoeide haar, putte haar uit, maakte haar nerveus. Het bewijs, toen ze het bestudeerde, leek in het geheel niet overtuigend. Als je er te goed naar keek verschrompelde het, smolt het weg tot niets.

Het tuinfeest ter viering van de publicatie van *De gebroken regenboog* vond plaats in de tweede week van september. Het was droog en een strijkkwartet speelde in de eetkamer, de muziek stroomde als honing naar buiten door de openstaande tuindeuren. Groepjes gasten stonden op het grasveld en terras van Mill House. Rebecca droeg een wit linnen jurk met enorme geborduurde blauwe klaprozen erop, die ze bij Zélie in Oxford had gekocht. Alleen een lange vrouw kon zo'n patroon dragen, had Zélie tegen haar gezegd.

Toby Meade, een van de weinige vrienden die Rebecca aan haar jaar op de kunstacademie had overgehouden, was laat. Toby was klein, met donker haar en brede schouders. Hij leefde van dag tot dag en woonde in een louche gehuurde studio in Chelsea. Toen hij haar kuste, vond ze het niet erg dat zijn hand over haar billen gleed; zijn wellustigheid had altijd iets ongedwongens.

Ze vertelde hem dat Milo's nieuwe roman geweldig was ontvangen en hij zei zonder omhaal: 'Wat kan mij die Milo schelen. Ik ben dat hele roteind hiernaartoe gekomen voor jou, niet voor Milo.' Wat ze enorm waardeerde. Toen hadden ze het over Toby's werk en zijn volgende expositie. 'Ik deel de galerie met die idioot van een Michael Turner,' zei Toby. 'Maar iets is beter dan niets. Je komt toch wel kijken, hè, Becky? Zo te zien kun je wel een verzetje gebruiken.'

Rebecca drukte haar handen tegen haar gezicht. 'O god, Toby, zie ik er zo vreselijk uit?'

Hij stelde haar gerust. Ze was net zo beeldschoon als altijd, maar ze zag er… bezorgd uit. Afgeleid. Wilde ze haar probleem met oom Toby delen?

Nee, dat wilde ze niet. Ze leidde hem om de tuin: feesten voorbereiden was altijd zoveel werk en ze ging morgen met Meriel en haar moeder lunchen en daar zag ze zo tegen op. Toby had haar moeder jaren geleden ontmoet, dus hij begreep wat ze bedoelde. Toen stelde ze hem aan wat mensen voor, excuseerde zich en haastte zich weg. Op weg naar de keuken bleef ze staan bij de spiegel en bestudeerde haar spiegelbeeld. Kon je het aan haar zien, de onrust, hoe zwaar die op haar drukte, de pijn die ze voelde?

Toen ze nadat ze de musici wat te drinken had gebracht het terras weer opliep, zag ze hen samen: Milo en die meid, die Grace King. Ze stonden in de schaduw van de beukenboom. Juffrouw King was vurig, gepassioneerd; dat zag Rebecca aan de drukke bewegingen van haar handen. Milo reikte naar haar uit en raakte haar elleboog aan. De windmolenachtige beweging van juffrouw King kwam tot rust en ze stak haar hoofd naar hem op, waarbij haar bleke haar over haar gezicht viel. Een andere gast stak het grasveld naar hen over en Milo en juffrouw King namen afstand.

Rebecca's verbeelding zorgde voor het script: 'Ik moet je zien, je weet hoeveel ik van je hou… Pas op, er komt iemand aan.' Ze wendde zich af. Alleen ademen deed al pijn. Hij had haar hart in zijn hand en kneep er hard in: bloed droop tussen zijn vingers door.

Milo was altijd goed geweest met kleine gebaren: de rode roos, de ring in tissuepapier op haar kussen, de vluchtige, strelende aanrakingen. Rebecca voelde de bijna onbedwingbare behoefte om met haar nagels over de gladde, bleke wangen van Grace King te schrapen en toe te kijken hoe de krassen rood werden.

Maandag: hij kwam laat terug uit Oxford. Een langdradige kennis had hem aangesproken toen hij op weg was naar zijn auto, zei hij, en had hem oneindig lang opgehouden. Rebecca knalde zijn koud geworden en gestolde eten voor hem op tafel en liet hem alleen achter.

Woensdagavond: Milo was erg lang weg met de hond. Rebecca vroeg zich af of hij in een telefooncel met Grace King stond te bellen. Toen hij thuiskwam, vroeg ze waar hij was geweest.

'Herne Hill.' En toen keek hij haar aan en vroeg: 'Waar dacht je dan dat ik was geweest?'

'Geen idee. Hoe moet ik dat weten?'

'O, jezus christus.' Hij gooide Julia's riem over een haakje en liep naar boven.

Zaterdagavond dineerden ze met Charlie en Glyn, gevolgd door een spelletje bridge. Milo was op zijn best: ad rem, scherp, amusant, charmant. Ze vroeg zich af of hij wist dat ze het wist, of het hem was opgevallen dat ze hem in de gaten hield en een act opvoerde.

Die nacht werd ze wakker, wanhopig ongelukkig, vol zelf-haat. Dus zover was het gekomen, dacht ze: na al die jaren samen, waarin ze nog geen moment had betwijfeld dat de man met wie ze getrouwd was de liefde van haar leven was, zag ze nu bedrog in de beweging van een kaart, dubbelhartigheid in een glimlach.

Haar ellendige stemming duurde de volgende dag voort. Ze had hoofdpijn en was moe; ze had te veel gedronken bij Charlie en Glyn. Mevrouw Hobbs had op zondag vrij, dus aten Milo en Rebecca die avond altijd restjes in de zitkamer terwijl ze de krant lazen en naar de radio luisterden.

De telefoon ging terwijl Milo de grammofoon stond op te winden. Hij ging opnemen. Rebecca hoorde hem de hoorn pakken en zijn naam zeggen, en toen ging hij zachter praten. Ze stond op en liep de kamer uit. Ze zag dat de hoorn van de telefoon op het haltafeltje op de haak was gelegd. Ze liep naar Milo's werkkamer en hoorde zijn stem. Hij had het telefoontje daar opnieuw aangenomen. Rebecca deed haar best hem te verstaan, maar dat lukte niet.

Ze klopte aan. 'Wil je koffie, Milo?'

Hij deed de deur open. Ze zag dat hij de telefoon had neergelegd. 'Lekker,' zei hij.

'Wie was dat?'

'Een van mijn studenten.' Hij liep terug naar zijn bureau; ze zag hem zich over zijn bureau buigen en iets op een stukje papier schrijven.

Rebecca zette in de keuken een ketel water op en wachtte bij het aanrecht tot het water zou koken. Ze zag dat het weer omsloeg: de lucht koelde af en regendruppels maakten donkere vlekken op het tuinpad. Milo had de telefoon opgenomen in de hal en was naar zijn werkkamer gelopen om het gesprek daar te voeren, waarbij hij de deur achter zich had dichtgedaan. Ik weet het zeker, dacht ze. Ik weet zeker dat je tegen me liegt.

Milo was 's ochtends vroeg niet op zijn best, dus stond Rebecca altijd als eerste op en bracht hem dan thee in bed. Toen ze die maandag terug naar boven liep met het dienblad, was Milo al in de badkamer. Ze hoorde de kraan lopen.

Ze schonk thee in en zette een kop en schotel op zijn nachtkastje. Even later kwam hij de kamer in.

'Jij bent vroeg op,' zei ze.

'Ik moet de trein halen.' Hij droogde zijn haar af.

'Waar ga je naartoe?'

'Naar Londen. Had ik dat niet gezegd? Lunchen met Roger. Hij wil over de gedichten praten.'

Rebecca was alert als een jachthond. Haar huid tintelde. 'Die hadden jullie toch al besproken?'

'Niet helemaal.' Hij had zijn badjas uitgedaan en keek in zijn kledingkast. 'Er zijn nog wat problemen. Met de opmaak... en hij heeft nog een paar vragen over de tekst. Heel vervelend allemaal, maar als we er vandaag uit komen, is het de moeite waard. Kan ik de auto meenemen?'

'Natuurlijk.' Ze vond zichzelf niet overtuigend overkomen. 'Ik zou gaan tennissen, maar Glyn wil me vast wel even komen halen.'

'Het is niet echt weer om te tennissen.'

'Dan blijf ik misschien wel thuis.'

Rebecca dronk haar thee terwijl Milo zich aankleedde. Een grijs pak van Saville Row, een wit overhemd van T.M. Lewin, met een blauwe zijden stropdas. Hij zag er niet blij of verwachtingsvol uit, meer gespannen. Misschien vertelde hij de waarheid.

Hij tuurde in de spiegel en haalde een hand door zijn vochtige, blonde krullen.

'Kan ik er zo mee door?'

Ze zei zoet: 'Je ziet er perfect uit, Milo.'

Uiteindelijk klaarde het weer op, dus Glyn kwam haar ophalen en ze gingen tennissen. Rebecca was om twaalf uur 's middags weer thuis, ging in bad en kleedde zich om.

Mevrouw Hobbs was naar huis om de lunch voor haar man te maken, dus Rebecca had het huis voor zichzelf. Ze liep naar Milo's werkkamer. Ze liet haar blik over het bureau gaan en trok laden open, maar ze kon zijn adresboekje niet vinden. Misschien had hij het bij zich.

Ze strekte haar vingers en haalde diep adem. Toen ze de telefoon oppakte voelde ze zich bijna opgelucht. Nog heel even en dan zou ze het zeker weten. Rebecca belde de telefoniste en vroeg doorverbonden te worden met de uitgever van Milo.

Milo nam later die dag de trein van tien over vier terug naar Oxford. Hij bestelde in de restauratiewagen een glas whisky. De zwart geworden bakstenen huizen die langs de spoorlijn stonden verwerden tot een veeg door het door regen besmeurde raam. Tegen de tijd dat hij zijn eerste glas leeg had en een tweede bestelde hadden de huizen plaatsgemaakt voor dorpjes en geschoren mosterdkleurige stoppelvelden.

Tessa had hem gisteravond gebeld – thuis, godbetert – om te zeggen dat ze hem moest spreken. Ze had geweigerd te zeggen waarover, had erop gestaan dat hij naar Londen zou komen, en toen had hij vanwege Rebecca het gesprek moeten afbreken. Er hadden allerlei ellendige scenario's door zijn hoofd gespookt en hij had geen oog dichtgedaan.

Tessa had hem tijdens de lunch in een restaurantje in Soho verteld dat ze een kind verwachtte. Ze had maar een uur – ze moest de hele dag werken – en in de keuken speelde zich een ruzie af, en hij had gedacht dat hij haar verkeerd verstond. 'Een kind?' had hij herhaald, en zij had gezegd: 'Ja Milo, ik krijg een kind. Jouw kind.' Hij had haar gevraagd of ze het zeker wist, waarop haar gezichtsuitdrukking was verstijfd en ze kalm had gevraagd: 'Weet ik zeker dat ik zwanger ben, of weet ik zeker dat het van jou is? Ik weet allebei zeker, ja.' Hij had haar handen vastgepakt en ze vastgehouden terwijl de ober hun soep serveerde, en toen de man weer was vertrokken had hij gezegd: 'Zo bedoelde ik het niet. Je weet dat ik het niet zo bedoelde.'

'Ja. Sorry.' Er hadden tranen in haar ogen geglinsterd.

Toen had hij voor hen allebei een sigaret opgestoken. 'Hoe lang weet je het al?'

'Een maand of twee.'

Een maand of twee. Betekende dat – hij had hier helemaal geen verstand van – dat het te laat was om er iets aan te kunnen doen? Hij vroeg haar met een droge mond wanneer de baby moest komen.

'Ergens in december, denk ik. Of januari.'

Hij had haar nonchalance altijd charmant gevonden, maar op dat moment maakte haar achteloosheid over zoiets belangrijks hem razend. Maar toen had hij gezien hoe ze keek, had hij gezegd: 'Lieverd toch.' Hij had Tessa nog nooit bang gezien.

Ze hadden beiden geen hap door hun keel kunnen krijgen. Toen het uur voorbij was, was hij met haar teruggelopen naar de studio van de fotograaf en hadden ze op straat afscheid genomen, elkaar stevig omhelsd, hun lichamen tegen elkaar gedrukt, haar vingers in zijn haar, alsof ze verdronken.

Milo was naar de bibliotheek van het British Museum gegaan in de hoop dat de bekende stilte, de gedempte voetstappen en de geur van boeken hem zouden geruststellen. Maar in plaats daarvan was zijn paniek toegenomen naarmate de boodschap verder tot hem doordrong. Een baby. Hij had nooit kinderen willen hebben en had het helemaal niet erg gevonden dat Rebecca nooit zwanger was geraakt. Een onverwachts gevoel van trots dat hij een kind kon verwekken maakte snel plaats voor zijn overtuiging dat Rebecca al achterdochtig was. Een kind was nogal wat om te verbergen. En hij zou het heel, heel lang moeten verbergen, waarschijnlijk de rest van zijn leven.

Een voorgevoel dat hij een goed excuus moest hebben maakte dat hij de bibliotheek weer verliet en een taxi naar Hatton Garden nam. Daarna had hij zich rustig genoeg gevoeld om naar huis te gaan; hij snakte er zelfs naar om naar huis te gaan. Het was niet dat hij niet van Tessa hield; hij hield wanhopig veel van haar. Tijdens hun gesprek was het in hem opgekomen dat ze misschien zou verlangen dat hij van Rebecca zou scheiden en met haar zou trouwen. Hij had de mogelijkheid voorzichtig geopperd.

Ze was gaan schaterlachen en had gezegd: 'Hemel, nee zeg, Milo, dat hoef je echt niet te doen, hoor.'

Een vreemde mengeling van emoties: pijn dat het idee met hem te trouwen zo lachwekkend was, en opluchting dat hij het niet aan Rebecca hoefde te vertellen. 'Ik wil je helpen,' had hij gezegd, en hij had in haar hand geknepen.

Ze had haar hoofd geschud. 'Dit is jouw probleem niet, Milo, het is mijn probleem. Ik wilde het je eigenlijk niet vertellen. Ik was bang dat je kwaad zou zijn. Dank je wel dat je geen scène trapt, schat.'

Maar hoewel hij precies de goede dingen had gezegd en ze goed uit elkaar waren gegaan, had hij behalve dat hij geschokt was ook medeleven voor haar gevoeld. En wrok. Hij had een hekel aan complicaties. Je kon natuurlijk stellen dat een affaire op zich al een flinke complicatie was, maar hier was hij niet op uit geweest. En hij moest toegeven dat hij de anticonceptie niet was vergeten. De eerste keer dat hij met Tessa had gevreeën had hij haar gevraagd of het kon, waarop ze bevestigend had geantwoord. Als hij daaraan had getwijfeld, zou hij voorzorgsmaatregelen hebben getroffen, maar hij was ervan uitgegaan, en niet onterecht, dat Tessa als ervaren vrouw alles zelf had geregeld. 'Ik zal het wel hebben vergeten,' zei ze tijdens die lunch tegen hem, waarbij ze haar neus had opgetrokken alsof ze het over een achtergelaten paraplu in een taxi had.

Milo was dol op intensiteit, maar hij had een hekel aan scènes. Hij kende zichzelf goed genoeg om te weten dat hij een kalme, rustige achtergrond nodig had om te kunnen schrijven. Zijn nieuwe boek vorderde moeizaam en hij had het ongemakkelijke gevoel dat die dichtbundel misschien niet zo'n goed idee was geweest. Hij wist dat hij veel meer voor Tessa voelde dan hij voor Annette Lyle en de anderen had gevoeld, maar hij vroeg zich nu voor het eerst af waar hij mee bezig was. Dit ging hem boven de pet. Hij had geen idee wat hij moest doen. Hij was de controle kwijtgeraakt, hij ontglipte hem. Moest hij Rebecca de waarheid vertellen? Hij moest er niet aan denken. Het zou vreselijk zijn om haar dat aan te doen, wreed zelfs, en wat had het voor zin als Tessa toch zeker wist dat ze niet met hem wilde trouwen?

Wat een toestand, dacht hij toen de trein uiteindelijk het station van Oxford binnenreed, wat een vreselijke toestand. Hij betrapte zichzelf erop dat hij enorm verlangde naar de rust en bekendheid van Mill House, dat hij een glas whisky wilde inschenken, zich wilde terugtrekken in zijn werkkamer en zich wilde verliezen in een boek. Hij dwong zichzelf in de auto op weg naar huis een gesprek met Roger te ensceneren. Roger had moeilijk gedaan over allerlei details, zoals altijd... het was belangrijk dat de opmaak precies goed was... en wat hadden ze gegeten? (consommé, gevolgd door tong en een omelet).

Eenmaal thuisgekomen kwam Rebecca de trap af lopen terwijl hij zijn jas stond uit te trekken.

'Hoe was je lunch, Milo?'

'Prima,' zei hij.

'Hoe was het met Roger?'

'Goed.'

Haar toon beangstigde hem; hij keek haar steels aan. Ze stond onder aan de trap. Haar gezicht was kleurloos en had de teint van rauw deeg.

'Roger is in Edinburgh.'

'Wat?' Hij staarde haar aan. Hij had zich zijn lunch met Roger heel levendig ingebeeld.

'Roger is in Edinburgh. Ik heb juffrouw Gaskin gebeld, en die zei het.'

Jezus. 'Heb je mijn uitgever gebeld?'

'Ja.' Ze ontblootte haar tanden.

'Was je me aan het controleren?' Het was onredelijk, dat wist Milo wel, dat hij daar kwaad over was, maar toch was hij het.

Rebecca deed een stap naar hem toe; hij deed instinctief een pas achteruit. 'Waar ben je geweest? Waar was je? In Oxford?' Ze vuurde haar vragen af als kogels. 'Was je gezellig op stap met Grace King? Wilde je daarom de auto zo graag meenemen, Milo?'

Grace King? Hij zei uitdrukkingsloos: 'Ik heb geen idee waarover je het hebt.'

'Leugenaar!' Haar stem ging de hoogte in als van een krijsend viswijf. 'Ik weet dat je een affaire met haar hebt!'

Het muntje viel; Rebecca dacht dat hij een verhouding had met de alledaagse Grace King, die met de konijnentanden. 'Allemachtig,' zei hij razend terwijl hij langs haar heen liep naar de zitkamer. 'Dit kan ik niet nog een keer!'

Toen hij het drankenkastje openmaakte bonkte zijn hoofd, en hij was vreselijk moe.

'Jíj kunt het niet nog een keer?' schreeuwde ze. 'Jíj niet? En ík dan? Hoe denk je dat ík me voel?'

Hij probeerde in de korte tijd dat hij erover deed de stop uit de whiskykaraf te halen zijn gedachten op een rijtje te krijgen. Het begon tot hem door te dringen dat ze hem misschien onbewust een uitvlucht gaf. Behalve de irritatie dat ze hem van zoiets belachelijks beschuldigde, voelde hij zich ook opgelucht. Het zou zoveel gemakkelijker zijn als hij gewoon de waarheid kon vertellen. Een deel van de waarheid, dan.

'Ik weet niet of je het wilt weten,' zei hij terwijl hij zich naar haar omdraaide, 'maar ik heb Grace King al weken niet gezien.'

'Ik geloof je niet.' Ze spuwde de woorden uit.

'Geloof wat je wilt.'

'Ik heb je op het feest gezien, Milo.' Haar stem klonk laag, gespannen en kortaf. 'Ik heb je met haar gezien.'

Hij dwong zijn geest terug naar het feest. 'Ik heb met juffrouw

99

King gepraat, ja,' zei hij. 'Natuurlijk heb ik met haar gepraat. Ze was een van onze gasten.'

'Ik heb je gezíén!' Ze krijste zo hard dat het pijn deed aan zijn hoofd, en hij huiverde. 'Je hebt haar aangeraakt! Je hield haar vast!'

Was dat zo? Dat kon hij zich niet herinneren. Hij nam een grote slok whisky. Hij voelde zich tegelijk razend en schuldig.

Hij ging in een leunstoel zitten. 'De moeder van juffrouw King is stervende, ze heeft kanker,' zei hij onderkoeld. 'Dat heeft ze me een paar maanden geleden verteld. Ik heb geprobeerd haar te steunen. Ik heb haar een schouder gegeven om op te huilen.' En god, dacht hij, wat kon Grace King huilen. Ze had emmers vol tranen gejankt in de Eagle & Child.

'Je liegt.' Haar bovenlip krulde omhoog en er stond haat in haar ogen.

Hij betrapte zichzelf erop dat hij een enorme antipathie voor haar voelde. 'Allemachtig, Rebecca, dat kind is negentien. Ik heb haar nog nooit een moment als minnares overwogen.'

Hypocriete klootzak. Tessa was maar een paar jaar ouder dan juffrouw King. Maar Tessa had altijd veel ouder geleken dan ze was. Tessa Nicolson, voelde hij aan, was al jaren geen kind meer.

'Annette Lyle was drieëntwintig,' zei Rebecca.

'Niet nu,' zei hij fel. 'Doe me een lol, Rebecca. Niet nu.'

'Je hebt me verraden!' Haar gezicht stond verwrongen en lelijk. 'Hoe kun je er zo over praten? Alsof het om een… om een indiscrete handeling gaat. Je hebt mijn hart gebroken, snap je dat niet?'

'Voel je je beter als je oude wonden openrijt? Nou?'

Ze wrong haar handen ineen. 'Daar gaat het niet om!' schreeuwde ze.

'O nee?' Hij dwong zichzelf kalm te spreken. 'Het heeft geen enkele zin dat allemaal weer op te dreggen. Ik heb je gezegd dat het me speet. Ik dacht dat we eroverheen waren. Ik dacht…'

hij leunde naar voren en keek haar recht aan, 'dat we hadden geleerd elkaar weer te vertrouwen.'

Rebecca snikte hard en bedekte haar gezicht met haar handen. 'Hoe kan ik je vertrouwen als je tegen me liegt?' Haar woorden klonken gedempt door haar vingers.

Hij hoorde aan haar toon dat ze haar eigen conclusies in twijfel begon te trekken. 'Laten we er even logisch over praten,' zei hij. 'Je zegt dat je hebt gezien dat ik juffrouw King troostte tijdens het feest. De vader van Grace is overleden toen ze nog een kind was. Ik denk dat ze mij als een soort vaderfiguur is gaan zien. Zoals ik al zei is haar moeder stervende, dus ze heeft het moeilijk. Je misgunt haar toch niet een beetje menselijke warmte?'

Een stervende moeder, kanker, hij legde het er dik bovenop. Misschien moest hij haar de waarheid vertellen. Even doorbijten en zorgen dat het snel achter de rug was, het nu doen. Wat als hij nou eens zei: Het is Grace King niet, het is iemand anders, ik ben verliefd op haar en ze verwacht een kind van me? Zou dat beter zijn, zou dat eerlijker zijn?

Maar ze mompelde: 'Ik weet het niet. Ik weet niet meer wat ik moet denken.' En toen was het moment voorbij.

'Juffrouw King is niet eens in Oxford,' zei hij, gebruikmakend van zijn voordeel. 'Ze was niet op mijn laatste college. Een van haar vriendinnen heeft me verteld dat mevrouw King niet lang meer heeft, en dat Grace naar huis moest.'

'O.' Het kwam er bevend uit, weifelend. Ze keek naar hem op. Haar gezicht was gevlekt en glansde van de tranen. Ze zei vermoeid: 'Maar dat telefoontje gisteravond, en Roger. Je hebt tegen me gelogen, Milo.'

'Zoals ik al zei, belde er een student. Ik heb hem in mijn werkkamer opgenomen omdat ik iets in mijn aantekeningen moest nakijken.'

Rebecca ging uiteindelijk zitten, ze zakte slap in een hoek van de bank. 'Maar... Roger.'

'Niet te geloven, dat je mijn uitgever hebt gebeld!' Zijn woede was oprecht. 'Wat zullen ze daar denken? Mijn jaloerse vrouw die me controleert... Ze lachen zich gek!'

'Nee, nee,' zei ze snel. 'Ik weet zeker dat ze niets vermoeden. Ik heb alleen maar aan juffrouw Gaskin gevraagd of ik Roger even kon spreken, en toen zei ze dat hij er niet was. Ik weet zeker dat er niets aan de hand is.' Ze stak haar vingers in haar haar en duwde het uit haar gezicht, waardoor het in donkere, hekserige pieken omhoog stak. 'En je hebt me nog steeds niet verteld waar je dan wel was.'

'Dat moest een verrassing blijven.'

Ze haalde haar neus op en veegde hem met de rug van haar hand af. 'Ik begrijp je niet.'

'Ik weet dat ik de laatste tijd geen leuk gezelschap was.' Milo ging naast haar zitten. 'Ik weet dat ik onze vakantie heb verziekt. Het punt is dat het niet zo goed gaat met mijn roman.'

Rebecca keek fronsend naar hem op. 'Dat heb je helemaal niet verteld.'

'Ik wilde het niet toegeven.' Wat waar was: hij was altijd heel bijgelovig over het bespreken van problemen met zijn werk. Zijn talent leek zo ongrijpbaar; als hij zijn problemen hardop uitsprak, zouden ze misschien nooit meer overgaan.

'Had dat dan gezegd.' Rebecca klonk ellendig en uitgeput. 'Laat me dan helpen. Vroeger liet je me helpen.'

Milo haalde een pakje uit de zak van zijn jasje. 'Ik was naar Londen om dit te kopen.'

Ze staarde achterdochtig naar het pakje. 'Wat is het?'

'Het is voor jou. Maak maar open.'

'Voor mij?'

'Ik wilde goedmaken dat ik zo'n chagrijnige ouwe beer was. Ik wilde je verrassen. Ik heb gezegd dat ik een afspraak met Roger had omdat ik niet wilde dat je je afvroeg waarom ik naar Londen ging. Ik wist niet dat je het verkeerd zou opvatten. Maak maar open.'

Rebecca vouwde het tissuepapier opzij en opende het dekseltje van een wit leren doosje. 'O!' Ze drukte haar handen tegen haar mond. 'O, wat vreselijk!'

In het doosje zat een stel robijnen oorhangers, gekocht bij een juwelier in Hatton Garden. 'Vind je ze niet mooi?' vroeg hij.

'Ze zijn schitterend! Maar ik voel me zo afschuwelijk! Het spijt me zo!' Nu huilde ze weer. 'Vergeef me alsjeblieft, Milo!'

'Laat maar zitten,' zei hij grootmoedig. 'We hebben het er niet meer over.'

Nobele Milo, vrijgevige Milo. Hij klopte haar op de rug terwijl ze huilde. Hij walgde zo van zichzelf dat hij het bijna proefde, maar wat had hij anders moeten doen?

Later, na het eten, nadat ze naar bed waren gegaan en hadden gevreeën, en nadat zij in slaap was gevallen, liep hij naar zijn werkkamer in de hoop wat troost te vinden in de bekende, vredige concentratie die hij voelde tijdens het schrijven.

Maar hij kon niet werken. Hij bleef maar denken: een kind. Na een tijdje legde hij zijn pen neer en staarde uit het raam in de duisternis. Mijn god, een kind. De ongewilde gedachte dat er iets mee kon gebeuren drong zich aan hem op, maar die duwde hij snel weg, gegrepen door een angstig voorgevoel, een huivering bij de verdorvenheid van de hoop dat er, op de een of andere manier, misschien geen baby zou komen.

4

Een fotosessie op een kiezelstrand aan de kust van Suffolk: Max Fischer vocht tegen de wind om foto's van voorjaarsjurken te kunnen maken voor *Harper's Bazaar*. Toen hij zijn camera en driepoot aan het opruimen was, zei hij: 'Je zou ook met mij kunnen trouwen, Tessa, als dat zou helpen. Het is misschien niet ideaal, een huwelijk met een eenenveertigjarige Joods-Duitse vluchteling, maar je zou me dolgelukkig maken.'

Tessa had alleen aan Milo en Freddie verteld dat ze zwanger was. Ze had gedacht dat ze het goed verborg. Dat zei ze, waarop Max zei: 'Och Tessa, het is een publiek geheim. Wist je dat niet?' Het lukte haar om er een beleefde weigering van zijn aanbod uit te persen, maar ze moest haar gevoel van vernedering verbergen toen ze in de auto stapten en van het strand wegreden.

Niet lang daarna begon haar buik te groeien. Max bedacht allerlei slimme manieren om haar toch in te kunnen zetten – met jassen en capes, met zorgvuldig geplaatste potplanten – maar het drong al snel tot haar door dat portretfoto's het beste waren waar ze op kon hopen tot na de geboorte van de baby. En de realiteit van haar zwangerschap was grimmig: maagzuur, uitputting, pijn in haar benen en rug. Als je bedacht hoeveel vrouwen kinderen kregen zou je denken dat het gemakkelijk was, maar dat was het helemaal niet.

Enkele van haar vriendinnen leefden met haar mee; sommige biechtten verhalen op over vals alarm en mislukte abortussen. Enkele van de avontuurlijker ingestelden bewonderden haar en zagen haar toestand als een bewuste keuze of levensovertuiging, een verwerping van het burgerlijke ideaal. Anderen – de assistente van haar huisarts en de manager van de afdeling vrouwenkleding van Selfridges – deden geen enkele moeite hun afkeer te verbergen.

Ze ontdekte dat ze in sommige kringen niet langer welkom was. Als ze bepaalde mensen belde, werd ze niet teruggebeld, brieven werden niet beantwoord en uitnodigingen geweigerd. Toen ze op een ochtend over Regent Street liep, zag ze een bekende, een gastvrouw uit hogere kringen, die ze glimlachend begroette. Alleen een verharding in de blik van de vrouw terwijl ze Tessa passeerde vertelde haar dat ze niet ineens onzichtbaar en onhoorbaar was geworden. Tessa herhaalde haar begroeting. De vrouw bleef staan. Blauw geaderde patriciërsoogleden werden neergeslagen en smalle lippen vervormden zich tot een zuinige glimlach. Een stem mompelde: 'Begrijp heel goed dat wij elkaar niet langer kennen, juffrouw Nicolson. Ik neem aan dat u er niet op uit bent een van ons te vernederen.' Hoewel ze later heel luchtig deed over het incident, was Tessa misschien niet eens zozeer gekwetst door de doodverklaring zelf, als wel door het besef dat ze erdoor werd gekwetst dat ze werd doodverklaard. Dat ze werd geaccepteerd was altijd op voorwaarde van goed gedrag geweest, zo nam ze aan; deze mensen hadden altijd geweten dat ze anders was dan zij.

Maar voor elke afwijzing was er ook een schouder om tegenaan te huilen. 'In dit soort tijden kom je erachter wie je echte vrienden zijn,' zei Tessa mokkend tegen Freddie, maar het was wel waar. Paddy Collison zei: 'Allemachtig, Tessa, je hebt jezelf wel flink in de nesten gewerkt, hè?' en bood haar vervolgens het benodigde geld aan om het te regelen, zoals hij het noemde. Julian Lawrence vroeg haar ten huwelijk.

De aanzoeken van Max en Julian raakten haar diep, maar dat van Ray had haar aan het huilen gemaakt. Ze aten op een avond bij Quaglino's en gingen daarna na haar appartement. Tessa zette een langspeelplaat op; toen ze zich omdraaide, liet Ray zijn logge lichaam op één knie zakken.

'Ik vroeg me af,' zei hij, 'of je me de onmetelijke eer wilt bewijzen met me te trouwen, Tessa.'

'O Ray,' zei ze. 'Wat ontzettend lief, maar...' Ze pakte zijn handen en hij stond moeizaam op.

'Dat zal wel een nee zijn.'

Ze omhelsde hem. 'Je vindt het toch niet erg, schat? Ik zou een vreselijke echtgenote voor je zijn.'

'Onzin. Je zou een fantastische echtgenote voor me zijn. Elke dag zou een nieuw avontuur zijn.'

'Ik kan me niet voorstellen dat je echt een derde vrouw zou willen, Ray.'

'Denk er eens over na. Ik weet dat je niet van me houdt, Tessa, maar ik denk wel dat je op me bent gesteld. En ik hou wel van jou, dat heb ik altijd gedaan. Nee...' hij stak zijn hand op om haar ervan te weerhouden dat ze iets zou gaan zeggen, 'laat me uitpraten. Ik ben bang dat je niet beseft hoe moeilijk dit voor je gaat worden. Ik ben bang dat je niet begrijpt hoe kortzichtig mensen kunnen zijn. Mannen genieten van de lusten en vrouwen dragen de lasten. Het is niet eerlijk, maar zo is het wel.'

'Het komt wel goed, Ray. Mijn vrienden – mijn beste vrienden – zijn ontzettend lief voor me.'

'Wat ik probeer te zeggen is dat alles gaat veranderen.'

'Dat laat ik niet gebeuren. Over een paar maanden zie ik er niet meer uit als een olifant en dan kan ik weer aan het werk.'

'Wat ga je met het kind doen als het is geboren? Laat je het adopteren?'

'Dat weet ik niet. Daar heb ik nog niet over nagedacht.'

'Tessa...' Hij klonk geïrriteerd.

Ze probeerde het uit te leggen. 'Wat ik bedoel is dat ik niet zou weten hoe ik er iets over moet beslissen voordat ik het heb gezien. Misschien haat ik het wel, of misschien vind ik het wel fantastisch. Ik weet het niet, ik heb geen idee. Ik heb nooit gepland een kind te krijgen. Ik zie wel als het is geboren.'

'Misschien is het verstandiger om de praktische zaken voor die tijd te regelen,' zei hij vriendelijk. 'Vrouwen hebben de neiging verliefd te worden op baby's.'

'Als dat gebeurt, huur ik een kindermeisje en dan kan zij ervoor zorgen als ik naar mijn werk ben.' Tessa keek Ray aan. 'Ik ga niet thuis zitten. Je weet dat ik dat haat. En laten we eerlijk zijn, zou jij het niet vreselijk vinden om te moeten doen alsof het kind van een ander van jou was?'

'Dat denk ik niet. Een baby is een baby. Je instinct zegt je dat je ze moet beschermen. Ik weet niet of ik in al die verhalen over vlees en bloed geloof. En ik heb er goed over nagedacht.' Hij haalde iets uit zijn zak. 'Ik heb er vreselijk veel over nagedacht. Ik meen het, Tessa. Ik wil dat je met me trouwt.'

Hij opende zijn hand en ze zag de diamanten ring op zijn handpalm liggen. 'O Ray,' zei ze. Tranen prikten in haar ogen; ze kon niets uitbrengen.

Na een tijdje stak hij de ring weer in zijn zak. 'Nou ja. Het was het proberen waard. Wie niet waagt en zo. Laat het maar weten als je van gedachten verandert. Mijn aanbod blijft staan.'

'Lieve Ray.' Ze kuste hem op de wang.

'En de vader? Kun je niet met hem trouwen?'

Tessa schudde haar hoofd.

'Waarom niet? Is hij al getrouwd? Als dat het geval is, zou die klootzak moeten scheiden. Als je wilt stuur ik wel iemand naar hem toe om een babbeltje met hem te maken.' Ray kwam voor zijn werk erg veel in aanraking met grote, sterke mannen op bouwplaatsen.

'Nee, schat.'

'Waarom vertel je me niet wie het is? Je zou dit allemaal niet alleen moeten doen.'

'Ik doe het niet alleen. Ik heb jou toch, schat?'

'En geld? Red je het wel?'

'Geen probleem.'

Maar dat was niet waar. Ze had een paar weken geleden in

Bond Street nog drie paar schoenen gekocht om zichzelf op te vrolijken. Een strenge brief van haar bankmanager een paar dagen later had haar doen beseffen dat ze het zuiniger aan moest doen. Maar ze wist niet hoe dat moest, ze was niet meer gewend zich zorgen te maken om geld. Milo had erop gestaan de rekeningen voor de dokter te betalen en, als het zover was, voor de kraamkliniek. Dat is wel het minste, had hij gezegd. Omdat ze tegen die tijd zes maanden zwanger was en geen modellenwerk meer had, had ze zijn aanbod aangenomen. Dat korset had inmiddels geen enkel effect meer.

'Misschien dat ik morgen even naar Londen ga.' Milo was zijn stropdas aan het losknopen. 'Ik moet het een en ander doen.'

'Zal ik meegaan?' Rebecca stapte uit haar jurk en hing hem aan een kleerhanger.

Toen ze zich omdraaide, zag ze dat hij zijn oogleden half samenkneep. 'Hoezo?' vroeg hij. 'Vertrouw je me niet?'

'Milo!'

'Je wilt me nog steeds controleren, hè?'

De slaapkamerdeur sloeg dicht. De grendel van de badkamerdeur werd met een knal dichtgeschoven en daarna klonk er lopend water.

Toen hij de kamer weer in kwam lopen, zei ze zacht: 'Ik zei het niet omdat ik je wil controleren, Milo. Het leek me gezellig om samen naar de stad te gaan, verder niets. Dat hebben we al zo lang niet gedaan. Ik kan gaan winkelen terwijl jij in de bibliotheek aan het werk bent, en we zouden kunnen blijven slapen, misschien naar een show gaan.' Ze ging achter hem staan en liet haar hoofd tegen zijn schouder rusten. 'Dat zou toch gezellig zijn?'

Maar dat was het niet. Ze hadden voorheen in het Savoy overnacht, maar dat wilde Milo deze keer niet. Alle goede hotels waren volgeboekt, dus ze namen een kamer in een deprimerend hotelletje aan Marylebone Street. En hoewel Rebecca inderdaad ging winkelen op Oxford Street en Milo naar Roger Thoday ging, genoot ze er niet zo van als ze had verwacht. Ze was eraan gewend geraakt haar kleding bij Zélie te kopen en vond de enorme hoeveelheid kleding bij Selfridges nogal uitputtend. Milo had er die ochtend in de trein uit Oxford op gestaan dat ze zichzelf zou verwennen, dus ze kocht uiteindelijk twee tweedpakjes, een kersrood en een gespikkeld bruin. Toen ze in het hotel terug was en ze ze nogmaals aantrok, zag ze dat het kersrode pakje te strak zat bij de buste, en ze vreesde dat het bruine een enorme fout was geweest: bruin maakte een bleke huid zo flets. Ze trok het rode pakje aan voor de lunch, maar had daar al snel spijt van. De andere vrouwen in het restaurant droegen zwart, donkergrijs of donkerblauw, afgewerkte met witte biesjes. Ze had het gevoel dat ze veel te opzichtig was gekleed. Het drong tot haar door dat ze niet meer wist wat modieus was. De mode in Oxford was anders dan die in Londen.

Die avond gingen ze naar *French Without Tears* in het Criterion, waar Rebecca van genoot tot ze opzij keek naar Milo. Ze vond hem er verveeld uitzien. 'Vind je het geen leuk stuk, lieverd?' fluisterde ze, waarop hij opschrok en terug fluisterde: 'O jawel hoor, heerlijk,' en toen werden ze door een vrouw een rij achter hen tot stilte gemaand. Rebecca bood haar excuses aan en concentreerde zich op het podium. Nee, hij zag er niet verveeld uit, bedacht ze. Hij zag er ongelukkig uit.

Het was natuurlijk haar schuld. Als ze terugdacht aan hun ruzie – aan haar woede en de manier waarop ze van alles had geconcludeerd – schaamde ze zich. Ze wist dat er nog steeds afstand tussen hen was. Toen ze de volgende ochtend in een eersteklaswagon op weg terug naar Oxford waren, drong het tot haar verdriet tot haar door dat ze uit elkaar waren gegroeid. Ze waren bijna onopgemerkt steeds verder uit elkaar gedreven. Ooit zouden ze nu samen verhalen hebben zitten verzinnen over hun medepassagiers. Kinderachtig en onbeleefd, natuurlijk, en ze begreep ook wel dat je over dergelijke onzin heen groeide, maar er was iets wat ze op dat moment niet kon benoemen, iets wat ze vreselijk en pijnlijk miste. Een nabijheid, een gedeeld leven. Wanneer waren ze opgehouden hun leven met elkaar te delen? Wanneer waren ze hun levens parallel gaan leiden, in plaats van samen?

Tessa bedankte de portier voor het naar boven dragen van haar aankopen en opende de deur naar haar appartement. Het regende buiten, koude, harde novemberregen, en ze was om geld te besparen met de bus gegaan in plaats van met de taxi. Ze trok haar regenjas uit en hing hem aan het haakje aan de badkamerdeur, waar hij naargeestig druppelde. Ze trok in de slaapkamer haar vochtige kousen uit. Het was opmerkelijk, bedacht ze, hoe een zwangerschap je in alle opzichten veranderde. Ze was ondertussen zevenenhalve maand zwanger en haar enkels zagen er niet meer uit als haar eigen enkels; ze waren dik en vormeloos en het leek wel of ze ze had geleend van die gezette, vermoeide vrouw die naast haar in de bus had gezeten.

Ze liep naar de keuken om de boodschappen uit te pakken. Milo maakte zich zorgen dat ze gezien zouden worden in een restaurant, dus ze had aangeboden thuis eten voor hem te koken. Ze had het menu heel zorgvuldig gekozen: salade met roomkaas en ananas, gevulde gehaktrolletjes met spek (altijd lekker) en *gâteau de pommes*. Ze hadden elkaar bijna drie weken geleden voor het laatst gezien en ze miste hem vreselijk. Er leek steeds iets tussen te komen als hij naar Londen zou komen, en hoewel ze had aangeboden naar Oxford te gaan was Milo daar niet happig op geweest. Wat als er iets zou gebeuren, had hij gezegd, wat als de baby te vroeg zou komen?

Er was een vreselijk moment, toen ze zich vooroverboog om een schaal van een lage plank te pakken, dat ze bang was dat ze niet meer overeind zou kunnen komen, maar uiteindelijk lukte het haar door zich op te trekken aan de handvatten van een kastje. Ze besloot eerst de salade te maken. Je moest de room-

110

kaas met de dressing mengen en vervolgens, zo stond in het recept, met een nat mes over een natte snijplank rollen. En dan legde je een balletje roomkaas in het gat van een ananasring.

Ze wist niet of de plank te nat was of niet nat genoeg, maar de kaas bleef aan het mes kleven, en de plank aan haar handen, en uiteindelijk moest ze alles met een lepel van de plank schrapen en met haar vingers in de ananas proppen. Toen begon ze aan de gevulde gehaktrolletjes met spek. De telefoon ging terwijl ze de uien stond te snijden, dus ze rende ernaartoe om op te nemen, want ze verwachtte Milo, die zou bellen voordat hij uit Oxford zou vertrekken. Maar het was Milo niet. Het was Antonio, die vertelde dat Bee zijn huwelijksaanzoek had aangenomen, en hij vroeg of Tessa zin had om naar The Lamb in Lamb's Conduit Street te komen om het te vieren. Tessa feliciteerde Antonio, legde uit dat ze andere plannen had en verbrak zo snel ze kon de verbinding toen ze een brandlucht rook.

De keuken zag zwart van de rook en de uien waren zwartgeblakerd. Ze was te moe om nog een keer uien te snijden, dus ze viste de minst verbrande stukken ertussenuit, mengde die met het gehakt, maakte wat juspoeder aan, schonk dat over de gehaktrolletjes en zette ze in de oven. Toen zette ze een kop thee, waarmee ze op de bank plofte. Ze bedacht dat ze eigenlijk moest opruimen, overal in de kamer lagen boeken en tijdschriften, en het bijzettafeltje stond vol gebruikte theekoppen. De meid kwam in het kader van de bezuinigingen nog maar twee dagen per week en het was sindsdien net of het altijd een bende was in het appartement. Ik ga zo wel opruimen, dacht ze, en ze ging even op de bank liggen en sloot haar ogen. Ze legde haar handen op haar bolle buik en voelde de baby zijn langzame, zwemmende diepzeebewegingen maken.

Toen ze wakker werd was het kwart voor zeven. Milo zal wel haast hebben gehad om de trein te halen en geen tijd hebben gehad om te bellen. Tessa liep versuft van de slaap naar de keuken. Ze opende de oven en prikte met een mes in de gehaktrolletjes. Ze zagen er smerig uit: de vulling was eruit gelopen en borrelde grijsroze in de jus.

Ze was nog niet aan de appeltaart begonnen. Ze stond met pijn in haar rug boven de gootsteen appels te schillen en de klokhuizen eruit te halen. Nog maar zes weken, zei ze tegen zichzelf. Nog zes weken en dan was het achter de rug. Ze had nog niet besloten wat ze ermee ging doen. Ze wist dat het verstandig zou zijn om de baby ter adoptie af te staan. Net zoals het verstandig zou zijn geweest om Rays huwelijksaanzoek aan te nemen.

Ze deed de plakjes appel in een pan, schonk er water bij en zette ze op een gaspit. Ze las het volgende deel van het recept: 'Doe de suiker en het water in een pan en kook tot het weer suiker is.' Ze fronste verward haar wenkbrauwen. Waarom? Wat bedoelden ze daarmee? Waarom zou ze al die moeite doen als de suiker uiteindelijk zijn oorspronkelijke vorm weer zou aannemen?

Tessa las verder: 'Schenk het appelmengsel in een bakvorm en stort die leeg als het mengsel goed is afgekoeld.' Hoe lang deden gekookte appels erover om af te koelen? Een halfuur? Een uur? Ze had geen idee. Ze keek op haar horloge. Milo zou om halfacht komen en ze had zich nog niet eens omgekleed.

De appels hadden een schuimige massa gevormd, dus Tessa schonk het mengsel in een vergiet, roerde er wat suiker door, schonk alles in een bakvorm en zette die in de koelkast. Overal stond gebruikt vaatwerk, en de zolen van haar schoenen kleefden aan de spetters gekookte appel op de vloer.

Geen tijd om in bad te gaan, dus ze liet in de badkamer de wastafel vollopen. Haar spiegelbeeld staarde haar met holle ogen en bleek aan, en ze had een zwarte veeg op een van haar wangen. Ze waste zich en liep naar de slaapkamer. Haar kast hing vol met nauwsluitende, diep uitgesneden jurkjes die ze ooit, in een ander leven, had gedragen als ze een avondje uitging. Ze keek ernaar en het voelde of ze rouwde om oude vrienden. Ze trok een donkergroene wikkeljurk aan die ze zelf had gemaakt omdat de zwangerschapskleding in de winkel zo onelegant was en omdat ze tenslotte altijd graag had genaaid. Daarna ging ze aan haar kaptafel zitten. Ze camoufleerde de donkere kringen onder haar ogen, maakte zich op en smeerde wat rouge op haar wangen.

Tien voor acht. Milo was laat. Het zou wel druk zijn, het was vaak moeilijk een taxi te vinden als het druk was. Ze sprenkelde snel wat Véga van Guerlain achter haar oren, controleerde of de naden van haar kousen recht zaten en liep terug naar de zitkamer.

Terwijl ze de tijdschriften opruimde en de vieze theekoppen in de gootsteen zette, drong het tot haar door dat hij niet zou komen. Ze duwde deze zekerheid eerst uit haar hoofd, maar die kwam steeds sterker terug. Hoewel ze de tafel dekte en kaarsen aanstak, viel het haar op dat ze haar taakjes zonder enige overtuigingskracht en mechanisch uitvoerde.

Ze ging weer op de bank zitten, trok haar voeten onder zich en wachtte. Misschien had hij wel een ongeluk gehad, bedacht ze. Ze zette rusteloos de radio aan; een liedje uit een komische opera vulde de ruimte. Geen nieuwsberichten die de muziek onderbraken om verslag te doen van treinongelukken of plotselinge storm of overstroming, en na een tijdje zette ze de radio weer uit.

Ze verlangde er zo naar om Milo's stem te horen. Misschien had hij zijn trein wel gemist en wachtte hij in het kantoor van zijn vriend in Oxford. Ze praatten vaak uren met elkaar aan de telefoon. Ze belde de telefoniste en liet zich doorverbinden met het nummer in Oxford. Er werd niet opgenomen. Tessa bedankte de telefoniste en legde de hoorn op de haak. Ze overwoog zijn huis te bellen, maar ze wist dat ze dat niet moest doen. Hij zou zo wel komen. Hij zat waarschijnlijk al in een taxi, met een bos bloemen in zijn hand en een fles wijn in zijn jaszak, op weg naar Highbury. Als hij eenmaal was gearriveerd, zou hij gehaast de chauffeur betalen en het pand in rennen. Hij nam nooit de lift, rende altijd met twee treden tegelijk de trappen op. Als ze dan de deur opendeed, zou hij de bloemen op een stoel leggen, of ze zouden ze pletten als ze elkaar omhelsden, als zijn handen om haar heen gleden terwijl ze elkaar hongerig kusten.

Ze liep naar het raam, trok het gordijn open en keek naar buiten. Er kwam een taxi aan rijden: ze probeerde hem met haar blik tot stilstand te dwingen. Maar dat gebeurde niet, en de achterlichten glinsterden in de regen terwijl het voertuig de hoek om verdween.

Ze liep naar de keuken, pakte de bakvorm uit de koelkast en stak een vinger in het appelmengsel. Het was nog vloeibaar. Ze zette het in de koelkast terug en ging weer zitten, stak een sigaret op en maakte hem direct weer uit. Ze zou moeten gaan breien, bedacht ze. Al die stilte, al dat wachten... Ze zou zich zoveel beter voelen als ze iets te doen had.

De telefoon ging. Ze rende ernaartoe, buiten adem, bang dat ze er te laat zou zijn.

Ze griste de hoorn van de haak. 'Milo?'

'Tessa?'

'O Milo!' Opluchting golfde door haar heen; haar hart sloeg over. 'Ik dacht dat er iets was gebeurd! Waar ben je?'

'Ik ben helaas nog thuis.'

'Maar ons etentje...'

'Ik weet het, ik weet het. Ik ben razend.'

'Wat is er, schat?'

'De auto is kapot. Rebecca was op weg terug uit Abingdon en toen begon hij allerlei vervaarlijke geluiden te maken. Ik moest hem naar de garage brengen. Ik was van plan om van daar een taxi naar het station te nemen, maar Fred Holland was iemand van het Radcliffe aan het ophalen. Dus bedacht ik dat ik met de bus kon gaan... maar ik ga nooit met de bus, en Rebecca deed al zo raar, dus dat durfde ik niet te opperen. Het is een godvergeten ellende. Ze houdt me als een havik in de gaten.' Hij klonk geïrriteerd.

'Arme schat.'

'Ik wil je al de hele tijd bellen. Ik wilde niet dat je jezelf zou uitputten met koken.'

'Maak je maar geen zorgen.' Tessa begon te lachen. 'Je bent door het oog van de naald gekropen. Ik ben bepaald geen keukenprinses.'

'Het was vast heerlijk. Ik keek er zo naar uit. Het spijt me, lieverd. Ik maak het goed, dat beloof ik.'

'Waar ben je nu?'

'In de telefooncel in Little Morton. Ik ben met Julia gaan wandelen. Het stortregent hier.'

'Hier ook. Was het maar zomer.'

'Hoe is het met je, lieverd?'

'Prima. Moe. Pijn in mijn voeten.' Ze begon weer te lachen. 'Ik klink als een oud wijf.'

'Arm kind. Was ik maar bij je. Dan kon ik je voeten masseren.'

'Morgen...'

'Morgen kan ik helaas niet. We krijgen bezoek. Maar volgende week ben ik in de stad. Iets bij de BBC.'

'Ik mis je,' zei ze. 'Ik hou van je.'

'Ik hou ook van jou. Zielsveel.'

Hij maakte snel daarna een einde aan het gesprek; hij zei dat er een hele rij mensen bij de telefooncel stond te wachten, en hij durfde niet te lang van huis weg te blijven.

Tessa haalde in de keuken de gehaktrolletjes uit de oven, en ze pakte de salade en de taart uit de koelkast. Alles zag er vreselijk rommelig en onsmakelijk uit. Ze schepte het eten in de vuilnisbak en dacht: wat had je dan verwacht? Je bent geen deel van zijn leven, je leeft in de intervallen ertussen. Je hebt geen recht op hem, hij is van een ander. Hij hoort bij zijn vrouw, Rebecca. Dat is altijd zo geweest.

Ze zag zijn gebreken – zijn egoïsme, zijn ijdelheid – en toch, en dat was het probleem, ging ze daardoor niet minder van hem houden. Het drong tot haar door dat ze nog niet vaak van iemand had gehouden. Ze had gedacht dat dat zo was, maar dat was niet zo, niet echt. Op haar zeventiende was ze verliefd geweest op Guido Zanetti, en nu hield ze van Milo. Voor haar andere mannen, de mannen die er tussen Guido en Milo waren geweest, had ze genegenheid en waardering, en ze had zich tot hen aangetrokken gevoeld. Maar ze had niet van hen gehouden.

In de keuken zette ze de vieze vaat in de gootsteen. Ze draaide de kraan open en dacht aan Rebecca, die ze nog nooit had gezien. Hield Milo van Rebecca? Hij had geïmpliceerd dat er sprake was van onvrede, van een verslechtering in hun relatie, maar er werd met geen woord over gesproken. Hadden ze ooit van elkaar gehouden? Ja, ze dacht van wel, Milo zou niet aan een liefdeloos huwelijk zijn begonnen. Milo had liefde nodig. En hij vreesde Rebecca's jaloezie. Kwam jaloezie voort uit liefde of uit bezitterigheid? Ooit zou ze niet hebben getwijfeld aan het antwoord. Liefde die samengaat met bezitterigheid, met exclusiviteit is niets waard, zou ze hebben gezegd. Het was een verdraaiing van liefde, het lelijke stiefzusje van liefde. Afhankelijkheid, jaloezie, schuldgevoel: emoties die ze haatte en die nog nooit deel hadden uitgemaakt van haar idee van liefde.

Ze had haar keuze gemaakt. Als zij niet met de beperkingen van het huwelijk wilde leven, had ze niet het recht hem gevangen te houden. Liefde duurde zolang ze duurde, herinnerde ze zich Milo te hebben verteld op de avond van haar verjaardagsfeest. Als de liefde over was, liep je weg.

Tessa liet de vaat in het water staan, deed het licht in de keuken uit en blies de kaarsen op tafel uit. Ze liep naar het raam en keek naar buiten, zoals eerder die avond, toen ze op hem wachtte. Het regende niet meer. Je kunt uitgaan, hielp ze zichzelf herinneren. Je kunt een taxi nemen en naar het verlovingsfeest van Antonio en Bee gaan. Je kunt iemand bellen.

In plaats daarvan liep ze naar haar slaapkamer en kleedde zich uit. Als ze naakt was, zag haar buik eruit als de gladde ronding van een peer. Ze ging op de rand van het bed zitten, sloeg haar handen voor haar gezicht en drukte haar vingers tegen haar oogkassen om de tranen tegen te houden. Liefde duurde zolang ze duurde, maar van deze relatie kon ze niet weglopen. Milo Rycroft zou via dit kind altijd een deel van haar blijven. O Tessa, dacht ze vermoeid, wat heb je gedaan?

De bevalling begon in de vroege ochtend van 27 december. Het was vakantie, dus Freddie ging met haar mee in de taxi naar de kraamkliniek in Bayswater. Freddie wist nadat ze Tessa had weggebracht even niet wat ze moest en nam de metro naar het appartement van Julian Lawrence in South Kensington.

Toen hij opendeed, zei ze: 'Tessa is aan het bevallen,' en toen zei hij: 'O,' en daarna: 'Hoe lang gaat dat duren, denk je?'

'Ze zeiden in de kraamkliniek waarschijnlijk tot morgenochtend.'

'Mijn god.'

'Ik mocht niet bij haar blijven. Het is echt een gruwelijke plek en de verpleegsters zijn dragonders. Ik voel me zo nutteloos. Kon ik maar iets doen.'

'Als ik ergens mee kan helpen...'

'Als je dat leuk vindt, kun je met me gaan ontbijten, Jules. We hebben niet gegeten voordat we vertrokken, want Tessa was misselijk.'

Julian rende naar boven om zijn jasje en portemonnee te pakken. Ze liepen via Pembroke Road naar Earls Court Road. Het was ijskoud. Een laagje sneeuw lag op de ligusterhagen en was tegen de van roet zwart geworden muren opgewaaid.

In het eetcafé zaten werklui in donkerblauwe overalls, die thee dronken en dikke sneden brood aten. Julian vroeg Freddie wat ze wilde eten.

'Toast, denk ik.' Ze was zelf ook een beetje misselijk als ze aan Tessa dacht, zo helemaal alleen op die afschuwelijke plek.

Julian liep naar het buffet. Toen hij terugkwam naar hun tafeltje had hij twee mokken thee in zijn handen. 'Kop op, meid.'

117

'Ik probeer niet de denken aan al die vrouwen die in boeken kinderen krijgen. Zoals de moeder van David Copperfield.'

'Tessa is geen verwelkende victoriaanse heldin. Het komt wel goed met haar.'

'Ze bleven haar in die kraamkliniek stug mevróúw Nicolson noemen, alsof dat haar respectabeler maakte. Moet ik al iemand bellen? Of moet ik wachten tot de baby is geboren?'

'Hoe zit het met de vader?' Julian roerde in zijn thee. 'Moet je die niet opbellen?'

'Dat zou ik doen als het kon, maar Tessa weigert me te vertellen wie het is. Ik heb het wel honderd keer gevraagd.' Freddie keek Julian aan. Hij had mooie ogen, met lange wimpers en even donkerbruin als die van haar. 'Is het niet van jou, Jules?'

Hij schudde zijn hoofd. 'Ik weet zeker van niet. Tessa heeft me meer dan een jaar geleden de bons gegeven.'

'Je bent de enige aan wie ik het rechtstreeks vraag. Het is wel een beetje brutaal, hè, maar ik dacht dat ik jou er niet mee zou kwetsen.'

'Dat doe je niet. Ik denk dat het die gluiperd van een Max Fischer is.'

Ze vroeg nieuwsgierig: 'Waarom vind je Max niet aardig?'

Julian staarde nors voor zich uit. 'Waarschijnlijk omdat Tessa hem leuker vindt dan mij en ik niet begrijp waarom. Max is ouder dan ik, armer dan ik, en naar mijn mening lelijker dan ik. Maar dat geeft niet, ik ben eroverheen.'

Hoewel zijn toon licht was, zag Freddie dat hij allesbehalve eroverheen was. 'Je bent heel erg aantrekkelijk, Jules,' zei ze geruststellend. 'Ik heb overwogen om verliefd op je te worden, maar dat heb ik toch maar niet gedaan.'

'Waarom niet?'

'Een meisje op school is verliefd op een jongen thuis en ze heeft het nergens anders over. Doodsaai.'

Hij schoot in de lach. 'Wacht maar tot het jou overkomt, Freddie.'

Het meisje achter het buffet riep dat hun ontbijt klaarstond. Julian ging de borden halen. Toen hij terugkwam, zette hij een bord met toast voor Freddie neer. 'Het kan natuurlijk ook Paddy Collison zijn,' zei hij. 'Ze waren een maand of negen geleden nog bij elkaar.'

'Ik hoop het niet. Had ik je verteld dat hij heeft geprobeerd me te versieren? Ik ben eens naar zijn appartement geweest om een briefje van Tessa af te leveren en toen heeft hij een martini voor me gemaakt en geprobeerd me te kussen. En ik was pas zestien.'

'De ouwe snoeper.' Julian keek haar geschokt aan. 'Heb je het aan Tessa verteld?'

'Natuurlijk niet.' Freddie sneed een snee toast in vieren. 'Of Ray, maar ik denk eigenlijk niet dat hij het is, of die man in Parijs…'

'André.'

'Ja. En dan had je nog die afgrijselijke vent, lord Nogwat, die ze op Ascot heeft leren kennen. Volgens mij was hij getrouwd. Misschien dat hij het is. Ik heb hem maar één keer gezien.'

Een processie van mannen met wie Tessa op feesten en in nachtclubs omging: wie was het? *Ik kan niet met hem trouwen,* had Tessa gezegd op de avond dat ze Freddie had verteld dat ze zwanger was. Freddie had spijt dat ze niet had aangedrongen, dat ze Tessa niet had gevraagd uit te leggen wat ze bedoelde. *Ik kan niet met hem trouwen.* Was het omdat hij, de vader van de baby, al was getrouwd, of omdat Tessa's overtuiging dat ze niet getrouwd wilde zijn nog steeds overeind stond, ondanks alles, ondanks de baby?

'Ik ben zo vreselijk kwaad,' zei ze.

'Dat hij ermee wegkomt terwijl Tessa het zo moeilijk heeft?'

'Ja, daar komt het wel op neer. Maar volgens mij ziet Tessa het anders.'

'Kop op, Freddie. Als me iets duidelijk is geworden, dan is het wel dat Tessa echt oersterk is, ook al lijkt ze door haar prachtige verschijning nog zo fragiel.'

Freddie smeerde marmelade op haar toast. 'Misschien weet ik wie het is als ik de baby zie. Misschien lijkt hij wel sprekend op zijn vader.'

'Met een rode snor als hij van Ray is?'

Ze begon te giechelen. 'Hoe is het met jou, Jules? Hoe was je Kerst?'

'Geweldig.' Hij leunde met glinsterende ogen naar voren. 'Ik heb goed nieuws. Ik ben aangenomen voor de pilotenopleiding. Ik ga bij de RAF.'

'O, Jules.' Ze keek hem stralend aan. 'Gefeliciteerd. Wat goed van je.'

'Ik heb een paar weken geleden mijn gesprek bij de plaatsingscommissie gehad. Ik was bang dat ik het had verziekt, maar toen zeiden ze dat ik erdoor was. En daarna had ik nog een medische keuring. Op Kerstavond kreeg ik bericht dat ik me eind april op de opleiding moet melden.'

'Zijn je ouders trots?'

'Mijn vader wel. Mijn moeder is er niet zo blij mee. Ze denkt dat er oorlog komt.'

'Jij niet?'

'Jawel, daar ga ik wel van uit. Maar daar gaat het ook om, toch? Als er oorlog komt, móét ik wel bij de RAF. En jij, Freddie, wanneer ben je klaar met school?'

'Op zijn vroegst over een jaar.'

'Wat ga je daarna doen?'

'Het hoofd van mijn schoolhuis, juffrouw Fainlight, vindt dat ik naar de universiteit moet gaan.'

'Wil je dat?'

'Ik denk het wel.' De universiteit was al een tijdje onderdeel van haar plan. 'Hoewel het wel van de omstandigheden afhangt,' voegde Freddie toe.

Die omstandigheden hadden vooral te maken met geld. Toen Freddie voor de kerstvakantie thuis was, had ze de brief van de bank gelezen die Tessa achter de klok op de schoorsteenmantel had gezet. Ze had nogmaals aangeboden met school te stoppen en een baan te gaan zoeken, maar daar had Tessa niets van willen weten, en ze had gezegd dat er niets van inkwam, dat een van hen tenminste slim moest zijn en het goed moest doen. Freddie had Tessa erop gewezen dat zij het buitengewoon goed had gedaan, waarop Tessa met een geringschattend handgebaar had gezegd: 'Een leven als model... is niet wat ik voor jou wil, schat.' Tessa had er moe en bleek uitgezien, dus Freddie was er niet over in discussie gegaan.

Ze keek op haar horloge. Halftien, Tessa en zij waren nog maar anderhalf uur geleden in de kraamkliniek gearriveerd. 'We verwachten niet dat de baby er voor morgenochtend zal zijn,' had die afgrijselijke verpleegster tegen haar gezegd, hoewel Tessa's gezicht tijdens de taxirit al verwrongen was geweest van de pijn.

Kop op, meid. Ze had sinds een tijdje onder de knie hoe ze een kalme en zelfverzekerde uitstraling naar de wereld kon hebben. Uiteindelijk werd je wat je veinsde te zijn.

Ze zei tegen Julian: 'Vertel eens over de RAF. Vertel eens over de vliegtuigen. Ik wil alles weten.'

Ze hadden Freddie weggestuurd, hoewel Tessa had gevraagd of ze mocht blijven. 'Geen sprake van, mevrouw Nicolson,' snauwde de verpleegster alsof ze een onbetamelijk voorstel deed. Nadat er allerlei onuitsprekelijke dingen met haar waren gedaan, werd Tessa ingestopt in bed. Daarna vertrok de verpleegster. Het was een mooie kamer, met uitzicht op een stukje winterbruine tuin, maar ze voelde zich verloren, gevangen tussen de gesteven lakens en wollen dekens. Het deed zo'n pijn – ze had de verpleegster gevraagd of ze er iets tegen kon krijgen, maar die had gezegd dat het daar nog te vroeg voor was.

De uren kropen voorbij. Af en toe kwam er een vrouw haar kamer in om haar temperatuur en pols op te nemen, die vervolgens met haar platte schoenen piepend op de linoleumvloer weer verdween. Om één uur bracht een verpleegster een dienblad met eten dat Tessa niet door haar keel kreeg. Om vijf uur nog een dienblad. Een verpleegster in een donkerblauw uniform kwam de kamer binnen en zei: 'U moet wat eten, mevrouw Nicolson. U moet op krachten blijven.' Tessa at tegen haar zin een boterham, die ze vervolgens uitspuugde over de witte lakens. Twee verpleegsters kwamen haar gepikeerd verschonen.

Ze lag een hele tijd alleen. Ze verlangde naar Milo, ze verlangde naar Freddie. Ze wilde dood, en toen ze heel hard begon te schreeuwen kwamen er onmiddellijk drie verpleegsters. Een van hen berispte Tessa, dus die schold ze uit, waarop het meisje haar geschokt aankeek. Toen onderzocht de hoofdverpleegster in het donkerblauwe uniform haar, en ze zei dat de verpleegsters Tessa naar de verloskamer moesten brengen. Na een ondraaglijke reis in een rammelende rolstoel over linoleumvloeren werd ze op een hoge bank in een fel verlichte kamer geholpen. Ze gaven haar gas en zuurstof en zeiden dat ze moest persen, en een vriendelijke verpleegster hield haar hand vast en zei dat ze het fantastisch deed. Een uur later, na een laatste, felle wee, gefriemel en geschreeuw, was haar zoon geboren. Ze wogen hem – zesenhalve pond – en die vriendelijke verpleegster wikkelde hem in een dekentje en gaf hem aan Tessa. De hoofdverpleegster kwam de ruimte weer in en snauwde: 'Wat ben je aan het doen, Dawkins? Neem hem mee. Die baby wordt geadopteerd.'

'Nee, dat wordt hij niet,' zei Tessa. 'Hij blijft bij mij.'

En zo werd de beslissing genomen, uiteindelijk zo moeiteloos. Het gezichtje van haar zoon was gerimpeld, alsof hij als een zakdoek opgevouwen in haar had gezeten, en hij had een bos blond haar, en donkere ogen, die heel even verwonderd opengingen om de wereld te aanschouwen. Ze wist dat het haar hart zou hebben verscheurd als ze hem aan een vreemde zou hebben gegeven.

De volgende dag kwamen ze tijdens het bezoekuur allemaal langs: haar vrienden en Freddie, steeds in tweetallen, want er mochten niet meer mensen tegelijk de kamer in. Ze vulden de kamer met bloemen, chocolade en tijdschriften, en de verpleegsters waren ineens een stuk vriendelijker, want onder haar bezoekers bevonden zich een beroemde musicalactrice en een adembenemend aantrekkelijke onderzoeker van het poolgebied.

Toen iedereen die avond weg was, klom Tessa voorzichtig uit bed, moeizaam vanwege de pijn tussen haar benen. Ze zocht haar schrijfpapier en een envelop en schreef een brief aan Milo. Die aardige verpleegster, Dawkins, deed hem voor haar op de post.

Hij hoorde de brievenbus toen Rebecca in de badkamer was. Hij haastte zich naar beneden; hij probeerde de laatste tijd altijd als eerste bij de post en bij de telefoon te zijn.

Hij herkende Tessa's handschrift, legde de andere brieven op het haltafeltje en scheurde de envelop open.

'Wat is dat?'

Hij keek op. Rebecca stond boven aan de trap.

'O, een brief van een fan,' zei hij, en hij deed of hij vertelde wat erin stond: 'Ze vond *De gebroken regenboog* geweldig, maar *Penelopes weefgetouw* is nog steeds haar favoriet. Gek hè, dat ze altijd denken dat dat een compliment is.'

Ze zei: 'Nou. Roerei of gerookte haring?'

'Haring,' zei hij zonder nadenken.

Rebecca liep naar de keuken. Milo haastte zich naar zijn werkkamer en sloot de deur. Er stond zweet op zijn voorhoofd. Hij las de brief van Tessa.

Lieve Milo, stond er. *Ik heb een zoon! Hij is donderdagochtend vroeg geboren en is het mooiste kind op aarde.*

Zijn emoties waren zo in conflict – geschoktheid, trots, angst, opluchting dat ze de bevalling had overleefd – dat hij even moest gaan zitten omdat zijn hart zo tekeerging. Hij las verder.

'Ik noem hem Angelo Frederick. Angelo vanwege zijn gouden lokken en omdat het net een engeltje is, en Frederick natuurlijk naar Freddie'.

Milo fronste zijn voorhoofd. Ik noem hem Angelo Frederick…

Hij las snel de rest van Tessa's brief. Ze hadden het over adoptie gehad. Nee, nee, dat was niet waar: hij had het onderwerp een paar keer voorzichtig aangesneden, als een paard dat schrikt voor een hoog hek, in de wetenschap dat hij, hoewel het misschien overduidelijk was dat adoptie de beste en verstandigste keuze zou zijn, niet het recht had Tessa die mogelijkheid op te dringen. Maar ze voelde het altijd precies aan als hij over een moeilijk onderwerp wilde beginnen en leidde dan altijd zo behendig de aandacht ervan af. Ze was hoogstzelden serieus; dat was een van de dingen die hij zo geweldig aan haar vond, maar tegelijkertijd was het razendmakend. Toen ze een keer samen in bed hadden gelegen, was het met een voor hem zeldzame helderheid tot hem doorgedrongen dat hij niets liever wilde dan de rest van zijn leven met haar doorbrengen, hoeveel moeilijkheden dat ook zou opleveren, maar toen hij haar dat wilde vertellen had ze haar wijsvinger tegen zijn lippen gedrukt en hem tot stilte gemaand. 'Nee Milo,' zei ze zacht. 'Zeg maar niets. Het is perfect zoals het is.'

Maar hij had toch gehoopt dat ze de baby zou laten adopteren. Hij had erop gerekend dat ze dat zou doen. Het was in elk opzicht de beste oplossing. Beter voor Tessa, en duidelijk beter voor het kind. Een jongen had een vader nodig.

Milo staarde uit het raam. Het sneeuwde, dikke witte vlokken, van die sneeuw die direct blijft liggen. Hij dacht: een zóón, en zag een aanlokkelijk beeld voor zich dat hij de jongen zou leren kennen, dat ze elkaars leven zouden verrijken. De jongen zou hem natuurlijk 'oom' noemen, en hij zou Tessa moeten overhalen hem een andere naam dan Angelo te geven, want deze zou hem op school het leven zuur maken en het voor hem bemoeilijken om erbij te horen.

Het beeld was weer weg; hij zag nu de harde realiteit. Hij herinnerde zich een medeleerling op school. Hij was een bastaard, en er had zijn hele schooltijd een waas van schande aan hem gekleefd, een morele grijsheid waardoor Milo zowel medelijden als walging voor hem had gevoeld. Hij las de brief nogmaals. Er stond niets in over adoptie; uit ieder woord dat Tessa had geschreven bleek dat ze hem wilde houden.

En als ze dat deed, wat betekende het dan voor hem? Levenslang de spanning en angst die hij de afgelopen zes maanden te verduren had gehad, de altijd aanwezige angst dat het ontdekt zou worden. Hij had over een koord gelopen, en de gedachte dat hij dat zou moeten blijven doen ontzette hem. Misschien geloofde Tessa dat ze minnaars konden blijven en geheim konden houden van wie de baby was, maar Milo vermoedde dat dat onmogelijk zou zijn. Uiteindelijk zouden ze samen worden gezien, uiteindelijk zouden mensen vragen gaan stellen. Ze waren allebei bekend: zij was te zien op alle tijdschriften en hij op al zijn boekomslagen. Het schandaal zou hem ruïneren.

Milo pakte zijn pen en begon te schrijven. *Mijn liefste Tessa, ik was zo blij je nieuws te horen.* Hij staarde naar de zin, scheurde het papier in piepkleine stukjes en pakte een nieuw vel. *Mijn liefste Tessa, ik was zo opgelucht en verrukt je nieuws te horen…*

De baby leek jammer genoeg op niemand. Freddie bedacht dat hij niet eens op Tessa leek. Angelo zag eruit – een mening die ze maar voor zichzelf hield – als een wezen dat van een buitenaardse wereld op aarde was neergedaald, niet helemaal menselijk. Tessa vond hem prachtig, maar dat was vanzelfsprekend. Hij had een opmerkelijk grote neus en opmerkelijk grote handen en voeten, een samengeperst donkerrood mondje en donkerblauwe ogen die af en toe onafhankelijk van elkaar leken te functioneren, waarbij er één dicht bleef terwijl het andere om zich heen tuurde, of beide ogen niet helemaal dicht, samengeknepen tot donkerblauwe gleufjes, terwijl hij ondertussen lag te slapen. Maar hij was wel lief: zijn gekke, mauwende huiltje als hij honger had en zijn neiging om als een bolletje op haar borst in slaap te vallen betoverden haar.

Toen Tessa na tien dagen thuiskwam van de kraamkliniek bestudeerde Freddie zorgvuldig de reacties van het mannelijke bezoek voor Angelo. Ze was op zoek naar... wat? Schuldgevoel? Vaderlijke gevoelens? Ze nam aan dat het niet netjes was dat ze zo nieuwsgierig was wie de vader was, maar ze kon zich niet inhouden. Het was door haar heen gegaan dat Tessa misschien zelf niet zou weten wie de vader was, of dat ze het niet zeker zou weten. Freddie betrapte zichzelf erop dat ze tot op zekere hoogte verlangde naar een leven waarin er dergelijke verwarring kon zijn.

Toen Freddie Angelo aan Tessa's vrienden liet zien en vroeg of ze hem wilden vasthouden, krompen sommigen ineen en mompelden dat ze bang waren hem te laten vallen, terwijl anderen hem geoefend oppakten, tegen hun schouder legden en op zijn ruggetje klopten. Sommigen kwamen naar het appartement met enorme boeketten bloemen en gigantische dozen Zwitserse chocolade, terwijl anderen een bosje sneeuwklokjes in krantenpapier bij zich hadden, of een zakje koffiebroodjes. Half januari, toen Freddie weer naar school ging, had ze nog steeds geen flauw idee wie Angelo's vader was. Zoals altijd verborg Tessa haar geheimen goed.

Als hij huilde, was dat zonder tranen. Bij Tessa zelf vloeiden ze overvloedig, aangespoord door alles: een prik in haar duim van een luierspeld, verdriet dat haar moeder was gestorven zonder haar kleinzoon te hebben gekend, de pijn van haar hechtingen en pijnlijke borsten. Als ze zijn naakte lijfje in bad zag, of zijn gewicht voelde terwijl hij tegen haar aan in slaap viel, vervulde haar dat met zo'n intens en onbestemd geluk dat ze zich afvroeg of ze tijdens de bevalling een beschermend laagje olifantshuid was kwijtgeraakt.

Wanneer ze 's nachts in een badjas de keuken in slofte om zijn flesje op te warmen was het net of ze met Angelo in een aparte wereld leefde. Het enige geluid dat er dan klonk was dat van zijn adem en de gemompelde liedjes die ze voor hem zong. Tijdens de voedingen viel ze bijna in slaap; ze beet op haar onderlip en ging overeind zitten om wakker te blijven. Er schoten allerlei angstbeelden door haar hoofd: een zuigeling die was verstikt door zijn slapende moeder; een kind dat was gestikt terwijl zijn moeder in slaap was gevallen. Hoewel haar borsten na de eerste weken geen melk meer lekten, haar verschrompelde, dikke buik strak begon te trekken en haar lichaam weer enigszins de vormen van voor de zwangerschap begon aan te nemen, wist ze dat ze was veranderd door de geboorte. Ze was niet langer onbezorgd, was haar vertrouwen verloren dat alles goed zou aflopen. De verantwoordelijkheden die ze zo dankbaar had losgelaten toen ze naar Londen was gekomen, daalden nu honderd keer zo zwaar op haar neer. Ze was oplettend, hield in de gaten dat er niets vreselijks gebeurde door slaapgebrek of onzorgvuldigheid: dat ze de baby slapend in zijn reiswiegje achter in een taxi zou achterlaten, of er midden in de nacht achter zou komen dat ze had vergeten melk voor hem te kopen. Er waren dagen dat het haar niet lukte zich voor het middaguur te wassen of aan te kleden. Haar eerste expeditie om boodschappen te gaan doen met de wandelwagen, een enorme, glanzende Silver Cross, die oogde als een soort koets en die Ray haar had gegeven, kostte uren voorbereiding.

Milo zag zijn zoon voor het eerst toen Angelo drie weken oud was. Hij wachtte tot Freddie weer naar school was, voor de zekerheid, vanwege de band tussen Freddie en juffrouw Fainlight. Tessa had met hem te doen dat hij de eerste weken had gemist. Angelo veranderde elke dag, als een ontluikende bloem. Milo kwam naar het appartement met cadeaus voor haar en de baby, en een mand vol eten van Fortnum's. Hij stond erop hun lunch zelf te maken. Ze mocht helemaal niets doen, ze moest rusten en hij zou tafeldekken, serveren en afwassen. Wat lief van hem was, want de meid was niet geweest en het appartement was bezaaid met vuile borden en babyspullen: flesjes, slabbetjes en drogende nachthemdjes. Milo ruimde op, waste af, zette thee. Hij hield Angelo voorzichtig vast, beschroomd, en na de lunch, toen ze moe was, lagen ze samen in bed, met de baby slapend tussen hen in.

Rebecca was soms bang dat ze gek werd. Ze was haar achterdocht gaan beschouwen als een ding, een wezen, een lelijke, grijze, misvormde waterspuwer die haar overal volgde of op haar schouder zat en haar er met een zelfgenoegzame grijns op zijn smoel aan hielp herinneren dat Milo wel erg laat terugkwam uit Oxford; die spottend in haar oor fluisterde als Milo nog vóór het ontbijt naar beneden rende om de post te pakken.

Ze vroeg zich af of ze ermee naar de dokter moest. Ik heb last van beelden, waanvoorstellingen; ik probeer elke dag er niet aan te denken, maar ze komen steeds terug. Maar als ze eraan dacht bij dokter Hunter in de spreekkamer te zitten, waar het naar ontsmettingsmiddel en vloerwas stonk, en dat ze moest luisteren naar zijn neerbuigende toon als hij voorstelde dat ze een cursus zou gaan volgen of een dagje naar Londen zou gaan – de zinnen verzetten, mevrouw Rycroft, dat is zo weldadig – dan kon ze zich er niet toe zetten een afspraak te maken.

Misschien had haar denkbeeldige dokter Hunter wel gelijk. Misschien moest ze meer bezigheden hebben. De maanden na Kerst waren altijd een ellende; in de tuin was weinig te doen en een ritje maken was ook niet aanlokkelijk. Ze besloot een nieuwe routine in het leven te roepen. Ze zou elke ochtend een lange wandeling met Julia gaan maken en zorgen dat ze dagelijks iemand sprak, Meriel of Glyn, of een van haar kennissen in het dorp. Ze zou zich aanmelden als vrijwilligster om op dagen dat Milo de auto niet nodig had oude dames naar het Radcliffe-ziekenhuis te rijden. Ze ging nieuwe recepten uitproberen, haar repertoire uitbreiden. En eind maart zouden ze een feest organiseren om de publicatie van *Midwinterstemmen* te vieren.

Rebecca ruimde de kasten van Mill House op, bracht oude kleding en boeken naar de kringloop en zette dozen rommel die ze al in geen jaren had gebruikt op zolder. Ze trof er een stapeltje brieven en kaarten aan: ze bladerde erdoorheen en wist dat ze op zoek was naar bewijs: een liefdesbrief, een kaart: 'Liefste Milo… liefs en kusjes'. Van wie? Niet van Grace King; ze was ervan overtuigd dat Milo haar over Grace de waarheid had verteld. Maar de brieven die ze had gevonden waren oud, veel ervan aan haar geadresseerd, eindeloze epistels van schoolvriendinnen met wie ze al jaren geen contact meer had, uitnodigingen voor feesten, bruiloften en doopfeesten die ze om sentimentele redenen had bewaard. Ze vroeg zich af of ze zich anders zou hebben gevoeld als ze een kind had gehad. Ze dacht van wel, want een kind zou haar bezighouden, en dan zou ze al haar liefde en passie niet op Milo hebben hoeven richten. Maar het was maar de vraag of het ook beter zou zijn geweest. Haar denkbeeldige kind, Archie of Oscar, met zijn vriendelijke, open gezicht, zijn onafhankelijke geest en zijn intuïtieve begrip voor haar buien… Zou Milo er moeite mee hebben gehad als ze een kind een deel van haar liefde zou hebben gegeven?

Ze haalde haar schildersezel en potloden tevoorschijn. Ze maakte een schets van een schaal met wilgenkatjes en haar geest dwaalde af, bedacht scenario's. Stel dat hij verliefd was op een of ander meisje. Stel dat ze in Oxford woonde, zoals het geval was geweest met Annette Lyle. Dan was het uitermate eenvoudig voor hen om elkaar te zien, een rendez-vous in de middag of een uurtje in de avond, opgewonden van het succes van zijn college. Maar dan zou hij toch bang zijn dat hij zou worden gezien, zoals uiteindelijk was gebeurd met juffrouw Lyle? Die affaire was aan het licht gekomen toen een kennis hen samen in de bar van een hotel in een buitenwijk van Oxford had gezien. Nee, Oxford zou het niet zijn. Londen dan. Milo's minnares zou haar brieven adresseren aan het kantoortje dat Milo op de universiteit gebruikte; hij zou haar bellen, zij hem niet. Hij zou haar bellen als hij alleen thuis was, of uit de telefooncel in het dorp. Dat was eenvoudig.

Hij is schrikachtiger dan gebruikelijk. Hij springt op als de telefoon gaat, of als de postbode aanklopt. Hij gaat elke avond lang wandelen met de hond, wat hij vroeger altijd oversloeg als het slecht weer was. Hij ziet er niet gelukkig uit... Als hij verliefd zou zijn, zou hij er toch gelukkig uitzien?

Op een avond volgde ze hem. Ze was ingepakt in een jas met hoed; er stonden geen lantaarnpalen en ze zag alleen de witte cirkel van zijn zaklamp in de dunne mist. In het dorp aangekomen liep Milo langs de lege telefooncel. Hij keek er niet eens naar. Rebecca voelde zich ontzettend stom en schaamde zich diep; ze liep snel terug naar huis.

Het was moeilijker om weer aan het werk te gaan dan Tessa had gedacht. Om te beginnen was er haar lichaam, met die irritante extra vijf centimeter rond de taille die weigerde te verdwijnen. Ten tweede bleef de afkeuring waarmee ze tijdens haar zwangerschap was geconfronteerd aanhouden; de grote warenhuizen wimpelden haar af met de smoes dat ze al andere modellen hadden aangenomen voor het voorjaar. Ze drong aan, want ze had het geld nodig, nu voor Angelo, maar ook voor Freddie en zichzelf. Ze probeerde gunsten te innen en belde iedereen die ze kende, en toen Angelo zeven weken was lukte het haar eindelijk om twee dagen werk als hoedenmodel voor *Vogue* in de wacht te slepen.

Via een bureau huurde ze een meisje in dat overdag op de baby kwam passen. Ze zorgde de avond ervoor dat er genoeg schone luiers, nachthemdjes, lakentjes en handdoeken lagen, en ze steriliseerde de flesjes en spenen. Ze stond de volgende ochtend om halfzes op om Angelo in bad te doen, te voeden en aan te kleden, en daarna zichzelf aan te kleden en haar haar en make-up te verzorgen. Ze bleef lang genoeg om het kindermeisje, dat een kapitaal kostte, te vertellen waar alles stond, en toen kuste ze haar

130

zoon, pakte haar tas en haastte zich de deur uit. In de lift bedacht ze dat dat meisje er heel aardig uitzag, maar wat als ze zijn flesje vergat op te warmen? Wat als ze de hele dag tijdschriften zou gaan zitten lezen en Angelo uren zou laten huilen? Wat als ze niet was wie ze zei dat ze was en hem zou ontvoeren? En wat als Tessa hem nooit meer zou zien?

Ze overleefden het allebei. Dat was haar enige doel de laatste tijd: overleven. Ze had geen flauw idee gehad wat een gedoe het was om met een baby door Londen te reizen. Taxi's waren duur en ze probeerde geld te besparen, en die wandelwagen paste niet in de bus of metro. Ze mat zich een routine aan, een manier om de dag door te komen. Soms, als de baby lag te slapen en de dagelijkse dingen haar waren gelukt – eten, slapen, een uitje, naar een vriendin – vond ze dat het wel ging. Op andere dagen, als ze geen werk had en Angelo de hele nacht huilde, ze haar haar moest wassen en er niemand had gebeld, huilde ze zichzelf, net als haar baby, in slaap.

Ze wendde zich aan het nooit over Angelo te hebben als ze aan het werk was. Op haar werk moest ze de serene, stralende, beeldschone Tessa Nicolson zijn, onveranderd, alsof de hele zwangerschap en het feit dat ze een zoon had gebaard konden worden uitgeveegd en vergeten als een vakantie of kiespijn. Als een fotograaf wilde dat ze overwerkte moest ze zeggen dat ze de boottrein moest halen of een andere afspraak had. Alles behalve: *Ik moet naar huis naar mijn kind, want ik ben zo moe dat ik niet meer kan nadenken, en als je me vraagt nog een moment langer stil te staan, val ik staand in slaap.*

Ze zag de dingen nu anders. Ze probeerde verantwoordelijk met geld om te gaan – wat niet zo moeilijk was nu ze niet eens tijd had om te gaan winkelen – en ze deed haar best het appartement schoon te houden, zelfs op de dagen dat de meid niet kwam, want ze maakte zich zorgen dat Angelo iets zou oplopen. Tijd was waardevol geworden. Ze leerde zich te haasten op dagen dat ze moest werken, met Angelo onder een arm terwijl ze haar tasje, sleutels, lippenstift en adresboekje zocht. Ze leerde de wandelwagen gladjes in en uit de lift te manoeuvreren en het reiswiegje achter in de MG te proppen. Angelo vond het heerlijk om rondgereden te worden. Tijdens de eerste weken, als het laat was en hij maar niet wilde slapen, legde ze hem in de auto en ging rijden tot hij sliep. Ze voelde een enorme vredigheid over zich heen komen wanneer zijn geschreeuw verzwakte tot gejammer en dan tot stilte terwijl de donkere, verlaten straten flikkerend voorbijzoefden. Toen ze eind februari helemaal naar Freddies school in Oxford reed en Angelo de hele reis lag te slapen, was ze trots op zichzelf alsof ze de Mount Everest had bedwongen.

Er waren dingen die Tessa vervelend vond. Ze zat ermee als mensen haar met de wandelwagen tegenkwamen en zeiden: 'Ik dacht dat je hem zou laten adopteren.' Of wanneer ze naar Angelo keken alsof hij nooit geboren had moeten worden, alsof hij vies was, besmet, alsof het zijn fout was geweest en niet die van haar. Hoewel ze in het openbaar geen spier vertrok, huilde ze als ze alleen was bittere tranen.

Maar waar ze nog het meest over in zat was Milo. De eerste keer dat Milo zijn zoon zag, was Tessa geraakt door de verwonderde blik in zijn ogen. Naarmate de tijd verstreek ging ze echter steeds meer denken dat het geen blik van verwondering was geweest, maar een van verwarring. Ze was ervan uitgegaan dat Milo zijn zoon waarschijnlijk nooit openlijk zou erkennen, maar dat hij desondanks stapelgek op hem zou zijn. Ze had zich een unieke relatie voorgesteld: als hij geen conventionele vader voor Angelo kon zijn, zou hij een ander soort band met hem hebben, maar het zou hoe dan ook geweldig zijn.

Wat tijdens de eerste maanden van hun affaire zo spannend was geweest – het heimelijke, de onvoorspelbaarheid, de gestolen momenten samen – was dat niet meer. Het moederschap had haar harder gemaakt, minder vergevensgezind. Wilde hij een einde aan hun relatie maken? Was dat mogelijk? Nee, dat kon ze niet geloven. Toch betrapte ze zichzelf erop dat ze bijhield hoe vaak hij afzegde of een telefoongesprek beëindigde, en het besef dat ze daarmee haar eigen regels brak, stemde haar wanhopig. Regels voor de liefde. Wat stom van haar dat ze had geloofd dat zij gevrijwaard zou blijven van het dwingende contract en de tol die het hart eist van het leven.

5

'Het feest was geweldig,' zei Rebecca. 'Jammer dat je er niet bij kon zijn.'

Het was een zondagochtend in het begin van maart en de zussen reden naar Abingdon om met hun moeder te gaan lunchen. Het feest om de publicatie van *Midwinterstemmen* te vieren was de avond ervoor gehouden in Mill House.

'Ik hou niet zo van feesten,' zei Meriel. 'De hele avond staan. Ik begrijp niet waarom mensen het een goed idee vinden om staand je maaltijd te nuttigen, balancerend met je bord en bestek.'

Dat zei Meriel altijd en het irriteerde Rebecca keer op keer. De feesten van het echtpaar Rycroft waren beroemd, mensen smeekten om een uitnodiging. Was het nou echt te veel gevraagd, overwoog Rebecca, dat haar zus er een heel klein beetje minder laatdunkend over deed?

'Het was vreselijk gezellig,' zei ze stijfjes. 'De laatste gasten vertrokken pas na enen.'

'Ik lig graag om tien uur in bed.'

Meriels tactloosheid en het nare gevoel dat Rebecca altijd had als ze naar haar moeder ging, maakten dat ze haar lippen op elkaar perste om te voorkomen dat ze zou gaan snauwen. Ze was moe. Ze had graag een uur langer geslapen. Ze zette de auto luidruchtig in een hogere versnelling en dwong zichzelf zich op de weg te concentreren.

'Hoe dan ook,' zei Meriel na een tijdje, 'ik word altijd hoorndol van feesten. Ik versta nooit een woord van wat mensen zeggen door al dat rumoer. Maar ik zal Milo even bellen om hem te feliciteren.'

Rebecca voelde dat Meriel haar met deze woorden een olijftak aanbood; ze belde Milo hoogstzelden. 'Dat vindt hij vast leuk,' zei Rebecca. Toen vertrouwde ze haar zus toe: 'Hij is eerlijk gezegd behoorlijk teleurgesteld. Een of andere vrouw in de *Times* heeft een slechte recensie geschreven.'

Misschien is het aardigste wat kan worden gezegd over de poëzie van meneer Rycroft, had er gestaan, *dat hij zich maar bij het schrijven van romans moet houden.* Het commentaar had Milo zichtbaar gestoken. Zelfs het feest had hem niet opgevrolijkt; hij was stomdronken geworden, wat heel ongebruikelijk was voor Milo, en Charlie Mason had hem naar boven en in bed moeten helpen.

'O hemel,' zei Meriel. 'Maar die gedichten waren alleen voor de lol, toch?'

'Hij heeft er keihard aan gewerkt,' zei Rebecca verbolgen.

'Misschien is het ook wel een beetje veel gevraagd om geweldig succesvol in twéé dingen te zijn. Het lijkt me al fantastisch om één ding zo goed te kunnen.'

'Ja, daar heb je wel gelijk in.' Rebecca remde voor een kruising, keek naar rechts en links en reed verder. 'Hoe is het met dokter Hughes?'

Meriels mondhoeken trokken naar beneden. 'Deborah probeert hem over te halen naar Cornwall te verhuizen.'

'Cornwall?'

'Ja. Voor haar gezondheid. Deborah schijnt altijd al dol geweest te zijn op Cornwall.'

'En hoe moet het dan met zijn werk?'

'Nou, vreselijk hè? Hij is al een eeuwigheid de arts van Westdown.'

'Vreselijk voor jou.'

'Ja.' Meriel keek weg, het raam uit. 'Ik zou hem zo missen.'

'Wil hij verhuizen?'

'Nee, helemaal niet.'

Arme Meriel, dacht Rebecca. Wat afschuwelijk om je zo ellendig te voelen over de mogelijkheid dat iemand weggaat, en dat terwijl diegene niet eens weet dat je zoveel om hem geeft.

'Maak je maar geen zorgen,' zei ze geruststellend. 'Die wispelturige Deborah zal wel weer van gedachten veranderen. Heeft ze niet al eens eerder zoiets geroepen?'

'O ja. Al heel vaak,' verzuchtte Meriel. 'Maar ze heeft het wel erg vaak over Cornwall.' Toen vroeg ze: 'Maar hoe is het met jou, Becky?'

'Met mij? Prima.'

'Je komt de laatste tijd een beetje terneergeslagen over.'

'Is dat zo?' Rebecca probeerde het weg te lachen. 'Dat zal wel door het feest komen. Het is altijd zoveel werk. Ik voel me prima. Het gaat uitstekend.'

'Dat hoeft niet altijd zo te zijn, hoor.'

'Wat?'

'Het hoeft niet altijd goed te gaan,' zei Meriel. 'Het hoeft niet altijd geweldig te zijn.'

De uitdrukking in de ogen van haar zus was verontrustend. Rebecca was teleurgesteld in zichzelf. Wat vernederend om erachter te komen dat haar bezorgdheid anderen opviel.

'Het gaat echt prima met me,' zei ze gedecideerd. 'Ik heb gewoon een hekel aan deze tijd van het jaar, dat weet je.' Ze veranderde van onderwerp. 'Wat koop jij voor mama's verjaardag?'

'Badzout en talkpoeder. Afgezaagd, dat weet ik, maar ik kan niets anders bedenken. Jij?'

'Ik heb handschoenen overwogen, maar volgens mij heb ik die vorig jaar al gegeven. Misschien pantoffels.'

'Ik had bijna een mooie doos bonbons voor haar gekocht, maar dan gaat ze zeuren dat ze die niet kan eten met haar gebit.'

'Zelfs die zachte met aardbeienvulling…'

'Die kun je zelfs zuigen.'

Beide zusters begonnen te giechelen. Ze reden de buitenwijken van Abingdon binnen.

Toen zei Meriel ineens: 'O wacht! Dat moet ik je nog vertellen! Echt schokkend.'

'Wat?'

'De zus van Freddie Nicolson heeft een baby gekregen.'

'O?' zei Rebecca afwezig. Ze gaf richting aan en haalde een stel fietsers in.

'Becky. Ze is ongehuwd.'

'O! Dat is inderdaad vreselijk.'

Als een waarschuwingsbel begon er ineens iets in haar bewustzijn te klingelen. Iets zorgwekkends, maar ze kreeg het nu even niet naar de oppervlakte.

'De zus van wie?' Ze fronste haar wenkbrauwen. 'Wat zei je nou?'

'De zus van Freddie Nicolson. Tessa. Ze is model.'

'Model?'

'Ze schijnt vreselijk beroemd te zijn. Freddie heeft me een foto in *Vogue* laten zien.'

'Freddie...'

'Freddie Nicolson ja. Ik heb al eens iets over haar verteld. Frederica, maar iedereen noemt haar Freddie. Heerlijke meid. Ze heeft haar tentamens fantastisch gemaakt, en ze is vice-voorzitster van de sportclub. Ik heb wel met haar te doen hoor, met zo'n familie. Maar sommige dingen kun je nu eenmaal niet onder het tapijt vegen, hè? Hoe dan ook, juffrouw Nicolson was al maanden niet op Westdown op bezoek geweest en ze kwam altijd zo stipt bij Freddie langs. Dus dat moet het verklaren! Ze was zwanger!'

Frederica, maar we noemen haar Freddie. De herinnering was weer naar boven gekomen. Bijna een jaar geleden: Mill House, de verjaardag van haar moeder. Narcissen in het gras en haar moeder die klaagde over de kosten van gordijnen. Godzijdank hebben we Freddie Nicolson, had Meriel gezegd, die heeft het

de laatste wedstrijd geweldig gedaan. En toen had Milo opgekeken en gevraagd: Nicolson? En zij, Rebecca, die hem zo goed
kende, had gezien dat hij vreselijk was geschrokken.

'Die baby,' vroeg ze. 'Hoe oud is die?'

'Twee maanden… of drie. Ik weet het niet precies. Juffrouw
Nicolson heeft hem aan me laten zien. Een schatje, maar ik was
zo van mijn stuk gebracht dat ik niet wist wat ik moest zeggen.'

Toen raakte Meriel haar arm aan. 'Rebecca?' zei ze. 'Dat was
onze afslag. Je hebt onze afslag gemist. Rebecca?'

Eerst de zekerheid dat Milo een verhouding had met die vrouw,
Tessa Nicolson. Het zou verklaren waarom hij zo was geschrokken aan tafel, waarom de naam Nicolson hem had gealarmeerd.
Het zou de opgetogenheid van vorig jaar lente en zomer verklaren, de telefoontjes in de werkkamer, zijn afwezigheid. Alle puzzelstukjes vielen ineens op hun plaats. Als Tessa Nicolson model was,
moest ze jong en mooi zijn. Westdown was maar tien kilometer
van Mill House. Milo kon haar tijdens een van zijn wandelingen
zijn tegengekomen, misschien had haar auto een lekke band, en
had Milo, de redder in nood, die voor haar vervangen. Of misschien had ze hem aangehouden om de weg te vragen, of, als ze
het soort vrouw was dat alleen ging zitten drinken in een pub, had
hij een biertje besteld en was hij met haar aan de praat geraakt.

Vervolgens, even overtuigend, de twijfel. Haar verbeelding nam
weer een loopje met haar. Haar gissingen waren belachelijk.
Meriel had haar verteld over de moeder van een onwettig kind
en zij concludeerde meteen dat Milo de vader moest zijn. Dat
was nog erger dan belachelijk, dat was ziek. Ze verloor haar
grip, ze draaide door.

Maandagochtend: de dag dat Milo altijd in Oxford werkte. Ze
kon niet wachten tot hij de deur uit was; ze ontwaakte om zeven
uur uit een verstoorde en onrustige slaap, bracht hem zijn thee,
ging in bad en kleedde zich aan. Toen hij in de badkamer was,
ging zij naar beneden.

Licht scheen door het glas-in-lood in de voordeur en er vielen stralen blauw en rood licht op de vloer. Het huis zag er prachtig en verwachtingsvol uit, alsof het de gebeurtenissen van die dag afwachtte. Rebecca trok de jaloezieën in Milo's werkkamer omhoog, ging achter zijn bureau zitten, trok een lade open en pakte zijn adresboekje. Ze ging met haar vingertop langs de versleten randjes van de pagina's tot ze bij de N kwam. Nash, Neale, Nesbit... geen Nicolson. Toen bladerde ze naar de T. Tattersall, Taylor, Thorne... Er stond geen Tessa in. Ze sloot haar ogen, liet haar hoofd zakken en hoorde zichzelf uitademen.

Iets deed haar de bladzijde omslaan. Ze zag dat er los van de andere namen een T stond. Er stond een telefoonnummer, Highbury 259, naast de initiaal.

Rebecca belde de telefoniste en vroeg doorverbonden te worden.

Een korte stilte, ruis op de lijn, en toen zei een vrouwenstem: 'Met het huis van juffrouw Nicolson, kan ik u helpen?'

Rebecca liet de hoorn uit haar handen vallen alsof hij haar had gestoken, en ze verbrak de verbinding. Ze drukte haar vuist tegen haar mond en staarde uit het raam. Het lage winterzonlicht vormde sterretjes in het gras waar dauw lag. Het was zo'n prachtige dag; ze hoorde ergens in huis een deur sluiten, en mevrouw Hobbs riep goedemorgen. De ketel werd met een bonk op het fornuis gezet en stofzuiger, emmer en bezem werden kletterend uit de kast gehaald.

Ze liep de werkkamer uit en ging naar boven. Milo was nog in de badkamer. Haar starende blik zocht door de kamer, bleef eerst even hangen bij een paar kousen dat gevouwen over een stoelrug hing, toen bij de parfumflesjes op haar kaptafel en toen bij Milo's jasje, dat aan de deur van de garderobekast hing. Alles had ineens een vreemd en onbekend belang gekregen, alsof ze alles voor het eerst echt zag.

Ze ging op de rand van het bed zitten. Een gevoel van shock ging als een stroom elektriciteit door haar heen en maakte haar zwak, uitgeblust.

Milo kwam de kamer in. Hij leek haar in eerste instantie niet op te merken. Hij neuriede een liedje, liep terwijl hij met een handdoek zijn haar afdroogde naar de klerenkast en begon zich aan te kleden. Toen moest hij haar ineens op het bed hebben zien zitten, want hij draaide zich om.

'Wat is er?'

'Tessa Nicolson.'

Hij verstilde. 'Pardon?'

'Haar telefoonnummer staat in je adresboekje.'

Hij zei snel: 'Ik heb haar leren kennen op een feest in Londen, verder niets.'

Ze bestudeerde hem, licht belachelijk in zijn onderbroek en natte haar dat in plukjes omhoog stond. 'Ik geloof je niet,' zei ze.

Hij trok zijn broek aan. 'Laten we alsjeblieft geen ruzie gaan maken, Rebecca.'

'Het enige wat ik wil weten is of je een verhouding hebt met die vrouw. En als dat zo is, of je de vader van haar kind bent.'

Hij lachte kort. 'Rebecca, in vredesnaam…' Hij liep de kamer door en pakte haar slappe handen vast. 'Natuurlijk heb ik geen verhouding met haar. Natuurlijk niet.'

Ze trok zich van hem los. 'Dan bel ik haar wel op en vraag het haar zelf.' Ze stond op.

Hij onderschepte haar met plotselinge snelheid en ging voor de deur staan. 'Rebecca,' zei hij. 'Alsjeblieft.'

Iets binnen in haar verschrompelde en stierf; het drong tot haar door dat ze nog steeds had gehoopt dat ze zich vergiste. Ze fluisterde: 'Moet ik haar bellen, Milo?'

Even leek hij versteend te zijn. Toen schudde hij zijn hoofd.

Ze liep van hem weg, liet zich op het bed zakken en sloot haar ogen. Een stem – haar stem – vroeg: 'Hoe lang al?' en toen hij haar geen antwoord gaf, schreeuwde ze de vraag tegen hem.

'Ik vroeg: "Hoe lang al?"'

'Een jaar. Ongeveer een jaar.'

'Weet je het niet eens zeker?'

'Mevrouw Hobbs,' snauwde hij. Rebecca zat te trillen; ze hoorde het gebrul en gekletter van de stofzuiger terwijl mevrouw Hobbs de trap aan het doen was. Milo mompelde: 'Ik heb Tessa vorig jaar in januari leren kennen, maar toen hebben we niets – er was niets – tot later…' Zijn stem ebde weg.

'Januari.' Rebecca veegde met de binnenkant van haar hand het transpiratievocht van haar voorhoofd.

'Meriel,' zei ze. 'Je hebt haar via Meriel leren kennen.'

'Nee.'

'Maar Meriel kent die vrouw…' Nog een gruwelijke gedachte. Wist Meriel dat Tessa Nicolson de minnares van Milo was? Was dat waarom ze die vreemde opmerking in de auto had gemaakt? *Het hoeft niet altijd goed te gaan. Het hoeft niet altijd geweldig te zijn.*

'Nee,' zei hij. 'Ik was aan het wandelen. Tessa was op de vijver, op de vijver bij school. Ze was aan het schaatsen. Meriel had er niets mee te maken.'

Tessa. De vanzelfsprekendheid waarmee hij haar naam uitsprak sneed door haar hart. Ze zag niets meer door het waas van tranen in haar ogen. Ze draaide zich om om een zakdoek uit haar nachtkastje te pakken, snoot haar neus en wreef in haar ogen.

'En het kind?' mompelde ze.

Toen hij geen antwoord gaf dwong ze zichzelf om hem aan te kijken. Schuldgevoel was duidelijk in zijn ogen te lezen. Ze fluisterde: 'Is het van jou?'

Hij knikte en liet zijn hoofd zakken. 'Het spijt me vreselijk.'

Hij deed een stap naar haar toe. Als ze het toestond, zou hij uitreiken en haar aanraken.

'Ik wil dat je weggaat.' Ze klonk kalm. 'Ik wil dat je me alleen laat.'

'Rebecca, alsjeblieft…'

Ze gilde: 'Ga weg! Ga naar Oxford! Of naar Londen, naar haar als je dat zo graag wilt. Het kan me niet meer schelen!'

Toen krulde ze zich huilend op bed op. Ze hoorde de deur dichtgaan terwijl hij de slaapkamer verliet.

Maandagavond. Ze had een kloppende hoofdpijn. Ze nam een handjevol aspirine en zette een pot sterke koffie. Ze zat in de achterkamer te roken en koffie te drinken.

Ze hoorde de auto aan komen rijden; toen de voordeur openging, sprong ze op. Ze hoorde hem deuren openen tot hij haar aantrof.

'Ik dacht dat je niet zou terugkomen,' zei ze.

Hij ging op een krukje bij het raam zitten. 'Ik wist niet of je wilde dat ik terugkwam.'

Ze haalde haar schouders op. 'Je hebt haar in januari leren kennen.'

Hij liet zijn hoofd zakken. 'Ja.'

'Bij Meriels school.'

'Ja.'

'En toen?'

Een stilte. 'Een paar maanden later liep ik haar in Londen weer tegen het lijf.'

'Lieg niet tegen me, Milo.'

Een snelle uitademing. 'Ik heb haar opgebeld.'

'En toen ben je met haar naar bed geweest.' Ze stond op. 'Wat een slet,' zei ze vol minachting. 'Gaat ze naar bed met elke man die ze leert kennen? Moest je in de rij staan, Milo?'

Toen verliet ze de kamer, en ze gooide de deur achter zich dicht. Ze had de hele dag niets gegeten; het drong tot haar door dat ze vreselijke honger had. Ze sneed in de keuken twee sneden brood en kwakte er een dikke plak ham tussen. Toen liep ze de zitkamer in, zette om hem te waarschuwen dat hij uit de buurt moest blijven de radio keihard aan en at haar brood.

Hij sliep die avond in de logeerkamer. Toen ze heel vroeg in de ochtend wakker werd, was haar opstandigheid verdwenen. Ze voelde zich te uitgehold om nog te huilen en ze lag wakker, vroeg zich af hoe ze het moest overleven wanneer hij bij haar weg zou zijn. Want hij zou bij haar weggaan, dat wist ze ondertussen. Waarom zou hij bij haar blijven als hij bij dat beeldschone meisje kon zijn, bij Tessa Nicolson?

Ze wist dat ze niets zou zijn zonder hem. Ondanks zijn tekortkomingen, ondanks zijn verraad hield ze nog steeds van hem. Op de dag dat ze hem had leren kennen, had ze geweten dat ze de rest van haar leven met hem wilde doorbrengen. Niemand anders maakte haar zo aan het lachen als Milo. Niemand anders gaf haar het gevoel dat ze mooi en interessant was. Zelfs nu verlangde een deel van haar ernaar naar de logeerkamer te gaan en bij hem in bed te kruipen, door hem omhelsd en gerustgesteld te worden dat hij nog van haar hield en altijd van haar zou blijven houden.

Dinsdag. Ze haatte hem. De manier waarop hij bewoog, waarop hij sprak, de zwakte van karakter die ze in zijn gelaatstrekken zag – ze haatte alles aan hem.

Ze koesterde haar haat tot in de middag, tot nadat mevrouw Hobbs was vertrokken. Ze bewerkstelligden het verval van hun huwelijk, bedacht ze met grimmige geamuseerdheid, volgens het rooster van hun huishoudster.

'Ik wil alles weten,' zei ze. 'Je moet me alles vertellen. Is ze mooi? Hoe ziet ze eruit? Is ze jong?'

Ze zaten aan tafel de lunch die mevrouw Hobbs voor hen had klaargemaakt te eten. Of eigenlijk de lunch die mevrouw Hobbs voor hen had klaargemaakt over hun bord te schuiven.

Hij zei mismoedig: 'Ik zie niet in hoe dat kan helpen.'

'Het moet ook niet helpen, Milo. Waarom zou ik willen helpen? Eerlijk gezegd wil ik je alleen maar laten lijden.' Ze legde haar bestek neer. 'Hoe oud is ze? Dat is toch een eenvoudige vraag? Daar kun je toch wel antwoord op geven?'

'Tweeëntwintig,' zei hij.

Tweeëntwintig. 'Mijn god. Straks ga je nog schoolmeisjes verleiden.' Ze stak een sigaret op. 'Hoe ziet ze eruit?'

Zijn hand trok weg. 'Ik weet niet…'

'Natuurlijk wel, Milo. Je bent toch met haar naar bed geweest? Of kijk je dan niet naar haar gezicht?'

Hij bloosde. 'Je hoeft niet zo grof te worden.'

'Nee? Blond, rood, bruin… dat moet je toch zijn opgevallen.'

'Tussen blond en bruin. Honingkleurig.'

'Honingkleurig,' herhaalde ze sarcastisch. 'Wat poëtisch. En haar ogen?'

'Groen,' mompelde hij. 'Groenbruin.'

'Is ze mooi?'

Een stilte, en toen zei hij mat: 'Ja. Erg.' Hij stak zijn kin omhoog en keek haar aan. 'Ik weet niet waarom we dit doen. Ik begrijp niet waarom je dit wilt.'

'Het is geen kwestie van willen,' zei ze met brekende stem. 'Ik móét het weten.'

Toen zette ze kletterend de borden op elkaar en bracht ze naar de keuken. Ze begon het eten in de vuilnisbak te schrapen. Honingkleurig. Groenbruin. Wat worteltjes ontsnapten aan de vuilnisbak en vielen op de vloer. Ze smeet de borden keihard op de tegels en keek toe hoe ze in duizend stukjes uiteenspatten.

Woensdagochtend. Ze ging wandelen met de hond. Ze liep heel lang, de heuvels in omdat ze geen bekenden wilde tegenkomen. Terwijl ze naar de winderige top klom, gleed ze uit in de modder. Ze herinnerde zich hoe ze hier met Milo had gelopen, toen ze Mill House net hadden gekocht, hoe hij vooruit was gerend en triomfantelijk met zijn armen had gezwaaid toen ze de heuveltop hadden bereikt. Hoe Milo de naam 'Herne Hill' op de kaart had zien staan en verder was gelopen, op zoek. Ze had geweten dat hij probeerde de eeuwenoude verhalen achter het gras en de grasklokjes te lezen.

Ze liep nu blind, zonder kaart. Het stijgen en dalen van de heuvels was betekenisloos voor haar. De dorpen in de valleien leken boven de aarde te zweven, onwerkelijk, zonder wortels. Het kwam terwijl ze verder liep in haar op dat háár leven zielig was, niet dat van Meriel. Arme Meriel, die haar verloofde in de oorlog had verloren, die nooit met een man naar bed was geweest, en die een hopeloze kalverliefde voor de schoolarts koesterde. Dat was tenminste allemaal oprecht. In plaats daarvan was het arme Rebecca, arme, stomme Rebecca, die zichzelf zo fortuinlijk had gevonden, zo gezegend, terwijl zij degene was die in een leugen bleek te leven.

Uiteindelijk kreeg ze het koud, en ze liep terug naar de hoofdweg. Ze bleef bij de berm even staan, en ze stak een sigaret op, haar handen rond het vlammetje van de aansteker. Een kind, bedacht ze, en met haar had hij nooit een kind willen hebben. Tranen welden in haar ogen op. Milo had een zoon en zij niet. Haar denkbeeldige kind, Archie of Oscar, zou nooit bestaan. De gedachte trok aan haar hart en scheurde het in tweeën.

Een auto, een groene Humber, stopte langs de weg. Het chauffeursraampje ging open en een stem vroeg: 'Neemt u mij niet kwalijk, is dit de weg naar Oxford?'

Rebecca blies rook uit. 'Nee, dan heeft u een afslag gemist.'

'Die landweggetjes zien er ook allemaal hetzelfde uit. Weet u misschien waar ik naartoe moet?'

'Natuurlijk.' Ze wees hem de weg.

'Dat klinkt wel ingewikkeld, zeg,' zei hij. 'U gaat zeker niet toevallig ook die kant op?'

'Ik woon in Little Morton. Een paar kilometer verderop.'

'Als u wilt, kan ik u een lift geven.'

'O. Ach ja… maar de hond…'

'Hoe meer zielen, hoe meer vreugd. Ik ben gek op honden.'

Hij leunde opzij en opende het passagiersportier voor haar. Ze liet haar peuk op de grond vallen en stapte in. De spaniël klom bij haar op schoot.

Hij vroeg: 'Hoe heet ze?'

'Julia.'

'Dat is een leuke naam.' Hij startte de auto en stelde zich voor: 'Edward Robinson, maar mijn vrienden noemen me Ned.'

Hij had een smal, aantrekkelijk gezicht, zijn zwarte haar van zijn voorhoofd naar achteren gekamd, met bruine ogen en dunne rode lippen. Op zijn handen zaten zwarte krulletjes haar. Als ze de juiste signalen zou geven, zou hij haar mee uit eten vragen, met haar naar bed te gaan. Ze vroeg zich af of dat voldoende wraak zou zijn. Zou het Milo net zoveel pijn doen als het haar had gedaan?

Maar ze had het koud en ze was moe, en een gesprek was al te veel voor haar, laat staan dat ze energie had om passie te veinzen.

Ze zei: 'Mevrouw Rycroft. Als u bij die T-splitsing rechtsaf gaat, staat mijn huis iets verderop. Ik kan u van daar een gemakkelijke weg naar Oxford wijzen.'

'Aha.' Hij glimlachte teleurgesteld. 'Dank u wel.'

Hij zette de auto bij Mill House langs de weg. 'Zo,' zei hij. 'Veilig weer thuis.'

Ze bedankte hem en keek langs de rand van de weg toe hoe de Humber wegreed. Toen liep ze naar de achterkant van het huis. Ze deed Julia in de bijkeuken haar riem af en veegde met een handdoek haar modderige pootjes af. Ze liep de keuken in. Op het fornuis stond een stoofpot te pruttelen en de theedoeken hingen keurig aan het rekje. Het drong tot haar door dat mevrouw Hobbs weg moest zijn gegaan; ze had niet beseft dat er zoveel tijd was verstreken.

Ze liep het huis door. De deur naar Milo's werkkamer stond open. Ze zag hem in de eetkamer bij de tuindeuren staan.

'Ik neem aan,' zei ze, 'dat je mij wilt verlaten en met haar wilt trouwen.'

Hij draaide zich om. 'Nee.'

'Milo, je hebt een kind met haar.'

'Ze wil niet met me trouwen.'

'Dat lijkt me onwaarschijnlijk.'

Hij zag er even moe en gespannen uit als zij zich voelde. Hij zwaaide met zijn hand door de lucht. 'Toch is het zo.'

'Waren jullie van plan om dat kind te krijgen?'

Hij zette grote ogen op. 'Natuurlijk niet! Rebecca, het was een vergissing, een gruwelijke vergissing!'

'Weet je dat zeker?'

'Hoe kun je nou denken dat ik een kind wil?'

'Ik bedoel jou niet, maar haar. Weet je zeker dat ze niet zwanger is geraakt om met jou te kunnen trouwen?'

'Ja.' Wild schudde hij zijn hoofd. 'Ja. Je begrijpt het niet.' Hij ging op de bank zitten. Er stond een glas op het bijzettafeltje – whisky, zo te zien – en hij nam een grote slok. 'Tessa wil niet met mij en met niemand anders trouwen. Dat heeft ze vanaf het begin duidelijk gemaakt. Ze is erg onafhankelijk en onconventioneel. Avontuurlijk.'

'Heeft ze veel minnaars?'

Hij kneep zijn ogen dicht. 'Dat weet ik niet.' Een stilte. 'Ja.'

Ze zei op indringende toon: 'Volgens mij begrijp je het verkeerd, Milo. Ik neem aan dat al die minnaars niet met haar willen trouwen vanwege het soort vrouw dat ze is. Een man met ook maar een beetje waardigheid wil geen afgelikte boterham. Ze is expres zwanger geraakt om jou erin te luizen, om jou te dwingen met haar te trouwen.'

Hij keek op. 'Nee, echt niet. Zoals ik al zei, Tessa wil niet met me trouwen.'

De pijn die ze in zijn ogen zag deed haar terugdeinzen, haar evenwichtigheid verdween. 'Hou je van haar?' fluisterde ze.

Deze keer een langere stilte. 'Dat weet ik niet,' zei hij.

Donderdag. Ze waren voor de lunch uitgenodigd bij een jaargenoot van Merton College. De kamer keek uit over een binnenplaats met een grasveld en de muren waren betimmerd met donkerhouten panelen. Het rook er naar bijenwas en oude boeken. Had ik het maar beter gedaan op school, dacht Rebecca. Was ik maar ijverig geweest. Had ik maar feiten, getallen en landschappen in mijn hoofd die me ervan weerhielden hierover na te denken. Was ik maar een non in een klooster. Was ik maar jong en mooi. Stond mijn foto maar voor op *Vogue*.

'Wat betekende ze voor je?' schreeuwde ze. Ze waren thuis; ze had te veel port gedronken tijdens de lunch en haar hoofd bonkte weer. 'Was ze een van je godvergeten overwinningen? Of je muze? Is dat wat ze zijn, die meiden? Verwerk je ze in je boeken, Milo? Die jankende, verwelkte heldinnen, zijn die je inspiratie, die dellen? Is dat wat ze voor je zijn? Leveren ze de opwinding en spanning die je nodig hebt om je zoetsappige verhaaltjes te kunnen schrijven?'

Ze waren in de hal; hij had zijn sjaal afgedaan en hem aan een haakje gehangen. Hij liep nu naar haar toe en drukte zijn handpalmen aan weerszijden van haar tegen de muur, waarmee hij haar vastpinde.

'Nee,' zei hij giftig. 'Ik zal je vertellen wat ze zijn. Ze zijn mijn ontsnapping. Ze zijn mijn ontsnapping aan jou, Rebecca. Zal ik je vertellen waarom ik aan je moet ontsnappen? Omdat er niet meer met je te leven is. Je jaloezie, je aanstellerij, je gezeur en gezanik; ik word er gek van. Je hebt twee mensen nodig om een huwelijk te verzieken, wist je dat niet? Je bent veranderd, je bent niet meer de vrouw met wie ik ben getrouwd. Alles moet perfect zijn voor jou, hè? Het huis, de tuin, ik. Nou, ik ben niet perfect. Wat ik heb gedaan was fout. Maar jij bent zelf ook niet zo perfect, hoor, denk dat maar niet.'

'Klootzak,' zei ze. Ze hief haar hand en sloeg Milo in zijn gezicht. 'Gore klootzak.' Toen rende ze langs hem heen, het huis door, de tuindeuren uit en de tuin in, over het terras en het grasveld, achter de ceder naar de molenvliet die de grens van hun land aangaf.

Gekleurde lichten flikkerden aan de periferie van haar zicht en maakten gouden, roze en paarse vlekjes op het water. *Alles moet perfect zijn voor jou.* Had Milo gelijk? Had Meriel niet ongeveer hetzelfde gezegd? Was dat wie ze was geworden, een vermoeiende perfectionist wier onredelijke eisen haar echtgenoot van haar hadden vervreemd?

Ze hoorde voetstappen achter zich. Ze draaide zich om en zag hem het grasveld naar haar oversteken. Zijn linkerwang was rood op de plek waar ze hem had geslagen.

'Sorry dat ik je heb geslagen,' fluisterde ze.

'Het is mijn eigen schuld,' zei hij. 'Ik heb het allemaal aan mezelf te danken. Ik ga nooit meer naar haar toe, dat beloof ik.'

Ze sloot haar ogen en probeerde de dansende lichtjes te doven, maar ze waren er nog, gevangen onder haar oogleden.

'En het kind?' vroeg ze.

Hij schudde zijn hoofd. Zijn gezichtsuitdrukking was leeg, troosteloos.

Het drong tot haar door dat ze niet wist hoe het kind heette. Dat was maar goed ook, dacht ze. Het was beter als hij naamloos zou blijven, de ellendige bastaard.

Haar migraine hield twee dagen aan, waardoor ze gedwongen waren een pas op de plaats te maken, hoewel een wapenstilstand te veel was gevraagd. Milo bracht haar glazen water en aspirine, deed de slaapkamergordijnen voor haar dicht en zorgde dat het stil was in huis. Toen ze uiteindelijk niet meer misselijk was, maakte hij thee en toast voor haar.

Hij zat op de rand van het bed terwijl ze half overeind in de kussens zat, haar toast in kleine stukjes scheurde en probeerde te eten.

'Ik heb die baby nooit gewild,' zei hij. 'Ik was geschokt toen Tessa me vertelde dat ze zwanger was. Ik wist niet wat ik moest. Ze vindt dat ik van de baby moet houden, maar dat doe ik niet, dat kan ik niet. Ik snap wel dat ze verwacht dat ik van hem hou, en ik zie dat ze teleurgesteld in me is, dat ze het gevoel heeft dat ik haar laat vallen.' Hij drukte zijn handen tegen zijn gezicht. 'Ik ga natuurlijk het schoolgeld voor de jongen betalen, dat is wel het minste. Ik vraag je niet me te vergeven, Rebecca. Ik weet dat ik niet het recht heb dat te vragen. Maar, alsjeblieft... Ik kan het niet verdragen als je zo kwaad op me bent.'

Hij had zijn hand naar haar uitgestoken en zijn vingertoppen raakten de hare. Ze trok haar hand niet weg. Ze begreep hoe het gebeurd moest zijn. Die vrouw, die mannenverslindster, Tessa Nicolson, had misbruik gemaakt van Milo's zwakte. Ze had hem een wortel voorgehouden en hij, de arme stumper, was erin getrapt. Milo moest een flinke vangst voor haar zijn geweest. Aantrekkelijk, charmant en beroemd als hij was, was hij een flinke trofee. *Ik heb die baby nooit gewild. Ze vindt dat ik van de baby moet houden, maar dat doe ik niet.* Ze voelde, voor het eerst die lange, afgrijselijke week, iets van triomfantelijkheid.

Rebecca had maandagochtend een afspraak bij Chez Zélie in Oxford om kleding te passen. Ze was nog licht in haar hoofd van de migraine en liet zich door Milo naar de stad rijden. Milo zou gaan werken, terwijl zij ging passen en wat ging winkelen. Hij stelde voor dat ze daarna samen zouden lunchen. Hij zou een tafeltje boeken in haar favoriete restaurant. Hij deed erg zijn best.

Het begon te regenen toen ze Oxford binnenreden. Het werd naarmate het later werd steeds erger. Een bruine stroom, met sigarettenpeuken en snoeppapiertjes erin, spoelde door de goten. Het was een opluchting om te doen alsof het een gewone dag was, in ieder geval de indruk te wekken dat haar leven normaal was. Ze bekeek stoffen bij Chez Zélie, ging winkelen, dronk koffie. Bij een kiosk ging haar blik langs de tijdschriften en bleef hangen bij *Vogue*. Was zij dat, op de cover? Nee, dit meisje had donker haar en blauwe ogen.

Om kwart voor twaalf ging ze op weg naar St. Michael's Street, waar ze met Milo had afgesproken. Het was druk op straat, en paraplu's gingen als zwarte paddestoelen op en neer in de regen. Ze liep langs een rij mensen bij een kiosk en zag Milo op de hoek van de straat, bij de kruising naar Cornmarket.

Hij stond met een meisje te praten. Rebecca stond als aan de grond genageld. Toen het meisje zich omdraaide zag Rebecca een glimp blond haar en bleke huid, en ze herkende Grace King. Ze hadden elkaar geen afscheidskus gegeven, wees ze zichzelf erop, ze hadden elkaar niet aangeraakt. Juffrouw King was de weg overgestoken en liep naar Ship Street. Milo keek haar niet eens na.

Maar als zij het niet was, was het een ander. Als het Tessa Nicolson, Annette Lyle of Grace King niet was, was het een ander. Ze zou nooit veilig zijn. Haar woede, die krachtig en destructief was, kwam weer naar de oppervlakte en overspoelde haar.

Ze draaide zich om en liep in de richting van waar ze vandaan was gekomen. Ze liep naar een telefooncel, klapte haar paraplu dicht en vroeg de telefoniste haar door te verbinden met Highbury 259.

Geratel en geklik, en toen zei een stem: 'Hallo, met Tessa Nicolson.'

Op de achtergrond huilde een baby. Rebecca zei: 'Volgens mij kent u mijn man, Milo Rycroft. Ik neem aan dat hij u heeft verteld dat hij niet meer naar u toe komt. Of misschien ook wel niet, het is altijd een lafaard geweest.'

Een seconde stilte en toen zei de stem: 'Mevrouw Rycroft?'

'Ik bel om te zeggen dat u moet weten dat hij u achter zich heeft gelaten. Hij heeft iemand anders gevonden. Een of andere del in Oxford.'

Tessa Nicolson zei: 'Dat geloof ik niet.'

'Nee? Weet u dat zeker? Ze heet Grace King. Ze woont aan Woodstock Road. Vraag het haar zelf maar als u mij niet gelooft.' Rebecca begon te lachen. 'U moet beseffen, juffrouw

Nicolson, dat Milo het soort man is dat altijd een slet voor erbij heeft. Zo zit hij in elkaar.'

Tessa legde de telefoon neer. Het gerinkel had Angelo gewekt, die verkouden was. Ze haalde hem uit zijn reiswiegje, drukte hem tegen zich aan en voelde het vogelachtige op en neer gaan van zijn borstkastje en het snelle kloppen van haar eigen hart.

Ze ging op de bank zitten. Ze rilde en ze had het koud, haar huid was afgekoeld van de schok. Rebecca Rycroft wist het. Hoe lang al? Tessa probeerde terug te denken. Ze had Milo een maand geleden voor het laatst gezien. En het was lang geleden – een week, of tien dagen – sinds hij had geschreven of gebeld. Wat was er gebeurd? Wanneer was Milo's vrouw erachter gekomen? Waarom had hij het haar niet verteld?

Angelo was weer rustig, dus Tessa legde hem terug in zijn wiegje. De telefoon stond in de gang als een zwarte pad op zijn tafeltje. Het was maandag, de dag dat Milo in Oxford werkte. Tessa gaf de telefoniste het nummer in Oxford. De telefoon ging over.

Ik neem aan dat hij u heeft verteld dat hij niet meer naar u toe komt. Of misschien ook wel niet, het is altijd een lafaard geweest. Zat hij achter zijn bureau, bang om de telefoon aan te nemen, te wachten tot hij niet meer zou overgaan? Had hij zijn vrouw beloofd dat hij haar niet zou bellen... was hij volgzaam, gehoorzaam teruggegaan naar zijn huwelijk, nogmaals de brave echtgenoot, alsof hun affaire nooit had bestaan?

Nadat de telefoon twaalf keer was overgegaan, bedankte Tessa de telefoniste, en ze legde de hoorn op de haak.

Ze liep naar het raam en stak een sigaret op. Regen sijpelde langs het glas en het uitzicht uit het raam was een grijsbruine veeg. Ze verlangde ineens naar een Italiaanse lente, naar groen en blauw, en licht dat sprankelde als champagne. Er waren zoveel manieren om een liefdesrelatie te beëindigen. Met ruzie, een brief, of met stilte. Velen – bijna iedereen – zouden zeggen dat ze het recht niet had zich gekwetst te voelen. Ze keek van het raam weg, drukte haar knokkels tegen haar mond, en haar blik dreef naar de slapende baby in zijn wiegje.

Dus Milo's vrouw was op de hoogte van hun affaire. Wat had ze nog meer gezegd? Dat Milo een ander had. Een andere minnares, een andere... hoe had mevrouw Rycroft het genoemd? *Een slet voor erbij.* Had ze gelogen om haar te kwetsen, of was het misschien waar?

Ze wist het niet. Ze was geschokt te bemerken dat ze hem niet vertrouwde. *Hij heeft iemand anders gevonden. Een of andere del in Oxford. Ze heet Grace King. Ze woont aan Woodstock Road.* Was zij dan alleen maar beschíkbaar geweest?

Word mij maar beu, Milo Rycroft, als het niet anders kan, maar word je zoon niet beu. Ze was woedend. Ze rende haar appartement door en pakte flesjes en luiers, haar regenjas, paraplu en sleutels. Ze moest het weten. Hoe durfde hij zich voor haar te verstoppen! Hoe kon hij zo ontzettend onbeschaafd en laf zijn om het haar niet persoonlijk te vertellen? Ze zou niet toestaan dat ze aan het eind van een telefoonlijn zou bungelen als een vis aan een haakje. Andere liefdesrelaties zou ze de rug kunnen toekeren, maar deze niet. Ze zou Angelo op een dag over zijn vader moeten vertellen. Wat zou ze tegen hem zeggen? Dat zijn vader zo weinig gevoel en interesse voor hem had, dat hij hem de rug had toegekeerd nog voor hij drie maanden oud was geweest?

Tessa pakte het reiswiegje op en verliet het appartement. Ze nam de lift naar de begane grond; buiten hield ze de paraplu boven het wiegje terwijl ze naar de MG rende. Ze zette het op de passagiersstoel, startte de auto en reed naar het zuidwesten, naar Harrow Road. Angelo lag naast haar te slapen. Ze voelde zich al snel rustiger worden nu ze aan het rijden was. Het draaien van het stuur, haar voet die accelereerde en remde, en het ritme van de ruitenwissers die de regen weg zwiepten voerden haar in een soort trance. Ze was altijd gek geweest op reizen. Ze had behoefte aan beweging, een doel, een bestemming.

Ze stopte bij Harrow on the Hill bij een garage om te tanken en sigaretten te kopen. Toen ze stond te wachten tot ze tussen het verkeer kon invoegen, overwoog ze even terug naar huis te gaan – als ze hem kwijt was, was die hele reis onzin – maar ze wist dat ze het daarmee alleen maar zou uitstellen. Ze kon het beter maar nu onder ogen zien. Ze reed verder. Voetgangers, ingepakt in regenjassen en beschermd onder paraplu's, stonden in groepjes bij kruisingen en bushaltes. Ze reed door een buitenwijk en sloot aan in een lange rij verkeer langs een lint van nietszeggende woningen, met gestuukte muren en donkerbruine balken, met een zwarte Austin of Morris op de oprit en druipende laurierstruiken en ligusters die de grenzen van de voortuinen markeerden. Ik ben niet gemaakt voor dit land, dacht ze. Als Freddie eenentwintig is, ga ik terug naar Italië.

Het verkeer werd minder druk, en Tessa reed nu door velden met struikjes. In Rickmansworth reed ze naar het zuiden, naar een weg die haar via Beaconsfield en over de Chiltern-heuvels naar Oxford zou brengen. Angelo begon wakker te worden. Ze stopte aan de rand van High Wycombe bij een café, waar ze voor zichzelf thee bestelde en vroeg om een kan heet water om Angelo's flesje in op te warmen. De serveerster, een meisje van een jaar of zestien, met gepermanente krullen die onder een weinig flatteus kapje vandaan staken, bewonderde Angelo terwijl Tessa hem zat te voeden. 'Wat een schatje. Hoe oud is hij? Als ik ga trouwen, krijg ik vier jongetjes. Ik wil geen meisjes, volgens mijn moeder zijn die veel moeilijker.' Het meisje streelde Angelo over zijn wang. 'Wat zal je papa trots op je zijn.'

Angelo viel halverwege zijn flesje weer in slaap. Tessa legde hem in zijn reiswiegje en roerde haar thee. Een herinnering als een splinter ijs: Milo die haar kuste op de dag dat ze hem had verteld dat ze zwanger was. Die vreselijke lunch, waarbij ze misselijk was geworden van het eten dat ze zag, en zijn geschokte blik toen ze hem over de baby had verteld. En toch was hij met haar mee terug gelopen naar de studio van de fotograaf, had hij

154

haar tegen zich aan getrokken toen ze op de stoep stonden, en zijn handen onder haar jas geschoven, met zijn vingers haar taille vastgegrepen. Ze hadden elkaar zo stevig vastgehouden dat het wel leek of ze probeerden wortel te schieten, zichzelf permanent te maken. Het lichaam loog niet: ze wist dat hij toen van haar hield.

Ze liet drie penny voor de serveerster achter, pakte het wiegje op en verliet het café. In de auto bleef ze even uitgeput zitten. Was ze maar niet alleen. Was Freddie, Ray of Max maar bij haar.

Ze reed verder, door de Chilterns. Ze werd ingehaald door een vrachtwagen die grote plenzen bruin water deed opspatten, zoveel dat haar ruitenwissers het niet aankonden en ze een paar seconden niets zag. Angelo begon te jammeren. 'Stil maar,' mompelde ze. 'We zijn er bijna.' De vrachtwagen ging steeds langzamer rijden nu ze de heuvel opklommen, en de MG sukkelde erachteraan. Toen de vrachtwagen bij een kruising stopte, moest Tessa hetzelfde doen, waarop Angelo harder begon te huilen. De vrachtwagen trok weer op. Tessa hing erachter en was op de uitkijk naar een recht stuk weg waar ze hem zou kunnen inhalen. Een vlek blauw met oranje in de regen vervormde zich tot een vlag met reclame voor Lions Tea, die flapperde in de wind. Een fietser in een gele regenjas kwam de berg af op hen af rijden, de enkele ster van zijn voorlicht vervagend, zich vermenigvuldigend. Hoe ver was het nog? Angelo lag met gebalde vuistjes te gillen. 'Bijna, lieverd,' mompelde ze. 'We zijn er bijna, dat beloof ik.' Haar hart bonkte; ze stak een hand naar hem uit en streelde zijn gezicht, probeerde hem te troosten. Regen kletterde op het dunne dak van de auto. De vrachtwagen minderde vaart om een bocht om te gaan en Tessa kon, net als Angelo, wel gillen van frustratie. Toen ze de bocht om waren zag Tessa dat de weg voor hen rechtdoor liep en leeg was, dus ze trapte het gas helemaal in en reed de verkeerde helft van de weg op.

Door de deken van regen zag ze een paard en wagen uit het

veld voor zich komen. Haar hand schoot in een reflex naar de claxon – een fractie van een seconde besluiteloosheid: zou het geluid het paard doen schrikken? Ze dacht dat ze genoeg tijd had om terug te keren naar haar eigen weghelft voordat ze bij de opening in het veld zou zijn, en draaide aan het stuur.

De auto verloor zijn grip en de wielen dansten en slipten over het natte wegdek. Hoewel ze zwoegde om de controle terug te krijgen, werd de MG met spinnende wielen horizontaal over het wegdek getrokken. Tessa hoorde zichzelf gillen. En toen werd alles wat bekend was in fragmenten gescheurd: het huilen van de baby, het piepen van de remmen, het kletteren van de regen, de rand van de weg en de heg die ze voor zich zag opdoemen, een groenbruine muur die al het zicht door haar voorruit in beslag nam.

De greppel en heg haalden de MG uit zijn slip en brachten hem tot stilstand. Tessa klapte tegen het stuur, toen tegen de rugleuning van haar stoel en toen nogmaals tegen het stuur.

Het was alsof er een golf over haar werd uitgestort. Licht brak en ze zag gebarsten glas.

Toen werd ze de diepte in gesleept, de diepte en de kou. En toen was het stil.

Er was een enorme last van haar afgevallen nu ze Tessa Nicolson had gebeld. Nu voelde die meid ook eens hoe het was om te worden verraden.

Ze gingen de daaropvolgende dagen behoedzaam met elkaar om, Milo en zij. Er was zoveel gezegd en gedaan wat pijn deed; het was net of ze met open wonden door het huis strompelden. Als ze 's nachts wakker werd, wist ze zeker dat ze hem kwijt was. Zodra hij het huis verliet, overspoelden haar angsten haar weer. Dan was ze bang dat hij niet zou terugkomen.

Rebecca was op donderdag aan het eind van de middag de tafel aan het dekken toen de telefoon ging.

Ze nam op: 'Met mevrouw Rycroft.'

'Mevrouw Rycroft...' – een meisjesstem – 'u kent me niet, maar u spreekt met Frederica Nicolson.'

Rebecca verstijfde. Frederica Nicolson vervolgde: 'Ik heb het telefoonnummer van meneer Rycroft in het adresboekje van mijn zus gevonden. Ik bel alle bekenden van Tessa. Ik hoop dat u het niet erg vindt, maar er is een ongeluk gebeurd en ik vond dat ik het iedereen moest laten weten.'

'Een ongeluk?'

'Mijn zus is betrokken geraakt bij een ongeluk.'

'O.' En toen, stijfjes: 'Wat naar.'

'Drie dagen geleden. Haar auto is in een slip geraakt. Ze zeiden dat het wegdek erg nat was.'

'Drie dagen geleden?' Rebecca probeerde te rekenen, maar dat lukte niet.

'Ja, maandagmiddag. Tessa is zwaargewond. Ze ligt in het Radcliffe-ziekenhuis. Ze laten niemand bij haar. Alleen mij.'

De opeenvolging van korte zinnen leek gestopt en er viel een stilte. Tessa Nicolson... een ongeluk... het Radcliffe-ziekenhuis. Rebecca kon het niet in zich opnemen.

Toen zei de stem aan de andere kant van de lijn: 'Haar baby is overleden. Angelo is dood. Daarom bel ik, voor het geval meneer Rycroft naar de begrafenis wil komen. Tessa is nog te zwak, maar ik dacht dat haar vrienden...' De stem ebde weer weg.

Rebecca vroeg: 'Is de baby dood?'

'Ja. Hij is uit de auto geslingerd. Ze zeggen dat hij op slag dood was.'

Deze keer viel er een langere stilte, en Rebecca hoorde dat er aan de andere kant van de lijn bevend adem werd gehaald. Toen zei Tessa Nicolsons zusje snel: 'Het spijt me, maar ik moet ophangen. Ik zal u de details van de begrafenis nog laten weten.' De verbinding werd verbroken.

Wat heel afschuwelijk was, in een lange opeenvolging van afschuwelijke dingen, was het opruimen van de babykleertjes.

Freddie zat in Tessa's appartement op de slaapkamervloer vest-
jes en nachthemdjes op te vouwen, en ze borg hoedjes en slofjes
in de kist die Ray had gebracht. Ray had aangeboden hem bij
hem thuis te stallen, en als...

En als. Als Tessa herstelde. Als ze Angelo's spulletjes wilde
zien. Als ze het ooit zou kunnen verdragen om ernaar te kijken.
Ray had ook aangeboden de kist in te pakken, maar dat aanbod
had Tessa afgeslagen. Ze wilde dit voor hem doen, voor Angelo,
die opgekruld op haar borstkas in slaap was gevallen, en die
haar wang voor een borst had aangezien en er zo verwoed aan
had gezogen dat hij rode vlekjes had achtergelaten, als een kus.

Ze vouwde het laatste nachthemdje op en legde het in de kist.
Ze zat gehurkt, liet haar kin op haar knieën zakken en veegde
met haar duimen de tranen van haar gezicht. Toen sloot ze het
deksel van de kist.

De gordijnen om Tessa's bed waren dicht, maar Freddie hoorde
de gedempte stemmen van het bezoek van de andere patiënten
en het gekletter van een karretje erachter. Tessa had een been,
arm, sleutelbeen en drie ribben gebroken en de knal had haar
door de voorruit geslingerd en een hersenschudding veroorzaakt. De verpleegsters hadden het voorste deel van Tessa's
haar afgeschoren. Er zat een verband om haar voorhoofd dat de
diepe snee bedekte die het glas van de voorruit had gemaakt.
Haar oogkassen waren zwart als vuursteen.

Freddie zat de eerste twee dagen, toen Tessa bewusteloos was,
aan haar bed te wensen dat ze zou blijven leven. *Je mag niet
gaan, je mag me niet alleen achterlaten, dat sta ik niet toe.* Toen
de verpleegster aan het eind van het bezoekuur haar hoofd om
een rand van het gordijn stak en zei dat het tijd was om te vertrekken, wilde Freddie haar uitschelden. Ze was bang dat Tessa
als er niemand was om haar terug te roepen 's nachts stilletjes
zou wegglijden.

Op de derde dag opende Tessa haar ogen en was ze af en toe

even bij bewustzijn. Ze vroeg nu en dan naar Angelo, en dan kneep Freddie in haar hand en zei: 'Stil maar, ga maar slapen.' Dan sloot Tessa haar ogen en was weer weg. Het was net, bedacht Freddie, alsof ze in een boot zeilde die probeerde de haven binnen te varen, maar dat steeds niet voor elkaar kreeg.

Op een middag werd Freddie apart genomen door een verpleegster, die zei dat ze Tessa over de baby hadden verteld. 'Arm kind,' voegde de zuster toe, en Freddie wist niet of ze het over Tessa of Angelo had. Tessa huilde die middag niet, en ze zei geen woord. Tijdens het bezoekuur daarna huilde en huilde Tessa tot een verpleegster haar een spuitje kwam geven. De dag daarna lag ze verstild in bed, haar gezicht wit als een kussensloop, de kneuzingen rond haar ogen geel en paars geworden. Ze stelde vragen; na elke vraag viel een lange stilte terwijl Tessa probeerde Freddies antwoord te verwerken. Soms stelde ze twee keer dezelfde vraag.

De begrafenisdienst werd gehouden in Christ Church in Highbury, negen dagen na het ongeluk. De rouwenden verzamelden zich voor de dienst op de begraafplaats. Er waren collega-modellen van Tessa, elegant in zwarte pakjes met hoedjes met zwarte voile; eigenaren van de delicatessenwinkeltjes en ijssalons van de Italiaanse gemeenschap uit Soho; musici; kunstenaars; schrijvers; en Tessa's chique vrienden uit Mayfair en Belgravia. Zoveel mensen. Freddie schudde handen, zei goedemorgen en bedankte mensen voor hun komst. En ze onthield alles; ze had een goed geheugen.

Een lange vrouw met donker haar kwam naar Freddie toe en stelde zichzelf voor als Rebecca Rycroft.

'Mijn man kon niet komen,' zei mevrouw Rycroft. 'Hij is helaas ziek geworden. Hij stuurt zijn excuses en condoleances. Ik ben hier...' – ze leek even naar woorden te zoeken – '... om hem te vertegenwoordigen. Ik hoop dat je dat goed vindt.'

'Wat vriendelijk van u,' zei Freddie. 'Dat waardeer ik zeer. Ik weet zeker dat Tessa geraakt zal zijn.'

Dat was een leugen. Tessa zou niet geraakt zijn, want Tessa gaf helemaal nergens meer om. Tessa lag in haar ziekenhuisbed, zei weinig en deed wat haar werd gezegd. Tessa was veranderd in een slechte imitatie van haar voormalige zelf, in iemand die een beetje op de oude Tessa leek en die een beetje als de oude Tessa klonk, maar die een heel ander iemand was.

Mevrouw Rycroft vroeg naar Tessa, en Freddie herhaalde de formule die ze die ochtend al zo vaak had uitgesproken.

'De dokter zegt dat ze vooruitgaat.'

'Je zei aan de telefoon dat je zus in het Radcliffe-ziekenhuis ligt. Maar ze woont toch in Londen?'

'Het ongeluk is gebeurd op de weg naar Oxford,' legde Freddie uit. 'Het Radcliffe was het dichtstbijzijnde ziekenhuis. Ik weet niet waarom ze op weg was naar Oxford. Misschien dat ze bij mij op bezoek wilde komen, maar daar had ze niets over gezegd, en ze komt normaal gesproken nooit op maandagmiddag. Maar dat is typisch Tessa. Ze doet vaak impulsieve dingen.'

'Weet ze het niet meer?'

'Nee. Ze heeft haar hoofd verwond. Het maakt ook niet uit waarom ze daar was, en het is maar goed ook dat ze zich niets meer herinnert.' De gedachte dat Tessa zich haar laatste reis met Angelo zou herinneren was te gruwelijk om te overwegen.

Mevrouw Rycroft zag er van streek uit. Haar handen openden en sloten alsof ze woorden uit de koude lucht probeerde te grijpen. Uiteindelijk zei ze: 'Kan ik iets doen?'

'Dank u wel, maar alles is geregeld. Na de begrafenis is er een buffetlunch in het appartement. U bent van harte welkom.'

'Nee, dank je wel. Heel vriendelijk, maar ik kan helaas niet komen. Sorry.' Mevrouw Rycroft perste haar lippen opeen. 'Dat arme baby'tje. Ik vind het zo vreselijk.' Toen draaide ze zich om, en haar zwarte jas werd opgeslokt in de zee van zwart.

Ze liepen in een lange rij de kerk in: Max, Paddy Collison, Antonio, Julian Lawrence. Tessa's Franse minnaar, André, was de avond ervoor met de boottrein uit Parijs gekomen. Al die mannen, dacht Freddie. Wie van jullie was Angelo's vader?

Als je getrouwd bent, beloofde ze zichzelf in stilte terwijl ze haar hand door Rays arm stak en ze de kerk betraden, vertel ik het aan je vrouw. Als je waarde hecht aan je reputatie, ga ik die met de grond gelijkmaken. Als anderen tegen je opkijken, zal ik zorgen dat dat niet meer zo is. De kracht van haar woede verblindde haar bijna, en ze struikelde en zou zijn gevallen als ze Rays arm niet had vastgehad.

Deel 2

Rebecca's engel

1938-1939

6

Rebecca verliet Milo drie maanden daarna. Op een ochtend vroeg in juli, toen hij nog lag te slapen, belde ze Meriel op Westdown. Meriel – die lieve Meriel – zei nadat Rebecca had verteld dat ze een plek zocht om te overnachten: 'Ja natuurlijk. Tussen halftwee en twee ben ik vrij, dus dat zou een prima tijd zijn. Kom maar meteen naar mijn appartement.'

Milo ging om tien uur weg uit Oxford, per taxi, omdat Rebecca hem had verteld dat ze de auto nodig had om een van haar stokoude buren naar het ziekenhuis te brengen. Als Milo Mill House zou houden, dan was de Riley toch echt van haar. Rebecca was de rest van de ochtend druk met inpakken en het huis opruimen, wat belachelijk was. Wat maakte het uit of Mill House wel of niet netjes was, als zij er toch niet meer zou wonen? Ze schreef een kort briefje aan Milo, dat ze op zijn bureau achterliet, en daarna maakte ze een wandeling door de tuin, zowel om haar zenuwen in bedwang te krijgen als omdat ze de tuin zou missen. Toen mevrouw Hobbs eenmaal naar huis was, zette ze haar koffers in de achterbak van de auto en reed weg. Ze had zich afgevraagd of ze spijt zou voelen, maar er liep een buurhond over de weg, en tegen de tijd dat ze hem veilig had omzeild, was Mill House uit zicht en had ze niet eens over haar schouder gekeken.

Meriels appartementje bevond zich in een losstaand, wit gestuukt pand, dat een stukje van het schoolhuis vandaan stond. Meriel deed zelf open en nam een koffer aan. Haar brede, in donkerblauw gehulde billen deinden voor Rebecca uit terwijl ze meerdere trappen op liepen. 'Ik heb het kampeerbed voor je klaargezet,' zei Meriel over haar schouder. 'Het slaapt uitstekend. Ik gebruik het altijd als ik met de padvinders ga kamperen.'

Tegen de tijd dat ze het appartementje hadden bereikt, liepen ze allebei met een rood aangelopen hoofd te puffen. Meriel zette thee en bood Rebecca een sandwich aan, die ze afsloeg. Toen zei Meriel: 'Ik moet helaas aan het werk. Ik geef de tussenklas wiskunde. Hopeloos stelletje, ze kunnen niet eens optellen.' Ze tuurde naar Rebecca. 'Gaat het wel? Er zijn boeken genoeg, of je kunt gaan wandelen.'

'Prima, dank je wel. Ga maar gauw.'

'Ik heb geregeld dat ik vanavond hier kan eten in plaats van bij de meiden.' Meriel omhelsde Rebecca onhandig.

'Dank je wel,' zei Rebecca nogmaals. 'Wat lief. Ik waardeer dit erg.'

Toen Meriel was vertrokken, dwaalde Rebecca door het appartementje. Hoewel het klein was – zitkamer, slaapkamer, badkamer en een minuscuul keukenblokje – was het een aangename woning, met uitzicht over de sportvelden, waar paardenkastanjes omheen stonden. Op een van de velden werd gehockeyd. Rebecca had als schoolmeisje graag gehockeyd, en ze voelde een steek van verlangen naar die ongecompliceerde tijd. Ware het niet, hielp ze zichzelf herinneren, dat hij allesbehalve ongecompliceerd was geweest; de wrede vriendschappen en de afgunst op school waren op een bepaalde manier net zo'n pijnlijk moeras geweest als haar huwelijk, en ze had altijd een dubbelleven geleid waarbij ze haar vreemde ouders en thuis verborgen had gehouden. Misschien dat ze daar de gewoonte had aangenomen dingen te verhullen. Al had ze nog nooit zo'n afschuwelijk geheim moeten bewaren als dit.

Ze zocht een boek uit en ging ermee op de bank zitten. Maar ze voelde zich plotseling doodmoe – misschien door de opluchting dat ze Mill House had verlaten – en even later legde ze het boek weg, krulde zich op op de bank en viel in slaap.

Om halfzeven aten ze samen roerei met toast en fruitsalade toe. Toen moest Meriel toezicht houden op het huiswerk en de knutselklas. Om halfnegen kwam ze terug naar huis, slaakte een diepe zucht en trok haar geruite sloffen aan. 'De directrice en de leerlingmentoren redden het verder wel,' zei ze. 'Ik lust wel een borrel, jij ook?'

Meriel maakte gincocktails. Een kort gesprekje over haar dag, en toen zei Meriel, die in een leunstoel was gaan zitten: 'Vertel,' en ze keek Rebecca aan.

'Ik ben bij Milo weg,' zei Rebecca.

'Ja, dat zei je al. Wil je erover praten?'

Ze had gedacht van niet, maar het voelde oneerlijk om zich zo aan Meriel op te dringen en dan niet eens uit te leggen waarom. Ze zei: 'Ik weet dat jij hem nooit hebt gemogen.'

'Zo zou ik het niet zeggen. Milo is slim, amusant en charmant en hij is altijd vriendelijk tegen me geweest, hoewel ik het soort vrouw ben dat hij normaal gesproken links zou laten liggen.'

Rebecca dronk haar gin snel. 'Hoe bedoel je?'

'Milo houdt van mooie vrouwen. Als je dat niet bent, verspilt hij geen tijd aan je. Maak je zelf nog even een glas?'

'Jij ook?'

'Lekker.' Meriel gaf haar glas aan Rebecca.

Rebecca mengde gin, spuitwater, suiker en citroensap. 'Je bent wel mooi, Meriel,' zei ze. 'Je hebt prachtige ogen.'

'Ach nee. Ik ben vreselijk gewoontjes. Dat geeft niets, ik zit er niet mee, ik ben eraan gewend. Bovendien denk ik dat het gemakkelijker is voor een vrouw om iets van haar leven te maken als ze niet wordt afgeleid door mannen en een huwelijk.'

Rebecca wist niet zeker of ze blij was met wat Meriel impliceerde, maar ze zei: 'Het probleem is dat Milo iets té dol is op mooie vrouwen.' Ze kon niet voorkomen dat ze verbitterd klonk.

Meriel keek haar eerst uitdrukkingsloos aan en toen geschokt. 'O. Wat vreselijk, dat wist ik niet.'

'Echt niet?' Rebecca keek haar geconcentreerd aan.

'Echt niet. Eerlijk gezegd heb ik altijd gedacht dat Milo dol-verliefd op je was.'

'Dat was hij ook. En hij zegt dat hij dat nog steeds is. Maar hij wordt ook dolverliefd op andere vrouwen. Ik kan er niet meer tegen.' Ze had voor het eerst die dag het gevoel dat ze bijna ging huilen.

'O lieverd, wat naar. Wat een schoft.'

'Het probleem is dat ik niet meer van hem hou. Ik heb jaren van hem gehouden en nu niet meer. Ik dacht dat ik nog steeds van hem hield, na de laatste keer, maar het is weg. Eerlijk ge-zegd walg ik ronduit van hem.'

'En je denkt niet... Misschien als jullie erover zouden praten?'

'Ik wil hem niet eens zien, laat staan dat ik met hem wil pra-ten. De afgelopen drie maanden waren een hel. Ik heb bij tijd en wijlen gedacht dat ik gek werd.'

'En nu?'

'Ik denk dat ik een scheiding ga aanvragen.' Rebecca liet zich achterover in de bank zakken; ze nam een grote slok gin. 'Niet dat dat nodig is, want ik ga toch nooit meer trouwen, maar ik kan me niet voorstellen dat Milo lang vrijgezel zal blijven.' Ze begon te lachen. 'Dat is het grappige. Hij is heel graag ge-trouwd, ondanks het feit dat hij zo'n slechte echtgenoot is.'

'Heb je hem verteld dat je hem verlaat?'

Rebecca schudde haar hoofd. 'Ik heb een briefje achtergelaten. Ik kon de scène niet aan. Was dat zwak van me? Ik ben er te moe voor.'

Meriel gaf haar een klopje op de schouder. 'Je mag zo lang blijven als je wilt.'

'Dat is vreselijk lief van je, maar ik heb besloten dat ik naar Londen ga.' Dat had ze helemaal niet besloten: de gedachte schoot ineens in haar hoofd en verraste haar. Maar het leek zo'n goed idee. 'Toen ik aan de kunstacademie studeerde,' zei ze, 'vond ik het geweldig om in Londen te wonen. En het is een goe-de verandering van omgeving, een stad. Maar ik vind het heel fijn dat ik hier kon komen. Ik had echt even tijd nodig om op adem te komen.'

'Kom je er financieel uit? Sorry dat ik zo direct ben, maar ik heb wel wat spaargeld achter de hand.'

'Dat is lief van je, maar Milo mag voor mijn kost en inwoning betalen,' zei Rebecca bitter. 'Het is niet alsof hij krap bij kas zit. Hij heeft de laatste jaren prima verdiend. En tenslotte is hij me wel wat schuldig.'

'Een scheiding...'

'Ja, ik weet het. Mama wordt razend.' Rebecca sloeg haar gin achterover. 'Ik zal naar haar toe moeten om het haar te vertellen.'

'Dat zou ik niet doen. Schrijf haar een brief. Dan is ze tegen de volgende keer dat je bij haar op bezoek gaat misschien aan het idee gewend.'

'Deze zal wel hoog op de lijst met onze mislukkingen komen, hè, de eerste scheiding in de familie?'

Ze namen allebei nog een glas gin en gingen zich daarna klaarmaken om te gaan slapen, waarbij ze na elkaar de badkamer gebruikten. Meriel viel snel in slaap – Rebecca hoorde haar licht snurken, nog geen meter van haar vandaan. De gin leek haar niet te helpen in slaap te vallen zoals ze had gehoopt, maar hield haar juist uit haar slaap. Tevergeefs probeerde ze een aangename houding op haar smalle kampeerbedje te vinden.

Alle gedachten die ze die dag had geprobeerd uit te bannen, dienden zich weer aan. Ze had zich geen zorgen hoeven maken dat ze Freddie Nicolson op Westdown tegen het lijf zou lopen, omdat Meriel haar laatst had verteld dat die van school was gegaan om voor haar zus te zorgen. Vermengd met het verdriet en de verbolgenheid over het einde van haar huwelijk was de afgrijselijke gedachte aan wat ze had gedaan. Tessa kon zich het ongeluk niet herinneren omdat ze haar hoofd had bezeerd, had Freddie tijdens de begrafenis verteld. Ze kon zich niet herinneren waarom ze op weg was naar Oxford. Misschien dat zij, Rebecca, heel even had gedacht dat Tessa Nicolsons geheugenverlies haar had gevrijwaard, maar als ze dat inderdaad had gedacht, had ze zich vergist. Het was naarmate de weken verstreken tot haar doorgedrongen dat ze in de gebeurtenissen was gevangen, vastgepind, en er misschien wel nooit meer aan zou ontsnappen.

Had ze juffrouw Nicolson op de begrafenis de waarheid moeten vertellen? Had ze moeten zeggen: *Ik weet waarom je zus naar Oxford reed die middag: het was vanwege mijn telefoontje.* Want dat was haar onontkoombare conclusie geweest, dat haar telefoontje Tessa ertoe had aangezet naar Oxford te rijden om de confrontatie met Milo aan te gaan. Ze had het Freddie Nicolson niet verteld omdat ze dat niet had gedurfd. En als ze het lef had gehad om de waarheid te vertellen, was dat dan het beste wat ze kon doen? Of zou het haar alleen van de last van geheimhouding af hebben geholpen en het verdriet van de zusjes Nicolson niet hebben verminderd?

Ze had Milo niets verteld over haar eigen rol in de gebeurtenissen die tot Tessa's ongeluk hadden geleid. Ze had beredeneerd dat ze niet zeker wist of haar telefoontje inderdaad de aanleiding was geweest dat Tessa die dag Londen had verlaten. Er konden duizend andere verklaringen zijn waarom Tessa Nicolson op die regenachtige middag naar Oxford was gereden. Misschien was ze wel niet eens op weg geweest naar Oxford, het was heel goed mogelijk dat Tessa zich naar de armen van een andere minnaar had gehaast, ergens op de route naar Oxford. En was het hoe dan ook niet geheel gerechtvaardigd dat ze had gedaan wat ze had gedaan? Was Tessa Nicolson niet zelf degene die iets onvergeeflijks had gedaan door naar bed te gaan met de man van een andere vrouw? Ze had Milo's escapades jarenlang toegestaan, had ze niet het recht om eens terug te vechten? En het was toch ook niet haar schuld dat die auto in een slip was geraakt op dat natte wegdek?

Toch keerde haar geest steeds met grimmige onontkoombaarheid terug naar de herinnering die haar had achtervolgd sinds

Freddie Nicolson haar over het ongeluk had verteld. Dat ze Tessa had willen kwetsen. Dat ze haar haatte. Dat dat telefoontje naar Tessa die regenachtige middag en die leugen over Milo's affaire met een ander waren ingegeven door wraakgevoelens en wrok.

Milo had geweigerd om naar de begrafenis van de baby te gaan. 'Maar hij was je zóón!' had ze naar hem geschreeuwd, en hij was ineengekrompen en had gemompeld: 'Ik kan het niet, ik kan het gewoon niet. Je kunt van me denken wat je wilt, Rebecca, maar ik kan het gewoon niet aan.' In de weken die volgden, was Milo in Mill House gebleven. De lezingen die hij 's avonds in Oxford zou geven, zegde hij af, zogenaamd omdat hij ziek was. Het huis verliet hij alleen om te wandelen.

Maar naarmate de tijd verstreek, werd hij langzaam weer zichzelf. Een Amerikaanse uitgeverij had de rechten van drie van zijn boeken gekocht en Milo had een fles champagne opengetrokken om het te vieren. Hij had toegezegd te zullen spreken op de radio. Nooit meer had hij het over de baby, noch bracht hij Tessa ter sprake.

Rebecca klikte de zaklamp aan die Meriel haar had geleend om op haar horloge te kijken. Het was bijna één uur 's nachts. Ze raakte steeds vertrouwder met dit soort nachten. De gevoelens van schuld en spijt waar ze misselijk van werd, het wegzakken in een gebroken slaap, vlak voor de dageraad aanbrak, de uitputting de volgende dag. Londen, bedacht ze. Ik ga aan Londen denken. Ik kan niets veranderen aan het verleden, dus in plaats daarvan moet ik aan de toekomst denken. Ik zoek een plek waar ik terechtkan, een leuke woning. Een nieuwe start, een nieuw leven: dat is wat ik nodig heb. Ze concentreerde zich erop dat haar oogleden zwaar zouden worden, dat haar bonkende hart zou bedaren.

Rebecca bleef een week bij Meriel. Milo belde een paar keer, maar ze weigerde hem te spreken. Dokter Hughes kwam langs om een van de pupillen te bespreken; Rebecca zei dat ze een

171

boodschap moest doen zodat Meriel rustig een kop thee met hem kon drinken. Het appartementje was te klein om er met zijn tweeën gerieflijk te kunnen wonen; Rebecca voelde aan dat ze vroeg of laat ruzie met Meriel zou krijgen, en dat kampeerbed was een ramp.

Meriel raadde een hotel aan waar ze zelf wel eens had verbleven toen ze in Londen was, dus Rebecca belde vooruit en reserveerde een kamer. Ze kende de procedure niet; ze had nog nooit een hotel geboekt, dat had Milo altijd gedaan.

Het hotel, dat het Wentworth heette, lag aan Elgin Crescent in Notting Hill. De portier droeg haar koffer naar haar kamer en Rebecca zocht in haar tasje naar kleingeld om hem een fooi te geven. Ze had geen idee of ze hem te veel of te weinig gaf.

De kamer was ingericht met een bed, een kledingkast, een ladekast, een bijzettafeltje en een wastafel. Het aanzicht van het eenpersoonsbed deprimeerde haar. Ze liet een vinger langs de schoorsteenmantel glijden; zo te zien was het er tenminste wel schoon. Ze ging zitten, moe van de lange rit, en trapte haar schoenen uit. Ze voelde haar stemming versomberen, het begin van een glijdende neerwaartse schaal die haar ondertussen meer dan bekend was. Een plan: ze moest een plan maken. Er waren zoveel geweldige dingen te doen in Londen. Ze kon gaan winkelen, naar een kunstgalerie, of ze kon gaan wandelen. Toen ze studeerde had ze zo genoten van wandelen in de Londense parken.

Ze inspecteerde haar gezicht in de spiegel, verliet het hotel en kocht op weg naar Kensington Gardens een sandwich en een appel. Het was een heldere, mooie zomerdag en het gevoel dat het de juiste beslissing was om naar Londen te komen kwam weer terug. Ze at haar lunch op een bankje in de Italian Garden en liep daarna naar Knightsbridge, waar ze ronddwaalde in Harvey Nichols en kleding bekeek. Wat heerlijk, bedacht ze, om van alles te bekijken in een winkel zonder zich zorgen te maken dat Milo het saai vond.

172

Nadat ze het warenhuis had verlaten, opgemonterd door het succes van haar expeditie, liep ze naar een telefooncel en belde Toby Meade.

'Ja?' Het klonk meer als een grom dan een woord.

'Toby, ben jij dat?'

'Nee, met Harrison.'

'Kan ik Toby Meade even spreken?'

'Nee.'

Wat lomp, dacht Rebecca. Ze hoorde stemmen op de achtergrond. Ze vroeg: 'Dit is toch het nummer van Toby?'

'Toby is er niet. Iets met een galerie.' Harrisons stem had een noordelijk accent.

'Kan ik een boodschap achterlaten?'

'Dat zal wel.' Geritsel. 'Jezus, je zou toch denken dat er hier wel ergens een potlood zou liggen. Hoe heet je?'

'Rebecca Rycroft.' Ze begon geïrriteerd te raken. 'Kunt u tegen Toby zeggen dat Rebecca heeft gebeld? En dat ik in Londen ben?' Het drong tot haar door dat ze het telefoonnummer van haar hotel niet wist. 'Ik logeer in het Wentworth, aan Elgin Crescent. Als hij me zou kunnen bellen...'

'Goed hoor.'

'Bedankt.'

Toen zei Harrison: 'Ik zal het doorgeven. Je hebt trouwens een prachtige stem, Rebecca.'

'O!' zei ze geschrokken, maar hij had de verbinding al verbroken.

Haar eenzame maaltijd in het hotel die avond werd onderbroken door de ober die zei dat er een telefoontje voor haar was. Ze liep naar de receptie om aan te nemen. Het was Toby Meade. Een kort gesprekje – ze kon niet vrijuit spreken vanwege de receptioniste, een kwaadaardig uitziend meisje met een zware pony en dikke, zwarte wenkbrauwen, dat nog geen meter van haar vandaan stond – en toen zei Toby: 'Ik heb wat mensen op bezoek, we hebben een feestje. Heb je zin om een borrel te komen drinken?'

Rebecca nam de uitnodiging aan en legde de hoorn op de haak. Ze ging niet terug naar de eetzaal en haar half opgegeten appeltaart, maar liep de trap op naar haar kamer. Het voelde heel vreemd om zich klaar te maken om uit te gaan zonder Milo. Haar hele sociale leven had zich samen met Milo afgespeeld; hij ging wel zonder haar naar feesten in Londen, maar zij was al in geen vijftien jaar zonder hem naar een feest geweest. Zou het afgrijselijk zijn om er alleen te zijn? Maar Toby en zij waren altijd zulke goede vrienden geweest, dus het kwam vast wel goed, zei ze tegen zichzelf. Ze kamde haar haar en bracht nieuwe lippenstift aan. Een laatste controle in de spiegel – de groene blouse die ze aanhad stond haar geweldig, dat wist ze – en toen liep ze de kamer uit.

Ze nam een taxi naar Toby's éénkamerappartementje in Chelsea. De lichten op de bovenste verdieping van het pand brandden. Er werd niet gereageerd toen ze aanklopte, dus ze duwde voorzichtig tegen de deur. Die ging open, en ze liep naar binnen. Toby woonde op nummer 9. Rebecca liep de trap op en de herrie – muziek en bulderende en lachende stemmen – werd steeds harder. Ze moest langs mensen heen lopen die op de trap zaten.

Op een stuk bot dat aan een haakje naast een open deur hing – zo te zien een kaakbeen, de tanden zaten er nog in – stond een 9 geschilderd. Mensen kwamen de ruimte uit de gang op lopen. Gesprekken en lachende stemmen kwamen in een golfbeweging van geluid naar buiten en overstemden de muziek van een piano.

Rebecca baande zich een weg door de drukte op zoek naar Toby. Om de peertjes waren stukken lichtpaars crêpepapier gehangen en de gasten zaten op banken en stoelen, of stonden naast de schraagtafel met borden eten erop. De pianist had haar dat zo lang was dat het over zijn kraagje viel en hij droeg een overjas.

Toby stond bij de muur met een meisje te praten. Ze was klein en smal gebouwd, maar wulps, en ze had een bleke huid met sproeten. Haar lange rode haar viel in prerafaëlitische krullen over haar rug. Ze droeg een zigeunerblouse en een lange donkere rok, waaronder haar blote voeten in sandalen uit staken.

Rebecca zei: 'Hoi, Toby,' en hij draaide zich om.

'Becky, schat.' Hij omhelsde haar. 'Hoe is het?'

'Prima, dank je.'

'Wat leuk je te zien.' Toby keek over haar schouder. 'Te bohémien voor Milo hier, zeker?'

'Die is er niet. Ik ben alleen in Londen.'

Hij keek haar nieuwsgierig aan, maar zei: 'Heerlijk dat je er bent. Dit is Artemis Taylor.' Het meisje in de zigeunerblouse glimlachte. 'Artemis, dit is mijn oude studievriendin, Rebecca Rycroft.'

Het meisje vroeg: 'Wat is je specialisme?'

Het duurde even voordat Rebecca begreep wat ze bedoelde, en toen schoot ze in de lach. 'Nu even niets, ben ik bang. Ik heb jaren geleden voor het laatst getekend. Bent u kunstenares, juffrouw Taylor?'

'Beeldhouwster. Maar ik werk nu met drijfhout. We zijn dit weekend naar Aldborough geweest. We hebben een paar schitterende stukken langs het strand gevonden.'

'We hebben ze in de trein mee terug genomen,' zei Toby. 'Volgens mij dachten de andere passagiers dat we gek waren.' Hij had zijn arm om Artemis' schouders geslagen; het drong ineens tot Rebecca door dat ze minnaars waren, en ze voelde, heel onredelijk natuurlijk, een golf van jaloezie door zich heen gaan. Ooit, heel lang geleden, vóór Milo, had Toby gedacht dat hij verliefd was op haar, maar natuurlijk was zijn leven sindsdien allang verder gegaan.

Toby vroeg haar wat ze wilde drinken. Rebecca koos bier, dat haar in een geëmailleerde mok werd aangegeven. Ze hadden het even over Toby's werk, maar toen arriveerden er nieuwe gasten en werd Rebecca naar de periferie van het feestgedruis geduwd. Haar mok was leeg, dus ze liep op zoek naar een tweede drankje naar de tafel. Op de borden lagen de restjes van een rode gelatinepudding, wat kruimels cake en wat sandwiches met opgekrulde randjes.

Een stem achter haar zei: 'Dan ben jij zeker Rebecca.' Ze draaide zich om en stond oog in oog met de pianist.

'Harrison Grey,' zei hij. 'We hebben elkaar aan de telefoon gesproken.'

Dus dat was die onbeleefde vlerk die haar telefoontje had aangenomen. De man die had gezegd dat ze een mooie stem had.

Ze zei onderkoeld: 'Goedenavond, meneer Grey.'

'Goedenavond, juffrouw Rycroft.' Hij had iets spottends in zijn ogen, die licht en transparant waren. Zijn gezicht was bleek, met ingevallen wangen, en hij had een lange, smalle neus en dunne lippen.

'Het is mevrouw,' zei ze.

'O, sorry, mevrouw Rycroft.' Hij sprak met een lage, geamuseerde lispel. Ze vermoedde dat hij haar uitlachte.

Wat een walgelijke vent, dacht Rebecca. 'Als u me wilt excuseren…'

'Je laat me hier toch niet alleen achter, hoop ik?'

'U bent hier nou niet bepaald alleen…'

'Maar ik haat feestjes. En jij, mevrouw Rycroft? Ik vermoed dat dit ook niet bepaald jouw idee van een heerlijke avond is.'

'Waarom zegt u dat? U weet helemaal niets over me.'

'Nee, maar dat kan ik wel raden. Je hebt zo'n betoverende stem. Zing je, mevrouw Rycroft?'

'Alleen in de kerk, jammer genoeg.'

'Ga je naar de kerk?'

'Soms. Niet vaak.'

Hij lachte met een sissend geluid. 'Je bent echt ongelooflijk. Wat ben je? Rooms-katholiek om het middenklasseschuldgevoel te kunnen afschudden, of anglicaans omdat je van muziek en woorden houdt?'

'Anglicaans,' zei ze geïrriteerd. 'En ja: ik hou van muziek en woorden. Is dat zo erg?'

'Ik ben van mening dat elke vorm van religie opium voor de massa is, maar daar kunnen we een andere keer ruzie over maken. Vroeger kon ik een mooie hymne ook wel waarderen.' Hij maakte een verontschuldigend gebaar. 'Ik slaap slecht de laatste tijd. Daar krijg ik een rothumeur van.'

Ze voelde iets van medeleven voor hem. 'Alles wordt irritant na een slechte nacht, hè?'

'Jij ook?'

Hij stond met haar te flirten. Op een heel vreemde, irritante manier, maar toch; ze voelde zich meteen beter nu dat tot haar doordrong.

Hij vroeg: 'Wat drink je?'

'Bier.'

'Ik heb iets beters.'

Hij haalde een halfvolle fles gin uit zijn jaszak en schonk wat in haar mok. 'Ik heb helaas geen ijs en citroen. Is dat te barbaars voor je, mevrouw Rycroft?'

'Ik overleef het wel, dank je. Waar ken jij Toby van?'

'Aha, opening drie voor een gesprek tijdens een feestje. Slaan we de achtergrond en het werk over?'

'Niet als je dat vervelend vindt. Je komt niet uit Londen, hè?'

'Ik ben in Leeds geboren. En jij?'

'In Oxfordshire.'

'Erg Home Counties. Ik werk voor een aannemer. Officieel ben ik bedrijfsleider, maar eigenlijk ben ik gewoon verkoper. Afgrijselijke baan, maar ik kan de huur ervan betalen. Ik heb Toby in de pub leren kennen. Ik speelde er piano en Toby had een verzoeknummer. En jij, mevrouw Rycroft?' Hij praatte met een gecultiveerd accent verder: 'Hoe lang ken jij onze gastheer al?'

'Sinds de kunstacademie. Bijna achttien jaar.'

Iets langer dan de periode dat ze met Milo was getrouwd. Zo lang, en toch voelde het nu alsof al die jaren zomaar smolten en verdwenen, alsof er niets belangrijks in was gebeurd. Haar luchtbel van geluk barstte ineens en ze wilde alleen nog maar huilen.

'Je man,' zei Harrison Grey. 'De fortuinlijke meneer Rycroft. Is hij er ook?'

'Nee.'

'Nou, ik kan niet zeggen dat ik dat jammer vind.'

'Ik ook niet.'

Hij glimlachte en toostte met haar. 'Proost dan maar.'

'Hoe wist je dat ik het was?' vroeg ze. 'Hoe wist je dat je mij aan de telefoon had gehad?'

'Dat was niet zo moeilijk. Je ziet er heel anders uit dan de rest van het bezoek.'

Artemis Taylors kleding, was Rebecca al opgevallen, lag veel meer in een lijn met die van de andere vrouwelijke gasten dan haar eigen tweedrok met zijden blouse en pumps.

'En ik heb Toby gevraagd of je zou komen,' voegde hij toe. 'Ik was naar je op zoek. Ik had hoge verwachtingen.'

'Dan spijt het me dat ik je heb teleurgesteld.'

'Teleurgesteld?'

'Mijn zangstem… Mijn kerkbezoekjes.'

'Eerlijk gezegd val je helemaal niet tegen.' Een sluwe glimlach. 'Je bent perfect.'

Ergens die avond vatte er uiteindelijk een stuk paars crêpepapier vlam, en er klonk een heleboel gegil terwijl het in een stinkende walm werd uitgetrapt. Later trof Rebecca zichzelf naast de piano aan, en Harrison Grey speelde 'I've Got You Under My Skin'. Na afloop dansten ze. Harrison had zijn overjas nog aan. Hij was lang en slungelig, eigenlijk niet zo'n goede danser, maar hij hield haar dicht tegen zich aan en toen de muziek stopte, tilde hij zijn hand op en kuste hij hem.

'Ik moet nu gaan,' zei hij. 'Het was een genoegen je te ontmoeten, mevrouw Rycroft. Ik zal gauw eens bellen.'

Hij leek op een antwoord te wachten, maar het plezier dat ze had gevoeld tijdens het dansen, was verdwenen. 'Ja, dat lijkt me prima,' wist ze op te brengen.

Kort nadat Harrison was vertrokken, druppelden de feestgangers langzaam naar buiten, en uiteindelijk waren alleen Toby, Artemis en zijzelf over. Dat was het moment dat ze begon te huilen. Enorme tranen barstten onder haar oogleden vandaan en stroomden over haar gezicht, als een pan die overkookte. Toby zei: 'O, Rebecca toch,' en: 'Niet huilen, schat,' en: 'Het gaat over Milo, hè?' maar ze kon niet meer stoppen met huilen. Ze was zich er vaag van bewust dat juffrouw Taylor vertrok, en dat Toby thee voor haar zette en haar een aspirientje gaf. Het lukte haar de aspirine met een slok thee door te slikken, en toen zei hij vriendelijk: 'Vertel het maar aan oom Toby.'

Dus dat deed ze. Niet alles natuurlijk, niets over Tessa Nicolson en het telefoontje en de baby, want dat zou ze nooit aan wie dan ook toevertrouwen. Maar ze vertelde hem over Milo's ontrouw, waarop hij zei: 'De klootzak,' en: 'Je bent zonder hem beter af,' wat haar om de een of andere reden helemaal niet opvrolijkte.

Ze verfrommelde Toby's zakdoek tot een nat balletje. Haar huwelijk was voorbij, en ze had geen idee wat ze met de rest van haar leven moest. Ze voelde zich nutteloos zonder Milo. Ja, dat was het woord: nutteloos. Ze had geen idee hoe ze haar dagen door moest komen. Ze haatte het om alleen in dat afgrijselijke hotel te zijn. Ze haatte de manier waarop de receptioniste naar haar keek en ze haatte die ober, die haar nadat hij had geconcludeerd dat ze alleen was het kleinste tafeltje in het meest troosteloze hoekje van de eetzaal had toegewezen.

Ze hield op met huilen. Ze begon nuchter te worden.

Toby vroeg: 'Wil je terug naar Milo?'

'Nee.' Ze zaten naast elkaar op de bank. De overblijfselen van het feest lagen om hen heen: bekers, glazen en zwartgeblakerde resten crêpepapier. 'Ik zie nu ineens in dat het jaren geleden al voorbij was,' zei ze mistroostig, 'maar ik was te stom om dat te beseffen. Ik heb geen idee wat ik nu moet.'

'Je moet helemaal niets, Becky,' zei Toby. 'Ik neem aan dat je niet hoeft te gaan werken, toch?'

'Goddank, nee, Milo heeft nog nooit moeilijk gedaan over geld. Hij heeft vele tekortkomingen, maar gierigheid is er geen van.' Ze hadden een gezamenlijke bankrekening; het ging door haar heen dat het niet zo zou kunnen blijven als ze eenmaal waren gescheiden; nog zo'n vervelende aanpassing die ze zou moeten maken.

'Waarom ga je dan niet gewoon leven? Kijk eens wat het leven voor je in petto heeft. Ga lol maken.' Toby glimlachte. 'Ik ben nooit goed in vooruitdenken geweest. Ik heb altijd bij de dag geleefd. Zo erg is dat niet.'

'Ik weet zeker dat ik dat niet zou kunnen.'

'Probeer het eens. En ik ben er altijd voor je als je behoefte hebt aan een schouder om op te huilen.'

'Lieve Toby. Ik schaam me dood dat ik zo'n scène maak.'

Hij omhelsde haar. 'Onzin. Waar heb je anders vrienden voor?'

'Ik zal het eens proberen,' zei Rebecca met vastberadenheid in haar stem. 'Ik ga doen wat je zegt, ik ga het leven op zijn beloop laten. Wie weet vind ik het nog leuk ook.'

Toby zette nog een kop thee en zei dat ze op de bank mocht slapen. Toen ze haar thee ophad, krulde ze zich op onder een deken en viel, tot haar enorme opluchting, in slaap.

De volgende ochtend had ze hoofdpijn van het huilen. Ze veegde in de smerige gedeelde badkamer de uitgelopen mascara onder haar ogen vandaan, bedankte Toby en nam een bus terug naar Elgin Crescent. Toen ze terugliep naar het hotel, in de kleren van de avond ervoor, voelde ze zich vies en armoedig. Ze haalde bij de receptie haar sleutel en de receptioniste wierp haar een alwetende blik toe. Rebecca staarde terug; het meisje keek weg.

Het benauwde hotelkamertje voelde vreemd verwelkomend. Rebecca dronk een paar glazen water, hing het NIET STOREN-bordje aan de deur, stapte in bed, trok het dekbed over zich heen en sliep verder.

Ze probeerde het. Ze probeerde het echt. *Waarom ga je dan niet gewoon leven? Ga lol maken.* Ze ging naar de National Gallery en het Tate en naar matinees in Wigmore Hall. Als het mooi weer was ging ze wandelen, naar een van de Royal Parks of langs de Embankment. Ze ging winkelen en liep naar het hotel terug met tassen vol nieuwe kleren.

Eten in het hotel was tweemaal daags een ellende. Beeldde ze zich de neerbuigende bejegening en de nieuwsgierige blikken van de andere gasten alleen in? Ze wist het niet. En hoewel ze overwoog vrienden te bellen, deed ze dat niet. Die vrienden waren naar de feesten in Mill House gekomen; ze kenden haar als onderdeel van Milo en Rebecca, dat benijdenswaardige, glamoureuze koppel. Misschien keurden ze het wel af dat ze Milo had verlaten. Of nog erger: hadden ze medelijden met haar.

Harrison Grey belde niet en schreef niet. Ze had gedacht dat hij dat misschien zou doen, maar dat was niet het geval. Hij flirtte waarschijnlijk met elke vrouw die hij ontmoette. *Je hebt een prachtige stem, Rebecca.* Ze vermoedde dat dat – hoe noemde hij het? – zijn openingszin was.

Ze vertrok naar een ander hotel, aan Ladbroke Grove. Dit hotel, het Cavendish, ontbeerde de pretenties van het eerste. Ze had een kleine kamer – ze moest zijdelings langs haar koffers en het bed lopen – maar het hotel paste bij haar, was anoniemer, en ze wilde anoniem zijn. De bar werd bezocht door vertegenwoordigers en zakenlieden. Ze dronk 's avonds wel eens iets met iemand. Ze werd heel geoefend in het introduceren van haar gefingeerde familie, een verhaal om haar eenzame verblijf in Londen mee te verklaren, om zo de hand op haar knie of het aanbod voor een slaapmutsje in hun kamer te voorkomen.

Milo schreef haar; ze verscheurde zijn brieven ongelezen. Toen ze op een ochtend het hotel binnenliep, trof ze hem bij de receptie aan. Hij zei dat ze moesten praten, dat het zo niet langer kon. Er hing een vreselijke sfeer in de lucht tijdens de lunch in het Lyons' aan Marble Arch, en daarna tijdens een nog vreselijkere wandeling door Hyde Park, waarbij ze met zachte stem ruzieden om te voorkomen dat voorbijgangers hen hoorden. 'Ik begrijp niet waarom je hiervoor kiest,' zei hij. 'In dat hotel, zonder je familie en vrienden. Ik weet dat het verkeerd was wat ik heb gedaan, en ik weet dat ik je heb gekwetst, en als het nodig is zeg ik nog honderd keer dat het me spijt, als je dan maar bij me terugkomt. Ik ben stom geweest, en ik beloof je dat ik nooit meer naar een andere vrouw zal kijken, nooit.'

'Waar het om gaat,' zei ze, 'is dat ik niet meer van je hou. Ik haat je niet eens. Ik voel helemaal niets meer voor je.' Milo's gezicht leek te verschrompelen, de veerkracht verdwenen. Ze namen afscheid; hij ging naar zijn trein.

Die avond ging ze naar bed met een verkoper uit Bolton die ze had ontmoet in de bar van het hotel. Hij was jonger dan zij, midden twintig, dacht ze, eigenlijk nog een jongen. Hij had een aantrekkelijk, vriendelijk gezicht, keurig gevormde lippen en zacht grijsblauwe ogen, en een mager lichaam dat zo wit was dat het wel groen leek. De volgende ochtend, waarschijnlijk beschaamd dat hij zichzelf met een vrouw in bed aantrof, trok hij zijn jas over zijn naakte lichaam aan en liep met zijn kleren onder zijn arm de gang op naar de badkamer om zich aan te kleden. Hij heette Len; hij gaf haar zijn adres en vroeg of ze hem wilde schrijven, maar dat deed ze niet.

Ze wist dat ze viel, zonk, naar adem hapte. Nog heel even en dan zou ze verdrinken.

Op een dag verliet ze haar hotelkamer niet. Ze werd 's ochtends vroeg huilend wakker. Ze zag te veel op tegen de wande-

182

ling naar de badkamer; ze hoorde andere gasten over de gang schuifelen. Ze werd overmand door een gevoel van verlamming. Ze huiverde bij de gedachte dat ze naar de eetzaal moest, waar de vertegenwoordigers elke ochtend opkeken van hun eieren met bacon en haar aanstaarden.

De volgende ochtend schreef ze een plan in haar dagboek. Ontbijten in een eetcafé in de buurt zou haar het hotel uit krijgen en haar de ellende in de eetzaal besparen. Ze zou sandwiches voor de lunch kopen en die op mooie dagen in het park opeten, en op slechte dagen zou ze in het Lyons lunchen. Ze zou een afspraak bij de kapper maken en haar nagels doen. Op dinsdag zou ze naar de film gaan en op vrijdagmiddag naar een concert. Ze zou een schetsboek kopen en gaan tekenen in plaats van rond te hangen. Ze zou Toby's voorstel overwegen een flatje te huren in plaats van in een hotel te wonen, hoewel dat idee iets blijvends suggereerde waaraan ze niet wilde denken. Ze zou zich strikt aan haar plan houden, omdat het alternatief, de lethargie die haar de hele dag in bed hield, haar beangstigde. Ze voelde dat ze probeerde zich aan iets vast te houden, maar ze wist niet aan wat.

Toen ze op een middag terugkwam naar het hotel lag er een briefje op haar te wachten. Het was van Harrison Grey, die vroeg of ze met hem wilde dineren; hij zou haar vrijdagavond om acht uur bij het hotel komen ophalen.

Toen ze van het hotel naar het metrostation liepen, zei Harrison: 'Toby vertelde me dat je naar een ander hotel was gegaan. Ik vroeg me af of je me was vergeten. Ik moest van dat rotbedrijf van me een maand naar dat ellendige Birmingham.' Ze liepen het station in; hij kocht kaartjes. Toen hij achter haar op de roltrap stond, mompelde hij in haar oor: 'Als ik in Birmingham ben heb ik altijd het gevoel dat ik ben gestorven en in de hel ben beland. Volgens mij sturen ze me erheen om me te straffen.'

'"Ze"?' vroeg ze. 'En waarom zouden ze je willen straffen?'

'De directeuren. Ze betwijfelen het of ik wel met hart en ziel betrokken ben bij Saxby & Clarke.'

'En ben je dat?'

'Absoluut niet.'

Er stond een metro aan het perron; ze haastten zich om hem te halen. Er waren geen plaatsen vrij, dus bleven ze bij de deuren staan.

Ze vroeg: 'Ben je liever in Londen dan in Birmingham?'

'Eerlijk gezegd haat ik alle steden.'

'Waar zou je dan willen wonen?'

'Ik zie mezelf graag op een zonnig strand... dan zou ik nu en dan even de zee ingaan of naar een café wandelen om iets te eten. Of ik kan op het platteland gaan wonen. Ik heb altijd gedroomd over zelfvoorzienend zijn. Dat zou zoveel echter zijn, zoveel eerlijker.'

Dat ze op Mill House hun eigen groenten hadden geteeld had Milo of haar niet echter of eerlijker gemaakt, bedacht Rebecca.

'Afgelopen zondag,' zei ze, 'heb ik Toby en Artemis meegenomen naar de kust van Suffolk.'

'Als je "meegenomen" zegt, bedoel je dan dat je een auto hebt?'

'Ja, een Riley. Ik parkeer hem in een zijstraat, om de hoek bij het hotel.'

Ze stapten over op King's Cross en stapten uit op Piccadilly Circus. Er glinsterden lichtjes en Rebecca voelde zich direct beter, levenslustiger, onderdeel van de opwinding van het Londen in de avond. Ze vonden een tafeltje in een restaurant in een smal straatje bij Haymarket. Het voorgerecht – garnalen voor haar en zeeblik voor hem – was geserveerd toen hij zei:

'En meneer Rebecca Rycroft? Waar is die?'

'In Oxfordshire, neem ik aan. In ons huis.' Ze zei het zonder steek van emoties: ze was Milo aan het vergeten, bedacht ze trots, ze was een nieuw en interessant leven voor zichzelf aan het creëren.

'En jij bent in Londen.'

'Zoals je ziet.'

Hij gebaarde met zijn vork, waar hij een stuk of zes zeebliekjes aan had gespietst. 'Wat heeft hij gedaan?'

'Hij was ontrouw.' Haar bovenlip krulde op. 'Dwangmatig ontrouw. Ik vermoed dat Milo zelfs ontrouw zou zijn als hij met Greta Garbo zou zijn getrouwd.'

'Dus ben je bij hem weggegaan. Wat knap van je. Mis je hem?'

'Helemaal niet.' Ze hief haar glas en tooste met hem.

Ze verwachtte meer vragen: details over Milo's verraad, haar toekomstplannen, maar in plaats daarvan zei hij: 'Had ik maar geen zeebliek besteld. Het klinkt altijd zo aanlokkelijk en vervolgens vind ik het vies.'

'Als je wilt kunnen we wel ruilen.'

'Echt? Vind je dat niet erg?'

'Helemaal niet.' Ze wisselden de borden om. Ze vroeg: 'Blijf je lang in Londen, Harrison, of moet je weer terug naar Birmingham?'

'God, dat hoop ik niet zeg.' Hij glimlachte en zijn lichte ogen keken haar aan. 'Ik hoop echt van niet.'

Hij plaagde haar graag met de manier waarop ze sprak – geaffecteerd – en haar achtergrond: 'pijnlijk middenklasse'. Zijn grootvader was mijnwerker geweest: een zware jeugd werd geïmpliceerd, vol gestreden en gewonnen ruzies. Ze ging wel eens met hem naar clubs of pubs, waar hij dan pianospeelde. Hij had musicus willen worden, vertelde hij haar, maar hij had pech gehad: bronchitis toen hij net op het punt stond een vaste aanstelling bij de radio binnen te slepen, en later had een jaloerse collega zijn contract bij een swingband voor zijn neus weggekaapt.

Ze had met hem te doen; ze wist hoe het voelde om hoop te zien vervliegen en kansen te missen. Harrison eiste niets en als je het niet erg vond om geplaagd te worden was hij goed gezelschap. Ze vond de luie, katachtige manier waarop hij bewoog aantrekkelijk, hij had elegante handen, als hij glimlachte kreeg zijn kleine mond zo'n mooie vorm, en zijn bleke ogen knepen dan samen. Hij was nooit in een slechte bui en schreeuwde niet. In het weekend maakten ze autoritjes, naar Box Hill of Whitstable. Het viel haar op dat hoewel Harrison zei dat hij van het platteland hield, hij niets om wandelen gaf; even een kort ommetje en dan liepen ze door naar een pub. Hij vroeg niet naar haar vorige leven, wat ze attent van hem vond en wat een opluchting voor haar was.

Hij probeerde haar te leren zingen: de ademhaling, de frasering, het vormen van een noot. Hij zei dat ze een prachtige, hese stem had, maar het was jammer dat ze niet altijd zuiver zong. Ze vond dat het haar goed omschreef: een paar bescheiden talenten die ze niettemin wist te verprutsen. Ze zong 'Brother Can You Spare a Dime' in een pub in Fitzrovia terwijl hij de melodie meespeelde om haar op toon te houden. Er werd geapplaudisseerd en ze voelde zich geweldig, en later die avond kusten ze voor de eerste keer.

Hij vertrok weer, deze keer voor twee weken. Als hij weg was, schreef of belde hij niet. Ze zei tegen zichzelf dat ze dat niet erg mocht vinden: het was een slechte gewoonte van haar dat ze bezitterig was, een die had bijgedragen aan de ondergang van haar huwelijk.

In augustus kwam Meriel een dagje op bezoek, en ze dineerden samen. Meriel had het over koetjes en kalfjes: haar kampeervakantie in Schotland met een vriendin, en de terugkeer van dokter Hughes naar Oxfordshire na twee weken in het West Country. Deborah had besloten dat ze toch niet in Cornwall wilde wonen, wat een zegen was. Met mama ging het goed, voegde Meriel toe, en Rebecca, die zich vreselijk schuldig voelde, beloofde snel bij haar moeder op bezoek te gaan. Ze schreef haar moeder regelmatig, maar ze had haar nog niet gebeld of bezocht sinds ze bij Milo weg was.

'Dat geeft niets, ik red het best met mama,' zei Meriel.

'Dat weet ik, maar het is ellendig voor jou en laf van mij.'

'Je ziet er niet goed uit,' zei Meriel zonder een blad voor de mond te nemen. 'Je bent mager. Weet je zeker dat het goed met je gaat?'

Rebecca zei dat het prima ging. Ze beloofde op bezoek te komen en toen namen ze afscheid, Meriel om naar de metro op station Paddington te gaan en Rebecca om terug te keren naar het hotel.

Harrison kwam terug naar Londen. Ze gingen naar een show en daarna, opgemonterd door een fles wijn en vrolijke muziek, naar bed. Harrison bedreef de liefde zoals hij kuste: langzaam, aarzelend, en een heel klein beetje halfslachtig. Een voorjaarsbriesje, zei ze tegen zichzelf, in plaats van de donderstormen van Milo's passie. Het was een opluchting te ontdekken dat ze erop reageerde, dat ze niet helemaal dood was vanbinnen.

Ze werden te eten uitgenodigd bij een kennis van Harrison, ene mevrouw Simone Campbell, die in een rood bakstenen huis in Stoke Newington woonde. Het huis was vreselijk rommelig, overal lagen bergen boeken en kleding, en er stonden veel te veel meubels in de kamers. Simone Cambell was een jaar of vijftig, met een rond, vriendelijk gezicht en krullend grijsbruin haar. Ze was kleiner dan Rebecca, had een stevige boezem, brede heupen en een serie rondingen ertussen. Ze droeg een pruimkleurige bloemetjesjurk onder een vormeloos zwart jasje. De kleding zat haar niet goed, was gekreukt en flatteerde haar lichaam niet.

Simone was weduwe, had Harrison haar op weg in de auto verteld. 'Haar echtgenoot is omgekomen in de oorlog,' zei hij. 'Een of andere slag.' Er waren twee kinderen, een jongen en een meisje.

Een ander stel en twee vrouwen schoven ook aan voor het eten. 'Daar heb je Simones lesbiennes,' mompelde Harrison tegen Rebecca, niet al te sotto voce, voordat ze aan elkaar werden voorgesteld. Het eten was zalig, een rijke lamsstoofpot en citroentaart toe, geserveerd in een eetkamer die uitkeek over een mooi overwoekerde achtertuin. Het gesprek aan tafel ging al snel over politiek: de hardvochtige overname van Oostenrijk door nazi-Duitsland eerder dat jaar, en de oplopende spanning doordat Duitsland een deel van Tsjecho-Slowakije, Sudetenland, wilde claimen. Rebecca was goed op de hoogte, de gebeurtenissen in Europa werden in Mill House aan tafel ook regelmatig gedetailleerd besproken, en ze voelde mee met de benarde toestand van de Joden – wat afschuwelijk als je land en je werk je werden afgenomen – maar het was net of er een muur tussen haar en de anderen was opgetrokken, een muur die alleen zij kon zien. Ze zorgde dat ze af en toe ook iets zei, zodat de andere gasten haar niet raar zouden vinden, en ze dronk een paar glazen wijn in de hoop dat die haar zouden opbeuren. Maar het gevoel dat ze er niet bij hoorde was sterk. Het was alsof een sadistische god haar had opgepakt en lukraak hier in dit huis had neergezet, tussen deze vreemdelingen.

Simone vroeg Rebecca na het eten met de koffie te helpen. In de keuken was het een nog grotere bende dan in de rest van het huis, de gootsteen stond vol afwas en op een prikbord hingen foto's, briefjes met notities en uit tijdschriften gescheurde recepten over elkaar heen.

Simone keek wanhopig om zich heen. 'Ik ben dol op koken, maar ik haat het schoonmaken en opruimen erna.'

'Kan ik iets doen?'

'Absoluut niet. Ik heb u niet uitgenodigd om uw avond te besteden aan afwassen.'

'Ik weet niet of u me hoe dan ook wel heeft uitgenodigd, mevrouw Campbell. Ik heb het vermoeden dat Harrison me aan u heeft opgedrongen. Ik help graag. Ik maak me graag nuttig.'

En dat was waar het om ging, bedacht Rebecca: ze was voor niemand nuttig. Als ze zou verdwijnen, zou iemand haar dan missen?

Ze wendde zich af en duwde haar vingernagels in haar handpalmen om te voorkomen dat er tranen in haar ogen sprongen. Ze keek naar het prikbord. Op de briefjes stonden dingen als: 'Dorothy bellen', 'Koekjes voor de boekenclub', en 'Zaailingen verpotten'.

'Ik vind het heerlijk dat u er bent,' zei Simone. 'U bent een juweel voor mijn eettafel, mevrouw Rycroft. Ik ben altijd diep onder de indruk van vrouwen die in staat zijn een bijpassend tasje bij hun schoenen uit te zoeken.'

Ze had haar tranen weer onder controle. 'Ach, dat stelt niets voor. Dat kan iedereen.'

'Nee, dat is niet waar. Er aantrekkelijk en goed uitzien kost enorm veel moeite. Ik loop een winkel binnen en koop de eerste de beste jurk die me past omdat ik het allemaal zo'n ellende vind. Ik krijg altijd standjes van mijn dochter.' Simone vulde de ketel en zette hem op het fornuis. 'Mag ik vragen… of u weduwe bent?'

'Mijn man en ik zijn uit elkaar.'

'Dat zal zwaar zijn. Mensen denken altijd dat het erger is om weduwe te zijn, maar het lijkt me vreselijk pijnlijk om te weten dat een van de twee ervoor heeft gekozen om een einde aan een huwelijk te maken, of dat de liefde is vervlogen.' Simone glimlachte. 'Vergeef me dat ik zo nieuwsgierig ben. Houdt u van tuinieren?'

'Enorm.' Rebecca voelde een steek van verlangen naar de tuin van Mill House. De bladeren zouden nu aan het verkleuren zijn, ze kon de geur van het vuur om de dorre bladeren te verbranden bijna ruiken.

'Mag ik mijn tuin laten zien?'

'Graag.'

Ze liepen naar buiten. Het was half september en het avondlicht was zwakker aan het worden. Er hing een sfeer van sereniteit en mysterie in de tuin die resultaat was van het zorgvuldig plaatsen van bomen, klimrekjes en paadjes. Ze hadden het over snoeitechnieken en manieren om ziektes te bestrijden tot mevrouw Campbell zuchtte en zei: 'Laten we maar weer naar binnen gaan. De gasten zullen wel snakken naar koffie.'

Rebecca zette in de keuken kopjes en schoteltjes op een dienblad.

Simone vroeg: 'Je kent Harrison nog niet zo lang, hè?'

'Een paar maanden.'

'Hij is heel aangenaam gezelschap, maar hij is lui; een soort spirituele luiheid, denk ik altijd. Maar dat was je vast ook al opgevallen.' Simone goot kokend water in de koffiekan. Toen schreef ze iets op een notitieblokje, scheurde het velletje er af en gaf dat aan Rebecca. 'Dit is mijn telefoonnummer. Kom eens langs als je tijd hebt. Ik geniet altijd van het gezelschap van intelligente vrouwen.'

Rebecca en Harrison vertrokken een halfuur later. Rebecca was moe. Ze had te veel gedronken en haar gesprekje met Simone Campbell had haar om de een of andere onverklaarbare reden van streek gemaakt.

Ze reed een zijstraat uit en de hoofdweg op toen ze een fietser zonder licht over het hoofd zag. Ze moest hard op de rem trappen om de fietser niet aan te rijden, die slingerend verder reed.

Rebecca bekeek haar trillende handen, die het stuur omklemden. Een stem in haar hoofd zei: *Je hebt bijna nog iemand vermoord.*

'Ik ben te moe,' zei ze. 'Ik kan me niet concentreren. Wil jij rijden?'

'Nee.' Harrison zag er ontsteld uit. 'Ik bedoel, dat kan ik niet.'

Dus haalde ze diep adem en reed voorzichtig verder. Ze reden het hele stuk terug naar zijn appartement in Earl's Court dertig kilometer per uur.

De avonden waren het ergst. In eerste instantie probeerde ze ze te vullen door uit eten te gaan, Toby en zijn vrienden te bezoeken, in de hotellounge een boek te lezen of een kruiswoord-puzzel te maken. Maar ze trok zich steeds meer terug in haar kamer, waar ze roomservice dan een sandwich en een drankje liet brengen, en daarna nog een, en dan viel ze in slaap. Ze bedacht vaak dat ze niet geschikt was om alleen te leven. Misschien moest ze terug naar Milo. Misschien was een slecht huwelijk beter dan geen huwelijk.

Haar afspraakjes met Harrison waren haar levenslijn. Dan dineerden ze ergens en gingen daarna naar zijn appartement, waar hij met haar vree op zijn langzame, luie manier. Ze vond hem aardig en voelde zich veilig bij hem omdat hij het tegenovergestelde van Milo was. Hij ontbeerde Milo's energie, zijn vuur en ambitie. Godzijdank, dacht ze.

Ze lagen in bed toen Harrison haar over de cottage vertelde. Een vriend van hem, Gregory Armitage, had er een in Derbyshire. Van God en alles verlaten, op een berg, nergens een ziel te bekennen. Harrison ging op zijn zij liggen en keek haar aan. Greg had gezegd dat hij de cottage mocht gebruiken. Zou het niet heerlijk zijn om er een paar weken tussenuit te gaan? En dan zou zij toch met hem meegaan?

Rebecca zag een charmant huisje in een weide vol bloemen voor zich. 'O, ja,' zei ze.

Drie dagen later haalde ze Harrison thuis op. Hij legde een rugzak, een tas van Harrods en een muziekkoffer in de achterbak van de Riley. Toen vertrokken ze naar Derbyshire.

De cottage van Harrisons vriend stond in het Peak District, halverwege Sheffield en Manchester. Je moest de weg naar Manchester af en dan een laantje op met één rijbaan, dat versmalde tot een grassig pad met haagdoorns vol paars fruit erlangs. Het pad werd een voetpad en Harrison begon tegen te sputteren toen Rebecca de auto parkeerde en zei dat ze verder moesten lopen. Ze moest een verkeerde afslag hebben genomen, zei hij. Ze spreidde de kaart uit over het stuur. Ze wist zeker dat ze goed was gereden. Ze zouden de auto hier laten staan en verder lopen naar de cottage.

Harrison hees mopperend de rugzak over zijn schouder en pakte de Harrods-tas. Rebecca pakte haar koffer en ze liepen het voetpad op. Ze wandelden al snel door een licht glooiend weidelandschap. Rebecca voelde zich nu al beter. Het was een mooie dag, en aan een kant van hen lag de vallei, waar boerderijen en schuren schuilden in een lavendelkleurig waas; aan de andere kant liep de heuvel omhoog, en het zonlicht schitterde op het gras.

Na een halfuur, waarin Harrison meermalen was gestopt om uit te rusten, bereikten ze de top van de heuvel. Hij was plat, alsof hij er met een mes was afgesneden. Paadjes kronkelden tussen pollen donkergroen, stekelig gras.

Rebecca zag een enkel huis midden op de woeste grond staan. 'Dat moet het zijn,' zei ze.

Ze liepen ernaartoe. Hoewel het klein was, gaf de vierkante, stenen soliditeit het een sfeer van grandeur. Ze zette haar koffer bij de voordeur om te wachten op Harrison, die de sleutel had en achter haar aan kwam, en ze keek op naar het wapenschild vol tierlantijnen dat in het graniet boven de voordeur was gekerfd.

Harrison opende de voordeur en ze liepen naar binnen. Hij liet met een zucht van verlichting zijn rugzak op een grote, rechthoekige tafel glijden en een wolk stof steeg op in de lucht.

Ze stonden in een keuken: vormen doemden op in het half-duister en het rook er muf. 'Behoorlijk deprimerend hier, zeg,' zei Harrison.

Rebecca trok de gordijnen open en worstelde met een raamhaak. 'Zo, dat is beter, toch?'

Zonlicht scheen nu op de vloer van flagstones. Een handjevol stoelen die niet bij elkaar hoorden stond om de tafel en naast een zwart ijzeren fornuis stond een houten schommelstoel. Tegen de achtermuur prijkte een piano. Onder het raam was een gootsteen met een kast ernaast. Rebecca merkte op dat er geen elektrisch licht was, en stof had de glazen bollen van de gaslampen grijs gemaakt.

Harrison opende de piano en speelde een paar akkoorden. 'Hij is ontstemd.'

'Zullen we even gaan rondkijken?'

Hij klaagde over zere voeten, maar dat negeerde ze, en ze liep naar boven. Ze opende de gordijnen en ramen in de zitkamer. De meubels waren oud en stoffig, het kleed bij de open haard zwart van kolenstof. Nog een stenen trap leidde naar de bovenste verdieping van het huis. Rebecca leunde uit het raam. De woeste grond en de heuvels leken te glinsteren en de hemel was kristalhelder. Ze ademde diep de koele, zoete lucht in, en voor het eerst in maanden ontspande er iets in haar wat al die tijd als een pianosnaar gespannen had gestaan.

Ze riep naar beneden: 'Wat heb je als lunch meegenomen?' Harrison had aangeboden eten mee te nemen.

'Heb je pleisters, Rebecca? Mijn voeten zitten onder de blaren.'

Ze liep naar de keuken. Hij zat op de schommelstoel en had zijn schoenen en sokken uitgedaan. Ze opende haar koffer en pakte er pleisters, watten en ontsmettingsmiddel uit.

Hij huiverde terwijl ze zijn blaren met ontsmettingsmiddel depte. 'Stel je niet zo aan,' zei ze. 'Waar is het eten?'

'In de Harrods-tas. Ik wilde iets speciaals doen.'

In de tas zaten crackertjes, blikjes artisjok, olijven en sardientjes, een pot ingemaakte perziken, een reep Cadbury-chocolade, twee flessen wijn en een halve fles whisky. Waar zijn de thee, de suiker, de melk en het brood? dacht Rebecca, maar ze zei: 'Zal ik even kijken of er buiten een mooi plekje is om te eten? Er moet hier eerst eens goed worden schoongemaakt en het is heerlijk weer.'

Er lag een ommuurde tuin achter het huis. Er stonden bessenstruiken en een appelboom, met verwrongen takken van de wind. Een klimroos vol late bloemen groeide op een beschut plekje.

Rebecca kon geen tafelkleed vinden, maar ze had eraan gedacht theedoeken mee te nemen, dus die spreidde ze uit op het gras. Harrison lag nadat ze hadden gegeten met gesloten ogen op het gras. Greg had gezegd dat ze drie weken mochten blijven. Hij had niet de indruk dat Greg er zelf vaak verbleef; misschien moesten ze vragen of ze het een jaar konden huren. Dan konden ze er iets van maken: groente verbouwen, een varken nemen.

Toen viel hij in slaap. Rebecca ging naar binnen om de keuken schoon te maken en een boodschappenlijstje te maken. Wat heerlijk om weer een keuken te hebben. Ze was dat hotel zo zat. Dat was wat er mis was: dat hotel en Londen. Ze schreef 'melk, thee, kolen' op een stukje papier. En ze moest een zaklantaarn kopen, zodat ze 's nachts niet met een kaars de tuin in hoefde om naar het buitentoilet te gaan. Ze zat in het zonlicht dat door het open raam scheen op haar potlood te kauwen.

Het mooie weer hield vier dagen aan. Op de vijfde dag werd Rebecca met keelpijn wakker. Ze zette thee en nam wat aspirine. Na het ontbijt liepen ze via de woeste grond de heuvel af naar de auto en reden naar het dichtstbijzijnde dorp. Ze gaf haar boodschappenlijstje aan de bediende in de plaatselijke winkel. Kolen, herhaalde Harrison onder luid protest: ze verwachtte toch niet dat hij een zak kolen die rotberg op ging sjouwen? Als hij wilde eten wel, zei ze. Hij mompelde iets over bezorgen, maar zij zei opgewekt: 'Doe niet zo gek, Harrison.'

Ze lunchten in een pub en reden een stukje naar een boerderij om melk, eieren en een kip om te roosteren te kopen. Witte schaapjeswolken maskeerden de zon en wierpen schaduw op het geplaveide erf. De eerste druppels regen vielen terwijl ze met hun boodschappen naar het huis liepen. Rebecca droeg de rugzak en Harrison sjokte met de zak kolen achter haar aan. Haar keelpijn was erger geworden, en Harrisons gemopper vermengde zich met het getik van de regen.

In de keuken maakte ze het fornuis aan terwijl Harrison naar boven ging om even te rusten. Ze herontdekte hoe heerlijk het was om een vuur aan te maken: het krantenpapier dat verschrompelde, het zorgvuldig plaatsen van de kolen en het aanmaakhout, het triomfantelijke gevoel als de houtspaanders vlam vatten. Ze maakte de kip klaar om te roosteren, schilde aardappels en schraapte worteltjes, waarna ze nog meer aspirine innam en in de schommelstoel ging zitten. Later die dag aten ze de kip, terwijl de regen tegen de ramen kletterde en het fornuis zijn hitte de keuken in ademde. Na het eten speelde Harrison piano, en zij zong even mee, maar niet zo lang vanwege de keelpijn.

Ze werd die nacht meermalen wakker. Slikken deed pijn, dus ze nipte voorzichtig een paar slokjes water en luisterde naar de regen. De volgende ochtend was de wereld bruin en grijs. Het groen en goud van de woeste grond waren in een nacht vervaagd en de hemel hing boven de heuvels als een ijzeren deksel.

Het regende de hele dag. Op de paden op de woeste grond vormden zich plassen. Ze speelden rummy en whist en aten koude kip. Rebecca las *Gejaagd door de wind* zittend in de schommelstoel, want als ze ging liggen moest ze hoesten.

De volgende dag was de kolen op, en Harrison ontbeet met de laatste stukjes kip. Ze zei dat hij naar de winkel moest.

Hij keek uit het raam. 'Het regent pijpenstelen.'

'Is dat zo? Dat was me nog niet opgevallen.' Haar sarcasme kwam met een prijs, want praten deed pijn.

'Jezus. Kijk dan.'

'Ik ben ziek. Ik moet naar bed. Alleen kolen en wat brood en melk.'

Hij draaide zich om en staarde haar aan. 'Ik kan niet alleen.'

'Harrison,' zei ze. 'Ik ben ziek.'

'Het is maar een koutje. Je moet mee. Je moet rijden.'

'Kan je echt helemaal niet rijden?'

'Nee. Ik heb het een keer geprobeerd, maar het is veel te ingewikkeld.'

'Als ik het je uitleg…'

'Doe niet zo idioot.'

'Ik?' Het woord kwam er rasperig hees uit. 'Hoe kun je nou negenendertig worden zonder te leren autorijden? Dat is pas idioot.'

Ze begon kwaad haar regenjas dicht te knopen en trok haar regenlaarzen aan. Ze pakte haar handtas, duwde de rugzak in zijn handen, zette haar capuchon op en liep naar buiten. Ze wisselden geen woord terwijl ze over de woeste grond liepen. De regen had de paden en grassige stukken omgevormd in een moeras en ze hoorde Harrison, die had vergeten regenlaarzen mee te nemen, achter zich vloeken terwijl het water in zijn schoenen liep.

Ze bleef in de auto zitten terwijl hij in de winkel kolen, lampolie, worst en aspirine kocht. Ze had overal pijn, misschien was het toch griep. Een korte periode zonder regen op de weg terug leidde tot een gedeeltelijke wapenstilstand tussen hen. Terug in de cottage drong het tot haar door dat ze hadden vergeten een krant te kopen. Ze kon in het hele huis geen stukje papier vinden, dus scheurde Harrison de eerste hoofdstukken van *Gejaagd door de wind* uit het boek om daarmee het vuur aan te maken. Boeken verbranden, dacht ze, wat gaat hij hierna doen?

De volgende ochtend werd ze hoestend wakker. Haar kussen was nat. Ze keek op en zag dat zich boven haar hoofd aan het plafond een stalactiet van water vormde. Een druppel kwam ervan los en dook naar het bed.

Ze maakte Harrison wakker. Het dak lekte; hij moest iets doen.

'Wat dan?'

'Je moet het dak repareren. Misschien is er een dakpan losgeraakt.'

Hij knipperde met zijn ogen. 'Jezus, Rebecca…'

'Ik heb een ladder in het buitentoilet zien staan. Je moet naar buiten om te kijken wat er aan de hand is.'

'Naar buiten…'

'Via de valdeur,' zei ze razend. 'De godvergeten valdeur, Harrison.'

Ze liep naar beneden om een emmer en dweil te pakken. Haar hoofd voelde raar, alsof iemand het met watten had gevuld, en haar borstkas deed pijn. Toen ze terugkwam in de slaapkamer, had Harrison de ladder onder het luik gezet.

'Ik heb hoogtevrees,' zei hij.

'Doe niet zo kinderachtig.'

'Ik meen het.'

'We kunnen hier niet slapen als de regen op ons hoofd klettert. Dan sterven we aan een longontsteking.'

'Misschien moeten we teruggaan naar Londen.'

'Londen?' Ze staarde hem aan.

'Ik zeg wel tegen Greg dat het weer is omgeslagen.'

'Ik wil niet terug naar Londen. Ik vind het hier fijn.'

'Het is hier een ongeciviliseerde bende,' mompelde hij.

'Wat had je dan verwacht?' zei ze smalend. 'Een en al moderne apparatuur? Repareer het dak nou maar, Harrison.'

'Doe het zelf maar,' zei hij, en hij liep naar beneden.

Dus klom ze de ladder op, maakte het luik open en duwde er met haar schouder tegen. Het ging open en de geur van spinnenwebben kwam haar tegemoet. Het was een schuin dak en ze zag dat een van de leistenen dakpannen was gebarsten. Ze stond op haar tenen en duwde de losse stukjes op hun plaats terug. Toen dook ze het huis weer in, sloot het luik achter zich en klom de ladder af. Ze duwde moeizaam het bed aan de kant, zodat het niet meer onder het lek zou staan. Ze rilde; ze kroop in een poging op te warmen in bed, maar hoewel ze lang bleef liggen, bleef ze koud en kon niet stoppen met hoesten.

Toen ze naar beneden ging, stond hij bij het fornuis een mok thee te drinken. Hij schonk er voor haar ook een in. 'Sorry,' zei hij. 'Maar ik heb echt vreselijke hoogtevrees.'

'Laat maar, ik heb het al opgelost.' Ze ging in de schommelstoel zitten en sloeg haar handen rond de mok.

'Ik wil echt terug naar Londen. Ik had me dit heel anders voorgesteld.'

'Nee,' zei ze koppig. 'Je hebt het beloofd, Harrison. Drie weken. Het houdt heus wel weer op met regenen.'

Hij maakte toast met gekookte eieren. Rebecca kreeg haar eten niet weg, dus at hij het op.

Na het ontbijt zei hij: 'De voorraad is weer bijna op.'

Haar werk had haar uitgeput. 'Je zult deze keer echt alleen moeten gaan,' zei ze. 'Ik voel me niet goed genoeg om te rijden.'

Harrison deed de afwas, trok zijn jas aan, deed de rugzak om en verliet het huis. Ze zag van haar stoel bij het vuur hoe hij kleiner en kleiner werd terwijl hij over de woeste grond liep.

Ze nam nog wat aspirine en ging terug naar bed. Ze krulde zich op op Harrisons helft, de droge helft, en viel in slaap. Ze werd later rillend en hoestend wakker. Ze keek op haar horloge. Het was drie uur. Ze had vijf uur geslapen.

Ze trok een vest over haar trui aan en liep naar beneden. Harrison was er niet. Zijn regenjas hing niet aan het haakje en ze zag zijn rugzak niet. Misschien was hij in een pub gaan lunchen. Er verstreek nog een uur, en toen twee, en toen drong het tot haar door dat hij was vertrokken, dat hij zonder haar was teruggegaan naar Londen.

Wat kan mij het ook schelen? dacht ze. Ze was zonder hem beter af. Zij zou hier gewoon blijven. Waarom zou ze teruggaan naar Londen als er daar niets voor haar was? Zo te zien gebruikte Harrisons vriend de cottage nauwelijks. Ze zou proberen erachter te komen of ze hier kon overwinteren.

Milo zou die ladder zijn opgeklommen en zou hebben geprobeerd het dak te repareren. Harrison was een slappeling zonder ruggengraat. Ze had zich tot hem aangetrokken gevoeld omdat hij zo anders was dan Milo; ze had het heel attent van hem gevonden dat hij niet naar haar verleden had gevraagd, maar het was ondertussen tot haar doorgedrongen dat het hem gewoon niet kon schelen, dat hij complicaties en confrontaties uit de weg ging. Ze had gedacht dat dat was wat ze wilde, na Milo, maar dat was niet waar. Ruziemaken met Harrison was alsof je ruziede met een natte dweil.

Ze maakte iets te eten voor zichzelf met wat restjes die ze kon vinden, maar ze had echt geen honger, dus ze zette het met een bord eroverheen in de vensterbank om het koel te houden. Het was prettig dat ze zich niet hoefde te vermoeien met een gesprek, ze was er echt te ziek voor.

Ze hielp zichzelf die avond in slaap met drie aspirientjes en het laatste beetje whisky, maar ze werd vroeg in de ochtend hoestend wakker. Nu was het allesbehalve leuk om alleen te zijn. Ze voelde zich waardeloos en slecht, en ze had het gevoel dat Harrison terecht was vertrokken. Haar gedachten gingen terug naar de afgelopen maanden. Haar telefoontje nadat ze had ontdekt dat Milo een affaire met Tessa Nicolson had. Haar verdriet, ellende en woede, en de consequenties van die woede. *De baby is dood. Hij is de auto uit geslingerd. Ze zeggen dat hij op slag dood was.* Haar ontzetting was nu nog net zo overweldigend en doordringend als zeven maanden daarvoor, op die dag dat Freddie Nicolson Mill House had gebeld. Haar verantwoordelijkheid rustte als een zwaar gewicht op haar en maakte het moeilijk te ademen.

Ze bleef twee dagen in bed liggen. Ze zag het nut er niet van in om op te staan. Er was niemand om mee te praten en niets te doen. Ze voelde zich eenzaam, had nu wel behoefte aan iemand. Wie dan ook. Had ze de hond maar meegenomen toen ze Milo had verlaten; Julia zou goed gezelschap zijn geweest. Ze legde het vochtige kussen op het fornuis te drogen en ging half overeind in bed zitten tegen de twee kussens en een opgevouwen jas in een poging niet te hoesten. Toen ze in de keuken thee zette, zag ze in de verte twee mensen over de woeste grond lopen; wandelaars, aan de contouren van de zware rugzakken op hun rug te zien. De regen vormde een gordijn tussen haar en de wandelaars. Ze had al meer dan twee dagen niemand gesproken. Als ze wat zou zeggen, zouden de woorden er als een roestig gekraak uit komen.

Die nacht droomde ze dat Tessa's baby op het dak lag te huilen en dat ze probeerde bij hem te komen. Ze stond op haar tenen op de bovenste trede van de ladder en strekte haar armen zo ver uit dat het pijn deed. Maar de baby was altijd net buiten bereik.

Ze werd huilend wakker en hoorde hem nog huilen. Een deel van haar wist dat ze een zenuwinzinking had, dus dwong een instinct van zelfbehoud haar uit bed. Ze kleedde zich huilend en hoestend aan. Haar benen voelden slap en trilden, en ze moest haar vlakke hand tegen de muur drukken om zichzelf in balans te houden terwijl ze naar beneden liep. Ze zag in de keuken dat het water op was, dus liep ze naar de handpomp buiten en vulde de geëmailleerde kan. Het was gestopt met regenen en ze knipperde met haar ogen tegen het felle zonlicht. Terug in huis legde ze de laatste brokjes kolen op de roze sintels in het fornuis, en ze goot wat water in de ketel, die ze opzette. Ze moest naar de winkel, dacht ze, om hoestsiroop te kopen.

Het was buiten warmer dan in huis, dus ze sleepte een stoel de zon in om voor de voordeur te gaan zitten. Het moerasachtige land glansde als zijde. Zonlicht schitterde op de poelen, stroompjes en stenen. Het landschap zag er gewassen, schoon, fris en prachtig uit. Ze dacht aan dat arme baby'tje dat zoiets moois nooit zou zien en begon weer te huilen. Wat een verspilling, dacht ze, wat een vreselijke, stomme, onvergeeflijke verspilling.

Ze keek op, veegde haar ogen af en zag iemand lopen, een wandelaar, niet ver weg van haar op de woeste grond. Hij kwam via het smalle voetpad door de heide op haar af. Ze dacht even dat het Harrison was, dat hij terugkwam om te kijken hoe het met haar was, maar ze zag al snel dat de wandelaar kleiner en ouder was dan Harrison.

Hij bleef bij het hek even staan en nam zijn stoffen pet af.

'Goedemorgen, wat een schitterende dag, hè?' Hij had zilvergrijs haar; zijn gezicht was gebruind en zat vol groeven. Hij droeg een rugzak.

'Schitterend,' herhaalde ze.

'Mag ik misschien wat water drinken?'

'Natuurlijk.' Rebecca liep de keuken in en vulde een mok. Ze gaf hem aan de man, die gulzig begon te drinken.

'Bent u al lang aan het wandelen?'

'Dagen,' zei hij glimlachend.

'In al die regen?'

Hij knikte. 'Dat vind ik niet erg.' Hij had blauwe ogen, met een web van lachlijntjes eromheen. 'Je wordt nat, en daarna droog je weer op, toch?'

Zijn glimlach was aanstekelijk; ze merkte dat ze erop reageerde. 'Dat is wel waar, ja.'

'Toen ik u net zag,' zei hij, 'dacht ik dat u huilde.'

Ze keek gegeneerd weg. 'Dat ging nergens over.' Maar even later hoorde ze zichzelf toevoegen: 'Nee, dat is niet waar. Maar er is niets aan te doen.'

Ze zag dat zijn mok leeg was. 'Zal ik nog wat water halen?' vroeg ze. 'Of misschien een kop thee? Ik was net aan het zetten.'

'Als het geen moeite is, lijkt thee me heerlijk.'

Ze opende het hek om hem in de tuin te laten, zette de thee en schonk twee kopjes in. Toen ze hem een kop en schotel aangaf, merkte ze op dat zijn manchetten rafelden en dat de ellebogen in zijn jasje sleets waren. Hij had een plaatselijk accent; ze vroeg zich af of hij ooit in een fabriek in Manchester of Sheffield had gewerkt, was ontslagen tijdens de recessie en nu zijn tijd doorbracht met wandelen.

Ze zette een stoel voor hem neer en hij ging zitten. 'O, wat heerlijk,' verzuchtte hij. Hij legde zijn wandelstok en pet op het gras en maakte de veters van zijn wandelschoenen los.

Rebecca nam voorzichtige slokjes van haar thee. 'Waar gaat u naartoe?'

'Misschien naar Bakewell. Of als ik het haal naar Dovedale.'

'Heeft u geen plan?'

'Ik loop tegenwoordig mijn voeten achterna. Plannen lopen niet altijd zoals je had bedacht, toch?'

'Al de plannen die ik maak, gaan mis,' zei ze verbitterd.

'Hoe komt dat?'

'Geen idee. Ik heb gewoon geen geluk.'

'Mijn moeder zei altijd dat je geluk zelf maakt.'

'Dan kan ik dat misschien wel niet.' Toen hoorde ze zichzelf zeggen: 'Denkt u dat het jouw schuld is als er door jouw toedoen iets vreselijks gebeurt, ook als je het helemaal niet zo hebt bedoeld?'

Hij dacht even na. 'Dat is moeilijk te zeggen.'

'Het voelt wel alsof het mijn schuld is.'

'Wat wilde u dat er zou gebeuren?'

'Dát niet, in ieder geval.' Eerlijkheidshalve voegde ze eraan toe: 'Ik wilde iemand pijn doen.' Ze begon weer te huilen, en ze zag de vreemdeling en het landschap nu door een waas. 'Kon ik het verleden maar veranderen,' zei ze zacht. 'Kon ik het maar ongedaan maken, uitwissen. Kon ik maar bedenken wat ik moet gaan doen, waar ik naartoe moet.' Toen begon ze gegeneerd te lachen. 'Het spijt me vreselijk, ik heb geen idee waarom ik u dit allemaal vertel. Sorry.'

'Misschien heeft u behoefte aan iemand om mee te praten.' Zijn glimlach was opmerkelijk vriendelijk en geruststellend.

'Misschien wel ja.' Ze voegde als uitleg toe: 'Ik ben al een paar dagen ziek.'

'U ziet er niet helemaal fit uit, nee. En dit is een eenzaam plekje.'

'Ik heb de cottage te leen.'

'Ik vind het fijn om alleen in de heuvels te zijn, maar het is ook altijd prettig om weer terug te gaan naar familie en vrienden. Als je te veel tijd alleen doorbrengt, ga je je van alles inbeelden.'

Had hij dat gezegd, of zij? Ze wist het niet zeker. Zijn stem leek in haar hoofd te weerklinken. Het glinsterende licht op de moerassen voelde surrealistisch, en het stak in haar ogen.

Ze zaten even stil hun thee te drinken. Toen hij zijn kopje leeg had, zei hij: 'U zet heerlijke thee. Hartelijk dank. Laat ik maar weer eens gaan, nu het nog mooi weer is.'

'Wilt u iets te eten meenemen? Ik ga vandaag naar huis, en dan moet ik het weggooien.'

'Heel vriendelijk van u,' zei hij.

Ze pakte de kopjes en schoteltjes en hij begon weer tegen haar te praten: 'U zei dat u niet weet waar u naartoe moet. Ik zou zeggen eerst naar een dokter. U heeft een nare hoest.' Hij stond op. 'En dan moet u het loslaten.'

Het loslaten? Waar had hij het in vredesnaam over? Maar over die dokter had hij wel gelijk.

'Ja. Dank u,' zei ze beleefd. 'Ik ga even kijken wat ik nog voor u heb.'

Rebecca pakte in de keuken de overgebleven crackertjes, kaas en het andere eten in vetvrij papier. Ze dacht terug aan wat hij tegen haar had gezegd: het is altijd prettig om weer terug te gaan naar familie en vrienden. Maar ze had eigenlijk helemaal geen góéde vrienden, ze kon niet opschieten met haar moeder, en Meriel had geen ruimte voor haar. En haar echtgenoot had haar hart gebroken. Ze begon bijna weer te huilen, maar kon zichzelf nog net op tijd bedwingen.

Ze liep terug naar buiten. Het zonlicht verblindde haar en ze sloot haar ogen. Toen ze ze weer opende, zag ze dat de wandelaar was verdwenen. De stoel was leeg en zijn wandelstok en pet waren weg. Ze liep verbaasd naar het hek, maar ze zag hem nergens. Toen liep ze helemaal rond de muur om de tuin. De woeste grond was vlak en open. Ze kon mijlenver kijken. Hij was er niet.

Misschien was ze langer bezig geweest met het eten dan ze had gedacht en was hij het wachten beu geworden. Ze liep terug naar de voordeur. Ze keek over het pad naar het hek, en het drong ineens tot haar door dat ze geen voetafdrukken in de modder tussen het huis en het hek zag. Ze zag haar eigen voetstappen, maar niet die van hem.

Ze liep de keuken in en ging aan tafel zitten, probeerde te bedenken wat er was gebeurd. Een wandelaar was bij het huis gestopt, had even met haar gepraat, en was toen als bij toverslag verdwenen zonder ook maar voetsporen achter te laten. Had ze hem zich ingebeeld? Was ze zo ziek? Had ze hem gehallucineerd?

Toch bleven zijn woorden haar bij, en ze besloot bij gebrek aan iets beters zijn advies op te volgen. Ze begon in te pakken, vouwde haar kleren op en deed ze in haar koffer. Eerst naar een dokter en dan, wat had hij ook al weer gezegd? Het loslaten. Wat een onzin. Ze moest het allemaal gedroomd hebben, dat kon niet anders.

Ze dacht terug aan de avond in het huis van Simone Campbell. Mevrouw Campbell had haar uitgenodigd langs te komen. *Ik geniet altijd zo van het gezelschap van intelligente vrouwen.* Ze had het papiertje waar Simone Campbell haar telefoonnummer op had geschreven in haar portemonnee gedaan. Zat het er nog in? Ja, daar zag ze het, opgevouwen in een hoekje.

Ze was al heel lang op de vlucht, maar nu was ze op een punt beland van waar ze niet verder kon vluchten. Ze voelde zich veel te ziek om die lange wandeling terug naar de auto te maken en dan helemaal naar Londen te rijden, maar ze wist dat ze het moest proberen. Ze had erger overleefd, hielp ze zichzelf herinneren: een liefdeloze kindertijd en een huwelijk met een man die nooit zoveel van haar had gehouden als zij van hem. Ze zou naar een telefooncel in het dorp rijden, besloot ze, en Simone dan bellen om te vragen of ze daar een paar dagen mocht logeren. Als dat niet kon zou ze iets anders moeten bedenken, maar als ze terugdacht aan Simone en hoe prettig ze zich in elkaars gezelschap hadden gevoeld toen ze door de tuin liepen, had ze het gevoel dat ze bij haar wel een tijdelijk toevluchtsoord zou vinden.

Toen ze het huis verliet om aan haar lange reis te beginnen dacht ze nogmaals: het loslaten? Wat had hij toch bedoeld? En wat raar om iemand dat te adviseren.

Toch drong het tot haar door waar ze was, dat de zon scheen, dat ze de ene voet voor de andere zette en dat ze werd omhuld door de zoete geur van de heide. Ze stopte nu en dan om even te rusten, maar ging dan verder in de richting van haar onbekende bestemming, stap na stap na stap.

7

Tessa herstelde langzaam. Ze gaf zichzelf de schuld van Angelo's dood. Als ze een betere moeder was geweest, als ze beter had gereden, als ze niet zo stom en onverantwoordelijk had gedaan. Ze slingerde heen en weer tussen urenlange huilbuien en een teruggetrokken stilte die Freddie beangstigender vond dan de tranen. Tessa krulde zich in de maanden na het ongeluk op op bed, sloot haar ogen en sprak met niemand. Ooit had ze zo van het publieke leven gehouden, maar nu wilde ze haar appartement niet verlaten. Haar buien waren onvoorspelbaar, nooit een hele dag hetzelfde.

Tessa was altijd heel slank geweest, maar nu begon ze angstaanjagend mager te worden. Ze knipte haar lange blonde haar kort en droeg het in een boblijn met pony om het grillige rode litteken op haar voorhoofd te verhullen. Hoewel haar lichamelijke gezondheid gestaag verbeterde, onderging haar karakter blijvende veranderingen. Ze was stiller, minder sociaal en veel meer in zichzelf gekeerd. Ze sprak zelden over Angelo of haar leven voor het ongeluk. Als er vrienden op bezoek kwamen, glimlachte Tessa, maar haar blik was altijd getergd.

Freddie was in het voorjaar met school gestopt en dacht niet meer aan haar plan naar de universiteit te gaan. In eerste instantie nam ze parttime baantjes in de avonduren aan zodat ze de dag met Tessa kon doorbrengen; haar vrienden maakten een rooster zodat er 's avonds altijd iemand bij haar was. Toen bracht juffrouw Fainlight, met wie Freddie sinds ze van school was af en toe nog schreef, haar in contact met juffrouw Parrish, die in Endsleigh Gardens woonde, bij Russell Square. Juffrouw Parrish nam Freddie aan als assistente. Ze leidde een tijdschrift, *The Business Girl*, waar praktisch advies en artikelen in stonden die speciaal waren gericht op alleenstaande, werkende vrouwen.

Tessa's laatste geld was allang uitgegeven aan doktersrekeningen en ze had haar sieraden ondertussen verkocht. Elke cent die Freddie verdiende was nodig. Kousen moesten gestopt, schoenen gerepareerd, en ze liep zoveel mogelijk om kosten voor openbaar vervoer te besparen. Freddie had de huur van het appartement in Highbury opgezegd, ze had direct na het ongeluk al geweten dat ze die niet meer zouden kunnen opbrengen, en ze was bovendien bang dat Tessa er te veel aan het verleden herinnerd zou worden. Ray had Freddie gratis een van zijn appartementen aangeboden, maar dat had ze beleefd geweigerd. Ze zouden het wel redden, ze zouden wel rondkomen van wat ze verdienden. Ze zag in dat het voorlopig zo zou blijven, dus konden ze er het beste maar meteen aan wennen. Tessa zou nooit meer als model werken; misschien dat ze hoe dan ook wel nooit meer zou kunnen werken. Freddie had er wel mee ingestemd dat Ray hen hielp een nieuwe woning te zoeken, die hij vond in South Kensington. Het nieuwe appartement, op de tweede verdieping in een groot achttiende-eeuws pand, was veel kleiner dan dat in Highbury, het had maar twee kamers en een gedeelde badkamer, maar het was er schoon en zonnig en het had mooi uitzicht over tuinen.

Eind augustus nam Ray Tessa mee op vakantie naar Zuid-Frankrijk. Er arriveerden ansichtkaarten van plekjes waar ze overnachtten, terwijl Ray en Tessa rustig door Frankrijk toerden. Freddie had de indruk dat hoe zuidelijker het dorpje of stadje voor op de ansichtkaart, hoe meer er van de oude Tessa tevoorschijn kwam. Een glimp van Tessa's humor in haar beschrijving van een Amerikaans stel dat ze in Lyon hadden ontmoet, en uit Marseille een tekening van een chique Française met een speelgoedpoedel in haar tasje. Achter op een kaart uit

Nice stond nog een schetsje, van Ray die diep in slaap op een ligstoel op het strand lag met een strohoed over zijn gezicht.

Freddie stond zichzelf voor het eerst in zes maanden toe wat hoop te koesteren. Haar optimisme zette door, ondanks de verslechterende politieke situatie en de schrik van de crisis in München, die Europa naar de rand van oorlog duwde. Ze hield zich vast aan haar hoop terwijl er loopgraven in de parken van Londen werden gegraven, luchtafweergeschut als kraaien op de hoge gebouwen prijkte en Neville Chamberlain eind september na een bezoek aan Duitsland op vliegveld Croydon landde en triomfantelijk zwaaide met het vel papier met daarop de tekst waarvan hij zei dat hij 'vrede in ons tijdperk' zou garanderen.

Begin november viel de eerste herfstmist zacht en grijs over de stad. Freddie vertrok van haar werk, nam de metro naar South Kensington en liep verder naar huis, waarbij ze nu en dan een hek of muur aanraakte alsof ze zichzelf ervan moest verzekeren dat de gebouwen achter die deken nog bestonden.

Ze had net haar sleutels uit haar tas gehaald toen ze achter zich een autoportier hoorde sluiten. Ze keek om en zag Ray opdoemen uit de mist.

'Jullie zijn terug! O Ray! Hoe is het?' Freddie kneep haar oogleden halfdicht. 'Waar is Tessa?'

'In Italië,' zei hij.

'Italië?'

'Ik vrees van wel. Mag ik binnenkomen?'

'Natuurlijk.'

Ze liet hem het pand binnen. Op weg naar boven dacht ze: Itálië? maar ze vroeg aan Ray: 'Stond je al lang te wachten?'

'Een halfuur.' Hij rilde. 'Het is steenkoud.'

Freddie stak in het appartement de haard aan en zette een ketel water op. Ze vroeg terwijl het stond op te warmen aan Ray: 'Bedoel je dat Tessa bij iemand op bezoek is in Italië? Ik dacht dat ze met jou mee terug zou komen. Hoe komt ze dan naar huis? Wanneer komt ze terug?'

'Volgens mij…' – hij knoopte zijn jas los – 'is ze van plan daar te blijven.'

'O.' Ze zette afgeleid thee, knoeide water op de vloer en veegde die droog met haar zakdoek.

Ze roerde twee lepels suiker door Rays thee en gaf hem de mok. Toen zei ze: 'Ik snap er niets van, Ray. Wat is er gebeurd?'

Hij nam een slok. 'De laatste twee weken zaten we in Menton. Ik had er een leuk hotel aan zee gevonden. We zijn niet veel weggeweest, alleen nu en dan een ritje door de omgeving. We hebben het grootste deel van de tijd op het strand gezeten, als het daar warm genoeg voor was, en we hebben wat gezwommen en gewandeld. Ik dacht dat het goed ging met Tessa. Ze kwam echt beter over, minder gespannen. Je weet dat ze altijd al een zonaanbidster is geweest. Ze zag er echt beter uit, Freddie, echt. Het zal wel stom van me zijn geweest dat ik dacht dat ik met een paar weken in Zuid-Frankrijk de oude Tessa terug kon krijgen, maar je blijft toch hopen, hè? Op een dag zaten we te lunchen en toen vroeg ze hoe ver we van Italië waren. Ik zei dat het een paar kilometer naar het oosten was. Ik weet nog dat ze heel stil werd. Ik vroeg haar of er iets was en ze zei van niet, dat ze gewoon moe was. Toen zijn we teruggegaan naar het hotel, en zij heeft de middag in haar kamer doorgebracht. We hadden 's avonds in de bar afgesproken en toen vertelde ze dat ze had besloten dat ze naar Italië ging. Ik dacht dat ze bedoelde dat ze er een paar dagen naartoe wilde, dus ik zei dat ik het prima vond, dat ik zou kijken of we een weekje de grens over konden. Maar toen zei ze dat ze dat niet bedoelde, dat ze bedoelde dat ze er weer wilde gaan wonen.'

Freddie staarde hem aan. 'O, Ray.'

'Ik heb geprobeerd het uit haar hoofd te praten. Ze zei dat ze zich nooit heeft thuis gevoeld in Engeland. Dat ze een tijdje heeft gedacht van wel, maar dat ze zich daarin heeft vergist. Ze vertelde dat er mensen waren van wie ze dacht dat het vrienden waren maar die ze al niet meer heeft gesproken sinds de zwangerschap, en dat er anderen zijn die ze niet meer had gezien sinds het overlijden van de baby. Je weet hoe mensen kunnen zijn. Ze weten niet wat ze moeten zeggen en dan zeggen ze uiteindelijk niets. Maar ze had wel vrienden, Freddie, echte vrienden. Mensen die van haar hielden.' Ray snoot zijn neus. 'Ik heb echt geprobeerd het uit haar hoofd te praten. Ze zei dat ze ergens naartoe wilde waar niemand haar kent, waar niemand het weet, van Angelo. Ze zei dat ze opnieuw moest beginnen. Ik heb haar op alle problemen gewezen: waarvan ze moet leven, en waar, dat soort dingen. En de Italiaanse politiek natuurlijk. Mussolini is niet bepaald een fan van de Britten, en ik heb gehoord dat een deel van de Engelsen die er woont het niet gemakkelijk heeft. Uiteindelijk heeft ze me beloofd dat ze erover zou nadenken. Ze heeft me bezworen geen overhaaste beslissingen te nemen. Maar de volgende dag was ze verdwenen. Om vijf uur opgestaan en op de eerste trein uit Menton gestapt. Ze heeft een brief voor me achtergelaten. Als je wilt mag je hem lezen, Freddie.'

Freddie las de brief vluchtig door. Tessa bedankte Ray voor zijn geduld, vriendelijkheid en vrijgevigheid en vroeg hem haar te vergeven. *Ik weet dat dit de juiste beslissing is,* had ze geschreven. *Ik heb al heel lang niets gewild – behalve dan natuurlijk de klok terugdraaien – maar dit wil ik wel: ik wil naar huis.* Onder aan de brief had Tessa geschreven: *Zeg alsjeblieft tegen Freddie dat ze zich geen zorgen moet maken en dat ik haar snel zal schrijven.*

Freddie vouwde de brief op en gaf hem aan Ray terug. 'Het is niet jouw schuld,' zei ze. 'Je kent Tessa. Ze doet wat ze wil en niemand kan haar iets uit het hoofd praten. Wat heb je gedaan?'

'Ik ben naar het station gegaan. De man achter het loket herinnerde zich haar nog.' Hij lachte zuur. 'Typisch Tessa, hè? Iedereen herinnert zich haar. Hij zei dat ze een kaartje naar

Genua had gekocht, dus besloot ik achter haar aan te gaan en nogmaals te proberen het uit haar hoofd te praten.'

'En is dat gelukt? Heb je haar gevonden in Genua, Ray?'

'Nee. Ik ben er nooit aangekomen.' Ray zag er razend uit. 'Die godvergeten grenswacht was zo onbeschrijflijk lomp dat ik hem bijna heb geslagen. Hij zei dat er iets mis was met mijn paspoort; onzin natuurlijk, het is piekfijn in orde, ze lieten gewoon hun macht gelden. Dus ben ik teruggegaan naar het hotel in Menton. De conciërge daar was erg aardig en heeft een stuk of zes hotels in Genua voor me gebeld. Niets. Ze kan overal zijn, Freddie.' Ray fronste zijn wenkbrauwen en zei toen: 'Ze wilde niet dat ik haar zou vinden. Ik heb erover nagedacht en ik weet dat ze niet wilde dat ik haar zou vinden. Ik wilde haar nogmaals ten huwelijk vragen. Wat ben ik toch een sukkel. Wat een stomme, stomme sukkel.'

Ray vertrok kort daarna. *Maar dit wil ik wel,* had Tessa geschreven. *Ik wil naar huis.* Hoe lang had Tessa er al over nagedacht om terug te gaan naar Italië? vroeg Freddie zich af. Was het een spontane beslissing geweest of had ze het al een tijdje overwogen?

Een plotseling idee, een vermoeden. Freddie liep naar de slaapkamer en opende de la waar Tessa haar sieraden bewaarde. Daar, onder de armbanden en ringen, lag het lederen doosje van de granaten van hun moeder. Freddie opende met een zwaar hart het dekseltje. De granaten lagen erin: donkerrood, glanzend en mysterieus. O Tessa, dacht ze. Van al haar sieraden was Tessa het meest gesteld op die granaten. Andere colliers waren verkocht om de huur en de doktersrekeningen te voldoen, maar de granaten van hun moeder niet. Tessa zou ze niet hebben vergeten. Had ze ze voor haar achtergelaten, als een soort troostprijs? Of als een belofte, dat ze op een dag zou terugkomen?

Freddie dacht terwijl ze eten voor zichzelf stond te koken terug aan Tessa's brief aan Ray. *Ik wil naar huis,* had Tessa geschreven. Maar waar was dat? Welke van de vele plekken waar ze sinds haar geboorte had gewoond, kon ze echt haar thuis noemen?

Rebecca verhuisde eind november naar Mayfield Farm. De boerderij, een slordige verzameling gebouwen van rode baksteen met rode dakpannen, stond langs een rand in de High Weald, ten zuiden van Londen en een kilometer of zeven van Tunbridge Wells. Mayfield was van David en Carlotta Mickleborough. De muren van het woongedeelte hingen vol met Davids schilderijen. Hij had in Spanje gewoond toen de burgeroorlog uitbrak en had in de Internationale Brigades gevochten. Nadat hij in 1937 gewond was geraakt, was hij met zijn vrouw en hun twee jonge zoontjes, Jamie en Felix, teruggekeerd naar Engeland, waar ze de boerderij hadden gekocht.

David Mickleborough was een vriend van Simone Campbell. Rebecca was uiteindelijk meer dan een maand bij Simone blijven logeren, tot ze was hersteld van haar bronchitis. Toen ze eenmaal weer beter was, had ze geweten dat ze op zoek moest naar een permanente woning, en Simone was degene die Mayfield Farm had voorgesteld. 'De meeste andere mensen die er wonen zijn kunstenaars,' had Simone gezegd. 'Ze helpen op de boerderij en mogen gebruikmaken van een atelier. Iedereen werkt mee; ze eten samen en doen wat nodig is. Het is allemaal nogal woest en primitief, maar het is een prachtig stuk platteland en je hebt er even ademruimte.'

Rebecca vond het afgrijselijk klinken, maar dat had ze uit beleefdheid maar voor zich gehouden. En hoe dan ook, wat was het alternatief? 'Ik zal het eens proberen,' had ze gezegd. En daarna, bang dat haar tegenzin doorklonk: 'Dank je, Simone. Je bent vreselijk lief voor me geweest.'

Rebecca had in de dagen voordat ze naar Mayfield Farm vertrok als dank voor het logeren Simones huis van onder tot boven schoongemaakt. Op de ochtend van haar vertrek had Simone streng tegen haar gezegd: 'Je moet deze keer goed voor jezelf zorgen. Zorg dat je niet nog een keer ziek wordt, en geen relaties meer met hopeloze mannen als Harrison Grey. Dat moet je me beloven, Rebecca.'

Ze had het makjes beloofd, en eveneens dat ze Simone zou schrijven en op bezoek zou komen als ze in de stad was. Toen had ze haar bezittingen in de auto gezet en was de hoofdstad uit gereden. Toen ze over de steeds smallere en steeds landelijkere weggetjes naar haar eindbestemming reed, met een landkaart op haar knieën, had ze noch opwinding, noch afwachting gevoeld, maar ze had wel besloten het beste te maken van wat de boerderij haar te bieden had. Ze zou er hoe dan ook een jaar blijven, zelfs als ze het er haatte. Als ze het eerder zou opgeven, zou ze teleurgesteld zijn in zichzelf. Nog een mislukking zou haar toch al drukkende gevoel van schuld en falen ondraaglijk maken.

Maar tot haar verbazing vond ze het er niet zo vreselijk. Het was er inderdaad woest en primitief; de muren van haar slaapkamer waren van niet afgewerkte pleisterkalk en de vloer was van bakstenen die in graatmotief waren gelegd. In de badkamer was alleen een koude kraan en als je in bad wilde, moest je water koken. De boerderij had een generator voor elektriciteit, die het niet altijd deed, en Carlotta kookte op een ouderwets ijzeren fornuis en deed de was in een wasketel. Maar het huis was solide en oud, wat Rebecca aantrok. Een deel van haar verwelkomde de eenvoud en het harde werken dat nodig was op de boerderij.

Er woonden tien mensen op Mayfield Farm. Behalve het gezin Mickleborough en Rebecca had je Noel Wainwright, die net als David Mickleborough landschapsschilder was; Noels vrouw Olwen, die collages van textiel maakte; John Pollen en zijn zus Romaine waren allebei in de vijftig, stil, ernstig en welbespraakt. John was pottenbakker; hij kleurde zijn schalen en borden in de aardse rood- en bruintinten, crèmekleuren en het zachte grijs van het landschap in Sussex. Romaine Pollen, die mank liep vanwege de polio die ze in haar kindertijd had opgelopen, maakte glas-in-lood, waarvoor ze de oven van haar broer gebruikte.

Hoewel ze met iedereen op de boerderij een goede verstandhouding had, vermeed Rebecca intiemer contact. Intimiteit zou betekenen dat ze dingen moest uitleggen en dat zou gepaard gaan met zelfreflectie, en in geen van beide had ze zin. Ze voelde zich te kwetsbaar, en er was zoveel waarvoor ze zich schaamde. Ze werkte in de groentetuin, waar het altijd waaide en waar ze worstelde met de kwart hectare kleverige klei, en ze hielp met de renovatie van het woongedeelte. De vaardigheden die ze had opgedaan toen ze met Milo in Mill House woonde kwamen nu weer goed van pas. Ze schraapte bladderende verf af en schilderde deuren en raamlijsten. David leerde haar metselen; ze zat een ochtend op haar knieën in de modder mortel te mengen en bouwde een muurtje dat was aangegeven door een strak gespannen stuk touw. Ze trok zich 's avonds na het eten terug in haar kamer, waar ze las of brieven schreef.

De tiende bewoner van de boerderij woonde in een schuur die een stuk van de andere gebouwen vandaan stond. Connor Byrne was een Ierse beeldhouwer. Hij was lang, breedgeschouderd, had zwart haar, blauwe ogen en een verweerd gezicht, en was gekleed in een stoffige, afgedragen corduroy broek en een flanellen overhemd. Connor lachte zelden en sprak nog minder. Op de dag dat Rebecca op de boerderij arriveerde keek hij haar steels aan, knikte bij wijze van begroeting en ging verder met zijn maaltijd. Rebecca vroeg zich af of hij moeite met nieuwkomers had. Hij kwam alleen uit zijn schuur voor het eten of om David met het zware werk te helpen. Hij zei regelmatig een hele maaltijd lang geen woord. Maar als hij glimlachte, zag ze vriendelijkheid en humor in zijn ogen.

Op weg naar de groentetuin hoorde Rebecca het getik van een beitel op steen. In het nieuwe jaar reed er een vrachtwagen het terrein op met een blok graniet op de open oplegger. Ze keek toe hoe Connor en David werktuigen improviseerden om het blok steen naar Connors atelier te verplaatsen.

Toen ze op een ochtend langs de schuur liep, keek ze door een raam naar binnen en zag een bleek gezicht in de duisternis. Ze bleef staan en probeerde het beter te zien.

Connors stem riep haar. 'Wil je even komen kijken?'

Rebecca duwde de deur een stukje open. 'Mag dat?'

'Kom binnen.'

Ze liep de schuur in. Hij had een hoog plafond en het was er koud, nauwelijks warmer dan buiten. Houten banken lagen vol gereedschap. Het blok graniet werd ondersteund door schragen. Een grijs stenen gezicht, met ruwe gelaatstrekken en een monumentale uitstraling, keek haar aan vanaf zijn verheven positie. Ze kreeg even het gevoel dat de steen tot leven kwam, dat het wezen dat Connor aan het creëren was zich een weg uit de steen baande.

'Wie is het?' vroeg ze.

'Manannán mac Lir, de zeegod van de Manx. Hij heeft koning Cormac van Ierland een magische kelk en tak gegeven.'

'Hij ziet er streng uit.'

'Goden moeten ook streng zijn, vind je niet? Wat hebben ze anders voor nut?' Connor wierp haar een van zijn zeldzame glimlachen toe en pakte zijn hamer en beitel: een duidelijke boodschap dat hij weer aan het werk wilde, dus ze vertrok weer. Maar ze bracht hem daarna als ze op weg was naar de groentetuin bijna dagelijks een kop thee en keek dan even hoe de god steeds verder uit het graniet tevoorschijn kwam. Connor was een tegenpool van Milo, bedacht Rebecca, donker, ruig en zwijgzaam, terwijl Milo elegant, blond en spraakzaam was. Ze voelde zich op haar gemak in zijn gezelschap en genoot ervan om even te blijven kijken als hij werkte. Hij en zijn stenen god hadden iets met elkaar gemeen: een aanwezigheid, een stilte die evengoed tot haar sprak.

Ze ging maar één keer naar Londen, eind februari 1939, voor

een afspraak met Milo bij een advocaat. Zich opmaken en een mantelpakje aantrekken waren haar ondertussen geheel vreemd geworden. Ze droeg tegenwoordig broeken en truien, en hield haar haar met een sjaaltje uit haar gezicht. Ze deed nu lippenstift op en staarde naar haar spiegelbeeld. Ze was aan het veranderen, vond ze, maar ze wist nog niet in wat.

Milo had er mee ingestemd toe te geven dat hij de schuldige partij was in de scheiding. Er werden tijdens de bijeenkomst documenten opgesteld en afspraken over geld gemaakt. Dit was de officiële ontbinding van hun huwelijk, bedacht Rebecca, dit formele gesprek over bezit en geld. Milo keek nu en dan steels op zijn horloge; ze vroeg zich af of hij een afspraak met iemand had.

Nadat ze het advocatenkantoor hadden verlaten, spraken ze elkaar op straat even aan. Milo had ermee ingestemd dat ze de helft van de opbrengst van Mill House zou krijgen, Rebecca zag dat hij zichzelf erg gul vond. Hij zei dat ze weg moest van die boerderij en iets fatsoenlijks voor zichzelf moest kopen. Ik vind het prettig op de boerderij, hoorde ze zichzelf zeggen, op dezelfde koppige toon waarmee ze de zomer daarvoor over die cottage in Derbyshire tegen Harrison Grey had gezegd: *Ik vind het hier prettig.* Milo haalde zijn schouders op. Er lagen thuis nog boeken van haar, en kleren; wat moest hij daarmee doen? 'Stuur mijn verf en schetsboeken maar op,' zei ze. 'De rest mag ergens in opslag.'

Toen namen ze afscheid. Rebecca reed terug naar de boerderij. Ze ging in haar kamer op bed liggen en liet de gebeurtenissen van die dag nog eens de revue passeren. Toen was het tijd om de kippen te voeren, dus kleedde ze zich om, trok haar laarzen en regenjas aan en liep naar buiten. Was ze kwaad op Milo? Haatte ze hem, of hield ze nog van hem? Ze dacht aan het arme Mill House, verwaarloosd, binnenkort eigendom van een vreemde, en aan haar bezittingen. Ze had Milo gevraagd ze op te slaan omdat ze aan hem zou worden herinnerd als ze ze zou zien. Een

216

deel van haar hield dus nog steeds van hem. Na alles wat ze had doorgemaakt voelde een deel van haar nog steeds liefde.

Een week later werd er een pakje met haar schilderattributen en schetsboeken op de boerderij bezorgd. Ze begon weer te tekenen, voornamelijk omdat dat was wat mensen op Mayfield Farm deden, inclusief de zoontjes van David en Carlotta: die tekenden, schilderden, kleiden en bakten potten. Rebecca tekende wat ze zag: het uitzicht uit haar slaapkamerraam, het patroon van het veld, de heg en de glooiende heuvels; de elzen in de schemering, hun toppen gebogen in de wind. Ze tekende een stapel boeken, een klok en een kluwen kousen die apart was gelegd om te wassen. Als ze aan het werk was in de groentetuin, begon ze te plannen wat ze die avond zou gaan tekenen.

Half maart reed ze naar Tunbridge Wells om haar bibliotheekboeken terug te brengen. Ze was op weg van de bibliotheek naar haar auto, toen ze de kop bij de kiosk zag. Ze kocht een krant en las hem terwijl ze in de auto zat. Het Duitse leger had het laatste, weerloze deel van Tsjecho-Slowakije bezet. Het Verdrag van München, dat Hitler vorig jaar september had ondertekend en dat bedoeld zou zijn als vredesgarantie, was verscheurd. Tsjecho-Slowakije bestond niet meer.

Freddie en Max zaten op een zonnige zaterdagmiddag op twee ligstoelen in St. James's Park onder het genot van een ijsje te luisteren naar de band die er speelde.

'Elke keer dat ik Tessa schrijf,' zei Freddie, 'vraag ik haar wanneer ze naar huis komt.'

Max trok het papiertje van zijn ijs en legde het ijsje tussen twee wafeltjes. 'En wat zegt ze dan?'

'Meestal niets. Ze heeft het helemaal nergens over. Dat is de ellende met brieven, dat je zo eenvoudig kunt negeren wat de ander heeft geschreven.'

'Waar is ze? Nog in Bologna?'

Freddie schudde haar hoofd. 'Ze is ondertussen in Florence.

Ze wil er in ieder geval tot na de zomer blijven. Ze werkt in een kledingwinkel.'

'Tessa heeft altijd iets eigengereids gehad. Als ze niet terug wil naar Engeland, komt ze niet. Ik zou zeggen dat het het beste is om haar haar gang te laten gaan en haar haar leven op haar eigen manier te laten leiden, maar...'

'Maar wat, Max?'

'Ik wind me al een paar jaar vreselijk op over hoe de Britten maar lijken te blijven denken dat de oorlog pas zal beginnen als hun dat zo uitkomt. Maar ze lijken nu dan toch een beetje wakker te worden. Meneer Chamberlain heeft zo te zien eindelijk de illusie losgelaten dat Hitler en Mussolini zich netjes zullen blijven gedragen zolang je hen beleefd aanspreekt. Ik ben bang dat Tessa niet veel tijd meer heeft om terug te keren naar Engeland voor de oorlog uitbreekt.'

Freddie voelde haar gemoed zwaar worden. 'Dat heb ik allemaal al tegen haar gezegd. Ik heb geschreven dat het mogelijk gevaarlijk is om in Italië te blijven en dat ze niet kan doen alsof er niets aan de hand is. Ze zei dat ze liever onveilig in Italië zit dan veilig in Engeland, en dat zij in geval van oorlog waarschijnlijk beter af is in Florence dan ik in Londen. Vanwege de bommen. Misschien heeft ze wel gelijk.'

'Als Duitsland Engeland de oorlog verklaart en Italië de kant van Duitsland kiest, is Tessa een ongewenste vreemde in een vijandig land. Dat is waar ik me zorgen om maak.'

Freddie bestudeerde hem nauwkeurig. 'Maak jij je daar zelf ook zorgen om, Max?'

Max pakte zijn camera en stelde scherp op een oud echtpaar aan de andere kant van het grasveld. De vrouw droeg een strohoed en de man had een hoedje tegen de zon geïmproviseerd door knoopjes in de punten van zijn zakdoek te leggen.

De sluiter klikte. 'Het gaat wel eens door me heen, ja,' zei hij. 'Mijn ergste nachtmerrie is dat ik word teruggestuurd naar Duitsland. Dat is wat we elkaar vragen, wij buitenlanders, wij vreemdelingen, als we samen zijn zonder Engelsen. Als er oorlog uitbreekt, worden we dan teruggestuurd naar Duitsland?'

'Als ze dat proberen, Max, verstop ik je in een kast in mijn appartement.'

'Dank je, Freddie.' De band zette een oorlogsmars in. 'Ik zou liever iets minder krijgshaftigs horen,' zei Max met gefronst voorhoofd. 'Waar ik me nog het meest zorgen om maak, is dat ik twijfel of het Tessa nog iets uitmaakt of ze leeft of sterft.'

Ondanks de warmte ging er een rilling door Freddie heen. 'Zulke dingen moet je niet zeggen. Mij maakt het wel uit. Als Tessa niet naar huis komt, ga ik haar halen.'

'Echt?' Max glimlachte. 'Goed plan, maar dan zou ik er niet te lang mee wachten.'

Hij richtte zijn Leica op haar en stelde scherp. 'Er zit ijs op je neus. Nee, laat het maar zitten, het ziet er heel aanlokkelijk uit.'

Als Tessa niet naar huis komt, ga ik haar halen. Freddies opmerking, die ze niet echt spontaan had gemaakt maar die ook niet meer was geweest dan het begin van een vaag plan, verwerd tot een ferme vastberadenheid. Tessa moest thuiskomen. Tessa negeerde alle geschreven smeekbeden om terug te keren naar Engeland, dus moest zij, Freddie, naar Florence om haar te halen.

Ze moest eerst genoeg geld sparen om de reis te kunnen maken. Ze bezuinigde meedogenloos en ontwierp een plan voor terugbetaling dat ze aan haar werkgeefster, juffrouw Parrish, liet zien. Als juffrouw Parrish zo vriendelijk wilde zijn om haar een voorschot op haar loon te geven, dan was dit hoe ze dat zou terugbetalen. Besefte Freddie wel dat een dergelijke reis een hachelijke onderneming zou kunnen worden, vroeg juffrouw Parrish haar. Besefte ze wel dat de Italianen zelf dan misschien niet vijandig tegenover de Britten stonden, maar dat de officiële instanties dat zeer zeker wel waren? Freddie zei dat ze voorzichtig zou zijn, dat ze verstandig zou zijn, dat ze een ervaren reizigster was, dat ze een groot deel van haar kindertijd reizend door Europa had doorgebracht en dat ze sindsdien tijdens de schoolvakanties meermalen met haar zus naar het buitenland was geweest. Ze bracht haar avonden door met het bijspijkeren van haar roestige Italiaans en bestudeerde dienstregelingen van treinen en boten. Juffrouw Parrish keek haar streng aan en zei toen: 'Ik zou met de trein gaan. Veel aangenamer en minder kans op ziekte.'

Benito Mussolini, de Italiaanse leider, tekende op 22 mei tijdens een bezoek aan Berlijn een bondgenootschap met Hitler. In het verdrag, dat in de volksmond de naam Staalpact kreeg, werd gestipuleerd dat Italië en Duitsland militair zouden samenwerken en elkaar zouden steunen als er oorlog zou uitbreken.

Freddie sprak de volgende dag weer met juffrouw Parrish. Die gaf haar een week vrij van haar werk. Een week: vier dagen reizen, dus maar drie om Tessa over te halen naar huis te komen. Freddie kocht een kaartje bij Thomas Cook & Son, pakte een koffer in en verliet op 31 mei Engeland.

De boottrein, het Kanaal over en toen nog een trein van Dieppe naar Parijs. Freddie reisde per metro Parijs door en begon 's nachts aan de lange treinreis door het hart van Frankrijk en over de Alpen naar Turijn, waar ze stijf van vermoeidheid en de hoge verwachtingen uit de trein stapte en bij een stalletje op het station fruit en koffie kocht. Een uur later stapte ze in een langzamere trein die door de vlakten van Noord-Italië via Bologna naar Florence ploeterde.

Ze arriveerde laat die middag in de stad. Het was druk op station Santa Maria Novella, een enorm, modern pand van baksteen en glas. Toen ze naar buiten liep, kneep ze haar oogleden halfdicht tegen het felle zonlicht. Ze begon zich ineens zorgen te maken. Ze had Tessa niet laten weten dat ze eraan kwam, een instinctief gevoel had haar ervan weerhouden dat te doen. Wat als Tessa al uit de stad was vertrokken?

Maar toen ze over het piazza en naar de rivier liep, ebde haar angst weer weg. Iedere stap haalde een herinnering naar boven. Op die stoep was ze gevallen en had ze haar knie geschaafd, die mama had verbonden met een zakdoek. In dat smalle straatje was de bakker waar ze de puddingbroodjes hadden gekocht waar Tessa en zij zo dol op waren. Eenmaal aan de oever van de Arno gekomen leunde ze met haar ellebogen op de muur en keek over het water uit. De zon ging onder; het zachte avondlicht gaf de terracotta dakpannen een gouden gloed en veranderde de rivier in een zijden laken. Het leek of er goudstof in de lucht zweefde.

Nog heel even en dan zou ze bij de enige persoon op de wereld zijn die haar herinneringen en ervaringen met haar deelde, die haar al haar hele leven kende, die haar metgezel en beschermster was, die lachte om dezelfde dingen en die precies begreep waarom ze het verleden moest veranderen, waarom ze het in een vorm moest gieten die acceptabel was voor buitenstaanders. En als hun rollen het afgelopen jaar waren omgedraaid en zij nu degene was die Tessa beschermde, waarom dan ook niet? Deze keer was het haar beurt geweest.

Aan de zuidzijde van de rivier wierp ze een blik op haar plattegrond en liep door een wirwar aan straten en steegjes. Enorme deuren met ijzeren beslag, omringd door stenen bogen, hingen in de ondoordringbare muren van de panden; de muren waren volgeklad met politieke leuzen. Op de lagere verdiepingen werden ramen vol spinnenwebben beschermd door ijzeren tralies. Een stenen wapenschild hing boven een portiek en een Mariabeeldje tuurde uit een nisje. Een enorm palazzo, de voorgevel bedekt met barokke zwarte en zilveren beschilderingen, keek hooghartig op haar neer, en de avondzon maakte in een etalage gekleurde lichtstralen in de facetten van een kroonluchter.

Freddie sloeg een steegje aan de Via Maggio in dat maar twee meter breed was. De hoge muren van de gebouwen hielden de zon en de warmte hier volledig tegen. Achter in het steegje liep iemand, een zwart silhouet, dat op haar afkwam. Freddie kneep haar oogleden een beetje samen om goed te kunnen zien. Het was een lange, dunne vrouw met boodschappentassen in haar handen.

Ze zette haar tassen neer, en Tessa riep: 'Freddie? O, Freddie, ben jij het echt?'

Tessa woonde boven een antiquariaat. In de kleinste van de twee kamers stonden een eenpersoonsbed en een ladekast. Het raam keek uit over een binnenplaats vol vuilnisbakken, lege wijnflessen en een driewieler. In de grotere kamer, aan de voorkant van het huis, was een open haard. De kamer was ingericht met een bank, een stoel en een tafeltje. In een hoek stonden een oliekachel en een kast, waarin Tessa proviand en servies bewaarde. Het licht dat binnenviel door het raam dat uitkeek op het steegje kleurde de kamer okergeel.

Tessa maakte een maaltijd en stelde tijdens het koken vragen. Waarom had Freddie haar niet laten weten dat ze kwam? Had ze die hele reis alleen gemaakt? Hoe was ze gekomen? Derdeklas, de hele weg op een zitplaats? O Freddie, arm kind, ik schenk gauw een glas wijn voor je in en dan ga je je snel beter voelen. Hoe is het met iedereen thuis? Hoe is het met Max en Ray en Julian?

Toen Freddie haar reis aan Tessa beschreef, verwerd die tot een avontuur in plaats van de uitputtende en nu en dan angstaanjagende ervaring die het was geweest toen ze hem maakte. Het stuk dat ze in de Parijse metro vanaf het Gare du Nord had gereisd, toen een man die aan de andere kant van de coupé naar haar had zitten staren achter haar aan de trap op was gekomen nadat ze was uitgestapt op het Gare de Bercy, leek nu eerder grappig dan bedreigend; de nacht die ze nauwelijks had geslapen en had doorgebracht tussen een snurkende boer en een vrouw die mompelend haar bidsnoer door haar vingers had laten gaan, werd komisch in plaats van vermoeiend. Aan de grens had de Italiaanse politie door de trein gelopen en haar paspoort geëist; ze had gezorgd dat ze er zo jong mogelijk uitzag, zei ze tegen Tessa, zonder poeder of lippenstift en met een lint in haar haar. Terwijl de agent in haar paspoort keek, had ze gedaan of ze op het punt stond in tranen uit te barsten, waarop hij haar een klopje op het hoofd had gegeven en was doorgelopen naar de volgende passagier.

'Tessa,' zei ze, en Tessa moest iets in haar stem hebben gehoord, want die reageerde met: 'Ik weet waarom je er bent. Je wilt dat ik terugkom naar Engeland. Maar daar gaan we het nu niet over hebben. Dat doen we morgen, als je een beetje bent uitgerust.'

Toen ze na het eten op de bank zat, kon Freddie haar blik nergens meer op concentreren en vielen haar oogleden dicht van vermoeidheid. Herinneringen uit haar kindertijd flikkerden door haar geheugen als zinloze filmbeelden. Tessa legde een deken over haar heen, Freddie krulde zich op en viel in slaap.

Ze had drie dagen om Tessa te laten inzien dat ze naar huis moest komen.

Ze lunchten met panzanella en een bord salami in een kleine trattoria in de buurt van de winkel waar Tessa werkte. De muur was versierd met een vervaagd fresco met wolken en cherubijntjes. Een handjevol zakenlieden in donkerblauwe streepjespakken praatte en lachte aan een tafel bij de trap. Hun blikken gleden af en toe naar het tafeltje van Freddie en Tessa.

'Het spijt me dat ik zomaar naar Italië ben vertrokken,' zei Tessa. 'Maar als ik het van tevoren tegen je had gezegd, zou je hebben geprobeerd het uit mijn hoofd te praten, toch?'

'En terecht.' Freddie prikte een stuk tomaat aan haar vork. 'Je had het van tevoren zo gepland, hè?'

'Niet echt gepland, maar ik wist wel dat ik het misschien zou gaan doen. En toen ik in Menton aankwam, wist ik het zeker.'

Tessa droeg een houtskoolgrijze jurk met een wit piquékraagje en witte manchetten. Een goedkoop jurkje, bedacht Freddie, dat

Tessa het fotomodel nooit zou hebben gedragen. Maar de gewone Tessa had het wel aan, en het stond haar heel elegant.

'Ik had zo met Ray te doen,' zei Tessa. 'Was hij heel erg verdrietig?'

'Vreselijk. Maar hij gaat ondertussen met een vrouw die bij de radio werkt. Ze heeft een vreselijk bekakte stem en zegt dingen als: "En dan gaan we nu genieten van concerten van Wagner en Brahms, uitgevoerd door het symfonieorkest van de BBC." Je bent niet onvervangbaar, Tessa.'

Tessa glimlachte. 'Dat heb ik ook nooit gedacht.'

'Je hebt de granaten expres achtergelaten, hè?'

'Ik heb ze voor jou achtergelaten. Ik dacht dat jij er beter voor kon zorgen dan ik. Ik zorg niet altijd even goed voor dingen.' Tessa's glimlach was verdwenen; ze keek Freddie aan en zei: 'Ik moest weg. Dat snap je toch wel?'

'Ik heb me wel afgevraagd of Londen je te veel aan Angelo deed denken, ja.' Zo. De eerste keer dat een van hen zijn naam uitsprak. Het was een drempel die moest worden genomen, zelfs als het betekende dat Tessa erdoor van streek zou raken.

'Ik draag Angelo in mijn hart. Dat zal ik altijd blijven doen.' Tessa drukte haar vuist tegen haar ribbenkast. Toen zei ze: 'Maar ik ben niet uit Londen weggegaan vanwege Angelo. Ik ben vertrokken vanwege zijn vader. Hij heeft me niet één keer gebeld of geschreven nadat Angelo stierf. Niet één keer, Freddie. Ik kon de gedachte dat ik hem weer zou zien niet verdragen, dat ik op straat een hoek om zou lopen, dat ik tegen hem aan zou botsen en dat we niet zouden weten wat we tegen elkaar zouden moeten zeggen. Of dat hij iets tactvols en beleefds zou zeggen en mijn hart daarmee zou breken. Dat snap je toch wel, Freddie?'

'Ik begrijp dat wat hij heeft gedaan ons uit elkaar heeft gedreven. En daar haat ik hem om. Ik wou dat je me vertelde wie hij is.'

'Waarom? Zodat je weet wie je haat?'

Ja, dacht Freddie, en waarom niet? Maar ze zei: 'Ik zou hem willen doen inzien wat een pijn hij heeft veroorzaakt.'

'Je bedoelt dat je wraak wilt nemen.'

Was dat wat ze wilde? Ze zei: 'Ik noem het rechtvaardigheid.'

'Wat zou dat voor zin hebben?'

'Als hij er niet was geweest, was dit allemaal niet gebeurd. Als hij er niet was geweest, zou jij nu niet hier zijn.'

'Maar het gaat hier beter met me, Freddie.' Tessa leunde naar voren en pakte Freddies hand. 'Ik kan niet zeggen dat ik gelukkig ben, maar ik weet wel dat het beter met me gaat. Ik wist dat ik helemaal opnieuw moest beginnen en dat ik dat in Londen niet kon. In Londen was ik Tessa Nicolson die ooit mooi was, of Tessa Nicolson die ongehuwd een kind had gekregen. Of ik was arme Tessa, moeder van een dode baby.'

De zakenmannen bulderden van het lachen. Een van hen ving Freddies blik en hief zijn glas naar haar.

Tessa zei zacht: 'Niemand weet hier van Angelo of het ongeluk. Ik heb het aan niemand verteld en misschien doe ik dat ook wel nooit. Ik heb een woning, een baan, en ik kom rond, dus wees alsjeblieft niet kwaad op me.'

'Ik ben niet kwaad.' Ze keek weg, want ze was bang dat ze ging huilen. 'Maar ik mis je zo.'

'Ik mis jou ook. Ik mis je constant.' Tessa glimlachte naar Freddie. 'Je kunt ook hier blijven. Denk er maar eens over na.'

'Max zegt dat je als vijandige vreemdeling zult worden gezien als er oorlog uitbreekt.'

Dit was een gesprek dat moest plaatsvinden in Tessa's appartementje. Terwijl ze door de stad liep toen Tessa 's middags aan het werk was, was het Freddie opgevallen dat er een gespannen en beklemmende sfeer in Florence hing. Midden op de dag was de zon op zijn heetst en kon je de oude herinneringen bijna zien, de oude rivaliteit die gevangen lag in de blauwzwarte schaduwen van de loggia's en steegjes.

'Ik spreek vloeiend Italiaans,' zei Tessa. 'Ik kan moeiteloos voor een Italiaanse doorgaan.'

'Je paspoort...'

'Het komt wel goed, Freddie. Je hoeft je geen zorgen te maken.'

'Dat doe ik wel. Ik maak me zorgen dat je niet beseft hoe moeilijk het kan worden, dat je niet begrijpt...' Haar woorden ebden weg toen ze Tessa's gezichtsuitdrukking zag.

Tessa was een jurk aan het vermaken uit de winkel waar ze werkte. Ze tornde een stiksel los en draaide een draad rond een spoeltje. Toen zei ze: 'Vertel eens, Freddie, hoe wat er in de toekomst ook met me zal gebeuren erger zou kunnen zijn dan wat ik al heb meegemaakt?'

'Ik bedoelde niet...'

'Jawel, dat bedoelde je wel. Je bent bang dat ik niet voor mezelf kan zorgen. Je bent bang dat ik hier impulsief naartoe ben gegaan, dat ik het niet heb doordacht. Toch?'

'Nee.' Freddie spreidde haar handen en keek ernaar. Ze dacht aan wat Max die dag tegen haar had gezegd. Toen zei ze: 'Ik ben bang dat het je niet meer kan schelen.'

Tessa legde haar naald en draad weg. 'Dat is inderdaad heel lang zo geweest. Ik heb heel lang gewenst dat ik samen met Angelo was gestorven.'

Freddie durfde het bijna niet te vragen. 'En nu?'

'Ik voel me soms tevreden. Als ik op het piazza zit en de zon op mijn gezicht voel. Als ik de mensen op de markt hoor praten ben ik af en toe even blij dat ik er deel van uitmaak. Ik heb hier een leven voor mezelf gecreëerd. Het stelt niet veel voor en het is helemaal niet het soort leven dat ik ooit dacht dat ik wilde, maar het past wel bij me. Ik heb vrienden, Italiaanse vrienden, die me helpen als dat nodig is. Als ik hier niet kan blijven, ga ik naar het platteland. Er zijn heuvels waar ik me kan verstoppen als dat moet.'

Freddie had het snikheet in dat kleine kamertje; zweet droop van haar nek en schouders en prikte op de plekken waar ze door de zon was verbrand doordat ze te lang over straat had gelopen. Ze zei: 'Als je hier blijft, ga ik me aan één stuk door zorgen maken. Als er oorlog uitbreekt, ga ik me zorgen maken. Waarschijnlijk dagelijks.'

'Dat zou ik heel naar vinden,' zei Tessa oprecht. 'Dat zou ik echt heel naar voor je vinden.'

Ze gingen met de bus naar Fiesole. De weg liep omhoog de heuvels in; de muren aan weerszijden van de weg, die de villa's van de rijken afschermden, waren overgroeid met bougainvillea en oleander. Ze stapten op het hoofdplein uit en liepen het stadje uit naar villa Millefiore, waar ze met mevrouw Hamilton hadden gewoond.

De deuren van de villa waren op slot en de luiken hingen gesloten voor de ramen. Aan een kant van het huis, naast de tuin, liep een smal paadje de heuvel af dat was overwoekerd door netels en winde. Ze liepen achter elkaar aan, Tessa voorop, en duwden de planten met een stok opzij.

Verderop stonden geen bomen meer langs het pad, waardoor de zon in volle sterkte op hen scheen. Ze wrongen zich door een gat in het ijzeren hek en liepen een laurierbosje in. De struiken waren meer dan manshoog en hun donkere, leerachtige bladeren vormden een dak boven hun hoofden. Speldenpuntjes van licht schitterden erdoorheen en de scherpe geur van laurier vermengde zich met de stoffige van de droge aarde. Piepkleine grijze motjes, als stukjes spinnenweb, fladderden op uit de takken.

Hier, in het laurierbosje, herinnerde Freddie zich, had Faustina Zanetti haar pop begraven, die ze ondanks verwoede pogingen niet meer hadden teruggevonden. Lag ze hier nog steeds, met haar blauwe ogen in het porseleinen hoofdje voor eeuwig gesloten, haar blonde haar zwart geworden van de aarde? Achter de laurier lag een hulstbos. Opgekrulde bruine bladeren vormden een tapijt op de grond en de stekelige takken reikten uit om zich vast te haken aan een mouw of een zoom.

Ze liepen het bos weer uit en de tuin in. Freddie knipperde met haar ogen tegen het felle zonlicht. De kiezelpaden waren bijna niet meer zichtbaar onder al het onkruid en gras. Freddie rustte met haar ellebogen op de muur om de vijver en tuurde het diepe, donkere water in. Het rook er naar verrotting; vliegen zoemden vlak boven het donkergroene water onder haar. Het zeemonster, overwoekerd door kakikleurige slierten wier, stond vanaf zijn eilandje naar hen te staren.

'Ik vond het zo heerlijk om hier te zwemmen,' zei Freddie. 'We deden vaak een wedstrijdje wie het langst zijn adem kon inhouden, weet je nog?'

'Guido. Guido won altijd.' Tessa lag op haar rug op de muur de zon te absorberen, haar ogen beschermd door een donkere zonnebril.

Freddie herinnerde zich ineens een middag bij de vijver: de zon, de hitte, en de broertjes Zanetti, Guido en Sandro, die in de vijver zwommen, hun bruine armen door het water snijdend en Guido's haar donker en drijfnat.

Freddie gooide een steentje in de poel. 'Ik vraag me af of mama het erg vond om hier te wonen. Het was per slot van rekening niet haar huis.'

'Volgens mij zat ze er niet mee, na Domenico.'

Nog een steentje, een plop, en een echo. 'Ik vond Domenico aardig,' zei Freddie. 'Hij was veel aardiger dan mama's andere minnaars.'

'En veel aardiger dan vader,' zei Tessa.

'Ik kan me nauwelijks iets van hem herinneren. Hij las me 's avonds wel eens een verhaaltje voor.'

'Ik weet nog dat hij een keer een stoel door een raam heeft gegooid. En dat mama haar hand sneed toen ze het glas aan het opruimen was.' Tessa had haar gezicht naar de zon gericht en toen ze haar haar van haar voorhoofd veegde, zag Freddie het gekartelde litteken. 'Als ze ruzie hadden, dacht ik altijd dat het mijn schuld was, dat ik niet braaf genoeg was geweest.'

'Mama heeft me wel eens verteld dat ze de eerste keer dat ze vader zag dacht dat hij wel een piraat leek.' Freddie gooide nog een steentje in het water. 'Ik heb haar gevraagd waarom ze wilde trouwen met iemand die eruitzag als een piraat.'

Tessa zei langzaam: 'De eerste keer dat ik Angelo's vader zag was hij interessant, en de tweede keer amusant. De derde keer werd ik verliefd op hem.' De twee zwarte glazen van haar zonnebril richtten zich op Freddie. 'Je kiest er niet voor, Freddie. Het overkomt je.'

Dat geloofde Freddie niet. Ze vermoedde dat je om verliefd te worden in ieder geval voor een deel verliefd moest wíllen worden, dat het niet iets was wat je zomaar overkwam, zoals struikelen op de stoep. En zelfs dat kon je, als je goed oplette, voorkomen.

Je kunt ook hier blijven. Denk er maar eens over na. Als Tessa niet mee terugkwam naar Londen, bleef ze bij Tessa in Florence. Ze zouden samen in het appartementje boven het antiquariaat wonen en zodra haar Italiaans goed genoeg was zou ze een baantje zoeken bij een winkel of een kantoor. 's Avonds zouden ze samen eten in Tessa's okerkleurige woonkamer. Ze zou eraan wennen, en na een tijdje zou haar huid niet meer verbranden in de zon.

Maar het lukte om de een of andere reden niet. Hoe ze het zich ook allemaal voorstelde, het was niet overtuigend.

De muren van de Engelse theehuisjes waren volgeklad met leuzen, en de Engelse hotels in Florence – het Eden en Bristol en Britannia – hadden andere, Italiaanse namen gekregen. De Engelse kolonie werd niet langer verwelkomd, gefêteerd en gevierd zoals ooit het geval was geweest en was grotendeels de stad ontvlucht. Sommige van deze Britten hadden tientallen jaren in Florence gewoond.

Freddie kon moeilijk zeggen hoezeer de stad was veranderd omdat ze er te weinig herinneringen aan had. Alleen wat beelden, geïsoleerde plaatjes. Ze was nog een kind toen ze er met Tessa, mama en mevrouw Hamilton had gewoond en ze had de dingen opgemerkt die een kind opmerkt. En dat was misschien ook wel de kern waarom het draaide. Ze was geen kind meer. Ze had een thuis, vrienden en werk; dat zou ze allemaal missen als ze bij Tessa in Florence bleef. Ze was niet zoals Tessa, die in elke groep paste die ze wilde; zij moest ergens thuishoren, ze had nooit van rondzwerven gehouden. Ze had nooit willen opvallen en had nooit begrepen waarom sommige mensen zo hun best deden anders dan anderen te zijn. Ze voelde medeleven voor mensen die er niets aan konden doen dat ze anders waren: dat meisje op school dat mank liep door polio, en sommige correspondenten van het blad van juffrouw Parrish, vrouwen die naar de zelfkant van de maatschappij waren geduwd omdat ze de pech hadden gehad volwassen te worden in de periode dat de oorlog al die mannen had opgeslokt die anders hun verloofden en echtgenoten zouden zijn geworden. Maar waarom zou je opzettelijk anders willen zijn? Ze zag er het nut niet van in. Je kon ook onafhankelijk zijn als je er aan de buitenkant net zo uitzag als ieder ander.

Mama was anders geweest, en moest je kijken wat dat haar had opgeleverd. Tessa kon er niets aan doen dat ze anders was, zo zat ze in elkaar, en ze had er zwaar onder geleden. Tessa zou misschien uit deze stad kunnen vluchten – Tessa was altijd een kosmopoliet geweest, rusteloos en exotisch als een trekvogel – maar zij, Freddie, kon dat niet. Haar bleke huid, in tegenstelling tot de goudbruine van Tessa, verbrandde door de zon en ze kreeg hoofdpijn van de hitte.

Ze was Engels, en was op de een of andere manier gedurende haar jaren op school en in Londen in hart en nieren Engels geworden, en daarom zou ze naar huis gaan, hoe ze er ook over dacht, in goede en slechte tijden en met of zonder Tessa. Dat was wat ze had ontdekt tijdens haar verblijf in Florence: dat Engeland haar thuis was, net zoals Italië dat van Tessa was, en dat Tessa hier zou blijven, ongeacht wat Freddie deed.

Auto's reden af en aan bij de ingang van station Santa Maria Novella en spuugden mannen in uniform uit, en zakenlieden in zwarte pakken en met zwarte hoeden op. Mannen met de haviksneuzen en smalle lippen van de Medici-prinsen stonden stof van hun jasjes te vegen, terwijl hun chauffeurs en assistenten hun bagage verzamelden. Menigten persten zich samen in de hal; soldaten, schoolkinderen, nonnen en moeders met kleintjes aan de hand liepen over de gepolijste zwart marmeren vloer.

Aangespoord door Freddies hekel aan te laat komen, waren ze veel te vroeg op het station.

'Laat me een kaartje voor een slaaprijtuig voor je kopen,' bood Tessa aan. 'Je kunt niet de hele reis tot Parijs blijven zitten.'

'Nee dank je,' zei Freddie. 'Dat vind ik niet erg. Lief dat je het aanbiedt, maar het komt echt wel goed.'

'Een tijdschrift voor onderweg dan... Heb je iets te lezen?'

'Ik hoef geen tijdschrift, ik heb al een boek. Die bladen zijn toch allemaal in het Italiaans. Ik heb echt niets nodig.'

'Nee.' Tessa glimlachte naar haar. 'Natuurlijk niet.'

'Ik heb alleen jou nodig,' zei Freddie voorzichtig.

Tessa knikte. 'Dat weet ik, schat.'

'Ga maar.' Freddie keek op de klok. 'De winkel...'

'Die wacht maar even.'

'Nee, Tessa. Echt. Ga nu maar.' Freddie probeerde te glimlachen. 'Anders ga ik huilen.'

Tessa knikte. Toen omhelsden ze elkaar, en ze hielden elkaar stevig vast.

Tessa vroeg: 'Red je het wel?'

'Dat weet je best.'

'Je moet me wel schrijven hoor, Freddie.'

'Dat beloof ik. En jij mij ook, Tessa,' zei ze streng.

Tessa liep weg. De soldaten en rijke mannen met hun entourage maakten plaats voor haar. Freddie stond een paar minuten als aan de grond genageld, en toen duwde ze zich met een plotselinge behoefte om elke laatste glimp van haar zus op te vangen de menigte door naar de ingang en het voorplein van het station op. Daar was Tessa die over de stoep liep, en daar terwijl ze energiek de weg overstak. En daar, voor altijd in haar geheugen gegrift, was een laatste beeld van Tessa in haar bladgroene jurk. Toen ging ze een hoek om en was verdwenen.

8

Freddie liep weg van het gewoel rond de auto's en taxi's bij het station en vond een rustig plekje waar ze haar koffer neerzette, haar armen om zich heen sloeg en diep inademde.

Toen pakte iemand haar koffer op en zei met een welopgevoede Engelse stem: 'Sta me toe u even te helpen,' waarna hij met haar koffer wegliep van het station.

Ze rende achter hem aan. 'Zet die koffer neer!'

Hij keek even over zijn schouder naar ergens achter haar. 'Als u dat wilt.' Hij zette haar koffer op de stoep. Toen trok hij haar zonder waarschuwing naar zich toe en gaf haar een kus.

Freddie gilde en trapte hem op zijn voet.

'Au,' zei hij. 'Dat doet pijn. Ik doe dit voor koning en vaderland. Waar is uw patriottisme?'

Hij kuste haar nogmaals, hard op de mond, zijn armen om haar heen, zij vastgepind in zijn omhelzing. Hij kuste erg goed, en ze vergat heel even dat ze werd gezoend door een vreemdeling. Toen hij haar losliet kon ze van schrik even niets uitbrengen, en daarna opende ze haar mond om te gaan schreeuwen, maar toen zei hij zacht: 'Ga alstublieft niet gillen. Ik ga u geen pijn doen, dat beloof ik, maar er staan daar enkele heren die ik probeer te ontlopen.' Hij pakte haar koffer weer op, sloeg zijn vrije arm om haar schouders en stuurde haar krachtig weg van de ingang van het station. 'Ze zijn op zoek naar één persoon, geen tweetal, dus met een beetje geluk kijken ze niet eens naar twee geliefden die het station verlaten en kunnen we wegkomen zonder dat ze ons opmerken.'

Hij trok haar over het Piazza Adua. 'Ik wil het station helemaal niet uit!' schreeuwde Freddie razend. 'Ik moet mijn trein halen!'

'Dat is geen goede omgeving voor mij. De *carabinieri* zijn daar al,' een knik met zijn hoofd, 'en straks zijn ze overal. Het probleem is dat ik bloed als een rund, en ik ben bang dat ik een spoor achterlaat. Dus ik moet hier zo snel mogelijk weg, juffrouw…'

Uit gewoonte antwoordde ze: 'Nicolson.'

'Jack Ransome.'

'Het kan me geen moer schelen hoe u heet! Ik wil alleen mijn trein halen!' Ze greep naar haar koffer, maar hij hield hem stevig vast.

'Zoals u wilt, juffrouw Nicolson. Ik hoopte alleen dat een goed gesprek onze reis zou veraangenamen.'

Hij duwde haar de Via Fiume over. Grote, imposante gebouwen stonden aan beide zijden van de weg.

'Onze reis?' Haar stem ging omhoog. 'Hoe bedoelt u, onze reis?'

'U moet me de stad uit rijden. Er is helaas op me geschoten.'

'In vredesnaam, zeg!' riep ze. 'Ik heb geen tijd voor rare spelletjes!'

'Ik ook niet. Ik kan niet zeggen dat ik ernaar uitkijk de oorlog in een Italiaanse gevangenis door te brengen. En dat is dan de betere mogelijkheid.' Zijn arm gleed eindelijk van haar schouder en hij trok een broekspijp omhoog. Zijn enkel was donker van het bloed; ze hapte naar adem.

'Het stelt niets voor, alleen een vleeswond,' zei hij. 'Maar zoals ik al zei laat ik een spoor achter.'

Freddie keek achter zich. Druppels bloed, als een donkerrood spoor, lagen op de stoep.

'Kom,' zei hij.

'Nee.'

Hij keek haar geconcentreerd aan. Zijn ogen waren koel helderblauw.

234

Ze zei zo stemvast als haar lukte: 'Ik vind het heel naar voor u dat u gewond bent, maar ik weet niet waarin u verzeild bent geraakt en dat wil ik ook niet weten. Als ik nu niet terugga naar het station, mis ik mijn trein. Geef me alstublieft mijn koffer terug en laat me gaan.'

'Dat kan niet. Het is hoe dan ook al te laat. Als de OVRA ons heeft gezien, nemen ze aan dat u mijn medeplichtige bent, wat we ook zeggen.'

Nu werd ze bang. De OVRA was de Italiaanse geheime militaire politie. Ze keek over haar schouder en zag het silhouet van drie figuren tegen de ingang van het station. Haar blik ging snel terug naar Jack Ransome. Hij kon een crimineel zijn, of een gek. Of geen van beide.

Ze trok haar zijden sjaaltje los en gaf dat aan hem. 'Doe dit maar om uw enkel.'

Hij knoopte de sjaal om zijn wond; ze zag hem huiveren. Toen pakte hij haar arm weer en liepen ze verder over de Via Nazionale. Hij liep mank en leunde bij elke andere stap zwaar op haar arm. Ze dacht dat ze voetstappen achter hen hoorde.

Ze sloegen een smal straatje in. Hoge stenen panden torenden aan beide zijden van hen op, de ramen beschermd met ijzeren tralies. Ze rook geroosterde koffie en een riool. Jack keek over zijn schouder; toen Freddie hetzelfde deed, zag ze dat de drie mannen er nog waren. De echo van hun voetstappen leek de steeg te vullen.

'Verdomme,' mompelde haar ontvoerder. 'Ik hoopte dat we ze kwijt waren.' Hij nam Freddie bij de hand en begon te rennen, weefde tussen fietsers en een vrachtwagen die zandzakken stond te lossen door, waarna hij wat priesters inhaalde die diep in een discussie waren verwikkeld.

De steeg kwam uit op een marktplein. Kruiers met manden op hun hoofden liepen over de paden tussen de stalletjes heen en weer. Glanzende piramides van tomaten en dikke, crème-kleurige stukken kaas lagen op de tafels uitgestald. Grote bossen kruiden verlepten in de zon. Kleine, vierkante mannen brulden de prijzen van hun waren en in het zwart geklede vrouwen zaten achter tafels vol geborduurd linnengoed.

Jack Ransome glimlachte charmant verontschuldigend naar een kraamhoudster, een vrouw in een juten schort, en sprak haar in het Italiaans aan. De vrouw wees naar achter de kraam, trok een doek opzij en gebaarde hen achter de schraagtafel te schuilen.

Het was een visstal; een open vat met gezouten kabeljauw stond naast hen. Freddie ademde de olieachtige visgeur in.

'Wat heeft u tegen haar gezegd?' fluisterde ze op dringende toon.

'Ik heb haar aangesproken op haar romantische natuur. We zijn verliefd en uw vader en ooms willen voorkomen dat we trouwen. Sst.' Hij drukte een vinger tegen zijn lippen.

Freddie zag nog geen meter verderop op het pad tussen de kraampjes drie paar gepoetste zwarte schoenen met donkerblauwe broeken erboven. Haar hart bonkte. Moest ze iets roepen, hopen dat de politie haar zou geloven en haar zou toestaan op de trein te stappen?

Ze bleef stil. De zwarte schoenen liepen voorbij. Ze sloot haar ogen en ademde lang uit.

'We moeten gaan,' mompelde Jack, en ze kropen achter de tafel vandaan. Hij bedankte de kraamhoudster en toen haastten ze zich verder, het plein af over een paar straten, meerdere hoeken om; ze mengden zich in de menigte en wachtten voor een sliert schoolkinderen die hand in hand de weg overstak bij een drukke kruising.

'We hebben een auto nodig,' zei hij.

'Een auto?' Freddie staarde hem uitdrukkingsloos aan.

'Ja. Zoals ik al zei moet u me helpen de stad uit te komen.'

Hij droeg nog steeds haar koffer. Met zijn andere hand had hij de hare nog stevig vast. Ze had weg moeten rennen toen ze de kans had. Ze had de politie moeten roepen op dat marktplein. *U moet me helpen de stad uit te komen.* En daarna? dacht ze.

'Juffrouw Nicolson,' zei hij op dringende toon. 'We hebben haast.'

Ze voelde de nieuwsgierige blikken van voorbijgangers. Ze vielen op door zijn manke pas, de buitenlandse snit van hun kleding, hun Engelstalige woorden en de haastige indruk die ze wekten; ze weken in alles af van de mensen om hen heen. Ze begon weer te lopen. Ze dacht dat ze de voetstappen van hun achtervolgers hoorde, maar toen ze over haar schouder keek drong het tot haar door dat het het bonken van haar eigen hart was.

Nu en dan liepen ze langs een geparkeerde auto. Bij een glanzende Mercedes zei Jack: 'Nee, die valt te veel op.' Bij een gehavend busje naast wat winkeltjes schudde hij zijn hoofd. 'Te veel mensen. Ik heb een minuut of twee nodig.'

Voor koning en vaderland – *er is op me geschoten* – de militaire politie. Het was allemaal belachelijk en waarschijnlijk één grote leugen. Een aantrekkelijk gezicht en een gecultiveerd accent waren geen garantie voor eerlijkheid. Hij kon van alles zijn: een oplichter, een dief, een moordenaar. Freddie dacht smachtend aan haar trein en haar zorgvuldig geplande reis, aan het boek dat ze had willen lezen en de brieven die ze had willen schrijven.

Ze bereikten het Piazza San Marco, waar auto's langs stonden geparkeerd. Ze liepen rond het plein terwijl Jack de ene na de andere auto inspecteerde. In een rustig hoekje stond een roestige zwarte Fiat geparkeerd. Jack keek links en rechts. Toen probeerde hij de portieren van de Fiat: op slot.

'Mag ik even een haarspeld van u lenen, juffrouw Nicolson?'

Razend griste ze er een uit haar haar en gaf die aan hem.

'Dank u,' zei hij. 'En wilt u alstublieft in de gaten houden of er iemand aan komt?'

Het was heet. Ze stak de weg over en ging in de schaduw staan. Ze trok haar jasje uit, maar betrapte zich erop dat ze het tegen haar borst gedrukt hield alsof ze zichzelf ermee wilde beschermen. Haar mond voelde droog en ze was vreselijk zenuwachtig, strak gespannen. Vanuit een ooghoek zag ze een politieauto voorbijrijden. Jack Ransome zag hem ook, en zijn hand bleef stil op het handvat van het portier liggen. De politieauto reed door en Jack hurkte nogmaals naast het slot.

Ze kon nu wegrennen, haar koffer achterlaten, vluchten. Ze had haar tasje nog, met haar portemonnee, haar paspoort en ondertussen nutteloos geworden treinkaartje. Maar behalve haar kleding en toiletspullen zat er in de koffer, verstopt achter de voering, een envelop met Engels geld, dat ze apart had gehouden voor noodgevallen. En zou ze hoe dan ook het station halen? Of zou hij proberen haar tegen te houden?

Ze was bang van wel. Zijn kaken stonden vastberaden; ze merkte dat ze hem niet durfde te provoceren. En als hij het soort man was dat omging met mensen met vuurwapens, zou hij er dan zelf ook niet een hebben?

Hij was lang, slank gebouwd en gespierd en stond met een dichtgeperste mond geconcentreerd op zijn taak over het portier van de auto gebogen. Zijn donkerblonde haar kleefde vochtig aan zijn voorhoofd. Hij had mooie kleren aan. Freddie had verstand van kleding, dat had Tessa haar geleerd, en die van hem was, hoewel stoffig en gescheurd, op maat gemaakt. Haar geest dreef terug naar die kus, maar ze duwde de herinnering weg. Vertelde hij haar de waarheid? Wat was hij? En wat was hij met haar van plan?

Ze hoorde hem zacht roepen: 'Juffrouw Nicolson.'

Hij hield het portier van de Fiat open. Ze stak de weg over; hij gaf haar haar haarspeld terug, die ze in haar haar stak. 'Ik rijd u naar Bologna,' zei ze met vaste stem. 'Daar pakt u de trein, en dan ga ik naar huis.'

'Geen treinen. Over de weg is veiliger.' Hij hield het bestuurdersportier voor haar open.

Ze schudde haar hoofd. 'Ik ga niet rijden voordat u me vertelt waar u naartoe wilt.'

'Dat heb ik nog niet besloten. Om te beginnen naar het noorden.' Hij keek haar aan. 'U bent toch niet bang, hè?'

'Natuurlijk niet,' zei ze koel.

'Mooi. U komt ook niet over als een bang type. Daarom heb ik u gekozen.'

'Gekozen?'

'Ik wist dat u Engels bent, dat staat op het label van uw koffer. En u zag eruit als iemand die het hoofd koel houdt. Geen hysterisch type. Ik neem aan dat u kunt autorijden?'

Ze keek hem laatdunkend aan en stapte in de auto. Hij zette haar koffer op de achterbank terwijl zij de bediening bestudeerde. De auto kwam schokkend in beweging en Jack Ransome greep het dashboard vast. Ze trapte het gas in en reed weg, voegde in tussen het andere verkeer. Freddie staarde rigide voor zich uit en concentreerde zich op haar route langs geparkeerde auto's en een kruiwagen vol melkbussen. Ze had meer dan een jaar geleden voor het laatst gereden, en de zware Fiat reageerde heel anders dan Tessa's kleine MG.

Bij de kruising zei Jack Ransome dat ze links af moest slaan. Ze reden een minuut of vijf toen hij opmerkte: 'Houd u niet van schakelen?'

De motor gilde. 'Niet echt,' gaf ze toe.

'Als u de pedalen doet, doe ik de pook.'

Hij pakte de pook, blafte orders en Freddie gaf tussengas. 'Het zou fijn zijn als we de versnellingsbak niet opblazen,' zei hij.

Het viel haar op hoe behoedzaam hij bewoog. Ze keek naar beneden; bloed droop door de sjaal heen op het kleedje bij zijn voeten. Het zou vreselijk vervelend zijn, bedacht ze, als hij dood zou gaan.

'Als we op een rustig stuk zijn,' zei ze, 'stop ik even om te kijken of ik uw been goed kan verbinden.'

Nog meer aanwijzingen. Ze reden naar het noorden, de stad uit. Freddie zag een bord naar Fiesole en dacht met een steek terug aan haar bezoekje aan die stad samen met Tessa, nog maar twee dagen daarvoor.

Ze hadden de huizen al snel achter zich gelaten en reden een open landschap in. Freddie voelde haar angst deels wegebben, hoewel ze niet wist waarom ze nu minder bang zou hoeven zijn. Hij kon haar hier probleemloos vermoorden en haar lichaam onder het struikgewas begraven. Ze zag verderop een weggetje een bos in lopen. Ze sloeg af en reed verder tot ze zeker wist dat de auto vanaf de weg niet zou worden gezien. Toen parkeerde ze de Fiat. Aan beide zijden van het smalle, door gras overwoekerde pad stonden dicht op elkaar groeiende dennenbomen.

Jack stapte uit de auto, ging in de berm zitten en begon zijn veters los te maken. Het viel Freddie op dat hij erg bleek was. Als hij bewusteloos raakte, kon ze de auto misschien achteruit terugrijden naar de weg. Of ze kon naar de dichtstbijzijnde kruising lopen en proberen een lift te krijgen. En dan kon ze naar huis.

Maar toen hij zijn schoen uittrok en haperend inademde, betrapte ze zich erop dat ze ondanks haar irritatie medelijden met hem had. Ze pakte haar koffer uit de auto en opende die op het gras naast hem.

'Ik heb aspirine,' zei ze. 'In mijn handtasje. Pak maar. Ik help u wel even met uw sok. Sorry, ik zal proberen u geen pijn te doen. Vertel. Dat bevredigt mijn nieuwsgierigheid en het geeft u wat afleiding. En als ik een kledingstuk ga opofferen om uw been mee te kunnen verbinden, is het minste wat u daarvoor terug kunt doen wel dat u me vertelt hoe het zit en dat we elkaar gaan tutoyeren.'

'Inderdaad.' Hij fronste zijn wenkbrauwen. 'Ik weet niet waar ik moet beginnen.'

'O, gewoon… leeftijd, ouders, geboorteplaats, familie, beroep.' Ze trok zijn sok uit. 'O ja, en hoe je in Florence terecht bent gekomen met een schotwond in je been.'

Er stond een laagje zweet op zijn voorhoofd, en in zijn scheenbeen zat een diepe, rafelige wond, net boven zijn enkel. Had ze iets om de wond mee te ontsmetten? Ze zocht in haar koffer en vond een handdoekje en een blikje ontsmettingsmiddel.

'Oké,' zei hij. 'Ik ben tweeëntwintig. Geboren in Norfolk. De laatste keer dat ik iets van hen hoorde, leefden beide ouders nog. Twee zussen en een broer – ik ben erg gesteld op Marcia en Rose, maar broer George is doodsaai. Beroep: niet echt. Ik heb wat rondgereisd. Ik hou erg van Italië.'

Freddie depte de wond met de handdoek met wat ontsmettingsmiddel erop. 'Je spreekt erg goed Italiaans.'

'Dank je. Ik heb er lang gewoond.'

'Als we water hadden, kon ik de wond goed schoonmaken. Maar ik zal het zo goed mogelijk proberen zo.'

'Bij de padvinderij gezeten, juffrouw Nicolson?'

'Ja, inderdaad,' zei ze kortaf. 'Ga door.'

'Nou. Ik ken wat mensen bij Buitenlandse Zaken. En die zeiden een paar jaar geleden tegen me dat ze graag een idee zouden willen hebben van wat Italië gaat doen wanneer er oorlog uitbreekt.'

'Wanneer,' herhaalde ze, en ze keek naar hem op. 'Niet "als"?'

'Ik vrees van niet.'

O Tessa, dacht ze.

Hij vervolgde: 'Ze hebben me gevraagd goed om me heen te kijken tijdens mijn verblijf in Italië. In de gaten te houden hoe de wind er waait. Dus dat heb ik gedaan. En van daar is het verder gegaan. Een paar vragen stellen, met wat mensen praten, erachter proberen te komen of Mussolini al bereid is oorlog te voeren en welke kant hij dan op zal gaan. Informatie verzamelen over hoe het ervoor staat met hun bewapening, dat soort zaken.'

Haar hart sloeg onaangenaam over. 'Je bent spion,' zei ze uitdrukkingsloos.

'Ja, zo kun je het noemen.' Hij huiverde. 'Au.'

Ze keek hem boos aan. 'Stel je niet aan.'

'Groot-Brittannië maakt Italië al jaren het hof. Echt een gruwelijke vergissing.' Hij klonk geïrriteerd.

'Waarom?'

'Omdat we ons de afgelopen jaren hadden moeten inspannen om een overeenstemming met de Sovjet-Unie te sluiten. De reden dat we dat niet hebben gedaan is natuurlijk dat we bang zijn voor het communisme. Het lijkt maar niet tot de regering door te dringen dat het fascisme een veel grotere bedreiging is. Ik geloof dat er nu eindelijk iets begint te dagen, maar ik heb het vreselijke gevoel dat het ondertussen te laat is.'

Max had ongeveer hetzelfde gezegd. Freddie had de wond zo goed mogelijk schoongemaakt. Ze keek er bedenkelijk naar. 'Je moet naar een dokter. Er zal nog wel een kogel in zitten.'

'Volgens mij niet. Ik weet vrij zeker dat die is afgeketst.' Hij begon te grijnzen. 'Bovendien heb ik het volste vertrouwen in jou, juffrouw Nicolson.'

'Ik heb anders bij de padvinderij niet geleerd om schotwonden te hechten.'

Hij schoot blaffend in de lach. 'Nee. Jammer.'

'Maar goed. Je hebt nog niet uitgelegd…'

'De eerste keren was er geen vuiltje aan de lucht. Ik gaf regelmatig wat informatie door aan het thuisfront en dan kreeg ik een schouderklopje en werd weer teruggestuurd naar Italië. Maar de laatste keer moet ik iets fout hebben gedaan, want toen ik gisteravond thuiskwam, stonden er een paar zware jongens op me te wachten. Ik kon nog wegkomen en heb de eerste trein uit Rome genomen…'

'Rome?'

'Ja, daar woon ik. Die trein ging maar tot Arrezzo, maar vanochtend ben ik tot een buitenwijk van Florence gelift. Ik dacht dat ik ze kwijt was, maar ze stonden bij het station op me te wachten. Ze gingen in de achtervolging en een van hen heeft me in mijn been geschoten.'

Ze liet hem de handdoek tegen zijn wond drukken terwijl ze

een katoenen rok in repen scheurde. Ze was gek op die rok, en nu had die vent haar al twee kledingstukken gekost: die rok, en de sjaal die ze hem in Florence had gegeven. Aangezien ze er altijd op was gericht haar leven in goede banen te leiden, was ze nu enorm geïrriteerd dat iemand anders haar in zijn ellende betrok.

Ze wond het katoen rond de handdoek en hij vroeg: 'En jij?'

'Ik?'

'Waar ben jij geboren?'

'In Italië.'

Hij trok zijn wenkbrauwen op. 'Waar ging je dan naartoe met de trein?'

'Het idee was naar Engeland. Daar woon ik sinds mijn twaalfde.'

'Ouders?'

Ze schudde haar hoofd. 'Allebei dood. Ik heb een zus in Florence.'

'Beroep?'

Ze speldde het geïmproviseerde verband op zijn plaats. 'Ik werk voor een tijdschrift. Letters typen, archiveren, dat soort dingen.'

Zo, haar keurige leven in een paar keurige zinnen. Als je het zo hoorde, had het niet veel om het lijf. Jack was echt angstaanjagend bleek – als hij flauwviel, zou ze hem dan in de steek durven laten. Hier, waar hij misschien wel zou sterven aan bloedverlies, of, misschien even erg, waar hij kon worden gevonden door de Italiaanse politie? Ze dacht van niet. Het voelde onmenselijk, en hij zei per slot van rekening dat hij voor volk en vaderland streed... Voor hún land. Of ze het nu leuk vond of niet, dat betekende dat ze samen verder moesten tot ze Italië uit konden. Maar hoe zouden ze dat doen?

Ze zei terwijl ze haar spullen in haar koffer terug stopte langzaam: 'Je zei dat de trein onveilig is. Maar als we de grens over willen, gaat de politie ons gegarandeerd controleren. Misschien herkennen ze je wel.'

Hij keek haar grijnzend aan. 'We gaan niet met de auto de grens over.'

'Hoe dan wel?'

'We gaan per boot,' zei hij.

Jack Ransome had een kennis die aan de Ligurische kust woonde, een paar kilometer ten zuiden van Rapallo. Hij wist zeker dat zijn kennis wel iemand zou kunnen vinden die hen over zee naar Frankrijk kon brengen. Dat gebeurde aan de lopende band, er waren volop vissers die smokkelwaar van het ene naar het andere land brachten, dus waarom zouden ze dan geen Engelsman met een dame op een verlaten strand aan de Côte d'Azur achterlaten?

Ze hoefden maar een kleine honderdvijftig kilometer te rijden. Hij kende min of meer de weg; hij was bekend met de noordwestkust van Italië. Ze zouden via Pistoia en Montecatini Terme naar het westen rijden en dan de kustweg naar Rapallo nemen, hoewel het misschien wel slim was, voegde hij toe, om uit de buurt te blijven van La Spezia en de grote marinebasis daar. De reis kostte een dag of twee, schatte hij achteloos in. Als ze geluk hadden, vonden ze wel ergens een plekje waar ze konden overnachten.

De tocht voerde hen door de heuvels aan de voet van de Apennijnen. Freddie zag in de verte bergtoppen die, ook al was het begin juni, bedekt waren met sneeuw. Ze vroegen hier en daar de weg, als ze een ganzenhoeder of een vrouw in het zwart passeerden. Freddies chauffeurskunsten begonnen te verbeteren terwijl de weg onder de banden zoefde. Ze schakelde ondertussen soepel en leerde terwijl de auto kilometers vrat hoe ze de wielen precies zo moest plaatsen als zij ze wilde hebben. Het kwam wel goed, zei ze tegen zichzelf. Ze zou naar Rapallo rijden, en als Jack naar Frankrijk wilde varen moest hij dat vooral doen, maar zij ging niet met hem mee. Ze was niet van plan haar leven te riskeren op een bootje op de Ligurische Zee; ze zou de trein naar huis nemen.

244

Ze stopten in Prato om brood, kaas, water en wijn te kopen. Ze aten op een grasveldje buiten de stad, of eigenlijk was Freddie degene die at; Jack dronk alleen wijn. Toen reden ze verder, langs Pistoia, over smalle weggetjes. De zon stond hoog aan de hemel en Jack Ransome viel uiteindelijk met zijn hoofd tegen de zijkant van de auto in slaap. Zijn huid leek wel grijs. Freddie herinnerde zich de rafelige wond, hoe hij niet had kunnen eten, en hoe snel hij zijn wijn had gedronken.

Halverwege de middag zag Freddie borden naar Montecatini Terme, en ze reed een buitenwijk van de stad in. Jack werd niet eens wakker toen ze bij een garage stopte en benzine kocht. Ze vroeg de weg naar een apotheek. Jack liet ze slapend in de auto achter en ze stak een piazza over. Ze had het Italiaans voor 'pluksel' en 'verband' in haar zakwoordenboekje opgezocht, maar haar uitspraak moest onduidelijk zijn geweest, want de apotheker, een breedgebouwde man met een zure gezichtsuitdrukking, liet zijn mondhoeken vol onbegrip naar beneden zakken. Nadat ze de woorden een paar keer had herhaald en had gebaard dat ze een been wilde verbinden, stond hij langzaam op en kwakte wat pakjes op de toonbank. Toen bedacht ze dat ze ook nog aspirine nodig had, wat gelukkig bijna hetzelfde woord was in het Italiaans, en desinfecterend middel. Ze zag een fles waarvan ze dacht dat het er misschien in zou zitten, voerde haar woordeloze toneelstukje weer op, en er werd een beetje in een kleiner flesje overgegoten. De apotheker zei iets, en Freddie ving het woord *dottore* op. O, nee hoor, ze had geen dokter nodig. Helemaal niet.

De apotheker maakte de rekening klaar. Freddie ving zijn onvriendelijke blik op terwijl ze in haar portemonnee naar muntgeld zocht. *'Inglesi?'* vroeg hij plotseling, waarop ze het geld op de toonbank legde, haar aankopen pakte en de apotheek verliet. Toen ze het piazza naar de auto overstak, keek ze over haar schouder. De apotheker stond in de deuropening naar haar te kijken. Toen spuugde hij op de stoep. Ze keek weer voor zich en liep, bewust rustig, verder.

Jack was net wakker aan het worden en knipperde met zijn ogen. Freddie stapte in en sloot het portier. Ze beefde toen ze ging zitten.

'Ik ben bang dat ik misschien iets stoms heb gedaan,' zei ze.

Hij was direct alert. 'Vertel.'

'Ik ben naar een apotheek gegaan om verband voor je te kopen. Volgens mij was de apotheker achterdochtig. Ik weet het niet zeker. Hij keek heel gek naar me en vroeg of ik Engels was. Sorry.'

'Niets aan te doen.' Hij duwde zichzelf overeind. 'Er is waarschijnlijk niets aan de hand, maar laten we dan toch maar snel doorrijden.' Hij glimlachte bemoedigend naar haar. 'Als jij zorgt dat we de stad uit komen, dan kijk ik naar mijn enkel en rij ik daarna verder. Ik voel me veel beter nu ik even goed heb geslapen.'

Ze reden een paar kilometer buiten Montecatini een boerenpad op. Jack stapte uit de auto om zijn enkel schoon te maken en opnieuw te verbinden, maar Freddie bleef achter het stuur zitten. Ze was doodmoe; die beangstigende scène in de apotheek leek al haar reserves te hebben uitgeput. Ze schrok van elk geluid: het brommen van een motor in de verte, het blaffen van een hond.

Jack kwam terug naar de auto. 'Dat is beter. Bedankt dat je die spullen voor me hebt gehaald. Schuif eens op, dan rij ik.'

Ze wisselden van stoel, en toen Jack Ransome de Fiat startte en ze weer op weg gingen, sloot Freddie haar ogen.

Ze werd later met knipperende ogen wakker. 'Hoe laat is het?' vroeg ze.

'Een uur of zeven.'

'Waar zijn we?'

'We moeten in de buurt van de kust zijn.'

Die gedachte beurde haar op. Ze stelde zich voor dat ze een hotelletje zouden vinden waar ze zouden overnachten. Ze zag een goede maaltijd voor zich, een bad en een bed. Normale omstandigheden.

Hij keek haar van opzij aan. 'Sorry dat ik je dit allemaal aandoe.'

'Ik keek erg uit naar een fijne, rustige treinreis naar huis. Ik hou van treinreizen. Je kunt onderweg zo lekker veel doen.'

'Was je bij je zus op bezoek?'

'Ja.' Ze keek uit het zijraam. Het begon te schemeren; het intense blauw van de middaghemel had plaatsgemaakt voor abrikoos- en lavendeltinten. Het voelde alsof het een eeuwigheid geleden was sinds ze afscheid had genomen van Tessa, en ze moest zichzelf eraan helpen herinneren dat het pas vanochtend was geweest. Ze zuchtte. 'Ik was in Italië om te proberen Tessa over te halen met me mee naar huis te gaan.'

'Maar dat wilde ze niet?'

Freddie schudde haar hoofd. 'Ik moest het toch proberen. Wat denken je vrienden bij Buitenlandse Zaken dat er gaat gebeuren als er oorlog uitbreekt?'

Hij zette de auto soepel in een andere versnelling. 'Ze denken – ze hopen – dat Mussolini neutraal blijft.'

'Dan hoop ik maar dat ze gelijk hebben.'

'In dat geval zit je zus hier goed.'

Ze was dankbaar dat hij dat zei, ook al vermoedde ze dat hij niet helemaal eerlijk was en haar alleen maar gerust wilde stellen.

'Ik denk,' zei hij bedachtzaam, 'dat ik voorlopig niet terug kan naar Italië.'

'Wat ga je dan doen? Ga je terug naar Norfolk?'

'O god, nee zeg. Ik zou me daar levend begraven voelen. Ik denk dat ik in het leger ga. Dat zal mijn broer verrassen: doe ik ook eens iets nuttigs.'

'Ben je de oudste?'

'Derde van de vier. Eerst George, dan Marcia, dan ik en als laatste Rose.'

'Zijn de anderen getrouwd?'

'George en Marcia wel. Marcia heeft twee zonen. Ik denk dat George en Alexandra – dat is de vrouw van George – uiteinde-

lijk ook wel een keer lang genoeg zullen stoppen met ruziën om
een erfgenaam te produceren. Rose is pas zeven, dus die gaat
voorlopig nog niet trouwen.'

'Wat leuk, zo'n klein zusje.'

'Rose is een schatje. Ze is gek op honden en paarden.'

'Hoe is het met je enkel?'

'Prima.'

Maar als ze tijdens het rijden naar hem keek, zag ze hoe hij
elke keer dat hij het gas intrapte zijn kaken op elkaar klemde,
en ze zei: 'Ik heb honger. Kunnen we ergens stoppen om wat te
eten?'

'Ik zoek wel een plekje.'

Hij reed een paar kilometer verder en zette de auto een stukje heuvelopwaarts bij een veldje met berken. De bomen wierpen
lange, smalle schaduwen en de maan, die net was opgekomen,
hing laag, geel en vol. Ze zaten op het gras, dat werd verlicht
door de koplampen van de auto. Freddie scheurde de rest van
het brood in tweeën en Jack sneed de kaas met zijn zakmes.

'Ik kijk nog even naar mijn verband,' zei hij, en toen liep hij
een stukje verder de heuvel op en dook de bosjes in. Freddie
stond op, rekte zich gapend uit en begon hun spullen op te ruimen. Het was ondertussen bijna helemaal donker, en ze dacht
dat ze een uil hoorde roepen, maar als ze zich erop probeerde te
concentreren leek het geluid weg te smelten, verloren in het geritsel van de berken.

Toen hoorde ze een ander geluid, het gerommel van een voertuig, ergens op de weg waar zij net vandaan waren gekomen.
Een instinct dat ze geen aandacht moesten trekken maakte dat
ze zich naar de auto haastte, de motor uitzette en de koplampen
uitdeed. Het geluid van het naderende voertuig werd harder.
Freddie stond bewegingloos terwijl het hen iets onder hen passeerde. Het was een grote zwarte auto met vier mannen erin. Ze
dacht – ze wist het niet zeker – dat twee van hen een uniform
droegen.

Toen de auto weg was, keek ze achter zich, en ze zag dat Jack weer uit de bosjes was gekomen. Ze vroeg: 'Denk je dat ze naar ons op zoek zijn?'

'Ik weet het niet. Waarschijnlijk heeft dit niets met ons te maken.' Hij stak het overgebleven verband in zijn jaszak. 'Maar laten we vijf minuten afwachten.'

Ze liepen terug naar de auto. Hij was een spion, bedacht Freddie, en zij had hem geholpen de politie te ontlopen. Ze was op de vlucht in een vreemd land en reed in een gestolen auto. Wat haar bedoelingen ook waren geweest, ze zat er tot over haar oren in en als ze werden gevangen zou zij ook worden gestraft. Ze schoten spionnen dood, toch? Ze werd ineens misselijk.

Ze wachtten stil. Toen zei Jack: 'Het lijkt me verstandig om uit de buurt van de kustweg te blijven. Ik zoek wel een route landinwaarts.' Freddie startte de motor en ze reden weg.

Ze sliepen die nacht in de auto. Nadat ze een paar uur over de smalle weggetjes hadden gereden die door de heuvels en vallei-en liepen, parkeerden ze naast een stroompje dat door een bosje dennenbomen stroomde. Jack Ransome zei dat ze een paar uur zouden rusten, en vervolgens sloeg hij zijn armen over elkaar, zakte een beetje onderuit in zijn stoel en sloot zijn ogen.

Hoewel Freddie erg moe was, kon ze de slaap niet vatten. Het was zo'n lange, vreemde en verontrustende dag geweest. Bepaalde fragmenten stonden in haar geheugen gegrift als patronen op stof. Tessa die in haar groene jurk van het station wegliep. De kus: *Ik doe dit voor koning en vaderland.* De apotheker in Montecatini en de grote zwarte auto op de kustweg.

Ze werd bij zonsopgang wakker na een onrustige en oppervlakkige slaap. Jack sliep nog; ze keek naar hem en betrapte zich erop dat ze zijn profiel in zich opnam: mooie kaaklijn, bijna rechte neus met een heel klein bultje op de brug, goed gevormde mond en stroblond haar dat over zijn voorhoofd viel. Een aantrekkelijk gezicht. Ze had hem gekust en sliep nu, op een be-

paalde manier, met hem. Ze schrok ervan dat het tot haar doordrong dat ze hem, ondanks haar ergernis over de hautaine manier waarop hij zichzelf aan haar had opgedrongen, aantrekkelijk vond. Ze wist zeker dat dit een bevlieging was vanwege de
idiote omstandigheden van hun reis. Hij begon wakker te worden; Freddie pakte snel haar koffer en stapte uit. Ze knielde bij
het stroompje en drenkte haar flanellen nachtpon in het ijskoude
stroompje om haar gezicht te wassen.

Ze reden meteen verder. In een klein stoffig dorpje vonden ze
een winkeltje waar ze eten en drinken kochten. Jack sprak met de
winkeleigenaar, die hun vervolgens koffie aanbood die zo sterk
en heet was dat hij een stroomstoot door de aderen leek te sturen. Hoewel de koffie haar goed deed, voelde Freddie zich ongemakkelijk. De dorpjes in de heuvels aan de voet van de Apennijnen waren zo afgelegen dat er zelden vreemdelingen kwamen.
Ze hoorden niet thuis in deze besloten boerengemeenschap en ze
vermoedde dat ze door hun haveloze uiterlijk en hun gebrek aan
toeristische attributen – camera's, rugzakken, wandelschoenen –
alleen maar opvielen.

Ze vervolgden hun reis. Freddie reed en Jack wees de weg.
Hoewel hij geen plattegrond had, leek hij bijna instinctief te
weten welke kant ze op moesten. Freddies schouders waren stijf
van het sturen en het voelde of ze zand in haar ogen had. Ze
gingen nu langzamer; de weggetjes waren bochtiger, nog smaller
dan die van de dag ervoor en vaak onverhard. Ze dwong zichzelf zich te concentreren, maar af en toe werd ze bijna overmand door een vervreemdend gevoel. Ze had ondertussen in
Parijs moeten zijn. Ze had met de metro naar het Gare du Nord
moeten reizen, op weg naar de boottrein en haar huis. In plaats
daarvan zag deze weg er net zo uit als alle andere wegen die ze
die ochtend had bereden, en deze heuvel was even hoog, deze
vallei even groen en vruchtbaar als de vorige. Vroeg in de middag werden ze op zoek naar een garage gedwongen een stuk
richting de kust te rijden. Uiteindelijk troffen ze tussen wat huis-

jes langs een weg een smidse aan. Een benzinepomp stond op een stuk stoffige grond, dat vol lag met oude banden en roestig boerderijgereedschap. Een berg houtblokken lag naast een stenen gebouw, waarin ze in de verte oranje vonken en de gloed van een vuur zag.

Freddie stapte uit terwijl Jack om benzine ging vragen. Hij liep nog manker dan de dag ervoor, viel haar op, en zijn hele tred was stijf en onhandig. De deur van het gebouwtje ging open en er kwam een man in een overall naar buiten. Jack sprak hem aan en de smid zei iets, en keek vervolgens met opgetrokken wenkbrauwen naar de auto. Freddie stak de weg over om haar benen even te strekken. Een klein meisje kwam met haar duim in de mond uit een van de huizen lopen, staarde haar even aan en verdween weer naar binnen. Freddie kon het haar niet kwalijk nemen; ze zag er niet uit.

We zijn er bijna, stelde ze zichzelf gerust. Jack had geschat dat ze een paar kilometer landinwaarts van La Spezia moesten zijn. Met een beetje geluk zouden ze die avond Rapallo bereiken. Nog maar een paar uur en dan was deze nachtmerrie voorbij. Ze zag dat Jack nog steeds met de smid stond te praten. Nu was het Jack die zijn wenkbrauwen optrok, en de garage-eigenaar stond met zijn handen te zwaaien. Freddie stak de weg weer over om te luisteren, maar ze spraken zo snel en het accent van de smid was zo zwaar dat ze er geen touw aan vast kon knopen.

Toen haakte de smid de slang weer aan de benzinepomp, en hij liep terug de smidse in.

Jack stak het erf naar haar over. 'De politie is hier vanochtend geweest.'

'De politie?' Freddie voelde een steek van angst door zich heen gaan. 'Wat wilde die?'

'Zo te horen ons. Ze hebben hem gevraagd of hij een zwarte Fiat had gezien en of er buitenlanders langs waren geweest.' Jack ging zachter praten. 'De smid is communist en is niet dol op de Italiaanse regering en de politie. Maak je maar geen zorgen, het was een paar uur geleden en ze zijn doorgereden, dus we zijn veilig.'

'Jack!' riep ze razend. 'Ze weten in wat voor auto we rijden! Ze zijn naar ons op zoek!'

Hij wierp haar een wat ze veronderstelde dat een geruststellende glimlach moest zijn toe. 'Er rijden honderden zwarte Fiats rond in Italië. We doen voorzichtig, we kijken goed om ons heen. We zijn er bijna. Het komt echt wel goed, dat beloof ik.'

'Goed?' Freddies stem verhoogde naar een krijs. Ze keek naar zichzelf. Haar sandalen waren stoffig, haar jurk was gekreukeld, en ze voelde zich suf van het slaapgebrek. 'Noem je dit góéd?'

'Juffrouw Nicolson, het spijt me echt dat ik je hierbij heb betrokken.' Hij zag er nu tenminste wel oprecht schuldbewust uit. 'Als je weg wilt, begrijp ik dat en zal ik je niet proberen tegen te houden.'

'Ik neem niet aan,' zei ze sarcastisch, 'dat er hier elk uur een bus stopt.'

'Dat zal wel niet, nee. Een lift op een boerenkar, als je geluk hebt. Luister, maak je geen zorgen. De smid heeft aangeboden ons een weg naar La Spezia te wijzen die veilig schijnt te zijn.'

'Hoe weten we of we hem kunnen vertrouwen?'

'Dat weten we niet. Maar ik denk niet dat we veel keus hebben.'

Ze staarde hem even aan, draaide zich toen op haar hakken om, liep terug naar de auto, sloeg het portier dicht en startte de motor. De smid startte zijn truck en Freddie reed achter hem aan de weg op. Ze reden landinwaarts, achter de truck aan, dieper de heuvels in. Het enige wat ze wilde was Rapallo bereiken, dacht ze, en dan kon ze van hem afkomen. Ze verlangde er vurig naar om van hem af te zijn.

Ineens kon ze zich niet meer bedwingen en stootte ze een harde kreun uit. Jack vroeg: 'Wat is er? Gaat het wel?'

'Zei die smid dat de politie ook naar mij op zoek is?'

'Ik vrees van wel. Een jonge Engelse... met een lichte huid, donker haar en donkere ogen. Best een accurate omschrijving, vind ik.'

Ze voelde wel dat hij zat te glimlachen, maar ze weigerde hem aan te kijken. In plaats daarvan fixeerde ze haar blik op de weg, die steeds verder de heuvels in klom. Als de politie zowel haar als Jack Ransome zocht, betekende dat dat het niet veilig zou zijn om de grens per trein over te steken. Dan zou ze geen andere keus hebben dan op die ellendige vissersboot naar Frankrijk te varen. Ze wilde nogmaals kreunen, maar deze keer lukte het wel om dat te onderdrukken.

De weg zat vol gaten en de Fiat stuiterde en slingerde. 'Hou hem maar in een hoge versnelling,' zei Jack. Hij hield zich vast aan het dashboard; ze zag hem een grimas trekken toen de auto schokte.

Ze hadden de truck van de smid meerdere kilometers de dicht beboste heuvels onder aan de Apennijnen in gevolgd. Toen was de smid naast hen komen rijden en had hun voordat hij was omgekeerd verdere aanwijzingen gegeven. Toen zijn voertuig eenmaal uit zicht reed, was het net of de eenzaamheid die het landschap uitstraalde versterkte. Ze zeiden een paar uur lang weinig tegen elkaar. Jack wees de weg en vroeg Freddie nu en dan of ze even wilde pauzeren. Ze schudde elke keer haar hoofd. Ze reed zo snel als het terrein toestond, haar gevoel van urgentie versterkt door de wetenschap dat er op hen werd gejaagd. Ze keek veel in de achteruitkijkspiegel, maar er waren weinig andere voertuigen op deze stille weggetjes. Een van de weggetjes leidde hen over een groen bospad vol groeven. Ze passeerden beschilderde woonwagens met paarden ervoor die onder de donkere bomen stonden. Een vrouw met een baby in haar armen zat gehurkt naast een kookpot boven een vuurtje en haar blik volgde hen terwijl de Fiat over de ongelijkmatige grond hobbelde.

Ze reden het bos uit een open landschap in. Een roofvogel cirkelde hoog in de lucht en liet zich meevoeren door de luchtstroom; het weidelandschap stond vol kleurige bloemen. Freddie vergat heel even dat ze bang was, zo in beslag genomen werd ze door de schoonheid van het landschap. 'Zo te zien gaat het regenen,' zei Jack Ransome. Ze volgde zijn blik en zag in het oosten boven de harde, grijze bergtoppen dat zich wolken begonnen te vormen.

Terwijl ze verder reden, begon Freddie het idee te krijgen dat de Fiat naast zijn gewone koor van gepiep en geratel nu en dan ook knarsend begon te jengelen. De wolken hingen nu boven hen en enorme regendruppels vielen op de voorruit. De ruitenwisser deed het niet, dus tuurde Freddie door een grijsbruine veeg van water en viezigheid. Ze leunde naar voren en moest vreselijk haar best doen om de weg te kunnen zien; ze minderde vaart. Ze was ondertussen vreselijk moe, zo moe dat ze er niet meer aan dacht bang te zijn.

Het gejengel werd erger. Toen ze een steile heuvel afreden, voelde Freddie dat de Fiat opzij werd getrokken.

'Stoppen,' droeg Jack haar op. 'Daar, onder die bomen.'

Ze kreeg de auto met moeite aan de kant van de weg en toen remde ze. Jack stapte uit en hurkte naast het rechter voorwiel.

'Verdomde roestbak.'

'Wat is er?'

'De wielbouten zijn losgekomen. Ze moeten door het slechte wegdek zijn losgeschud. Ze moeten worden aangedraaid, anders verliezen we zo een wiel.'

Hij opende op zoek naar gereedschap de achterbak. Freddie stapte uit.

'Kan ik helpen?'

'Niet echt. Ga je benen maar even strekken.'

Ze pakte haar regenjas uit haar koffer, trok hem aan en liep van de auto weg. Het regende hard, dus ze zette haar capuchon op. Ze had een appel uit hun slinkende voedselvoorraad gepakt en at die op terwijl ze de heuvel af wandelde. De weg liep kronkelend een mistige grijze vallei in en ze vroeg zich af of ze de kust had kunnen zien als het helderder weer was geweest. Al haar spieren deden pijn van de vermoeidheid en spanning. Het leek wel of ze al haar hele leven op weg was; ze bleef de beweging van de auto onder haar voetzolen voelen. Ze keek over haar schouder en zag dat Jack nog gehurkt naast de Fiat zat. Hij zou de auto repareren, zei ze tegen zichzelf, dan zouden ze de laatste paar kilometer rijden en dan zou ze veilig zijn.

Toen ze een bocht in de weg om liep, zag ze de lichten. Ze bleef staan, staarde in het gordijn van regen en probeerde te begrijpen wat ze zag.

De lichten waren van auto's – twee of drie, dat wist ze niet zeker – en de koplampen schenen in stilstand schuin over de weg. De auto's stonden – haar hart leek even te haperen – te wachten.

Ze rende terug de weg op naar de Fiat. Toen ze de auto naderde, stond Jack op. 'Wat is er?'

'Auto's – politieauto's – iets verderop naar beneden op de weg!'

'Verdomme.' Hij keek chagrijnig.

'We moeten terug zoals we zijn gekomen.'

Hij schudde zijn hoofd. 'Dat kan niet.'

Ze staarde hem aan. 'Waarom niet?'

'We hebben al een bout verloren en de andere zijn zo vervormd dat ik ze er niet meer op krijg. En er is geen reservewiel. En trouwens,' hij gooide de wielsleutel in de achterbak, 'als er één wegversperring is, is de kans groot dat er meerdere zijn. Er zit niets anders op: we moeten lopen.'

'Lopen?' Haar stem ging omhoog.

'Het zal nog een kilometer of vijftien naar de kust zijn. Lukt je dat?'

Ze knikte woordeloos.

Ze stopten het resterende eten in Freddies koffer en duwden de trouwe Fiat tussen de bomen, waar hij in een ondiepe geul verdween. Toen begonnen ze aan hun tocht een grassige heuvel af, weg van het pad. Jack droeg haar koffer, Freddie liep achter hem aan.

Maar het was moeilijk terrein, soms met pollen gras en dan weer vol stukken puin en heel steil naar beneden. Ze schrok van elk geluid. *Ik heb geen tijd voor rare spelletjes,* had ze de dag ervoor gezegd en toch, als ze heel eerlijk was, was dit avontuur niet geheel zonder aanlokkelijke momenten geweest. De soepele beweging van de auto over de weg, het nachtelijke maanlicht op de heuvels: daar had ze van genoten.

Maar dit was allesbehalve genieten. De regen sijpelde door haar dunne zomerregenjas, haar kousen zaten vol ladders en haar sandalen waren doorweekt. Ze was moe, nat, koud en bang. Ze was vreselijk geschrokken van die auto's die de weg blokkeerden. Dit was geen spelletje meer, en het besef van de benarde toestand waarin ze zich bevonden ondermijnde haar voornemen om niet bang te zijn. Ze hadden zo gemakkelijk tegen die blokkade aan kunnen rijden. Als dat wiel niet was losgekomen hadden ze die politieauto's niet op tijd gezien. Ze hadden een spoor achtergelaten: die apotheker in Montecatini Terme, de winkelier in dat bergdorpje, de smid en de zigeuners in het bos... Het was niet moeilijk te achterhalen dat ze op weg waren naar de kust. De politie zou alle kustwegen in de gaten houden. Misschien zochten ze hier in de heuvels ook wel. Misschien hadden ze wel honden – ze dacht dat ze iets hoorde, een jank of schreeuw – maar toen ze achter zich keek, zag ze alleen de regen en de heuvels.

Zware regen viel uit een grafietkleurige lucht. Naarmate de uren verstreken bleef Freddie doen wat ze al een eeuwigheid leek te doen: de ene voet voor de andere zetten, haar blik constant gericht op Jacks lange gestalte terwijl ze achter hem aan ploeterde. Ze moest eigenlijk aanbieden de koffer over te nemen, bedacht ze als verdoofd, vanwege zijn gewonde been, maar ze zag niet waar ze de energie vandaan moest halen om zowel de koffer te dragen als te lopen. Of ze moest tegen hem zeggen dat hij de koffer beter kon achterlaten – haar spullen zouden ondertussen toch wel verziekt zijn – maar ze was te moe om te praten. Hij keek haar zo nu en dan bemoedigend aan over zijn schouder en vroeg dan of het nog ging, en dan knikte ze. Ze keek op haar horloge, struikelend over de ruwe grond, en zag dat het bijna acht uur was. Ze liepen al uren en het was gaan schemeren. Ze moest zich volledig concentreren op doorlopen in de duisternis en haar zintuigen stonden dan ook op scherp.

Ze kwamen bij een stroompje aan. Jack waadde door het water. 'Het is niet diep,' riep hij over zijn schouder. 'Lukt het?'

Freddie stapte het water in. Ondiep water stroomde snel over een bed van gladde stenen en kiezelsteentjes. Ze keek nogmaals achterom en zag halverwege de heuvel licht: misschien de koplampen van een auto, of een zaklamp. Haar hart ging tekeer. Ze haastte zich het water door.

Ze gleed uit over een gladde steen, viel op haar knieën in het ijskoude water en schreeuwde het uit.

'Juffrouw Nicolson.' Jack waadde terug door het water en stak een hand naar haar uit.

'Ga weg!' gilde ze. 'Laat me met rust!'

Ze zat geknield in het ijskoude water, haar handen uitgespreid om in balans te blijven in de stroming. Ze voelde hoe hij zijn handen onder haar armen zette en ze schreeuwde: 'Raak me niet aan!' maar hij negeerde haar en sleepte haar het water uit de oever op.

Daar zakte ze in elkaar, voorovergebogen, haar hoofd in haar handen, en begon te huilen. Ze voelde zijn hand op haar schouder, en ze hoorde hem kalm zeggen: 'Ik ken het hier, ik ben hier al eerder geweest. Aan de andere kant van dat veld staat een herdershut. Als we het tot daar halen, kunnen we een beetje opwarmen. Het is niet ver meer. Kun je nog lopen?'

Ze had het gevoel dat ze de rest van haar leven geen stap meer zou kunnen zetten, en ze had het helemaal niet erg gevonden als ze daar ter plekke was gestorven, maar ze haalde haar neus op, slikte haar tranen weg en knikte. Hij gaf haar een hand om haar overeind te helpen en bleef die vasthouden terwijl ze het water overstaken en door een veld liepen. Hij bleef onderweg tegen haar praten, iets over een zomer die hij hier had doorgebracht met werken op een boerderij en het ontdekken van de heuvels; ze luisterde niet echt, maar het geluid van zijn stem deed de regen iets minder erg lijken en leidde haar enigszins af van haar uitputting.

'Daar,' zei hij. Freddie keek op en zag het kleine stenen hutje in de achterste hoek van het volgende veld staan.

Toen ze de hut hadden bereikt, duwde hij de deur open, en ze liepen naar binnen. Het rook er naar schapen. Plukjes schapenwol hingen aan roestige spijkers in de muren en de zanderige vloer was bedekt met stro. Tegen een muur lagen houtblokken gestapeld.

Freddie liet zich in een hoek van de hut op de grond zakken en sloeg haar armen om haar opgetrokken knieën. Ze rilde zo hevig dat haar kin steeds tegen haar knieën tikte. Ze keek toe hoe Jack een vuur aanmaakte: hij zette eerst wat houtblokken in een piramidevorm, legde daar wat twijgjes onder en propte de gaten toen dicht met plukjes schapenwol die wel distelpluis leken.

Zijn aansteker klikte en de twijgjes vatten direct vlam.

'Weet je zeker dat jij niet ook bij de padvinderij hebt gezeten?' vroeg ze met bevende stem.

'Natuurtalent.' Hij glimlachte naar haar. 'Kom maar dichterbij.'

Ze schudde haar hoofd. Ze kon niet bewegen. Ze was te uitgeput om te bewegen.

Hij legde nog wat twijgjes op het vuurtje en keek over zijn schouder naar haar. 'We zijn er echt bijna, dat beloof ik.'

'Waar zijn we dan bijna?' Haar stem brak. 'Ergens waar ik helemaal nooit naartoe heb gewild? Ik wil dit niet, ik wil naar huis. Het is allemaal jouw schuld. Straks zijn ze nog met honden naar ons aan het zoeken!'

'Met honden?'

'De politie.' Ze huilde weer. 'Ik háát grote honden!'

'In de regen heb je niets aan honden,' zei hij rustig. 'Dan ruiken ze geen sporen.'

Het vuur brandde nu goed. Hij ging naast haar zitten en sloeg zijn arm om haar heen.

'Ga weg,' zei ze. Haar tanden klapperden zo dat ze wel een spotprent leek.

'Nee. Je hebt het ijskoud en je moet opwarmen. Ik doe heus niets, dat beloof ik. Poolonderzoekers zitten op de Zuidpool ook bij elkaar. Het is de beste manier om warm te blijven.'

Ze zat even stil te bibberen en fluisterde toen: 'Is dat waar, wat je net over honden zei?'

'Dat ze geen sporen kunnen ruiken in de regen? Ja.'

Het lukte haar een stukje dichter naar het vuur te schuiven. De gloed leek haar uiteindelijk te bereiken en ze strekte haar handen naar de warmte. Ze schaamde zich rot dat ze in tranen was uitgebarsten. 'Sorry dat ik zo'n theatrale scène schop,' mompelde ze.

'Je bent een van de minst theatrale meisjes die ik ken,' zei hij.

Ze kneep haar ogen dicht. 'Ik heb een hekel aan... aan chaos.'

'O jee.' Er klonk een lach in zijn stem. 'Dan moeten we maar bij elkaar uit de buurt blijven. Ik schijn chaos aan te trekken.'

Er schoten herinneringen door haar hoofd van reizen die ze als kind had gemaakt, grote tochten door Europa, gedreven door de rusteloosheid van haar vader, in derdeklasrijtuigen in de trein of op stoomboten die zwarte stoom spuwden.

'Toen ik klein was,' zei ze, 'nam mijn vader ons mee op reis. Dan werden we 's ochtends wakker en dan zei hij dat we vertrokken. En dan was er een trein of boot, of een ossenwagen – ik herinner me ook een ossenwagen – en mijn moeder werd altijd vreselijk moe, en dan werd mijn vader kwaad omdat het nooit zo ging als hij zich had voorgesteld.' Ze ademde in. 'Ik hou niet van avontuur. Ik wil geen avontuur.'

'Dat weet ik.' Hij klonk berouwvol. 'Het spijt me. Maar soms is het ook wel leuk, toch?'

'Leuk?' herhaalde ze, en ze draaide zich half om om hem aan te kijken. 'Als dit jouw idee van leuk is, Jack, dan denk je er heel anders over dan ik!'

'Na vandaag is het klaar, dat beloof ik.'

'Die boot...'

'Het komt wel goed.'

'Nee, dat komt het niet.' Ze schudde haar hoofd. 'Dat weet ik zeker. Ik wil gewoon naar huis.'

'Juffrouw Nicolson...'

'Freddie. Ik heet Freddie. Frederica.'

'Freddie? Ik hield je voor een Anna of een Caroline, maar Freddie is veel leuker. Luister, Freddie. Die regen is ellendig, maar het is wel een geluk bij een ongeluk. Als we mazzel hebben heeft de politie de auto niet gevonden. Het komt echt goed.'

'Dat zeg je de hele tijd!'

'Vertrouw je me niet?'

'Nee Jack, voor geen cent.'

'Heb je honger?'

Ze had geen idee wanneer ze voor het laatst had gegeten. 'Een beetje wel, ja.'

Hij maakte haar koffer open en haalde er het laatste stuk brood, een paar appels en een fles wijn uit. 'Hier, neem maar,' zei hij. Hij scheurde het brood in tweeën en gaf haar een stuk. 'Daar warm je van op.' Hij ontkurkte de wijn.

'Volgens mij heb jij het reuze naar je zin,' zei ze.

'Deels wel ja,' gaf hij toe. 'Ik zou het nooit redden in een kantoor. Ik zou de muren binnen een dag op me af zien komen.'

'Hoe is het met je been?'

'Dat heeft wel eens beter gevoeld.' Hij trok zijn broekspijp omhoog en tuurde voorzichtig naar het verband. 'Ik was eens in Griekenland aan het bergbeklimmen, en toen ben ik gevallen en heb mijn enkel gebroken. Ik moest min of meer terug

260

hinkelen naar de beschaafde wereld. Dus ik heb wel erger meegemaakt.'

'Je moeder zal zich wel doodongerust maken om je.'

'O, daar is ze al heel lang geleden mee gestopt. Hier, drink
hier wat van.' Hij gaf haar de wijn.

Freddie dronk er goed van. De rode wijn verwarmde haar;
haar kleding begon te drogen en ze rilde eindelijk niet meer. Ze
had haar brood opgegeten; ze dronk nog wat wijn, ging op de
vloer liggen en keek hoe de vlammen dansten en flikkerden. 'Ik
ga niet slapen hoor, ik rust alleen even uit,' zei ze. Ze sloot haar
ogen en viel acuut in slaap.

Die nacht werd ze een keer wakker en trof Jack slapend naast
haar aan, met een arm op haar schouder en zijn lichaam tegen
het hare. Ze bleef stil liggen en was zich bewust van het bewegen van zijn borstkas en de warmte van zijn arm om haar heen.
Ze dacht terug aan die kus op het station en die vreemde momenten de vorige ochtend, toen ze zichzelf erop had betrapt
dat ze naar hem verlangde. Gevaarlijke gedachten. Ze pakte
voorzichtig nog een blok hout – ze wilde hem niet storen –
legde het op het vuur en sloot haar ogen, dwong zichzelf verder
te slapen.

Ze stonden de volgende ochtend vroeg op. Nadat ze hadden
ontbeten met de restjes van het eten gingen ze weer op pad. Het
terrein was nu beter begaanbaar, een reeks licht glooiende weilanden, en toen een boerderij, waar ganzen liepen en kinderen
met een bal speelden.

Tegen het middaguur liepen ze de bewoonde wereld in, met
bestrate wegen in plaats van gras. Ze dronken koffie in een café.
Freddie tuurde in het piepkleine toilet in de spiegel en probeerde
haar haar netjes te krijgen.

Meer huizen, winkels en straten. Verderop was een gat tussen
de huizen en de lucht was zilvergrijs. Daar, zei Jack terwijl hij

wees, was de zee. Freddie rook het zout in de lucht en hoorde zeemeeuwen krijsen.

Jack bestelde in een bar twee glazen cognac en vroeg of hij de telefoon mocht gebruiken. Een lang, smekend gesprek in het Italiaans volgde. Freddie ging aan een tafeltje bij het raam zitten en dronk haar cognac.

Jack kwam terug naar het tafeltje. 'Ze komt ons met de auto halen.'

Ze, dacht Freddie. Jack Ransomes kennis was een zij.

Een halfuur later keek hij uit het raam. 'Daar heb je Gabriella. Kom op.'

Ze liepen naar buiten. Een sportauto was langs de stoep tot stilstand gekomen en een jonge vrouw leunde uit het open bestuurdersraam. Haar haar was bedekt met een gestippelde zijden sjaal en haar mooie gezicht was perfect opgemaakt.

'Jack, wat zie je er vreselijk uit.'

'Fijn dat je ons komt halen, Gaby. Ik waardeer het zeer.'

Ze keek hem ijzig aan, maar bood haar wang aan voor een kus.

Hij zei: 'Gabriella d'Aurizia, dit is Freddie Nicolson. Freddie, Gabriella.'

'Ik doe dit voor je vriendin, Jack, niet voor jou,' zei Gabriella hooghartig. 'Stap maar snel in.'

Freddie ging op de smalle achterbank van de Lancia zitten. Jack stapte naast Gabriella in, die de auto startte. Al snel viel Freddie in slaap, maar haar oogleden schoten af en toe geschrokken open door de hevigheid van de ruzie die zich afspeelde op de voorstoelen, of doordat Gabriella een scherpe bocht nogal krap nam.

Ze bereikten een witte stenen villa met een tuin, een stukje van de kustweg af. Ze werden een stenen trap op geleid, een majestueuze deur door en een marmeren hal in. Een bediende nam Freddies regenjas aan en een andere haar koffer; een derde leidde haar een brede trap op naar een elegante in wit en goud in-

gerichte slaapkamer en liet in de belendende badkamer het bad
vollopen. Het water was heet en diep, met geurend schuim erin,
en Freddie lag met gesloten ogen en vingers die zacht door het
schuim bewogen te weken. Even later stapte ze uit het water,
droogde zich af en trok de badjas aan die de bediende voor haar
had achtergelaten. Ze veegde de condens van de spiegel. Haar
donkere haar hing sluik en steil om haar gezicht, dat rood was
van de hitte. Schoonheid was moeilijk te definiëren; waarom
kreeg je van sommige gezichten – zoals dat van Tessa – nooit genoeg? Had haar eigen gezicht iets van dat magnetisme, van die
macht?

Ze liep terug naar de slaapkamer. Er lagen een zwarte pantalon en een mintgroene blouse – van Gabriella, nam ze aan – op
het bed. Ze trok ze aan en liep naar beneden.

Ze hadden nog steeds ruzie. Freddie liep op het geluid van de
boze stemmen af.

'Ah, daar heb je juffrouw Nicolson,' zei Gabriella, haar stroom
van beschimpingen onderbrekend. Ze vroeg glimlachend: 'Heb
je honger? Dat dacht ik al. Dan gaan we eten.'

Ze lunchten op het terras, dat uitkeek over een schitterende
tuin. Jack zei tijdens het eten nu en dan iets tegen Gabriella, die
daarop reageerde met sarcastische opmerkingen. Toen kwam
een bediende melden dat de dokter er was, waarop Gabriella
zich verontschuldigde en met Jack het huis in liep.

Toen Gabriella terugkwam, zei ze laatdunkend tegen Freddie:
'Jack is gek. Dat heb ik hem ook gezegd. Hij had wel dood kunnen zijn.' Ze schonk nog een glas wijn voor Freddie in. 'De dokter kan zijn enkel wel genezen, waar wat moet je met zo'n karakter?' Freddie mompelde instemmende geluiden.

Freddie bracht de middag in de tuin van de villa door. Het
voelde als een bizar contrast, bijna te groot om te verwerken: de
vredigheid en rust van deze prachtige tuin en de angst en uitputting van de vorige dag. Gabriella deelde tijdens het avondeten mee dat ze iemand had geregeld die hen de volgende dag

naar Frankrijk zou varen. Freddie sliep die nacht in de wit-gouden kamer, waar haar hoofd rustte op heerlijk zachte kussens en een dekbed met zijden hoes haar warm hield; het enige geluid dat ze hoorde was het geruis en gefluister van de zee, dat door een open raam naar binnen kwam.

De meid kwam haar de volgende ochtend al vroeg wekken. Ze trok de gordijnen open, die grijzig ochtendlicht naar binnen lieten. Freddie keek op haar horloge. Het was vijf uur.

Ze dronk de koffie en at het broodje en het fruit dat de meid op een dienblad voor haar had meegenomen. Toen waste ze zich en kleedde zich aan. Haar kleding, schoon en gestreken, lag zomaar klaar.

Ze liep naar beneden. Gabriella en Jack stonden in de hal. Jack droeg buitenkleding en een rugzak. Gabriella had een gebloemde zijden jurk, zijden kousen en pumps aan.

Ze glimlachte naar Freddie. 'Juffrouw Nicolson. Ik hoop dat u goed heeft geslapen.'

'Heel goed, dank u.'

'We moeten gaan, Freddie,' zei Jack. 'Er wacht een boot op ons en we moeten rekening houden met het tij.'

Gabriella reed hen langs een kustweg. De auto reed uiteindelijk een vissersdorpje binnen. Huizen leken van de heuvels af te rollen en zich te verzamelen rond een hoefijzervormige haven. Bootjes dobberden op een inktkleurige zee, die een parelmoeren glans had in het eerste ochtendlicht.

Met tikkende hakken leidde Gabriella hen over de flagstones een havenarm in. Twee mannen waren bezig vismanden te laden op een boot die de Rondine heette. Bij het afscheid pakte Gabriella Freddies handen vast, kuste haar op beide wangen en zei dat ze hoopte dat ze elkaar nog eens onder betere omstandigheden zouden ontmoeten. Jack kuste ze veel langer, daarna gebaarde ze het tweetal de boot op.

Ze kregen te horen dat ze in de kajuit moesten blijven tot ze op open zee waren. Freddie luisterde naar het gepruttel van de benzinemotor en het gegil van de meeuwen. De Rondine, legde Jack uit, zou hen naar een rustig stukje van de Côte d'Azur brengen. Iemand zou Freddie op het strand ophalen en haar naar het station in Nice brengen, waar ze dan een trein naar Parijs kon nemen.

'De plannen zijn gewijzigd,' vervolgde hij. 'Ik reis niet met je terug naar Engeland. Ik heb gisteravond wat mensen gebeld en ik moet een omweg nemen. Jij redt je wel in je eentje, toch?'

'Ja hoor. Ik zal blij zijn als ik van jou af ben.'

'Dat vermoedde ik al.' Hij keek haar nieuwsgierig aan. 'Wat ga je doen?'

'Ik ga terug naar mijn huis, mijn baan en mijn vrienden. Ik pak mijn rustige en overzichtelijke leven weer op. Ik kan niet wachten.'

'Dat zal misschien niet lang meer rustig en overzichtelijk blijven.'

Ze keek hem aan. 'Ik maak me graag nuttig, Jack. Als er oorlog uitbreekt, vind ik wel iets om te doen.'

'Daar twijfel ik geen moment aan.' Hij keek uit een patrijspoort. 'Zullen we het dek opgaan?' Hij draaide zich om en glimlachte naar haar. 'Maar als we zouden willen, zouden we het allemaal natuurlijk ook kunnen omzeilen.'

'Hoe bedoel je?'

'We kunnen er samen vandoor gaan. De oorlog uitzitten in Zuid-Amerika.'

'Doe niet zo raar, Jack.'

Hij haalde zijn schouders op. 'Het was maar een idee. Als je straks maar niet gaat klagen dat ik het niet heb aangeboden.'

Freddie trok haar vest aan, zette haar hoed op en liep de hut uit om op de achtersteven te gaan zitten. Jack ging de vissers helpen.

De zon klom steeds hoger in de lucht, de Ligurische kust veranderde in een smalle grijze lijn en de zeemeeuwen die de boot de haven uit waren gevolgd vlogen terug naar land. Freddie dacht aan haar appartementje, dat in South Kensington op haar wachtte. Ze sloot haar ogen en hief haar gezicht naar de zon.

De uren verstreken en er was niets anders dan de zee en de lucht, en in de verte, als zwarte letters op een blauwe pagina, hier en daar een vissersboot. 's Middag aten ze de lunch die Gabriella had meegegeven aan Jack. Freddie moest zijn weggedut door de rode wijn. Ze lag te slapen toen Jack haar wakker schudde.

'Freddie, we zijn er.'

Ze opende haar ogen en keek om zich heen. De golven sloegen tegen de rotsen aan beide kanten van het kleine strand dat aan de baai lag. De vissers hadden de zeilen laten zakken en de Rondine gleed op de buitenboordmotor de baai binnen.

'Zijn we in Frankrijk?' vroeg ze.

'Ja. De auto wacht op ons.'

Boven op het klif weerkaatste het zonlicht in een flits op de voorruit. 'Ze brengen haar zo dicht mogelijk bij de kust,' zei Jack. 'Daarna zul je moeten waden, vrees ik. Of je mag op mijn rug, als je dat liever wilt.'

Ze wierp hem een vernietigende blik toe en trok haar sandalen uit. Een paar minuten later liet Jack zich over de zijkant van de boot zakken. 'Kom maar,' zei hij, en hij strekte zijn armen naar haar uit.

Ze werd uit de boot getild. Het zeewater voelde koel en fris aan terwijl ze naar de kust waadde, met haar sandelen in één hand. Jack droeg haar koffer. Toen hij het strand bereikte, zwaaide hij en riep: *'Salut, Auguste, ça va?'* Toen ze opkeek, zag Freddie een man langs het smalle rotspad omlaag rennen.

Jack draaide zich naar Freddie toe. 'Hier.' Hij drukte een stapeltje franken in haar handen.

'Jack, dat kan ik niet aannemen.'

'Dit is voor je treinkaartje en voor hotels. Ik zie niet in waarom je zonder geld op zak zou moeten zitten vanwege mij. Neem

266

het nou maar aan.' Hij keek even naar de boot. 'Auguste zal voor je zorgen, Freddie. En… dank je wel. Het was een…'

'… een ervaring,' maakte ze droogjes zijn zin af. 'Een ervaring die ik liever nooit meer overdoe.'

'Is dat zo?' Jack grinnikte 'Ik heb er anders nogal van genoten. Vaarwel, Freddie. *Bon voyage.*'

Ze stak haar hand uit, maar hij negeerde die en omhelsde haar. Auguste, die jong, tenger en donker was, voegde zich bij hen. Er volgde een korte uitwisseling van rap Frans, Freddie en Auguste werden aan elkaar voorgesteld, en toen waadde Jack terug naar de boot.

Auguste pakte haar koffer en samen liepen ze het strand over. Het zand voelde warm en zijdezacht onder haar blote voeten. Zeemeeuwen cirkelden rond in een wolkeloze lucht. Aan de voet van het klif keek Freddie om. Jack had de Rondine bereikt en hief zijn arm om hen te groeten. Daarna begon de motor te brullen en voer de boot weg van de kust.

9

Op 23 augustus tekenden Duitsland en Rusland in Moskou een pact. Beide landen beloofden neutraal te blijven als de ander een oorlog zou beginnen. Het pact, zo besloten de bewoners van Mayfield Farm in een lange discussie tijdens het avondeten, gaf Duitsland groen licht om Polen binnen te vallen.

Het gezin Mickleborough ging het weekend bij vrienden in Londen logeren. David Mickleborough was van plan in dienst te gaan, als een van de legeronderdelen hem tenminste wilde. John en Romaine Pollen waren al naar Amerika vertrokken. Ze zeiden dat ze pacifistisch waren en niet betrokken wilden raken bij de oorlog van anderen.

Rebecca kookte een avondmaaltijd van lamsvlees met groente. Ze schepte een bord op voor Connor Byrne, dat ze afdekte en naar de schuur bracht. Nadat ze zelf had gegeten en opgeruimd, ging ze aan de keukentafel het servies op het afdruiprek zitten schetsen.

Connor kwam de keuken binnenlopen. Zijn gehavende corduroy broek en geruite overhemd waren wit van steenstof. Hij was te lang voor de ruimte met het lage plafond en moest zijn hoofd gebogen houden terwijl hij zijn bord en bestek afwaste.

'Je kunt heerlijk koken, Rebecca, dank je.'

Hij keek over haar schouder naar de schets. 'Leuk,' zei hij. 'Er zit kracht in. Maar zijn potten en pannen het enige wat je tekent, Rebecca?'

'Ik ben bang van wel. Ik kan mijn leven eraan afmeten. Ik laat de goden en godinnen aan jou over.'

Hij schoot in de lach. 'Waar is de rest?'

Dat vertelde ze, en ze voegde toe: 'En Noel en Olwen zijn naar de pub om zich te bezatten.'

'Aha. Ik denk dat ik zelf ook een borrel neem. Jij ook?'

'Ja, lekker.'

Connor liep naar buiten en kwam een paar minuten later terug met een fles waar nog een paar vingers whisky in zat. Hij schonk voor allebei een glas in en ging met het zijne in de deuropening staan om de vallei in naar de avondzon te kijken.

'Onvoorstelbaar, hè?' zei hij.

Rebecca zag de foto's van de verwoeste stad Gernika voor zich. Ze vroeg: 'Wat ga jij doen?'

Hij draaide zich om en kwam aan tafel zitten. 'Ik ga terug naar Ierland. Ik heb voor over een paar dagen een ticket geboekt.'

'Zo snel al?'

'Ierland gaat zich niet in de oorlog mengen. We zijn een kersverse natie en we zijn straatarm. En ik wil bij mijn zoon zijn.'

'Je zoon?'

'Hij heet Brendan. Hij is tien. Hij woont bij zijn moeder in Galway.'

Buitengewone gebeurtenissen hadden een bres geslagen in de barricaden die ze om zich heen hadden opgetrokken: de dreigende oorlog, de afwezigheid van alle andere boerderijbewoners.

'Dat wist ik niet,' zei ze.

'Het is ook niet bepaald iets om over op te scheppen: je vrouw en kind verlaten.'

'Wat naar, Connor. Dat zal moeilijk voor je zijn.'

'En jij, Rebecca? Heb jij kinderen?'

Ze schudde haar hoofd.

'Vind je dat erg?'

'Mijn man wilde geen kinderen.' Waarmee ze de vraag ontweek, dat wist ze. Ze probeerde het nog een keer. 'Ik dacht dat ik ook geen kinderen wilde. Maar soms heb ik er spijt van. Vertel eens over je zoon, Connor. Vertel me eens over Brendan.'

Hij glimlachte zijn heerlijk langzame glimlach. 'Ik heb een foto.' Hij maakte een versleten leren portefeuille open, haalde er iets uit en gaf het aan haar.

Het was een kiekje van een jongetje met wild krulhaar. Het kind hield de hand van de vrouw naast hem vast.

'Hij lijkt op jou,' zei ze.

'Vind je? Aoife is ook donker.'

'Is dat je vrouw? Ze ziet er mooi uit.' Ze gaf de foto aan Connor terug.

'Dat is ze inderdaad.' Hij stak de foto terug in de portefeuille en nam een slokje whisky. 'Ik had nooit moeten trouwen. Geen vrouw wil getrouwd zijn met een man die de hele dag in een stuk steen staat te hakken. En die alleen aan hakken kan denken als hij wat anders doet. En die het niet kan schelen waar hij woont, wat hij verdient of wat hij bezit, zolang hij zijn steen maar heeft. Ik heb het nooit erg gevonden om alleen te zijn, zolang ik maar kan werken. Maar Aoife kon er niet tegen. Ze wilde dat ik een echte baan zocht. Ze vond beeldhouwen geen echt werk. Ik heb het een tijdje geprobeerd, maar ik merkte dat ik iemand begon te worden die ik niet wilde zijn. Dus ben ik vertrokken. Ze zijn beter af zonder mij, maar ik ben nooit gescheiden en zal ook nooit gaan scheiden. Aoife is een diepgelovige vrouw. Een huwelijk is voor altijd.'

'Je mist je zoontje vast vreselijk.'

'Inderdaad, heel erg. En als er oorlog uitbreekt, wil ik bij ze in de buurt zijn, hoewel ik nooit meer bij mijn vrouw zal gaan wonen. En jij, Rebecca, wat ga jij doen? Blijf je hier?'

'Ik hoop dat dat kan.' Hij had nog nooit zo openlijk tegen haar gesproken en ze voelde zich verplicht hem ook iets aan te bieden. 'Mijn man en ik gaan scheiden. Ik zou het zelf bij een scheiding van tafel en bed hebben gelaten, maar Milo wilde scheiden. Misschien heeft hij ondertussen een ander. Ik weet het niet. Daarom ben ik bij hem weggegaan. Vanwege al die anderen.'

'Wat een ellendeling.'

De manier waarop hij naar haar keek bracht haar van haar stuk en ze merkte dat ze bloosde. 'In sommige opzichten wel,' zei ze. 'In andere opzichten was hij betoverend. Ik ken niemand zoals hij. Milo is een enorme levensgenieter. Maar ik was niet genoeg voor hem. Hij was rijk en succesvol; hij werd alom bewonderd. Volgens mij had hij het gevoel dat hij daarom het recht had om alles te pakken wat zijn hart begeerde.'

Connor haalde een pakje sigaretten uit zijn borstzak en bood haar er een aan. Ze rookten en dronken even in stilte, en toen zei ze: 'Ik ben niet bij hem weggegaan vanwege die minnaressen. Ik ben bij hem weggegaan omdat ik niet meer van hem hield.'

Connor keek haar aan. Hij had donkerblauwe ogen, met vlekjes goud. Die gouden vlekjes waren haar nog nooit opgevallen.

'Ik neem aan dat die minnaressen daar wel wat mee te maken hadden,' zei hij.

Ze voelde zich aangenaam ontspannen door de whisky. Ze lachte hard. 'Dat is waar, door hen ben ik niet bepaald méér van hem gaan houden, nee. Maar het gekke is dat mijn liefde voor hem is overgegaan door iets wat ik zelf heb gedaan.'

'Hoe lang zijn jullie getrouwd geweest?'

'Negentien jaar.'

Hij floot. 'Dat is lang.'

'In het begin was het heerlijk. Ik hield zoveel van Milo. Ik zag hem als mijn redder.'

'Maar we moeten onszelf redden, hè?'

'Ik denk het. Dat is wel wat ik aan het proberen ben.'

Zijn glimlach deed lachrimpeltjes in zijn ooghoeken verschijnen. 'Is dat waarom je hier bent, Rebecca? Als boetedoening?'

'Ik vind het hier fijn. Moet je nou toch zien... het is hier heerlijk. De cottage waar ik afgelopen herfst zat, dát was pas boetedoening.'

'Zo erg?'

Ze zag de kleine, stenen cottage weer voor zich, trots en eenzaam op die heuvel. 'Hij stond echt letterlijk in niemandsland,' zei ze, 'op de woeste grond in Derbyshire. Ik was ernaartoe met een vriend, Harrison Grey. Die bleek een lapzwans te zijn. Als ik erop terugkijk, denk ik dat hij me alleen wilde omdat ik kon autorijden.' Ze haalde haar schouders op. 'Als ik heel eerlijk ben, moet ik toegeven dat we elkaar hebben gebruikt. Ik was eenzaam en hij kon niet autorijden. Daar was onze vriendschap op gebaseerd, op wederzijds gebruik. Hij is bij me weggegaan en ik heb sindsdien niets meer van hem gehoord. En toen bleek ik bronchitis te hebben. Ik ben met moeite naar Londen teruggekomen en toen ik eenmaal was hersteld vertelde mijn vriendin Simone me over de boerderij. Ik ben erg op Simone gesteld. Ik vind het heerlijk om een vriendin te hebben. Toen ik met Milo was getrouwd, had ik geen echte vriendinnen. Volgens mij had ik die niet omdat ik hem niet vertrouwde.'

Connor schonk haar glas bij. 'Daar heb ik me nooit aan bezondigd, aan rokkenjagen. Aan genoeg andere dingen, maar daar niet aan. En je huis? Kon je daar niet blijven?'

'Daar heb ik helemaal niet over nagedacht, ik ben gewoon vertrokken. Ik ben bang dat ik af en toe erg van dramatische acties hou.'

'Ik heb me altijd afgevraagd of er onder al dat beleefde taalgebruik van de Engelsen misschien enorme woede verborgen ligt.'

'In mij in ieder geval wel,' zei ze zacht. Ze keek naar zijn glas. 'Je drinkt nauwelijks. Je geeft alles aan mij.'

'Dat is omdat ik er in het verleden niet mee kon omgaan. Ik heb altijd een fles staan. Soms raak ik hem weken niet aan, maar ik heb er altijd een bij de hand om me te helpen herinneren.'

'Waaraan?'

'Aan wat drank met me doet, als ik dat toesta. Ik kan schreeuwen en vechten als geen ander. Ik was ongelukkig, maar dat is geen excuus.' Hij tipte zijn sigaret aan de asbak af. 'Ik meende het toen ik zei dat Aoife beter af is zonder mij. Ik heb haar of onze zoon nooit met een vinger aangeraakt, dat zweer ik, maar ik voelde af en toe zo'n enorme woede in mezelf dat ik ervan schrok. Op de dag dat ik uit Ierland vertrok, ben ik gestopt met zoveel drinken. Dus je verleent me een dienst door hem voor me op te drinken.'

'Het is goede whisky.'

Hij glimlachte. 'Alleen de beste.'

De zon ging onder; Rebecca zag de lange blauwgrijze schaduwen van de bomen door de open deur.

'Ik was gek op ons huis,' zei ze. 'Het staat acht kilometer van Oxford, een goede plek om te wonen. Het is ooit een molenwoning geweest, en achter de tuin stroomt een rivier. Prachtig landschap, vreselijk Engels, het mooiste van Engeland, vind ik zelf. Het huis was denk ik mijn kunstwerk. Maar na alles wat er was gebeurd associeerde ik het zo sterk met mijn huwelijk dat ik het niet langer kon verdragen om er te zijn. Het huis is nu verkocht, sinds een maand. Ik mis het wel eens, maar niet zo erg als ik had gedacht.'

'Toen je hier arriveerde vond ik je geen typische bewoner voor Mayfield Farm.'

'Waarom niet?'

'De meesten van ons hebben geen cent te makken.'

Ze zuchtte. 'Ik heb inderdaad niet te klagen. Milo heeft de opbrengst van het huis met me gedeeld, dus ik zou best een eigen huisje kunnen kopen. Maar waar zou ik dan moeten gaan wonen? Ik heb Londen geprobeerd en dat haatte ik. Milo en ik ontvingen vaak gasten. Hij is schrijver en mijn leven werd bepaald door de voortgang van zijn boeken. Lange wandelingen als hij met zijn plot bezig was, rust en stilte als hij in zijn verhaal zat en opgetogenheid en feest als hij klaar was. Dat heb ik allemaal niet meer sinds ik bij hem weg ben. Ik voelde me een drenkeling op open zee. Ik heb het platteland geprobeerd, tijdens die desastreuze onderneming met Harrison. Ik ben daar…' ze fronste haar voorhoofd, 'ingestort. Zo. Je bent de eerste aan wie ik dat vertel. Bronchitis klinkt zoveel respectabeler dan een zenuw-inzinking. Ik durf daardoor niet te lang alleen te zijn.'

'Toen je hier net was,' zei hij, 'zag je er beschadigd uit.'

'Is dat zo? Het lukte me nét om overeind te blijven.' Ze nam een slok whisky. Het drong tot haar door dat ze een beetje dronken was, wat ze helemaal niet erg vond. Ze zei zacht: 'Als ik het zo ver-tel lijkt het net of het allemaal Milo's schuld was, maar dat is het niet. Het ergste van alles wat er is gebeurd, was mijn schuld.'

'Je hoeft me niets te vertellen als je dat niet wilt, Rebecca. Als het door de whisky komt, heb je er morgen misschien spijt van.'

'Ik krijg er geen spijt van.'

Een conclusie die haar verraste, maar hij was een stille, gere-serveerde man, en ze voelde dat ze hem kon vertrouwen. Toen stelde ze hem dezelfde vraag die ze de wandelaar met het zilver-grijze haar bij de cottage had gesteld.

'Denk je dat het jouw schuld is als er door jouw toedoen iets vreselijks gebeurt, ook als je het helemaal niet zo hebt bedoeld?'

'Geen idee.' Connor schudde langzaam zijn hoofd. 'Dat is een moeilijke vraag. Wat denk je zelf?'

'Ik heb er sinds ik hier ben heel veel over nagedacht, en ik ben tot de conclusie gekomen dat een deel van de verantwoordelijk-heid bij mij ligt.' Ze ademde diep in. 'Anderhalf jaar geleden kwam ik erachter dat Milo een verhouding had. Hij had al eer-der affaires gehad, en dat had me vreselijk gekwetst, maar deze was erger omdat er een baby was, een jongetje. Milo's kind. Hij zei dat hij het niet had gewild. Hij zei dat hij niet bij me weg wilde. Ik dacht dat ik hem kon vergeven... Nee, dat dacht ik niet. Ik dacht dat ik had gewonnen. Maar ik was zo kwaad. Mijn woede... is niet in woorden te vatten.'

'Als een wezen,' zei hij. 'Als een wild beest dat je bij je strot grijpt.'

'Ja. Zoiets. Dus op een dag heb ik haar gebeld. Dat meisje, Milo's minnares. Ik heb tegen haar gezegd dat Milo niets om haar gaf. En dat Milo een ander had.'

'Was dat waar?'

'Nee. Ik hoorde dat ze overstuur was... En daar genoot ik van.' Rebecca was even stil en nam nog een slok whisky. 'Een paar dagen later hoorde ik dat er een ongeluk was geweest. Dat meisje, Tessa, en de baby – Milo's baby – waren bij een auto-ongeluk betrokken. Zij heeft het overleefd, maar de baby is omgekomen. Hij was nog geen drie maanden, Connor.'

'Mijn god.' Hij blies zijn adem uit.

'Het ongeluk was op de route naar Oxford gebeurd. Tessa was onderweg naar Oxford, dat weet ik zeker. Ik heb navraag gedaan en ze moet kort nadat ik haar had gebeld zijn vertrokken. Ze was op weg naar Milo om erachter te komen of ik haar de waarheid had verteld. Ze was op weg naar Oxford vanwege wat ik tegen haar had gezegd.'

'Weet je dat zeker?'

'Zo zeker als mogelijk is. Ik zal het nooit helemáál zeker weten. In eerste instantie heb ik mezelf van alles voorgehouden. Dat ik niet achter het stuur zat en dat het mijn schuld dus niet was. Dat wat ik had gedaan gerechtvaardigd was. Milo was míjn man, ze had het kind van míjn man gebaard, wat iets heel slechts was. Maar de waarheid is dat ik haar heb gebeld omdat ik haar haatte, Connor. Moge God me vergeven, maar ik haatte zelfs het kindje.'

Hij reikte over tafel en pakte haar hand. Zijn vingers waren warm en eeltig, zijn aanraking was geruststellend. Ze bedacht hoe anders hij was dan Milo, die het morele dilemma hardop zou hebben geanalyseerd en het kapot zou hebben ontleed. Connors stilte was misschien wel veelzeggender. Ineens, heel plotseling, wist ze hoe zwaar ze zich tot hem aangetrokken voelde, en op datzelfde ogenblik besefte ze dat ze nog niet klaar was voor een serieuze relatie.

Ze gaf een kneepje in zijn hand en trok de hare terug. 'Ik heb Milo nooit over dat telefoontje verteld,' zei ze. 'Ik kon het niet. Ik schaamde me. Na het ongeluk dacht ik dat ik bij hem zou blijven. Hij had me namelijk nodig. Hij had zijn kind verloren.

Hij heeft altijd steun bij mij gezocht als er iets misging in zijn leven. Hij heeft die maanden reuze zijn best gedaan, maar…'

'Je hield niet meer van hem.'

'Nee. Hij is niet naar de begrafenis gegaan. Ik ben gegaan, maar hij niet. Hij zei dat hij te veel overstuur was. En hij heeft wel gerouwd, om het kind en om Tessa, dat weet ik zeker. Maar het was zo laf van hem, Connor, om zich gewoon maar te verstoppen. Maar toen… leek hij het achter zich te laten. Milo heeft nooit veel last gehad van een schuldgevoel – soms heb ik hem daarom benijd. Het was bijna alsof alles, die affaire, het kind, alsof het nooit was gebeurd. Daarom verachtte ik hem. En mezelf ook, om wat ik had gedaan en omdat ik niet eerder had gezien wie hij was. En uiteindelijk stond mijn geheim als een muur tussen ons in. Ik kon er niet overheen kijken.' Ze glimlachte verbitterd. 'Dus behalve het kind heb ik ook mijn liefde voor Milo omgebracht.'

'Je hebt het kind niet omgebracht,' zei hij. 'Dat kwam door het auto-ongeluk, of door God, afhankelijk van hoe je ernaar kijkt. En je kunt niet alles overleven.'

'Inderdaad. Daar ben ik ook achter.' Ze was nu echt dronken, en blij toe. Ze duwde haar glas over tafel naar Connor, die de laatste vinger whisky voor haar inschonk.

'Ik heb dit nog nooit aan iemand verteld,' zei ze.

'Ik hou het voor mezelf.'

'Haat je me nu?'

'Ik zou jou nooit kunnen haten, Rebecca.' Hij glimlachte vriendelijk. 'Je bent een goed mens, dat kan ik zien.'

Ze schudde haar hoofd. 'Nee.'

'Goede mensen kunnen slechte dingen doen. Je moet jezelf vergeven.'

'Dat kan ik niet.' Ze zette haar glas neer. 'Maar bedankt voor het luisteren.'

Hij glimlachte. 'Dat heb ik altijd als een van de beste kanten van mijn geloof gezien: dat je iemand hebt om tegen te biechten.'

'Geloof je nog?'

'Ik ga niet meer naar de kerk.'

'Dat is niet hetzelfde, Connor.'

Hij sloeg zijn handen ineen. Ze waren groot, centimeters langer en breder dan die van haar, en geïmpregneerd met steenstof. 'Ik heb zoals je weet mijn eigen goden.'

'Manannán mac Lir, de zeegod…' Ze liep onvast naar het fornuis om een ketel water op te zetten. 'Toen ik in die cottage was,' zei ze, 'dacht ik op een dag dat ik een engel zag.'

'Een engel? Rebecca toch.' Hij sloeg zijn armen over elkaar en ging er eens goed voor zitten. 'Vertel.'

Ze lepelde koffie in de pot en leunde met haar billen tegen het fornuis terwijl het water opstond. 'Hij zag er niet uit als een engel. Geen vleugels en geen halo. Hij zag eruit als een wandelaar. Hij zal ook wel een wandelaar zijn geweest. Er liepen daar vaak wandelaars. Ik was heel erg ziek, ik was al dagen alleen, en dan raak je je tijdsbesef kwijt en ga je je dingen inbeelden, toch? Maar hij had zo'n lieve glimlach, die zal ik nooit vergeten. Toen hij weg was, voelde ik me beter. Ik wist weer wat ik moest doen. Een dag of twee, in ieder geval.'

'Heb je met hem gesproken?'

'Ja, best lang. Hij heeft me advies gegeven. Hij zei dat ik naar de dokter moest, wat heel goed advies was, en hij zei dat ik het moest loslaten. Ik had geen flauw idee wat hij daarmee bedoelde, maar het is denk ik wel wat ik heb gedaan. Ik heb mijn oude leven losgelaten.' Rebecca schonk kokend water over de gemalen koffie. 'Ik heb geen idee waar ik naartoe ga en misschien eindigt het allemaal wel rampzalig, maar ik doe tenminste wel mijn best.' Ze roerde in de koffiepot en zei zacht: 'En zo gek… toen hij eenmaal weg was, kon ik nergens voetstappen vinden. Het had kort daarvoor geregend, en er hadden voetafdrukken in de modder moeten staan. En toen bedacht ik dat het een engel was geweest.'

'Dat is een mooie gedachte,' zei Connor, 'een engel die op de woeste grond zijn vleugels krijgt.'

'Ja, hè? Ik denk vaak aan hem. Als ik iets moeilijk vind, probeer ik te bedenken wat hij me voor raad zou geven. Ik weet dat het gek is, maar dat is wat ik doe.' Ze pakte twee mokken en schonk de koffie in. Toen zei ze: 'Ik ben tot de conclusie gekomen dat het mijn lot is te leren leven met wat ik heb gedaan. En als ik me ellendig voel, denk ik aan hem. Dan denk ik aan mijn engel.'

Twee dagen later verliet Connor de boerderij. Zijn onvoltooide werk werd ingepakt om naar Ierland te worden verscheept, als dat een haalbaar plan zou blijken te zijn.

Hij klopte voor zijn vertrek bij Rebecca aan. Ze wensten elkaar geluk en namen afscheid, en toen zei hij: 'Ik had je graag beter willen leren kennen. Schrijf je me, Rebecca?'

'Ja, Connor, heel graag,' zei ze.

Toen kuste hij haar op de wang en vertrok.

Ze miste hem. Het verraste haar hoeveel ze hem miste. Tijdens zijn afwezigheid heerste er een leegte op de boerderij. Hij was een zwijgzame man, dacht ze, maar hij leek toch stilte achter te laten.

Op 1 september marcheerden Duitse troepen Polen binnen. Dezelfde dag vernietigde de Luftwaffe een groot deel van de Poolse luchtmachtvliegtuigen voordat die ook maar de kans hadden om op te stijgen. Bommen sloegen in op wegen, spoorwegen en steden. Groot-Brittannië en Frankrijk, bij verdrag gebonden Polen te hulp te schieten als het zou worden aangevallen, verklaarden Duitsland twee dagen later de oorlog.

Rebecca zat in de keuken van Mayfield Farm toen ze Neville Chamberlain de natie hoorde mededelen dat Groot-Brittannië in oorlog was met Duitsland. Nadat de premier zijn toespraak had beëindigd draaide David Mickleborough de radio uit. Olwen Wainwright zat te huilen, en haar man, die in de Grote Oorlog had gevochten, mompelde: 'Wat een verspilling,' waarna hij opstond en de kamer uit liep. De jongens Mickleborough renden buiten met uitgestrekte armen op het erf rond en speelden dat ze vliegtuigen waren.

Rebecca ging naar haar kamer en schreef Meriel een brief. Toen leende ze een fiets en reed naar Tunbridge Wells. Er stond een rij bij de telefooncel; ze oefende terwijl ze stond te wachten wat ze zou gaan zeggen. Waar was ze banger voor, vroeg ze zich af, voor wat ze ging zeggen of voor de oorlog?

Ze was aan de beurt; ze liep de telefooncel in, belde de telefoniste en deed wat ze al achttien maanden had uitgesteld: ze belde haar moeder.

Deel 3

Gouden jongens en meisjes

1940-1944

10

Tegenwoordig was ze voorzichtig. Ze heette nu Tessa Bruno, vriendelijk en anoniem, een weduwe uit een obscuur dorpje in een onbekende vallei. Ze had valse papieren, wat Freddie diep schokte, maar ze deden hun werk.

Freddie had geprobeerd haar over te halen naar huis te gaan. Naar huis. Een week, een dag, een uur nadat ze eind oktober 1938 de grens naar Italië was overgestoken, had Tessa geweten dat ze thuis was. Er was een last van haar schouders gevallen; de lucht die ze inademde was bekend en geruststellend.

Ze had een tijdje bij een bevriende modeontwerper aan het Comomeer gelogeerd. Ze had in het verleden met Fabio gewerkt: hij en zijn minnaar, Jean-Claude, verwelkomden haar hartelijk. Het was een elegant huis met een prachtige tuin, die aan het meer grensde. Ze wandelde wat, las wat en sliep heel veel. Na een tijdje drong het tot haar door dat Fabio het wist, en dat kon ook niet anders, want hij roddelde wat af, en de wereld van haute couture dreef op roddel en achterklap. Dus was ze verder gegaan, eerst naar Venetië, waar ze kort de minnares van een gedistingeerde weduwnaar was. Maar er gebeurde in Venetië iets met haar, er steeg een kwetsbaarheid naar de oppervlakte, opgeroepen door het donkere, melancholieke water van de grachten en door eilanden die op de wintermist leken te drijven. Ze vertrok doelloos en gedeprimeerd uit de stad.

De maanden die daarop volgden waren chaotisch, een caleidoscoop van ontmoetingen en vaarwels, van minnaars en reizen. Toen het allemaal gebeurde had ze gedacht dat ze probeerde afleiding te vinden. Nadien vroeg ze zich af of ze zichzelf had gestraft.

Een van haar minnaars, een louche, wild en onvoorspelbaar type dat op de rand van de respectabiliteit leefde, had de vervalste papieren voor haar geregeld. Ergens tussen Bologna en Florence was ze signora Bruno geworden, een ingetogen, respectabele weduwe. Ze vond een appartementje in Oltrarno en een baantje in een kledingwinkeltje aan de Via de' Tornabuoni. Ze leerde rondkomen van haar schamele inkomen. Ze kookte zelfs voor zichzelf, hoewel ze er niet goed in was.

Toen ze weer in Florence was, herinnerde dat haar aan Guido Zanetti. Guido was haar eerste minnaar geweest. Tijdens het herontdekken van de stad waarin ze waren opgegroeid, herinnerde ze zich ook weer het genot en de pijn van de eerste liefde, een stekelig soort zoetheid. Ze kwam er door discrete vragen te stellen achter dat Domenico Zanetti was gestorven en dat Guido de zijde-ateliers van zijn vader had overgenomen. Hij woonde met zijn vrouw en kind in het Zanetti-palazzo aan de Via Ricasoli. Guido zou bijna dertig zijn. Misschien was zijn koninklijke aantrekkelijkheid ondertussen vervaagd. Hij zou dikker zijn geworden rond zijn middel en zijn donkere krulhaar zou inmiddels terugtrekken boven de slapen. Hij zou een getrouwde man zijn en misschien een tikje zelfingenomen zijn geworden. Ze zouden niets meer met elkaar gemeen hebben.

Italië bleef tot Tessa's enorme opluchting na de inval van Duitsland in Polen neutraal. Misschien kon ze het eenvoudige leven dat ze voor zichzelf had gekozen voortzetten. Misschien zou ze weinig merken van de oorlog. Maanden verstreken. Ze vermeed intieme vriendschappen en gebruikte haar aangenomen rol van weduwe om sociale uitnodigingen van de andere meisjes uit de winkel af te slaan. In het antiquariaat onder haar woning werkte een vrolijke, dikke, bebrilde man van in de dertig die altijd goedemorgen tegen haar zei. Ze dronk wel eens koffie met hem in het smalle, donkere winkeltje waar het naar oud papier en spinnenwebben rook. 'Ik zou je mee uit eten vragen,' zei hij op een avond toen hij de winkel aan het afsluiten was, 'als ik zou denken dat er ook maar de kleinste kans was dat je ja zou zeggen, maar die is er niet, hè?'

Ze had geleerd niet de eerste stap te zetten. Als je niet met een man uit eten ging, zou je hem ook niet kussen. Als je hem niet op je verjaardagsfeest uitnodigde, eindigde je niet met hem in bed. Als je voorzichtig was, werd je niet verliefd op de verkeerde man en raakte je niet gekwetst. Nu ze erop terugkeek had Tessa het gevoel dat veel van haar minnaars foute mannen waren geweest.

Ze voelde zich tijdens die zware winter van 1939-1940 vaak enorm eenzaam. De zondagen waren het ergst, met het gedwongen nietsdoen en de gelukkige gezinnetjes die in hun mooiste kleren over straat paradeerden. Ze had geen idee wat ze met zichzelf moest op zondag – wat naaien, lezen, kleren wassen, wandelen – en het was dan nog moeilijker om de spijt, die op haar drukte als de muren van haar kamer, op afstand te houden.

Op een bitterkoude zondag toen de hemel een laaghangend solide stuk grijze leisteen leek liep ze naar het station om naar de vertrektijden te kijken. Ze zou teruggaan naar Engeland; ze miste Freddie. Of naar Parijs: ze was altijd dol geweest op Parijs. Maar de volgende ochtend waren de wolken verdwenen en schitterde de reflectie van de blauwe lucht in het water van de Arno. Ze volgde altijd haar intuïtie en het voelde goed om hier nu te zijn, in deze stad, ondanks haar eenzaamheid en ondanks het gevaar. Liep ze ergens voor weg? Ze nam aan van wel. Weigerde ze de realiteit in de ogen te kijken, zoals Freddie had geïnsinueerd? Nee, ze dacht van niet. Je kon hier de geschiedenis bijna aanraken, de oude liefdes, het oude verdriet, de jaloezie en spijt stonden bijna in de stenen op de straten gegrift, donker glanzend in de schaduw in een steegje. Er waren hier gruwelijke dingen gebeurd; deze stad veroordeelde haar niet.

Ze wist dat ze wachtte, dat ze wachtte tot ze een doel in haar leven vond.

Het werd lente en er hing een warmte in de lucht waar je vrolijk van werd. Tessa had diep in haar hart altijd geweten dat Hitler het niet bij Polen zou laten. In april vielen zijn legers eerst Denemarken en toen Noorwegen binnen. Noorwegen capituleerde op 1 mei.

Tessa spaarde en kocht een oude radio op de vlooienmarkt. De man van de boekwinkel, die verstand had van radio's, knutselde eraan tot er een blikken stemmetje door de luidspreker klonk. Je voelde de spanning bijna hangen in de stad; ze leek in de lucht te trillen als een te strak gespannen snaar op een viool. In de kledingwinkel giechelden en gilden de meisjes om de kleinste dingetjes, en ze schreven huilend brieven aan hun verloofden die in het leger zaten.

Tessa werd ook aangestoken door de rusteloosheid. Ze wandelde regelmatig, rookte veel en schreef brieven aan Freddie in Londen, waarin ze haar smeekte naar het platteland te verhuizen – naar Land's End, naar John o'Groats, zo ver mogelijk van de hoofdstad vandaan, waar de bommen zouden vallen. Een paar dagen na de val van Noorwegen wandelde ze in de Boboli-tuinen. Ze liep over het lange middenpad toen ze hem zag. Guido was met zijn vrouw en dochtertje. Hij was dik noch kalend en ze herkende hem op slag. Ze overwoog rechtsomkeert te maken en zich achter de cipressen langs het pad te verstoppen. Maar iets maakte dat ze doorliep, misschien was het een behoefte zichzelf te testen. Misschien herkende hij haar wel niet. Ze was ouder geworden, alledaagser, met korter haar en een litteken op haar voorhoofd. Misschien was hij haar vergeten.

Ze kwamen dichterbij. Zijn vrouw, slank en blond, in een wit mantelpakje en een donkerroze blouse en hoed, lachte. Het kindje in de wandelwagen had vlaskleurige krullen en droeg een wit jurkje met ruches. Ze passeerden elkaar – hij herkende haar niet – en het was weer voorbij. Natuurlijk was het voorbij. Het was al zo lang geleden.

'Tessa.'

Het geluid van zijn stem; ze herinnerde zich nog hoe die haar ooit had doen sidderen. Ze draaide zich om.

'Tessa, je bent het echt!' Hij stak het pad naar haar over.

'Dag Guido,' zei ze. 'Hoe is het?'

'Uitstekend. En met jou?' Er stond verwarring en schrik in zijn ogen. En genot, dacht ze. 'Wat fantastisch om je te zien!' zei hij. 'Waar logeer je?'

Guido's vrouw zei vriendelijk: 'Lieverd...'

'Sorry Maddalena, dit is Tessa...'

'Tessa Bruno.' Ze nam Maddalena Zanetti's wit gehandschoende hand aan. 'Leuk u te leren kennen, signora.'

'Dat is wederzijds, signora Bruno.'

Tessa glimlachte naar het kind in de wandelwagen. 'Wat een plaatje.'

'Ze heet Lucia,' zei Maddalena, 'maar we noemen haar altijd Luciella.'

'Hoe oud is ze?'

'Bijna drie.'

'U zult wel apetrots op haar zijn.' Tessa legde Maddalena Zanetti uit: 'Guido en ik kennen elkaar uit onze kindertijd. We speelden altijd samen.'

'Ben je hier op bezoek?' vroeg Guido. 'Hoe lang blijf je?'

'Ik woon hier,' zei ze. 'Sorry,' – ze keek op haar horloge – 'maar ik moet verder. Het was leuk jullie te zien.' Ze schudden elkaar nogmaals de hand. 'Dag Guido. Dag signora.'

Ze liep verder. Lang geleden, in de zomer van 1933, had ze het gevoeld als hij naar haar keek. Dan keek ze steels over de tafel bij het diner en daar zat hij dan: donker aantrekkelijk, rusteloos, broeierig. Als ze uit school naar huis liep trok er soms ineens iets aan haar, en als ze dan opkeek zag ze hem aan de andere kant van het piazza, alsof een onzichtbaar koord hen verbond. Ze voelde hem nu ook: zijn starende blik als twee speldenprikken tussen haar schouderbladen. Tessa duwde haar nagels in haar handpalmen en haastte zich de trap op.

Toen ze twee dagen na hun ontmoeting in de Boboli-tuinen uit haar werk kwam, stond hij bij haar huis op haar te wachten.

'Guido,' zei ze. 'Hoe heb je me gevonden?'

'Ik heb wat rondgevraagd. Zo moeilijk was het niet. Je werkt toch bij Ornella?' Zo heette de kledingwinkel. 'Ik ken iedereen in de Via de' Tornabuoni,' voegde hij toe. 'Het verrast me dat we elkaar niet eerder zijn tegengekomen.'

Hij keek de steeg in. Boven hun hoofden hingen lijnen met wasgoed bewegingloos in de verstilde lucht. Een man in een kapotte corduroy broek en een hemd vol olievlekken stond aan een motorfiets te sleutelen. Een groepje kinderen was met een oranje kist aan het spelen en deed of het een auto was. Ze sleepten hem heen en weer over de keitjes terwijl ze ruzieden over wie er aan de beurt was om erin te zitten. Guido's bovenlip krulde een beetje op.

'Ik begrijp het niet, Tessa,' zei hij. 'Waarom heb je me niet gebeld? Waarom heb je me niet verteld dat je terug bent?'

Ze zuchtte. 'Kom binnen, Guido. Het is een lange dag geweest, ik ben moe en ik wil zitten.'

'Je echtgenoot…'

'Ik ben niet getrouwd.'

Ze deed de deur open en hij volgde haar het pand in. Ze liet hem het appartementje binnen en bood hem een glas wijn aan.

'Nee, dank je. De ouders van Maddalena komen vanavond eten. En ik wil Luciella nog even zien voordat het kindermeisje haar in bed legt.' Hij ging niet zitten, maar liep naar het raam en keek naar buiten. 'Dus je bent niet getrouwd. Weduwe?'

'Nee.'

Hij fronste. 'Gescheiden?'

'Ook niet. Ik ben nooit getrouwd geweest.' Tessa vertelde hoe het zat met signora Bruno uit het obscure dorpje in de onbekende vallei. 'Het leek me het beste zo,' voegde ze toe. 'Ik zou het nu erg moeilijk hebben in Florence met een Engelse achternaam. Alles is in orde, Guido, ik heb papieren op naam van Bruno.'

Hij had zijn ogen half dichtgeknepen. 'Valse papieren?'

'Ja.'

'Tessa, waar ben je mee bezig?'

'Ik moest een Italiaanse naam hebben om werk te kunnen vinden. En een huis. Ik had ze nodig om wat dan ook te kunnen doen, eerlijk gezegd. Het zou vreselijk moeilijk zijn zonder papieren.'

'Ben je van plan hier te blijven?'

'Ja, absoluut. Ik ben heel voorzichtig. Ik trek geen aandacht. Ik probeer zo anoniem mogelijk te blijven.'

'Anoniem? Jij?' Hij klonk kwaad. 'Doe niet zo idioot, Tessa.'

'Ik ben veranderd, Guido.' Haar stem verkilde. 'Ik ben niet meer wie ik was. Misschien had ik het je niet moeten vertellen. Misschien had ik tegen je moeten liegen, net zoals ik dat tegen iedereen doe.'

'Begrijp je dan niet dat je jezelf in groot gevaar brengt? Valse papieren, in dit politieke klimaat? Mijn god, Tessa, dat is gekkenwerk!'

'Dit is waarvoor ik heb gekozen. En trouwens, het gaat je niets aan.' Ze keek hem onderkoeld aan. 'Aan onze vriendschap is per slot van rekening heel lang geleden een einde gekomen.'

Hij keek haar razend aan. Hij pakte zijn hoed. 'Inderdaad. Sorry dat ik je lastig heb gevallen.'

Ze liep naar de deur en opende hem. 'Dag Guido,' zei ze. Ze hoorde de echo van zijn voetstappen terwijl hij de trap af rende.

Haar woede ebde weg zodra hij de deur uit was. Ze perste haar lippen op elkaar nu ze merkte dat ze zich neerslachtig begon te voelen. Ze trok in de slaapkamer een lade open en streek met een hand over de inhoud. Ze had foto's, een paar slofjes en een gebreid konijn; dat waren de enige dingen die ze nog van haar zoon had. Er waren nog meer spullen die van Angelo waren geweest, maar die bewaarde Ray tot ze het aankon om er weer naar te kijken.

Ze vond het erg dat ze niets meer wist van haar laatste dagen met hem. Ze vond het vreselijk dat ze zich de laatste keer dat ze hem had vastgehouden niet meer kon herinneren. Zo'n groot deel van zo'n kort leven en toch waren die herinneringen ook weg, verloren in een intense duisternis. De artsen in het ziekenhuis hadden gezegd dat geheugenverlies heel normaal was bij patiënten met hoofdwonden. Misschien dat ze die laatste dagen ooit zou terugkrijgen, misschien ook niet. De dagen en weken na het ongeluk, toen ze in eerste instantie buiten bewustzijn was geweest en daarna gedrogeerd met zware pijnstillers, waren ook weg. Een van die artsen had zijn uitleg van haar geheugenverlies kracht bijgezet met een strandmetafoor: het fijne, droge zand waar de herinneringen aan het verre verleden levendig zijn, dan de ribbels die het zand dichter bij het water vormen en dan het ongeluk en de dagen direct ervoor en erna, die werden meegesleurd door de golven.

Ze had door met vrienden te praten wat gaten kunnen vullen. Ze had die week niet gewerkt omdat Angelo verkouden was. Er was een feest geweest, maar daar was ze niet naartoe gegaan omdat de baby ziek was en zij zich zo moe voelde. De avond voor het ongeluk had Max gebeld. Hij had haar een beetje gedeprimeerd gevonden, misschien doordat ze zoveel alleen was. Ze had altijd zo van gezelschap gehouden.

Het ongeluk was in de buurt van Oxford gebeurd. Tessa nam aan dat ze op weg naar Milo was geweest, niet naar Freddie, want daar ging ze nooit op maandagmiddag op bezoek, en Freddie had verteld dat ze haar niet had verwacht. Freddie had het zelfs aan het hoofd van haar schoolhuis, juffrouw Fainlight, gevraagd, en die had bevestigd dat Tessa niet had gebeld in de dagen vóór het ongeluk. Hoewel het natuurlijk mogelijk was dat ze spontaan had besloten naar Westdown te rijden.

Milo dus. Ze had hem kunnen vragen of ze een afspraak hadden, maar dat had ze niet gedaan. Er waren weken voorbijgegaan voordat ze sterk genoeg was geweest om ook maar te overwegen Milo te bellen of schrijven, en hij was tot die tijd niet één keer bij haar op bezoek geweest en had haar geen enkele brief of kaart geschreven. Ze had geen contact met hem opgenomen, omdat zijn stilzwijgen haar duidelijker vertelde dan welke woorden ook dat hij niet meer van haar hield. Haar wanhoop om zijn daad van verraad, samen met dat andere, veel grotere, verlies, had haar in een diepe, donkere afgrond getrokken. Wanhoop had uiteindelijk plaatsgemaakt voor woede. Kort daarna waren berusting en spijt gekomen, toen het tot haar was doorgedrongen dat ze, voorzover ze dat kon, het verleden achter zich moest laten en moest proberen iets van de verscheurde overblijfselen van haar leven te maken.

Er was ondertussen drie jaar verstreken en ze leek nog steeds de echo van haar woorden tegen Milo Rycroft te horen: *Liefde duurt zolang ze duurt, zo denk ik erover.* Wat naïef, wat destructief. Ze dacht de laatste tijd nauwelijks meer aan hem. Het enige wat ze aan hem had overgehouden waren behoedzaamheid en de wetenschap dat de fouten die ze had gemaakt enorm waren.

Ik ben veranderd Guido, ik ben niet meer wie ik was. Ze had hem de waarheid verteld: ze was niet langer de persoon die ze ooit had gedacht te zijn. Tessa Bruno was net zo goed als welke naam dan ook. Tessa Nicolson bestond niet meer.

Toen ze de volgende dag uit haar werk kwam, stond hij weer op haar te wachten. Hij droeg een schitterend gesneden donker pak met een zijden stropdas en handgemaakte schoenen. Hij was hier niet op zijn plaats, bedacht ze, in dat steegje met de waslijnen en graffiti.

Hij leek uit een dagdroom wakker te schrikken toen ze hem naderde. 'Mijn verontschuldigingen voor wat ik gisteren heb gezegd,' zei hij stijfjes. 'Ik was bezorgd, dat is alles.'

Guido was altijd een trotse man geweest. Tessa wist dat die excuses moeilijk voor hem moesten zijn geweest. 'Misschien was ik ook wat snel boos,' gaf ze toe.

Hij zag er bezorgd uit. Hij sprak zacht tegen haar. 'Er is van alles veranderd namelijk, Tessa. Florence is veranderd. Als ze erachter komen dat je valse papieren hebt, denkt de politie dat je een spion bent.'

'Ik zal voorzichtig zijn, Guido, dat beloof ik.'

Hij keek op naar de lucht, waar maar een klein stukje van te zien was tussen de hoge muren van de panden. 'Het is een mooie avond,' zei hij. 'Zullen we een stukje wandelen?'

Ze liepen over de Via Romana. Guido zei: 'Ik meen het, Tessa. Je bent hier niet veilig. Over een paar weken zijn we misschien in oorlog.'

Ze keek hem aan. 'Denk je?'

'Ik hoop het niet, ik bid van niet,' mompelde hij. 'Bepaalde groeperingen verlangen ernaar, proberen het af te dwingen. Ze ruiken een gemakkelijke overwinning.'

'En jij, Guido? Wat denk jij?'

Hij ademde uit. 'Tot dusverre hebben we ons niet met de oorlog bemoeid en hebben we daar voordeel van. Ik had gehoopt dat het cynisme en de vergeeflijkheid van onze regering ons zouden toestaan die koers te blijven varen. Meedoen aan de kant van de asmogendheden zou gekkenwerk zijn. Daar zouden we aan ten onder gaan.'

Er renden een stuk of zes jongetjes langs, achter een jongen op een kar aan. Een hond snuffelde tussen de dode bladeren in de goot.

Guido zei: 'Je zei gister dat onze vriendschap verleden tijd is. Maar als dat zo is, Tessa, is dat jouw keuze.'

'Nee, dat is niet waar.' Ze dacht terug aan die eerste paar ellendige weken in Engeland: de school, de regen, de scheiding van bijna alles waarvan ze hield. 'Ik heb je geschreven,' zei ze, 'maar je hebt nooit teruggeschreven.'

'Ik heb nooit brieven van je gekregen.'

Ze bleef even staan en fronste haar voorhoofd. 'Dat snap ik niet.'

'Niet één. Niets. En ik heb er… minstens tien aan jou ge-schreven.'

Loog hij? Nee, ze dacht van niet. 'En ik aan jou, Guido,' zei ze. 'Echt waar.' Ze dacht terug aan Westdown, met de vrijgezelle leraressen en de onbegrijpelijke regels. Ze had niet naar een brievenbus mogen lopen; ze had haar brieven aan een mentrix moeten geven, die ze zou posten.

'Dan zal mijn school ze wel hebben onderschept. Misschien mochten we niet aan jongens schrijven. Misschien lazen de le-raressen onze brieven wel. Misschien hebben ze ze verscheurd.'

'Uiteindelijk,' zei Guido, 'heb ik het opgegeven. Ik dacht dat je me was vergeten.'

'Nee, Guido, nooit.'

'Wat is er dan een hoop verspild,' zei hij zacht. 'Waarom ben je teruggekomen naar Florence, Tessa?'

'Omdat ik hier thuishoor.'

'Niet in Engeland?'

'Nee. Ik heb even gedacht van wel, maar dat was een vergis-sing.'

'Was je daar niet gelukkig?'

'In eerste instantie wel.' Ze glimlachte. 'Ik was dol op Londen. Ik vond het heerlijk om mijn eigen geld te verdienen.'

'Wat deed je voor werk?'

'Ik was model. Ik paradeerde in warenhuizen rond voor rijke dames.' Ze nam een pose aan en hij schoot in de lach.

'Was je succesvol?'

'Ja, enorm. Ik leefde er zelf goed van en kon Freddies school ook nog betalen. Daar was ik trots op.'

'En nu werk je in een kledingwinkeltje… Waarom, Tessa?'

Ze voelde zich meteen weer terneergeslagen. 'Omdat er iets is gebeurd,' zei ze.

'Dat litteken op je voorhoofd, ben je er daarom mee gestopt?'

Ze stak in een reflex haar hand op en veegde haar pony over haar voorhoofd. 'Ik heb een auto-ongeluk gehad,' zei ze.

'Was je zwaar gewond?' Ze knikte. 'Arme Tessa,' zei hij.

Ze bleef even staan om een van de rozen die over een muur heen groeiden te strelen. 'Ik heb dingen gedaan waarvoor ik me schaam,' zei ze zacht.

Ze waardeerde het dat hij niet doorvroeg. Daardoor kon ze even ademhalen en over iets anders beginnen: 'Maar de laatste jaren zijn voor jou goed geweest, Guido. Je bent getrouwd. Jullie hebben een beeldige dochter.'

'Ik ben gezegend ja, dat klopt.'

'Hoe heb je Maddalena leren kennen?'

Maddalena was de enige dochter van een rijke Florentijnse familie, vertelde Guido. Ze kenden elkaar al sinds hun kindertijd. Het huwelijk had de zegen van beide families. Maddalena was mooi, elegant en vriendelijk, een ervaren huishoudster, een charmante gastvrouw en een goede moeder voor Luciella.

Zijn beschrijving, vond Tessa, klonk emotieloos. Passie ontbrak. Ze stelde zich hen voor, op zondag op weg naar de kerk: zij sereen en met haar hoofd al bij de komende dienst, en hij een beetje verveeld, rusteloos, zoals hij was, zijn donkere blik afgeleid door de kerkgangers die de trap naar de kerk op liepen, zijn gedachten fragmentarisch.

Ze waren bij de oude stadspoort aangekomen. 'Ik vond het naar te horen dat je vader is overleden, Guido,' zei Tessa. 'Ik was erg op hem gesteld. Is hij lang ziek geweest?'

'Twee jaar. Het was een hel om hem zo te zien. Mijn moeder heeft hem verpleegd.'

'Hoe is het met haar?'

'Het gaat goed met mama. Faustina en zij wonen nu in de villa in Chianti. Mama heeft altijd een voorkeur gehad voor het platteland.'

'Faustina... Hoe oud is zij ondertussen?'

'Eenentwintig.'

'Is ze getrouwd? Verloofd?'

'Geen van beide.' Guido's mondhoeken zakten naar beneden.

'Faustina lijkt het niet erg te vinden dat ze van God en alles verlaten woont. Ik zou ervan gaan drinken.'

Tessa dacht terug aan Faustina Zanetti. *Ergerlijk bazig*, had Freddie altijd geklaagd als ze als klein meisje een middagje bij Faustina had moeten spelen.

'En Sandro?' vroeg ze.

'Die werkt in Bologna.' Guido glimlachte en zijn witte tanden werden zichtbaar. 'Hij bouwt wegen en bruggen. En hoe is het met Freddie, Tessa?'

'Heel goed. Ze werkt op een kantoor in Londen. Ik mis haar verschrikkelijk.'

Zijn donkere ogen, de kleur van pure chocolade, rustten op haar. 'Ga dan terug naar Engeland,' zei hij zacht.

'Dat kan niet,' zei ze. 'Guido, dat kan niet.'

Een tijdje liepen ze zwijgend door. Plotseling sprak ze verder. 'Nu ik erop terugkijk zie ik wel wat een vreemde situatie het was. Mijn moeder en jouw moeder. Mijn moeder ging vaak naar jouw moeders huis. Ze dineerden samen, de vrouw van je vader en zijn minnares. Ik vraag me wel eens af of je moeder het erg vond. Ze móét het erg hebben gevonden.'

'Misschien wist ze het niet.'

'Hoe kan ze het niet hebben geweten? Wij wisten het ook. Je hebt het me zelf verteld, weet je nog, Guido? Je kwam van de universiteit en op een dag vertelde je me dat mijn moeder en jouw vader minnaars waren. Stom van me dat mij dat nog niet was opgevallen.'

'Misschien had ik het voor mezelf moeten houden. Je was eigenlijk nog een kind.'

Ik was oud genoeg, dacht ze. Als ze terugkeek op haar jeugd, waren er dingen die wrongen. Ze had zoveel vrijheid gehad, zo vanzelfsprekende had ze toegang gehad tot kunst en schoonheid, en tegelijkertijd was ze te veel bekend geweest met de passie en het venijn van een volwassen relatie. Ze had de liefde gekend zonder haar echt te begrijpen, had toegekeken hoe haar vader en moeder elkaar pijn deden en dat vanzelfsprekend vonden. Die dingen hadden haar gevormd, dat begreep ze nu.

Op 10 mei marcheerden Hitlers legers de Lage Landen en Noord-Frankrijk binnen. In Florence plakten fascistische groeperingen pamfletten aan de muren waarin werd geëist dat de *duce* Frankrijk en Groot-Brittannië de oorlog zou verklaren. De gesprekken die in de kledingwinkel van Tessa werden gevoerd, gingen over een oorlog die al zo goed als gewonnen was, over de ophanden zijnde capitulatie van Frankrijk en over hoe Groot-Brittannië uiteindelijk verslagen zou worden.

Sommige fonteinen en standbeelden in de stad waren ingepakt in beschermend materiaal; andere waren van hun sokkel gehaald en opgeborgen in een betonnen kelder in de Bobolituinen. Schilderijen werden uit kerken en galerieën gehaald en in villa's in het omliggende platteland ondergebracht, Botticelligodinnen schouder aan schouder met Caravaggio-bravo's, ingepakt in juten zakken op reis over landweggetjes naar kelders, een diaspora van kunst.

De weinige overgebleven Engelse bewoners pakten hun koffers en verdrongen zich bij de laatste treinen naar de grens. Tessa schreef Freddie een brief en ging daarmee naar het station. Daar vroeg ze een van de vluchtende Engelsen de brief in Engeland te posten. De fluit klonk, er kwam een wolk stoom uit de schoorsteen van de trein, en Tessa keek toe hoe de trein van het perron wegreed en uit zicht verdween.

Op 10 juni, toen het Franse verzet tegen de nazi-invasie verslagen was, begonnen de Britten hun troepen van de havens aan het Kanaal terug te trekken en verklaarde Mussolini de oorlog aan de kant van de asmogendheden. Toen Tessa naar huis liep van haar werk, bedacht ze dat er weinig enthousiasme voor de oorlog te bespeuren was. In plaats daarvan waren de straten en piazza's stiller dan gebruikelijk, de cafés halfleeg, en hingen hitte en angst als een doodskleed over de stad.

Thuisgekomen zat ze in de vensterbank te kijken naar de blauwzwarte schaduwen die door de hoge panden in de steeg werden geworpen. Wat een belabberd einde van een belabberd decennium, bedacht ze. Mussolini's opportunisme en Hitlers hebzucht en gewelddadigheid werden gedragen door de besluiteloze en timide houding van de andere westerse machten. Dus waar lag haar loyaliteit, met haar aangenomen naam en valse papieren? Bij de mensen van wie ze hield. Ze voelde met haar hele hart dat dat goed was. Maar nu woonde ze als vijandige vreemdeling in een land waarmee Groot-Brittannië in oorlog was. Mussolini's oorlogsverklaring had haar in groot gevaar gebracht.

Opeens zag ze Guido de steeg in lopen. Ze bekeek hem even, merkte zijn lange passen en de vastberaden trek om zijn mond op, en liep toen naar beneden om hem binnen te laten.

Guido wachtte tot ze in haar woning waren voordat hij iets zei. 'Ik vertrek morgen uit Florence,' zei hij. 'Ik ga naar de officiersopleiding in Modena.'

De hand waarmee Tessa wijn aan het inschenken was verstilde. 'Hoe lang weet je dat al?'

'Niet lang.'

'Hoe lang blijf je weg?'

'Geen idee.' Hij fronste zijn wenkbrauwen. 'Dat hangt af van waar ik word gestationeerd. Mussolini heeft de val van Frankrijk afgewacht voordat hij actie ging ondernemen. Hij denkt dat Groot-Brittannië het alleen niet zal redden en dat de Britse regering binnen een paar weken, of uiterlijk een maand, zal proberen met Duitsland te onderhandelen.'

Tessa dacht aan de mannen die ze in Engeland kende: Ray, Max, Julian, Paddy. Zouden die willen onderhandelen? Ze kon het zich niet voorstellen.

Ze gaf hem een glas en ging zitten. 'En jij, Guido? Wat denk jij?'

'Misschien dat de Amerikanen zich ook in de oorlog gaan

mengen. Ze nemen op dit moment afstand, maar dat blijft misschien niet zo.' Hij ging naast haar zitten en tikte met zijn vingertoppen op de armleuning van de bank. 'Ik raakte gister in een discussie met mijn schoonvader. Hij is altijd een trouwe voorstander van Mussolini geweest. Hij hielp me eraan herinneren dat er een heleboel Italianen in Amerika wonen. Waarom zouden ze er daar voor kiezen om tegen hun eigen landgenoten te vechten? Dat zei hij tegen me. Ik heb gezegd dat Amerika geen zaken zal willen doen met een fascistisch Europa.'

'Wie heeft de discussie gewonnen?'

'Geen van ons. Ik zag wel dat Maddalena overstuur was. Ze haat het als ik ruziemaak met haar vader, dus begon ze over iets anders.' Zijn blik rustte op haar. 'Je moet uit Florence weg, Tessa. Vroeg of laat gaat er iemand vragen stellen. Daarom heb ik mijn moeder geschreven.'

Ze keek hem vragend aan. 'Dat snap ik niet.'

'Ik heb je al verteld dat ze met Faustina in onze villa in Chianti woont. Mijn moeder brengt sinds de dood van mijn vader haar tijd door met het moderniseren van onze boerderijen. Ze spoort de *contadini* aan om moderne technieken te gaan gebruiken en heeft een kliniek en een school voor de gezinnen geopend. Mijn moeder wordt er gerespecteerd, ze is geliefd, en het zal niemand opvallen als er nog iemand komt wonen. Faustina heeft…'

Ze onderbrak hem. 'Guido, stel je nu voor dat ik bij je moeder ga wonen?'

'Ja. Je bent daar veiliger.' Hij haalde een envelop uit de binnenzak van zijn jasje. 'Faustina heeft me teruggeschreven. Dit is haar antwoord, ik heb het vanochtend gekregen. Hier, lees maar.'

Ze nam de brief niet aan. 'Guido, ik weet dat je dit doet om me te helpen, maar ik kan absoluut niet bij je moeder gaan wonen.'

'Waarom niet?'

'Dat is onmogelijk, dat snap je toch wel?'

'Dan breng je daarmee zowel mij als jezelf in gevaar.'

'Nee,' zei ze fel. 'Dat is niet waar. Wat ik doe is mijn keuze. Het gaat jou niets aan.'

'Je bent niet alleen op de wereld, Tessa. Denk je dat ik Maddalena over je heb verteld? Denk je dat ik heb verteld dat het eerste meisje van wie ik ooit heb gehouden terug is gekomen naar Florence? Nee, natuurlijk niet. Als je in Florence blijft, zal ik contact met je moeten blijven houden. Dan zal ik in de gaten moeten houden of je gezond en veilig bent. En als je in de problemen raakt, vraag ik me af of ik dat zomaar zou kunnen laten gebeuren.'

'Dat is niet eerlijk!' riep ze.

'We hebben ooit van elkaar gehouden. Dat kan ik niet vergeten.'

'Ik kan heus wel voor mezelf zorgen, hoor,' riep ze boos. 'Dat heb ik altijd gedaan.'

'Is dat zo, Tessa?'

Haar hand ging instinctief naar haar voorhoofd. Snel stond ze op en liep ze bij hem weg. Met haar armen over elkaar staarde ze uit het raam. Buiten op straat trok een ezel een kar vol lege flessen. In een portiek stonden twee minnaars te kussen, hun lange schaduwen op de keitjes.

Ze hoorde de deur achter Guido dichtgaan toen hij de kamer verliet. Tessa zag in een spinnenweb in een hoek van het raamkozijn een vlinder met bevende vleugels voor zijn vrijheid vechten. Ze bevrijdde hem zorgvuldig en deed het raam open om hem weg te laten vliegen. Hij vloog slingerend en onregelmatig, en ze vroeg zich af of ze zijn vleugeltjes had beschadigd toen ze hem losmaakte uit het web.

Een jaar geleden had ze tegen Freddie gezegd dat ze geloofde dat als er oorlog zou uitbreken, het in Engeland niet veiliger zou zijn dan in Florence. Ze had ook gezegd dat ze moest ontsnappen aan de pijnlijke herinneringen in Engeland. Beide uitspraken waren waar geweest. Maar ze vroeg zich nu voor het eerst af of ze de juiste beslissing had genomen, en of ze Italië niet had moeten verlaten met de andere Engelse bewoners.

Na het auto-ongeluk, toen ze was herrezen uit het diepste dal van haar verdriet en depressie, had ze alleen nog leegte gevoeld. Ze had niet gelachen en niet gehuild. Niets had haar geraakt. Wat ze ook had gedaan – of ze zich nu van de wereld terugtrok of juist koortsachtig op zoek ging naar actie en sensatie – de dofheid in haar had aangehouden. Ze had er rekening mee gehouden dat ze de rest van haar leven geen diepe gevoelens meer zou kunnen ervaren. Ze had geweten, zoals je weet dat een feit een feit is, dat ze van Freddie hield. Rationeel had ze ook geweten dat ze van Max, Ray en haar andere beste vrienden hield. Maar ze had geen liefde gevóéld. En toch was een deel van haar hier in Italië weer tot leven gekomen. Ze ging op de bank zitten en stak een sigaret op. Hoewel Guido er niet meer was, was er iets gebleven, een essentie. Ze liet haar hand over de armleuning van de bank gaan, waar zijn hand had gelegen. *Ik vraag me af of ik dat zomaar zou kunnen laten gebeuren,* had hij tegen haar gezegd. Het klonk als een waarschuwing. Tijd om te vertrekken. Ze zou zijn leven niet overhoophalen, en dat van Maddalena en Luciella ook niet. Bepaalde lessen had ze wel geleerd.

Maar waar moest ze dan naartoe, en wat moest ze doen? Ze huiverde bij de gedachte dat ze opnieuw zou moeten beginnen, dat ze weer alleen een woning en werk zou moeten zoeken.

Ze pakte de brief van Faustina Zanetti op en opende hem. Faustina was praktisch, maar niet onvriendelijk. Ze schreef dat er altijd behoefte was aan een extra paar handen in de villa en dat Tessa mocht blijven zolang ze mee zou helpen in het huishouden. De oorlog zou tot voedseltekorten gaan leiden, dus er zou genoeg te doen zijn op het land. Of als ze dat liever wilde, kon Tessa tegen kost en inwoning helpen op school of in de kliniek.

De oorlogsverklaring van Italië had alles veranderd. Guido

had gelijk: ze was niet langer veilig in Florence. Ze moest versmelten met het platteland, zich verbergen, want als ze dat niet deed dan bracht ze niet alleen zichzelf, maar ook anderen in gevaar. En als ze Florence zou verruilen voor de villa van de Zanetti's, dan moest ze Freddie laten weten waar ze naartoe was gegaan. Maar brieven konden worden opengemaakt en gelezen, en zoals Guido had opgemerkt, als haar nationaliteit bekend werd, dan zou ze van spionage kunnen worden beschuldigd. Ze moest heel voorzichtig zijn.

Twaalf dagen later rukte het Italiaanse leger op langs de Franse Rivièra en bezette het Menton. Tessa schreef Faustina die avond een brief, waarin ze haar liet weten dat ze graag inging op Faustina's aanbod haar een veilige haven te bieden.

De eerstvolgende keer dat Freddie Jack Ransome zag, was in het Dorchester, in december 1940, tijdens het hoogtepunt van de Blitzkrieg in Londen.

Ze zaten met zijn vijven aan tafel: zij, Angus Corstophine, Ray, Susan en Julian. Freddie droeg de granaten van haar moeder; ze glinsterden mooi tegen haar zwarte avondjurk. Aan de andere kant van het restaurant zat een grote groep mensen aan een tafel in de hoek. Ze maakten een hoop herrie: hard lachen en nu en dan spontaan applaus.

Susan zat te vertellen dat ze Myra Hess op de trappen van het pand van de BBC had gezien, toen iemand aan die hoektafel schreeuwde: 'Jack!'

Ray mompelde: 'Allemachtig, ik kan mezelf nauwelijks horen denken. Het zou daar wel wat rustiger kunnen, zeg.'

Freddie keek achterom naar de man die door het restaurant liep. Het was Jack Ransome. Hij zag er anders uit: hij droeg een legeruniform en kwam schoner, netter en gezonder over dan de laatste keer dat ze hem had gezien, anderhalf jaar daarvoor. Jack, dacht ze. Jack, die haar had meegesleurd in die gruwelijke reis door de bergen. Jack, in Londen.

Angus volgde haar blik. 'Ken je die man?'

'Jack Ransome? Ik heb hem wel eens gezien, ja. Jij?'

'Ik heb bij zijn oudste broer in de klas gezeten.'

Freddie wendde zich weer tot Susan: 'En had ze een geweldige jurk aan?'

'Jammer genoeg een rok met blouse.'

'Radio, Freddie,' zei Julian. 'Voor de radio hoef je je niet op te dirken.'

Freddie glimlachte. 'Ik stel me Myra Hess altijd in een avondjurk voor, wat ze ook doet. Zelfs als ze staat af te wassen.'

De ober serveerde koffie en petitfours. Julian vroeg: 'Heeft iemand iets van Max gehoord?'

'Hij zei dat hij later misschien nog zou komen,' zei Freddie.

Na de invasie van de Lage Landen en Frankrijk tijdens de zomer van 1940 waren alle vreemdelingen die in Groot-Brittannië woonden en die werden gezien als een bedreiging voor de staatsveiligheid aangehouden en gevangengezet, onder wie ook Max. Toen de dreiging van een invasie afnam, was de paniek weer weggeëbd en was men geïnterneerden gaan vrijlaten. Sinds hij het interneringskamp op het Isle of Man had verlaten, werkte Max voor het ministerie van Informatie.

Er klonk nog meer brullend gelach bij de hoektafel. Freddie stond op en kuste Angus op de wang. 'Ik ben zo terug, schat. Ik ga Jack even begroeten.'

Ze liep de ruimte door naar de hoektafel. 'Jack,' zei ze.

Hij keek om. 'Mijn god. Freddie Nicolson.' Hij stond met een brede grijns op zijn gezicht op. 'Wie had dat gedacht. Wat leuk om je te zien.'

'Hoe is het met je been?'

'Geheel hersteld, dankzij jou. En met jou? Je ziet er geweldig uit.'

'Ik voel me een stuk beter dan de laatste keer dat we elkaar zagen.'

Jack zei tegen zijn vrienden: 'Dit is juffrouw Nicolson.' Hij vertelde de namen van iedereen aan tafel. 'Dineer je hier, Freddie?'

'We zijn bijna klaar. Volgens mij blijven we nog om te dansen. Misschien kom ik je nog eens tegen, Jack.'

Ze liep terug naar haar eigen tafel. Angus had de lekkerste petitfour voor haar bewaard, de miniatuur chocolade-eclair.

Freddie werkte ondertussen als beambte bij het ministerie van Oorlog. In oktober had ze een stapel dossiers naar een kamer op de tweede verdieping moeten brengen. Ze had op de deur geklopt en een stem had haar binnengeroepen. De man aan het bureau had even opgekeken en had haar bedankt toen ze hem de dossiers gaf. Toen had hij naar haar naam gevraagd. 'Nicolson,' had ze gezegd. 'Juffrouw Nicolson.' 'Angus Corstophine,' had hij terug gezegd. 'Wilt u vanavond wat met me drinken, juffrouw Nicolson? Heb alstublieft medelijden met me, want ik ben hier vreselijk ontheemd. Ik beloof dat ik me zal gedragen. Maar u heeft van die prachtige ogen.'

Ze had na het werk met hem in het Claridges afgesproken, waar hij verbleef. Na twee martini's (Angus had whisky gedronken) was het hem gelukt haar te laten beloven dat ze de week daarna uit eten zouden gaan en toen had hij haar in een taxi naar huis gezet. Zijn volledige naam was Angus James Macready Corstophine. Majoor Angus James Macready Corstophine. Zijn thuis was een kasteel ergens tussen Perth en Braemar, waar generaties Corstophines hadden gewoond. Angus was twaalf jaar ouder dan Freddie. Hij was lang en had rood haar en blauwe ogen. Als gewoon soldaat was hij met de British Expeditionary Force in Frankrijk geweest, en hij was aan Duinkerken ontsnapt op een van de laatste evacuatieschepen die de haven verlieten. Hij was nu en dan op het ministerie van Oorlog, maar bracht de meeste tijd door in een opleidingskamp in Schotland. Hij was interessant, attent en een goede gesprekspartner. Hij hield niet van dansen, maar deed het om haar een plezier te doen, hoewel hij liever een lange wandeling maakte of een middagje ging vissen. De dag nadat ze samen hadden gedineerd stuurde hij haar altijd bloemen. De rozen en orchideeën moesten bij iemand uit een kas komen, had ze geconcludeerd. Waar kon hij anders in het bevroren, gehavende Londen van de winter van 1940 zulke schoonheid hebben gevonden?

Ray en Susan vertrokken na het eten, want Susan had late dienst bij de BBC. Freddies blik werd nu en dan naar de tafel van Jack getrokken. Ze vroeg zich af of een van de beeldschone dames aan zijn tafel zou zeggen: 'Niet hier Jack, laten we ergens anders naartoe gaan.' En of hij dan zou verdwijnen, zoals mensen dat in de oorlog deden en zij deze korte ontmoeting zou opbergen bij die andere: verrassend, toevallig en geen onderdeel van haar gewone leven.

Maar toen de band 'Let There Be Love' inzette zag ze dat hij naar hun tafel kwam lopen. Jack en Angus spraken even met elkaar terwijl Freddie met Julian danste. Toen vroeg Jack of ze bij hem aan tafel wilden komen zitten. Dat wilden ze wel, besloten ze.

Freddie zat tussen Angus en een vrouw, Marcelle Scott. Juffrouw Scott droeg een lichtgroene avondjurk met een glitterrand boven de buste. Haar donkerbruine haar zat in een lage knot. Ze had prachtig grote, levendige groene ogen en haar nagels waren felrood gelakt, dezelfde kleur als haar lippen. Ze rookte veel en speelde voortdurend met de ringen aan haar vingers.

Juffrouw Scott zei: 'We hebben in Italië eens bij Jack gelogeerd. Hij heeft ons uren laten lopen om een of andere verzameling stenen te bekijken, Griekse of Romeinse of zoiets. Denzil vond het niet erg, maar ik haat hitte.'

Freddie vroeg: 'Is Denzil uw echtgenoot?'

'Hemel, nee.' Juffrouw Scott keek terloops naar haar hand met rode nagels, waar ze meerdere ringen aan droeg. 'Deze zijn van mijn moeder geweest. Ik ben niet verloofd of getrouwd. Ik zie er het nut niet van in, u wel? Dan heb je een man, maar is hij de hele tijd weg.' Ze nam nog een trekje van haar sigaret. 'We hebben met een groepje door Europa gereisd. Denny was het grootste deel van de tijd onze chauffeur.'

304

'Waar zijn jullie geweest?'

'Zuid-Frankrijk, Zwitserland, Italië... Jack en Denny wilden door naar Griekenland, maar ik moest terug naar mijn vader.'

'Is hij ziek?'

'Hij is nogal oud en krakkemikkig, de arme lieverd. Waar kent u Jack van, juffrouw Nicolson?'

'We hebben ooit samen gereisd, verder niet.' Freddie vatte kort haar ontmoeting met Jack samen – op bezoek bij haar zus in Florence, Jack ontmoet op weg naar huis, afscheid genomen in Frankrijk – en deed het klinken, vond ze zelf, alsof ze samen in een restauratiewagon sandwiches met ei en waterkers hadden zitten eten. Verder vertelde ze maar niets, want ze wilde niet dat juffrouw Scott nieuwsgierig zou worden, en ze rondde af met de opmerking: 'Dat was meer dan een jaar geleden, en daarna heb ik hem niet meer gezien.'

'Jack kan vreselijk onbetrouwbaar zijn,' zei juffrouw Scott. 'Kent u de familie Ransome, juffrouw Nicolson?'

'Nee.' Freddie dacht terug aan een gesprekje dat ze met Jack had gehad toen ze in die gestolen Fiat reden. 'Ik kreeg de indruk dat hij niet zo goed kan opschieten met zijn oudste broer.'

'George? Nee, inderdaad. George is natuurlijk ook wel een stuk ouder dan Jack. De grap gaat dat *mère et père* Ransome het bed slechts één keer in de vijf jaar deelden, als ze nog een nakomeling wilden produceren. De vrouw van George, Alexandra, is een afgrijselijk mens. Ze ging naar hetzelfde debutantenbal als ik. De zoom van haar jurk kwam tijdens een dans los, en toen werd ze hysterisch. George zit volledig bij haar onder de plak. Maar sommige mannen houden daarvan, toch?'

'Ik denk het. Grappig hè, dat zoiets alleen over vrouwen wordt gezegd. Je hoort nooit iemand zeggen dat zij volledig bij hém onder de plak zit, toch?'

'Misschien niet, nee.' Juffrouw Scott bestudeerde Freddie. 'Jack heeft vaak scharreltjes bij zich, maar het zijn nooit blijvertjes. Maar ik heb zo het gevoel dat u een uitzondering op die regel gaat zijn. Ik heb Angus jaren geleden voor het laatst gezien. Zijn jullie een stel?'

Scharreltjes, dacht Freddie, maar ze zei: 'Ja.'

'Houdt u van Angus, juffrouw Nicolson?'

'Ik denk niet,' zei Freddie, 'dat dat uw zaken zijn.'

'Dat zal wel niet, nee. Vergeef me, mijn nieuwsgierigheid wint het soms van mijn manieren.' Juffrouw Scott voelde zich zo te zien in het geheel niet gegeneerd. 'Ik heb namelijk een theorie, en die is dat stellen nooit evenredig veel van elkaar houden. Hij houdt van haar, óf zij houdt van hem, maar hij is niet precies waar ze naar zoekt. Als hij doorzet, voelt ze zich gevleid, of ze heeft gewoon nog geen betere gevonden, dus begint ze te denken dat hij best een goede keus is, en dan verloven ze zich en trouwen. Of niet, en dan geeft hij het uiteindelijk op en ziet ineens het meisje dat al jaren verliefd op hem is. En dan verlooft hij zich en trouwt met háár omdat hij gekwetst is.' Juffrouw Scott pakte nog een sigaret, hield hem tussen twee vingers en glimlachte. 'Wat vindt u van mijn theorie, juffrouw Nicolson?'

'Het zou deels kunnen kloppen. Maar soms is liefde wel wederzijds. Of wordt ze wederzijds.'

Juffrouw Scott leunde over tafel naar de man tegenover haar, die haar een vuurtje gaf. Toen wendde ze zich weer tot Freddie, en ze zei: 'Zal ik vertellen wie iedereen is?'

'Graag.'

'Ollie Piper en Jane Hedley zitten aan het hoofd van de tafel. Ze gaan volgende week trouwen. Wat heeft Jane prachtig haar, hè? Ik wens wel eens dat ik blond haar zou hebben, maar volgens mij ben ik daar niet aardig genoeg voor.'

'Zijn blondines altijd aardig?'

'Volgens mij wel. Jane en ik hebben samen op school gezeten. De huwelijksvoltrekking wordt natuurlijk eindeloos saai, maar ik heb wel zin in het feest. De familie Hedley organiseert altijd de geweldigste feesten. Die lange man aan de andere kant van Jane is Monty Douglas. Lief, maar niet al te snugger. Volgens mijn vader is het inteelt. En dat is Denzil Beckford, naast Monty. Zijn familie heeft een goddelijk huis in Cornwall. We logeerden er in de zomer altijd, de tuin loopt helemaal door tot aan zee. Aan de andere kant van Denzil zit Betty Mulholland. Ze is heel lief, Monty is jaren verliefd op haar geweest. Nog steeds, denk ik, hoewel hij dat bij hoog en bij laag ontkent. Betty en Frances – Frances is die met het rode haar – zijn zussen. Ze gaan allebei bij de vrouwelijke troepen van de luchtmacht. Dat willen ze al een eeuwigheid. Hun ouders vonden het niet goed, maar nu zijn ze bang dat Betty en Frances anders in een fabriek moeten gaan werken, dus nu mag het ineens wel. Ze lijken totaal niet op elkaar, vind je ook niet? Hun moeder heeft jarenlang een verhouding met Boy Trevelyan gehad, dus je kunt nooit weten.'

'En dat mooie meisje in de roze jurk?'

'Dat is Clare Stuart. Vind je haar mooi? Ik niet. Ik haat meiden die hun neus zo optrekken. Ik heb altijd het gevoel dat ze dat voor de spiegel oefenen omdat ze denken dat ze aantrekkelijker zijn als ze dat doen.'

Freddie begon te lachen. 'Is dat niet een beetje wreed?'

'Misschien wel, maar ik weet zeker dat ik gelijk heb. Eens even kijken, wie is er nog meer? Lewis...'

'Heb je het over mij, Marcelle?'

Een lange man in uniform was bij hen komen staan. Zijn hand rustte op Marcelles schouder. Hij had donker krulhaar, een rechte, smalle neus, en zowel zijn mond als zijn lichtbruine ogen krulden bij de hoekjes omhoog, waardoor hij, vond Freddie, wel een elfje leek.

'Ik ben de vuile was aan het buiten hangen,' zei juffrouw Scott. 'Ik vertel juffrouw Nicolson alles over je.'

'U moet er geen woord van geloven, juffrouw Nicolson.' Hij stak zijn hand naar Freddie uit. 'Lewis Coryton. Aangenaam.'

De ogen van juffrouw Scott schitterden. 'Ik ken al je geheimen, Lewis.'

'Mijn leven is een open boek,' zei hij kalm. 'Er valt niets te vertellen.'

Marcelle trok een afkeurend gezicht. 'Als je saai gaat doen, wil ik niet met je dansen.'

'Lieve Marcelle, ik beloof je dat ik geen moment saai zal zijn.'

Juffrouw Scott stond op, haalde een hand door de krullen van luitenant Coryton en kuste hem op de wang. Voordat ze naar de dansvloer liep, vroeg ze nog iets aan Freddie.

'Waar werkt u, juffrouw Nicolson?'

'Bij het ministerie van Oorlog.'

'Ik zit bij Huisvesting. Zullen we eens samen lunchen? Ik stuur wel een kaartje.'

De band zette 'Oh Johnny' in. Juffrouw Scott en Lewis Coryton liepen naar de dansvloer. Het gezelschap was geslonken. Angus was aan de andere kant van de tafel diep in gesprek met een man in legeruniform. Freddie probeerde zijn aandacht te vangen, maar hij keek niet op.

Een stem zei: 'Wil je met me dansen, Freddie?' en toen ze zich omdraaide, zag ze Jack.

Ze glimlachte naar hem. 'Ja, Jack, graag.'

Ze liepen tussen de tafeltjes door. Jack vond een plekje op de volle dansvloer.

'Wat vind je van mijn nicht?' vroeg hij.

'Je nicht?' Ze staarde hem aan. 'Is juffrouw Scott een nicht van je?'

'We hebben vroeger samen in bomen geklommen ja, Marcelle en ik.'

Freddie kon zich niet voorstellen dat de onberispelijke juffrouw Scott zich ook maar in de buurt van een boom zou wagen. Ze zei: 'Ze vertelde me dat je regelmatig je scharreltjes meeneemt. Ze impliceerde dat ik één van hen was, en dat de meesten snel weer van het toneel verdwijnen.'

Hij begon te grijnzen. 'Trek je maar niets aan van Marcelle.'

'Ik had het gevoel dat ik mondeling examen zat te doen.'

'Je bent vast geslaagd. Marcelle komt af en toe een beetje hard over. Ze maakt zich zorgen om haar vader.'

'Ze vertelde dat hij ziek is.'

'Hij is nooit hersteld van de vorige oorlog. Haar moeder is overleden en ze is enig kind, dus het komt allemaal op haar schouders.'

'In dat geval neem ik haar niets kwalijk. Maar ik zou haar sowieso wel hebben vergeven, want ik moest erg om haar lachen.'

Freddies blik ging tijdens het dansen door de ruimte. Max stond aan de rand van de dansvloer; ze zwaaide naar hem.

Het nummer kwam met een uitbundige saxofoonsolo met begeleiding op drums tot een einde. De solist maakte een buiginkje en nam zijn applaus in ontvangst. Toen de muziek weer inzette, een langzaam en sentimenteel nummer, nam Jack haar in zijn armen.

'Dus je hebt je bedacht,' zei ze, 'over de oorlog uitzitten in Zuid-Amerika.'

Hij keek haar aan. 'Daar zou niets aan zijn geweest zonder jou.'

'Ik ben bang dat jij nergens wat aan vindt zonder kou, vermoeidheid en angst.'

'Geef het nou maar toe, Freddie,' plaagde hij. 'Je vond het heerlijk.'

'Misschien een beetje.' Ze stak een hand naar hem op en hield haar duim en wijsvinger een heel klein stukje uit elkaar. 'Zo'n klein beetje.'

'Wat doe je tegenwoordig?'

'Ik ben secretaresse op het ministerie van Oorlog. En jij?'

'Ik zit het grootste deel van de tijd opgesloten in een legerkamp in Yorkshire.'

'Dat is niets voor jou, Jack. Kun je niet vragen of ze je ergens naartoe sturen waar het gruwelijk en gevaarlijk is? Dan zou je helemaal in je nopjes zijn.'

Hij deed alsof hij zich gekwetst voelde. 'Volgens mij heb je niet helemaal de goede indruk van me.'

'Ik hou erg van chique restaurants en comfortabele hotels. Ik haat het om in auto's te slapen en op brood en kaas te leven.'

'Dat geloof ik niet. Ik geloof dat onder dat stijve uiterlijk een rebel huist.'

'Stijf?' Hij duwde haar de andere kant op en ze keek hem razend aan.

'Keurig... netjes...'

'Zo klink ik als een ouwe vrijster!'

'Maar dan wel een veel mooiere dan mijn vrijgezelle tantes.'

'Jack.' Hij schoot in de lach.

Het was druk op de dansvloer. Jack werd regelmatig door andere dansers begroet, of kreeg een klap op zijn schouder in het passeren, waarop Jack een begroeting riep of zwaaide. Freddie voelde dezelfde sensatie die ze jaren geleden had ervaren als ze met Tessa in het Ritz was en deel uitmaakte van het benijdenswaardigste en interessantste groepje in de ruimte. Ze zag dat luitenant Coryton ondertussen de dansvloer op was gekomen met juffrouw Stuart, en dat Marcelle Scott de vloer had verlaten en met Julian en Max zat te kletsen. Angus was niet meer in gesprek met die militair; hij stond in zijn eentje tegen een muur geleund. Hij had de gewoonte met zijn voet te gaan tikken als hij zich verveelde. Zijn voet tikte nu.

Jack vroeg: 'Is Angus Corstophine je vriendje?'

'Ja. Kennen jullie elkaar?'

'Een beetje. We hadden het over Spanje,' zei Jack.

'Ben je daarnaartoe gegaan?'

'Ja.'

'Wat heb je er gedaan?'

'Van alles.'

Spionnenwerk, dacht ze. De Britse marinebasis in Gibraltar lag bij de toegang naar de Middellandse Zee aan het zuidelijkste puntje van Spanje. Spanje was zwaar gehavend uit de jarenlange burgeroorlog gekomen en was tot dusverre neutraal in dit conflict. Het zou Groot-Brittannië zeer ten goede komen als dat zo bleef.

Ze vroeg: 'Hoe was het daar?'

'Grimmig.' Zijn blik betrok even. 'Het land is zielloos geworden.'

'Hoe lang ben je er geweest?'

'Een halfjaar. Eerlijk gezegd was het een enorme opluchting om weer terug te zijn in Engeland. En wat een geluk dat ik jou hier weer tegenkom.'

'Je hebt vast geen seconde meer aan me gedacht nadat we afscheid hadden genomen in Frankrijk.'

'Integendeel.'

Iets in zijn ogen verraste haar; ze zei luchtig: 'Juffrouw Scott heeft me voor je gewaarschuwd. Ze zei dat je onbetrouwbaar bent.'

'Wat een lef,' zei Jack, hoewel hij niet van zijn stuk gebracht leek.

'Ze zei min of meer dat je een luie aristocraat bent.'

'Is dat zo?' Er botsten wat stelletjes tegen hen aan; hij trok haar dichter naar zich toe.

'Volgens mij zijn veel aristocraten lui.'

'Bedoel je dat dat bij de functie hoort?' Hij klonk geamuseerd.'Terwijl de middenklasse de neiging heeft stijfjes te zijn.'

'Je bent echt een ondraaglijk irritante vent. Maar hoe dan ook, ik behoor niet tot de middenklasse, ik ben interessant bohémien.'

'Natuurlijk, Freddie. Hoe kon ik dat nou vergeten?'

'Hoewel ik het betwijfel of ik een erg overtuigende bohémien ben.'

'O, volgens mij red je het heel aardig. Je houdt wel van een uitdaging.'

'Toen ik nog op school zat, wilde ik altijd zo graag als mijn zus zijn. Ze straalde zoveel glamour uit.' Freddie dacht aan het appartement van Tessa, met de ingelijste foto's en de zwart-wit betegelde schoorsteenmantel. Ze glimlachte. 'Ik was Tessa's koerier.'

'Haar koerier?'

'Ik bezorgde haar brieven altijd bij haar vriendjes.' Freddie begon te lachen. 'Sommigen waren heel aardig, maar er zaten ook afgrijselijken tussen. Volgens mij had Tessa niet in de gaten hoe gruwelijk ze waren. Een van hen probeerde me te kussen en een ander wilde met me uit eten toen Tessa afzegde.'

'Ben je gegaan?'

'Natuurlijk.' Ze keek hem vals aan. 'Zie je nou wel? Zo stijfjes ben ik nou ook weer niet.'

'Was het leuk?'

'In eerste instantie voelde ik me vreselijk belangrijk. Maar toen raakte hij aan de praat met zijn vrienden en vergat mij helemaal, dus ben ik met de metro naar huis gegaan.'

'Hoe oud was je toen?'

'Vijftien. Ik vond het niet erg. Ik hou van alleen reizen.'

'Dat is echt waar, hè? En je zus, hoe is het met haar? Waar is ze nu?'

Freddie zuchtte. 'Tessa is in Italië gebleven, vrees ik. Ik heb een brief gekregen – Tessa had hem naar me gestuurd via een bekende uit Zweden. Ze vertelde niet zoveel, waarschijnlijk omdat ze bang was dat de brief door anderen gelezen zou worden, maar ze vertelde me dat ze bij vrienden op het platteland is. Ik heb haar teruggeschreven, maar ik heb geen idee of mijn brief haar heeft bereikt.'

De dans werd beëindigd met een drumsolo, en ze klapten. Ze zei: 'Het was leuk je weer eens te zien, Jack. Laat nog eens wat van je horen.'

Hij beloofde dat hij dat zou doen en ze ging op haar tenen staan om hem een kus op zijn wang te geven. 'Je hebt een litteken,' zei ze, en ze raakte zijn wenkbrauw aan.

'Ik ben uit een vliegtuig gesprongen en in een boom geland.'

'Wat slordig van je, Jack.'

'Ja, hè?' Zijn grijns was nog breder geworden. Hij bedankte haar voor de dans en liep weg.

Ze riep achter hem aan: 'Je doet toch wel voorzichtig, hè?'

Hij keek over zijn schouder. 'Altijd.'

312

De lucht was ijzig koud en het knerpende geluid van bommen klonk in de verte toen ze het hotel verlieten. IJspegels hingen aan de kapotte dakgoten. Het ijs glinsterde als kerstverlichting wanneer de zachte gloed van de gemaskeerde koplampen van de auto's erop scheen, waardoor de zwaar gehavende gebouwen er verraderlijk feestelijk uitzagen.

Aan beide kanten van de voordeur van het appartement in Knightsbridge stonden buksboompjes in een pot, die in bolvorm waren gesnoeid en waarop nu een dikke toef sneeuw lag, als slagroom op een kersttulband.

Het allesveiligteken klonk terwijl Angus de voordeur van het pand opende. In het appartement hingen olieverfschilderijen van vlezige mannen met krulpruiken en vrouwen met diepe decolletés en schalkse gezichtsuitdrukkingen.

Angus zei: 'Ik doe de lampen even aan, dan valt het met een beetje geluk niet op dat ze naar ons staren. Het is hier net of je in een koelkast zit, hè? Ik zal de haard even aanmaken.'

Freddie ging op een pruimkleurige fluwelen bank bij de open haard zitten. De stof was op een paar plekken sleets geworden, waardoor hij een zilverachtige glans had gekregen. Angus knielde, streek een lucifer aan en legde die tussen het aanmaakhout.

'Ik herinner me nog een winter thuis toen het water in de waskommen was bevroren. Het is in Londen nooit zou koud als thuis.' Angus ging naast haar zitten. 'Arm kind, je bent helemaal verkleumd.' Ze genoot van hoe hij haar 'arm kind' noemde, met zijn rollende R.

Hij schonk voor hen allebei een glas whisky in en ze zaten in elkaars armen terwijl de schaduwen van de vlammen op het vloerkleed flikkerden. Hij zei: 'Op Hogmanay doen we altijd alle lampen en kaarsen in het hele kasteel aan en dan zetten we brandende toortsen in de tuin. Men zegt dat je het licht tot kilometers in de verte kunt zien. En dan wordt er gegeten en gedanst.'

'Ik dacht dat je een hekel had aan dansen.'

'Echt dansen. Highland-dansen. Precies om middernacht wordt de klok in de toren geluid en dan drinkt iedereen een borrel. En dan gaan we bij de buren op bezoek om ze gelukkig Nieuwjaar te wensen.'

'Waar wonen die buren, Angus?'

'O, het dichtstbijzijnde huis is een kilometer of drie verderop.'

'In de sneeuw?'

'Ik heb gelopen door een laag sneeuw tot aan mijn middel. Zo houden we onszelf warm in Schotland, met whisky en wandelen. Hoewel er ook andere manieren zijn.'

Zijn hand streelde over haar haar terwijl ze kletsten, en tussen de zinnen door kuste hij haar. Hij zei: 'Het lijkt me heerlijk om er met jou een keer het nieuwe jaar in te luiden. Denk je dat je dat leuk zou vinden?'

Ze ging op haar knieën op de bank zitten en kuste hem. 'Geen idee, Angus. Het klinkt koud.'

'Nee hoor. Ik zorg wel dat je het niet koud krijgt.'

Hij pakte haar whiskyglas van haar aan en zette het op een bijzettafeltje. Toen kuste hij haar schouder. 'Net vogelvleugels,' zei hij. 'Hier, in die holte.' Toen tilde hij haar op en zette haar op zijn knie. Hij trok langzaam de rits op de rug van haar jurk open, duwde de smalle bandjes van haar schouders naar beneden en kuste haar nogmaals.

'Mijn mooie Freddie,' zei hij. 'Je zegt het toch wel als je wilt dat ik stop, hè?'

Iets wat Marcelle Scott haar had gevraagd schoot door haar hoofd: *Houdt u van Angus, juffrouw Nicolson?* Toen dacht ze aan Marcelles theorie dat liefde altijd ongelijkwaardig was.

Maar ze zei: 'Ik wil niet dat je stopt, Angus. Integendeel.' Ze sloot haar ogen en zuchtte zacht toen zijn hand onder de zoom van haar jurk gleed.

Toen ze die nacht wakker werd liep ze naar de keuken voor een glas water. Ze duwde het verduisteringsgordijn opzij, zorgvuldig geen licht te laten ontsnappen, en keek naar buiten. Het sneeuwde; grote, bolle vlokken die neerdwarrelden op de ruïnes en het puin.

Haar geest was zo druk. Wat een avond; met Angus, Jack, en al dat dansen. En dit: ze had geen spijt dat ze haar maagdelijkheid had verloren; ze verwelkomde het gevoel van verder gaan, van nu echt volwassen zijn. Angus had voorzorgsmaatregelen getroffen; met de gedachte aan Tessa had ze zich daarvan verzekerd. Ze keek uit het raam naar de sneeuw, dacht terug aan hoe zijn handpalm over haar buik was gegleden, hoe het voelde om hem in haar te hebben. Ze herinnerde zich de woorden die hij in haar oor had gefluisterd en hoe zijn ademhaling had geklonken toen ze in zijn armen in slaap was gevallen.

Marcelle Scott nodigde haar per brief uit om samen te lunchen. Freddie was verrast; ze had aangenomen dat de invitatie van juffrouw Scott een van die welwillende gebaren was geweest waarmee je je goede bedoelingen toont, maar waar je vervolgens nooit gevolg aan geeft.

Ze spraken af in een eetcafé in de buurt van station Charing Cross. Aan de zijkant van het café was een bom ingeslagen, die een kant van het pand er af had gerukt, als een zin die halverwege stopt. Binnen de stukjes overgebleven muur die ooit een kamer hadden gevormd, lag een deken van sneeuw over de wanordelijke berg van kapotte meubels, de wielen van een kinderwagen en een piano.

In het café liepen sporen van condens over de ramen. Marcelle Scott zat aan een tafeltje bij het raam. Ze droeg een zwarte jas met bontkraag en een zwart hoedje. Voor haar op tafel stond een kop thee.

'Wat leuk u weer te zien, juffrouw Nicolson,' zei ze. 'Mag ik je Freddie noemen? Ik heb zo'n hekel aan al die formaliteiten, jij niet? Heb ik een goed tafeltje uitgezocht? Ik lunch hier vaak. De meeste andere meiden hebben sandwiches en thermosflessen van thuis bij zich, maar ik haat het om de hele dag binnen te zitten.'

Ze bestelden brood en soep bij het buffet. Terug aan hun tafeltje zei Marcelle: 'Ik hoop dat je het niet gek vond dat ik je heb geschreven. Ik wilde het eerder doen, maar mijn vader was ziek en ik moest naar huis.'

'Wat naar om te horen. Gaat het ondertussen weer wat beter met hem?'

'Ja, veel beter. Dank je.' Marcelle staarde naar beneden en roerde in haar thee. 'Ik zou eigenlijk bij papa moeten gaan wonen. Dat zou hem dolgelukkig maken. Vind je het egoïstisch van me dat ik dat niet doe?'

'Dat weet ik niet,' zei Freddie. 'Daar kan ik niet over oordelen.'

'Jouw ouders zijn dood, toch?'

'Ze zijn allebei overleden toen ik nog een kind was.'

'Misschien is dat wel een geluk.' Marcelle beet op haar onderlip. 'Nee, dat mag ik niet zeggen. Sorry, vergeef me alsjeblieft.'

De serveerster kwam hun soep brengen. Marcelle slaakte een zucht. 'Als ik in Wiltshire ben, heb ik altijd het gevoel dat ik krimp' – ze bracht haar duim en wijsvinger naar elkaar toe tot er nog maar een klein spleetje tussen zat – 'tot ik nog maar zó groot ben. Ik voel me daar… gereduceerd. Als ik er zou wonen, zou er volgens mij niets van me over blijven. Ik vind de oorlog helemaal niet zo erg, weet je dat? Als ik me niet zo schuldig zou voelen, zou ik heel gelukkig zijn. Zinloze emotie, schuldgevoel, ik probeer er altijd zo snel mogelijk weer van af te komen.' Ze stak een sigaret op. 'Wat vond je van mijn vrienden?'

'Ze lijken me heel aardig.'

'Lewis is natuurlijk smoorverliefd op Clare Stuart.'

'Dat meisje in die roze jurk? O, natuurlijk.'

Marcelle vertrouwde haar toe: 'Ik was vroeger eigenlijk verliefd op hem.'

'Op luitenant Coryton? Hij is ook best aantrekkelijk, nietwaar? Ben je nog steeds verliefd?'

316

'Absoluut niet. Hij is een goede vriend en we schrijven. Ik ben altijd wel op iemand verliefd, dat is een vreselijke gewoonte van me. Jij bent vast veel verstandiger.'

'Verstandig,' zei Freddie. 'Allemachtig. Jack noemde me al stijfjes.'

'Let maar niet op Jack, die kan vreselijk tactloos zijn.'

Ze hadden het over hun werk en de oorlog, en toen was het tijd om terug naar kantoor te gaan. Marcelle zei terwijl ze hun jas aantrokken: 'Ik organiseer op vrijdagavond vaak een dinertje bij me thuis. Dan neemt iedereen wat te eten mee. Heb je zin om te komen? Angus is natuurlijk ook van harte welkom. En je vriend meneer Fischer ook.' Ze trok haar handschoenen aan. 'Ja. Ik zou het leuk vinden als je Max Fischer ook vraagt.'

'Julian niet?'

'Julian is vast een schat, maar ik val eerlijk gezegd erg op die Max van je. Hij heeft toch niemand, hè?'

'Momenteel niet.'

'Ik hoorde van iemand dat hij verliefd was op je zus.'

De nieuwsgierigheid in Marcelles ogen zei haar dat die iemand Marcelle veel meer over Tessa had verteld, maar ze zei alleen: 'Dat was hij ook, maar dat is een eeuwigheid geleden. Jaren en jaren.'

11

Villa di Belcanto stond op een heuveltop op het platteland ten zuiden van Florence. De oorspronkelijke gebouwen, waaronder een vierkante toren, waren in de vijftiende eeuw opgenomen in een rechthoekige villa met een binnenplaats en loggia. De voorouders van Olivia Zanetti hadden het complex in de negentiende eeuw laten verfijnen: een Engels park, een laantje met paardenkastanjes en verscheidene bijgebouwen. Eeuwen van blootstelling aan wind en zon hadden de kleuren op de buitenkant van het pand verbleekt tot het zachte rozebruin van hazelnootijs. Boven de enorme gewelfde voordeur was het ooit in felle kleuren beschilderde wapenschild, een achtkant met een nogal knorrig uitziende griffioen erop, vervaagd tot doffe tinten grijs en bruin en in bladderende verf.

Aan een kant van de villa waren wijngaarden, olijfgaarden, maïsvelden en landbouwgrond. Aan de andere kant van de vallei waren de heuvels vol ravijnen dicht begroeid met eiken, paardenkastanjes en struiken. De *fattoria*, de grootste en belangrijkste van de boerderijen op het landgoed, stond vlak bij de villa. Nog een stuk of tien kleinere boerderijen werden verhuurd. Ze stonden verdeeld over een veel groter terrein. Bij de fattoria hoorden schuren, een zuivelbedrijf, werkplaatsen, een wasserij en meerdere woningen.

Er werden paarden, varkens, melkkoeien, ganzen en konijnen op het landgoed gehouden. In de moestuin werden groenten en fruit verbouwd, in het zuivelbedrijf werd kaas gemaakt, en er werd honing verzameld uit de bijenkorven. In de herfst werden er varkens geslacht, hammen gedroogd en gezouten, en werd er worst gemaakt. Er werkten meer dan vijftig mensen op het Belcanto-landgoed: een kok, huishoudster, naaister en andere bediendes bemanden de villa. Stefano, de rentmeester, woonde met vrouw en kinderen in de fattoria; de boeren en hun gezinnen woonden in de omliggende boerderijen.

In het voorjaar deed de regen de stroompjes aanzwellen en kleurde de jonge maïs de velden groen. Dan werden de dagen langer en hingen de schaapjeswolken hoog in de azuurblauwe hemel. Halverwege de zomer waren de maïsbladeren goudkleurig geworden en hingen de druiven klein en hard aan de wijnstokken. Dan tuurden de boeren gespannen naar de lucht, bang voor hagelstormen of plotselinge wolkbreuken die de oogst konden vernielen. Daarna kwam de oogsttijd, wanneer schoven tarwe in ossenkarren naar de schuren werden gereden om daar veilig opgeslagen te worden. In de bermen gingen de blaadjes van de klaprozen hangen en de muizen renden over de kale velden naar de beschutting van een heg om aan de brandende zon te ontsnappen. Midden in de zomer slokte de hitte het landschap op tot alles wat groen was verdween en elke grasspriet in augustus verbleekte tot de kleur van een juten zak en de heuvels glinsterden achter een blauwgrijs waas.

Dan kwam in september de regen, die het stof van de bladeren van de druiven en olijven spoelde en de lucht verfriste. Tomaten, vijgen en perziken werden te drogen gelegd op de binnenplaats van de fattoria en pompoenen en meloenen rijpten in de zon. Maïskolven waar de maïs al af was gehaald, werden in de bomen gehangen als enorme amberkleurige kettingen. De druiven werden geplukt en verzameld in grote, glanzende bergen paars en groen. Kinderen renden tussen de wijnranken door en verzamelden de donkerrood geworden bladeren, die als veevoer dienden. 's Avonds was er feest en werd er gedanst.

De olijven werden als laatste geoogst, in november. Behalve de allerkleinsten en de zieken ging iedereen die op het landgoed woonde dan de gaarden in, en verzamelde de olijven in manden die om hun middel hingen. Een koude wind deed de grijsgroene bladeren van de olijven beven. Van de eerste pluk kon je de beste olie maken, de vergine persing. De wind was van invloed op de tweede persing. Van de derde persing werd zeep gemaakt, en de druivenschillen en pitten werden tot blokken geperst die dienstdeden als brandstof en mest. De olijfolie werd opgeslagen in grote terracottapotten die in de kelder werden gezet, apart van de wijn, zodat de smaken niet op elkaar oversloegen.

Dan werd het winter en gierde de *tramontana* van de in het noorden gelegen heuvels naar beneden, een scherpe, koude wind die dwars door de dikke stenen muren van de villa leek te blazen. Sneeuw bedekte de verwrongen stronken van de wijnstokken en vormde een deken op het dak van de villa. Tessa ontdekte dat het op dergelijke dagen onmogelijk was je warmte te herinneren, dat het onmogelijk was te geloven dat er periodes waren dat ze had gesnakt naar een koel, donker hoekje om zich als een hagedis te verbergen in een koele scheur in een stenen muur.

Olivia Zanetti was begin zestig. Ze was lang, mager, met grijs haar en een grote neus, en ze deed Tessa qua uiterlijk denken aan Ottoline Morrell, aan wie ze ooit was voorgesteld tijdens de paardenraces op Ascot. Ottoline Morell, maar dan zonder het elan, het gevoel voor stijl en de prachtige kleding.

Olivia leidde het landgoed vanuit haar kantoor op de benedenverdieping van de villa. De in leer gebonden administratie stond in rijen op de boekenplanken en vermeldde de details over de opbrengsten, de periodes dat er werd gezaaid en geoogst, het weer, en tot op de laatste lire de uitgaven en inkomsten. Olivia bezocht de boerderijen wekelijks, wanneer ze in haar ponywagen over de onverharde paden vol stenen reed. Als het tijd was om varkens te slachten selecteerde Olivia de dieren. Als de olijven moesten worden geoogst, liep ook zij met een mand om haar middel te plukken. Als een van de boeren ziek was, was het Olivia die een dokter liet halen.

Olivia was diepgelovig, en ze ging elke ochtend naar de mis. Haar manier van belijden was praktisch, ingegeven door een gevoel van verantwoordelijkheid en plicht. Ze was attent en vrijgevig, maar in haar relaties met anderen streng. Ze gaf zelden complimentjes en haar fysieke uitingen van affectie gingen niet verder dan nu en dan een kusje op de wang of de vluchtige aanraking van een hand. Tessa vermoedde dat het een combinatie was van een natuurlijke terughoudendheid en haar geloof in het belang van christelijke liefdadigheid die maakte dat Olivia Tessa's korte uitleg van haar aangenomen naam en valse papieren had geaccepteerd met een knikje en een gemompeld: 'Ik begrijp het. Goed.'

Olivia regelde kort nadat Italië de oorlog had verklaard een metselaar en een timmerman om muren in bepaalde delen van de kelders en zolders te plaatsen, zodat daarachter voedsel en waardevolle objecten konden worden verborgen. Ze reisde meermalen naar Florence om te proberen haar invloed te gebruiken om een bevel tot inbeslagname van de oogst of het oproepen voor dienstplicht van de echtgenoot of zoon van een boerin te voorkomen. Ze schreef dagelijks naar Sandro, die was gestationeerd aan de kust van Dalmatië, en naar Guido, die in Noord-Afrika zat.

Olivia Zanetti had in een huis vlak bij de fattoria een school voor de kinderen op het landgoed opgericht. Een hospitaaltje met vier bedden was gevestigd in het ernaast gelegen huis. Olivia had toen Tessa arriveerde met haar gepraat. Ging het goed met haar, en met Frederica? Wat voor werk zou Tessa het liefst willen doen? Ze kon helpen in de kliniek, of op de school. Tessa koos voor de school. De kliniek was Faustina's domein en ze wilde niemand op de tenen trappen.

Tessa's slaapkamer, op de tweede verdieping van het huis, had een hoog plafond en was wit gestuukt. Hij was ingericht met een bed, een stoel, een wastafel en een kast met houtgesneden wapenschilden in de deuren. In de zomer hielden luiken de zon buiten, en dikke damasten gordijnen hielden in de winter de warmte binnen. Als Tessa 's nachts niet kon slapen, liep ze geruisloos naar de binnenplaats in het hart van de villa. De hoge binnenmuren van het huis omsloten de binnenplaats en vormden de zijkanten van een holle rechthoek. Langs de vier muren bood een gewelfde loggia beschutting tegen zowel zon als regen. De tuin op de binnenplaats straalde op zomernachten een magische sfeer uit. Dan rook het er naar wasbloemen en oleander en hingen de citroenen die aan de boompjes in de terracottapotten groeiden gezwollen en zwaar aan hun takken, met een gouden glans in het maanlicht. Hoog in de lucht glinsterde de nachthemel van de duizenden sterren.

Tessa at haar ontbijt, lunch en diner samen met de dames Zanetti. Het gesprek ging tijdens het eten over het algemeen eerst over praktische zaken – het weer, de oogst, problemen bij het verkrijgen van bepaalde producten – en richtte zich dan op zwaardere kwesties als politiek, religie en filosofie. De gesprekken die de dames Zanetti voerden waren koel en intelligent, waarbij een onderwerp chirurgisch werd ontleed tot alle facetten rigoureus, maar zonder venijn, waren blootgelegd. Er werd nooit met deuren geslagen en niemand rende van tafel. Er werd beleefd naar Tessa's mening gevraagd, vervolgens werd er welwillend naar haar geluisterd, waarna haar mening onderdeel voor onderdeel werd ontleed. Dan vouwde Olivia haar servet op, sloeg ze haar handen ineen en zei een dankwoord voordat iedereen van tafel ging om aan het werk te gaan.

Op school was Tessa de assistente van signora Granelli, de juf van de jongste kinderen. Tessa deelde papier en potloden uit, hielp de leerlingen met het opstellen van hun brieven, en ze waste handjes en gezichtjes.

Faustina was klein, ze had een smal gezicht en haar slappe, sluike bruine haar viel over haar intelligente grijze ogen. Aangezien de school en de kliniek naast elkaar stonden, liepen Tessa en Faustina aan het eind van de dag regelmatig samen terug naar de villa.

Op een dag wandelden ze over het pad vol stenen toen Faustina zei: 'Als de oorlog voorbij is, word ik arts. Ik ga in Bologna of Parma studeren, of als het niet anders kan in Parijs of Edinburgh.' Faustina maakte een snuivend geluid. 'Ik wil mijn hele leven al naar de universiteit, maar dat mocht niet van mijn vader. Hij was van mening dat een meisje niet hoefde te studeren. Meisjes trouwen, zo dacht hij erover.' Ze haalde haar schouders op. 'Meisjes als jij trouwen misschien, maar meisjes als ik niet.'

'Ik ben nooit getrouwd,' zei Tessa. 'Dat heb ik nooit gewild.'

Faustina staarde haar aan. Toen lachte ze kort. 'Behalve dan met de onfortuinlijke signor Bruno.'

'Behalve met hem, ja,' gaf Tessa met een glimlach toe. 'Maar ik kan niet zeggen dat er veel om hem wordt gerouwd.'

'Ik wil chirurg worden.' Faustina liep verder met lange, snelle passen. 'Vorig jaar mocht ik dottore Berardi assisteren bij een blindedarmoperatie. Ik was bang dat ik zou flauwvallen, maar dat is niet gebeurd.'

Voordat Tessa naar villa di Belcanto kwam zou ze hebben gezegd dat ze liever in een stad dan op het platteland zou wonen. Ze zou hebben gezegd dat ze huiselijkheid saai vond en dat ze behoefte had aan veranderlijkheid en variëteit in haar leven. Een deel van haar was kwaad geweest dat Guido zo eigenmachtig die brief aan zijn moeder over haar had geschreven; een veel groter deel van haar had geweten dat het met het uitbreken van de oorlog veel gevaarlijker was geworden om in Florence te blijven.

Er was op de villa weinig bemoeienis van de ambtenarij. De oorlog speelde zich in bepaalde opzichten ver van de besloten, zelfvoorzienende wereld van het landgoed af. In andere opzichten werden ze er allemaal door beïnvloed. Echtgenoten, zonen en geliefden waren dienstplichtig, in de steden heerste voedselschaarste, en er was overal een tekort aan benzine. De grote oorlogshandelingen – de Duitse invasie van Rusland in juni 1941 met tot gevolg dat Rusland toetrad tot de geallieerde troepen, de doorgaande dodelijke dans tussen de geallieerden en asmogendheden heen en weer over de woestijn in Noord-Afrika – werden beluisterd op de radio, grotendeels in stilte, terwijl ze probeerden de feiten van de propaganda te onderscheiden. Iedereen was bezorgd om iemand.

Op een schoorsteenmantel in villa di Belcanto stond een foto van Guido, Sandro en Faustina in de tuin van het Florentijnse palazzo van de familie Zanetti. Faustina stond er onwillig op in een witte jurk met strohoed en Sandro keek serieus. Alleen Guido keek recht in de camera, met zijn handen in zijn zakken en de bovenste knoop van zijn overhemd open, glimlachend en zorgeloos.

Tessa was nooit gelovig geweest, ze wist niet of ze was gedoopt en als dat het geval was in welke kerk, maar toch bad ze voor de veiligheid van de gebroeders Zanetti. Dat kon nooit kwaad; je wist maar nooit.

Perlita kwam in januari 1942 naar de kleuterklas op het schooltje. Haar moeder, Emilia, werkte in de wasserij van villa di Belcanto. Perlita stond op haar eerste schooldag in de garderobe waar hun buitenspullen werden opgeslagen met haar grote donkere ogen door een gordijn van zwart haar te turen, terwijl de andere kinderen hun jassen uittrokken, sjaals afdeden en die op de haakjes hingen. Perlita had haar gebreide muts nog op en haar wanten en jas nog aan. Ze maakte geen aanstalten om zich van haar buitenkleding te ontdoen en stond als aan de grond genageld, stijf als een houten pop en met de angst in haar ogen.

Tessa hielp haar rustig uit haar jas en nam haar toen aan de hand mee naar het lokaal. Tessa bleef de rest van de dag naast Perlita zitten terwijl signora Granelli lesgaf. Perlita zei geen woord. Toen de kleuters naar het lokaal van de grotere kinderen werden gebracht om samen te zingen, pakte Tessa de hand van Perlita, die stilletjes naast haar stond. 's Middags kregen de kleuters stukken papier waarop dieren waren getekend, die ze mochten inkleuren en uitknippen. Tessa hielp Perlita de leeuw uitknippen, want de handjes van het meisje waren niet sterk genoeg om de schaar te hanteren. Toen Tessa even bij haar wegliep om een ander kind te helpen, volgde Perlita's verslagen blik haar op de voet. Als Tessa geen hand vrij had, hield Perlita haar aan haar rok vast. Signora Granelli gaf het meisje de bijnaam 'Tessa's schaduw'.

Er ging een week voorbij eer Perlita voor het eerst iets zei. Tessa klapte in haar handen en omhelsde haar. De triomf die ze voelde was even groot als toen haar foto voor het eerst op het omslag van *Vogue* stond. Perlita begon eerst tegen Tessa te praten en toen haar zelfvertrouwen nog wat was gegroeid ook tegen signora Granelli en de andere kinderen. Toen de kinderen op een ochtend over het grasveld renden dat als speelplaats werd gebruikt, rende Perlita weg om met de andere kinderen te spelen, waarbij ze nu en dan op zoek naar bevestiging over haar schouder keek. Tegen de tijd dat het weer lente werd, deed Perlita mee met zingen en dansen. Maar Perlita zou nooit een kletskous worden; ze overwoog haar woorden zorgvuldig.

Signora Granelli verliet in april de school en ging terug naar Pistoia, waar ze haar broer ging verplegen, die gewond was geraakt in Noord-Afrika. Tessa nam de kleuterklas over. Perlita hielp haar aan het einde van de dag met het verzamelen van de waskrijtjes, die ze opborg in een oud koekblik. 'Zijn we nu helemaal klaar?' vroeg Tessa haar dan, waarop Perlita ernstig knikte en Tessa een hand gaf als ze samen het lokaal uit liepen.

Stofdeeltjes dwarrelden in het zonlicht dat door het bovenlicht naar binnen scheen toen Rebecca de voordeur van het huis van haar moeder in Abingdon opende. De lucht in huis rook muf en doods. Over de tegels verspreid lagen enveloppen; Rebecca zette de koffer van haar moeder bij de paraplubak, raapte de enveloppen op en legde ze op het haltafeltje.

Ze liep terug naar de auto. 'We zijn weer thuis, mama.' Ze hoorde zichzelf de toon van gespeelde opgewektheid aannemen die sinds haar moeder ziek was geworden een gewoonte was geworden. Ze vermoedde dat hij haar moeder ook irriteerde, want mevrouw Fainlight zuchtte zwaar terwijl Rebecca haar uit de auto hielp.

De gezondheid van haar moeder was gedurende het voorjaar gestaag verslechterd en uiteindelijk was er eind mei een operatie nodig geweest, waarbij haar baarmoeder was verwijderd. Meriel kon geen vrij nemen, dus moest Rebecca haar verzorgen tijdens de weken nadat ze weer uit het verpleeghuis was gekomen.

Ze liepen langzaam samen het tuinpad op, waarbij mevrouw Fainlight op Rebecca's arm leunde. Mevrouw Fainlight snoof in de hal de lucht op en zei: 'O hemel! Was het nou echt te veel gevraagd om het huis voor mijn terugkomst even te luchten, Rebecca?'

'Daar had ik geen tijd voor, mama. Ik ben direct naar het verpleeghuis gekomen.'

'Belachelijk, dat je daar tot het laatste moment moest blijven.'

Mevrouw Fainlight verwees altijd naar Mayfield Farm met 'daar'. Rebecca overwoog haar moeder erop te wijzen dat ze er tot vroeg die ochtend was gebleven omdat ze daar nodig was om de gewassen te verbouwen die het land in oorlogstijd moesten voeden. Maar daar zag ze toch maar van af.

In plaats daarvan zei ze opgewekt: 'Als u straks lekker zit, zal ik even door het huis gaan, mama. Dan is alles zo weer schoon en fris.'

Haar moeder was haar handschoenen aan het uittrekken. 'Ik ben bang dat er veel meer nodig is dan dat. Mevrouw Roberts is lang niet zo grondig als Gibson. Je hebt geen idee wat ik te verduren heb gehad.'

De huishoudster van mevrouw Fainlight, Gibson, die voor het gezin had gewerkt sinds de kindertijd van Rebecca en Meriel, was eind 1941 overleden. Rebecca's zoektocht naar een inwonende hulp voor haar moeder had geen effect gehad, deels omdat het loon dat kon worden geboden lager was dan wat een vrouw in een fabriek kon verdienen, en deels, vermoedde Rebecca, doordat de weinige kandidaten die ze had gevonden waren afgeschrikt door de onaangename houding van haar moeder tijdens het sollicitatiegesprek. Uiteindelijk was mevrouw Roberts ingehuurd, die elke ochtend drie uur kwam wassen en poetsen. Maar terwijl ze haar moeder naar boven hielp, viel het Rebecca inderdaad op dat het huis er onverzorgd uitzag. Al die post in de hal; zo te zien was mevrouw Roberts al een tijdje niet geweest. Ze moest haar daar even op aanspreken.

In de slaapkamer zette ze een raam open om wat frisse lucht binnen te laten. Haar moeder liet zich in een roze fluwelen leunstoel zakken terwijl Rebecca haar moeders koffer uitpakte. Ze zag er vermagerd en moe uit, en Rebecca voelde een steek van medeleven voor haar. Toen was er de ingewikkelde kwestie dat ze haar moeder moest helpen een nachtpon aan te trekken. Mevrouw Fainlight had zeer ouderwetse ideeën over wat gepast was, dus haar kleding voor overdag moest worden verwisseld voor haar nachtpon zonder dat Rebecca een glimp ontbloot vlees zou opvangen. Maar uiteindelijk was het gelukt en lag haar moeder in bed, na al die inspanning te uitgeput om in discussie te gaan of te klagen.

'Ik heb eieren meegenomen van de boerderij,' zei ze. 'Zal ik er een voor u koken voor bij de lunch, mama?' Mevrouw Fainlight knikte.

Rebecca liep naar beneden. Ze kookte een ei en zette het met een bord brood en boter op het dienblad, zette er een vaasje met roosjes bij om de boel wat op te vrolijken en liep ermee naar haar moeder. Toen ze een kwartier daarna terugkwam met een kop thee, had haar moeder haar bord leeggegeten en was ze in slaap gevallen. Rebecca liep met het dienblad de kamer uit en sloot de deur zacht achter zich.

In de keuken dronk Rebecca haar thee en begon daarna met de schoonmaak. Terwijl Rebecca aan het stoffen, poetsen en soppen was, borrelde haar schuldgevoel weer in haar op, zo'n eeuwig onderdeel van haar relatie met haar moeder. Het had zo verstandig geklonken dat Meriel bij hun moeder op bezoek ging terwijl die in het verpleeghuis lag en dat zij het daarna zou overnemen, maar misschien was je verstand niet het eerste waardoor je je moest laten leiden als je moeder net een grote operatie had ondergaan. Maar David en Carlotta konden niet alles alleen doen, vooral nu Carlotta zwanger was en dat ze het momenteel met maar één landarbeidster moesten doen omdat de andere de mazelen had. Haar werk op de boerderij was geen vrijetijdsbesteding, maar hoogst noodzakelijk.

Diep in haar hart wist ze hoezeer ze ertegen op had gezien om hiernaartoe te komen. Het probleem was niet alleen haar moeizame relatie met haar moeder, maar ook de verveling die altijd samenging met haar bezoekjes aan Abingdon. Tijdens haar huwelijk met Milo had ze zelden meer dan een paar uur achter elkaar in het huis van haar moeder doorgebracht. De tijd leek stil te staan in Hatherden – zo heette het huis van haar moeder – dat onverstoorbaar en fantasieloos victoriaans was. In het verleden had ze die paar uurtjes altijd gruwelijk gevonden.

Maar dat was toen, en dit was nu. Als ze de afgelopen jaren iets had geleerd, was het wel om dingen te ondergaan. Ze was sterker geworden. Ze was eraan gewend om buiten in de kou en regen te werken, en ze was ondertussen ook gewend aan eenzaamheid; die was zelfs onderdeel van haar geworden. Het vooruitzicht zes weken bij haar moeder door te brengen was niet meer dan onaanlokkelijk. Ze zou Mayfield missen.

De oorlog had veel veranderingen met zich meegebracht. Van de oorspronkelijke bewoners waren nu alleen het gezin Mickleborough en Rebecca over. David Mickleborough was wegens zijn zwakke gezondheid afgekeurd voor militaire dienst en stak er nu al zijn energie in om een succes van de boerderij te maken.

Die moest efficiënt worden geleid, anders zou ze door de staat in beslag worden genomen. Er kwamen regelmatig ambtenaren van de landbouwcommissie op bezoek om te controleren of elke vierkante centimeter vruchtbare grond wel werd gebruikt.

Rebecca maakte nog steeds tijd vrij om te tekenen. Het was een gewoonte geworden, iets wat ze elke dag wilde doen. Als ze er niet aan toekwam, voelde het niet goed. Ze dacht terug aan Connor, die haar een beetje had geplaagd met haar onderwerpskeuze – *Zijn potten en pannen het enige wat je tekent, Rebecca?* – en die was inderdaad beperkt, als ze te moe was om iets anders te bedenken.

Bijna twee jaar geleden, tegen het einde van de zomer van 1940, had Mayfield Farm zich in het oog van een storm bevonden. De Slag om Engeland was uitgevochten in het luchtruim boven Kent en Sussex. Een beeld stond voor altijd op Rebecca's netvlies gebrand: van een vliegtuig dat gillend en in vlammen in een pirouette draaiend neerstortte tussen de beukenbomen op de heuvel die je vanuit de keuken in de boerderij kon zien. Rebecca en David hadden zich door de vallei naar het brandende vliegtuig gehaast, zij met een hooivork in de hand, waarvan ze dacht dat die wel eens van pas zou kunnen komen. Maar dat was niet het geval: toen ze de plek naderden hadden ze overal verwrongen stukken metaal van de neergestorte Spitfire zien liggen. De piloot, twintig jaar oud, was omgekomen in de brandende cockpit.

Het was een scène die ze sindsdien bijna obsessief tekende en schilderde, op allerlei manieren. Soms lag het accent op haarzelf en David, rennend door de vallei, het vliegtuig gereduceerd tot een grijs detail in een hoek van de afbeelding. Op een andere versie stak een zwart hekwerk van bomen af tegen een donkerrode lucht. Voor dat schilderij had ze olieverf gebruikt; hoewel ze onzeker was over haar olieverftechniek, was olieverf het aangewezen medium om de kracht en dichtheid van kleur te bereiken die deze afbeelding nodig had. Ze had Connor geschreven dat ze op zoek was naar de beste manier om de scène uit te beelden, waarop hij had geantwoord dat het daar misschien niet om ging, dat ze misschien zocht naar wat er moest worden gezegd, steeds weer opnieuw, over de dood van een twintigjarige vliegenier in een bosje in de High Weald.

Ze schreef regelmatig naar Connor Byrne, in Ierland. Er was een tijd geweest waarin ze zich onzeker had gevoeld, zich had afgevraagd of haar brieven hem misschien verveelden, maar naarmate de maanden en de jaren waren verstreken waren haar zorgen verdwenen. Hij leek net zo naar haar brieven uit te kijken als zij naar de zijne. Aan Connor had ze haar slechtste kant opgebiecht en ze merkte dat ze openhartiger tegen hem was dan tegen wie dan ook, zelfs haar zus. Haar brieven aan hem, gericht aan iemand die ze vreemd genoeg beter had leren kennen sinds hij afwezig was, waren langzaamaan steeds minder gereserveerd geworden. Zij en Connor waren allebei gekwetst; dat hadden ze met elkaar gemeen.

Ze was klaar met het schoonmaken van de keuken en wilde net aan de zitkamer beginnen, toen er werd aangebeld. Het was de buurvrouw, mevrouw Ridley. Rebecca liet haar de zitkamer binnen en liep naar boven. Toen Rebecca de slaapkamer binnenkwam, zat haar moeder rechtop in bed.

'Was dat de deurbel?'

'Het is mevrouw Ridley,' zei Rebecca. 'Ze is benieuwd hoe het met u is. Ze wacht beneden.'

Mevrouw Fainlight zag er zenuwachtig uit. 'Ik moet naar het toilet.'

'Als u dat prettiger vindt, vraag ik of ze een andere keer komt, mama.'

'Nee, nee.' Mevrouw Fainlight staarde naar Rebecca. 'Je hebt de deur toch niet in die kleding opengedaan, Rebecca? Je ziet eruit als een arbeidster!'

'Dat ben ik ook. Ik werk op een boerderij.' Maar haar moeder zag er oprecht geschokt uit, dus voegde Rebecca, die was gekleed in een corduroy broek met een katoenen blouse, toe: 'Ik was aan het schoonmaken, mama. Mevrouw Ridley vindt het niet erg.'

'Vroeger zag je er altijd zo leuk uit! Je was zo'n mooi meisje! Ik werd op straat door vreemden aangesproken die me zeiden hoe mooi je was! Je verwaarloost jezelf sinds je daar woont. Het is op jouw leeftijd toch al moeilijk genoeg, maar als je er zo uitziet, vind je in ieder geval nooit een man!'

'Ik wil ook geen andere man vinden.' Rebecca moest moeite doen om kalm te blijven. 'Eén was meer dan genoeg.'

Mevrouw Fainlight mompelde mismoedig: 'Ik heb altijd geweten dat hij niet goed genoeg voor je was.'

Rebecca voelde de irritatie door zich heen gieren. 'Milo?' vroeg ze. 'Daar had u dan gelijk in. Zal ik u even naar het toilet helpen?'

Terwijl mevrouw Ridley bij haar moeder op bezoek was, maakte Rebecca van de gelegenheid gebruik om boodschappen te gaan doen. Het was een mooie, heldere vroege zomerdag, haar favoriete periode in het jaar. Clematis klom over hekken en haar irritatie ebde weg terwijl ze naar het centrum liep. De dokter in het verpleeghuis had haar verteld dat er een kleine tumor in mevrouw Fainlights baarmoeder was aangetroffen. De chirurg had gehoopt dat de hysterectomie de ziekte een halt had toegeroepen, maar... De zin was niet afgemaakt. Haar moeder leek te denken dat ze volledig zou herstellen. Het was door Rebecca heen gegaan dat haar moeder niet wilde dat Rebecca zich zorgen zou maken, maar haar moeder had altijd een bijzonder talent gehad voor het negeren van moeilijke situaties, dus dat kon het ook zijn. Wat ook de reden was dat ze weigerde het over haar ziekte te hebben, Rebecca vond dat ze die moest respecteren. Nog iets, bedacht ze, om toe te voegen aan het lijstje met onderwerpen waarover niet werd gesproken.

Toen ze weer terug was, liet ze mevrouw Ridley uit en ruimde haar aankopen op. Haar moeder bewaarde haar bonnenboekje altijd in haar handtasje. Rebecca deed het donkerblauwe tasje open en ademde de geur van gezichtspoeder en eau de cologne in, geuren die ze al sinds haar kindertijd met haar moeder associeerde. Als meisje had Rebecca het heerlijk gevonden om met het tasje van haar moeder te spelen, om er de lippenstift, haar poeder, portemonnee, notitieboekje en vergulde potloodje uit te mogen halen. Ze had het een schatkist vol vrouwelijke mystiek gevonden.

Aan vrouwelijke mystiek leek het tegenwoordig zeer te ontbreken. Haar moeder miste haar baarmoeder en leed pijn, en zij droeg corduroy broeken en had handen vol eelt. Rebecca stak het bonnenboekje in zijn vakje en klikte de handtas dicht.

Mevrouw Fainlight herstelde langzaam van de operatie. Na de eerste paar dagen stond ze erop zich na het ontbijt aan te kleden en naar beneden te komen. Als het mooi weer was deed ze 's middags een dutje op een ligstoel in de tuin, of liepen ze samen naar de brievenbus aan het einde van de straat.

Naarmate haar moeder herstelde, deed haar kritische geest dat ook. Rebecca's manier van huishouden en kookkunsten werden voortdurend ter discussie gesteld. Rebecca was lomp en maakte te veel herrie; haar zware voetstappen maakten haar moeder wakker uit haar dutje. Het waren klachten waarmee ze al bekend was sinds haar puberteit, toen ze centimeters boven zowel haar moeder als Meriel uit was geschoten en haar voeten drie maten groter waren geworden. Toen ze een jaar of vijftien, zestien was, had ze het zelfbeeld gehad van een olifant in een porseleinkast, terwijl ze juist zo graag sierlijk wilde zijn. Pas toen ze had ontdekt dat jongens vielen op haar lengte en totaal niet waren geïnteresseerd in haar schoenmaat, was ze zich beter gaan voelen over zichzelf.

Mevrouw Fainlight bleef liever op voor het avondeten dan dat het haar in bed werd geserveerd, hoewel ze op die tijd van de dag moe en chagrijnig was. Rebecca sloofde zich uit, deed haar haar en kleedde zich netjes aan voor het avondeten, en ze dekte de tafel met een kleed en servetten. Het deprimeerde haar dat er behalve verzoeken om het zout of vragen of het smaakte, die door haar moeder altijd werden beantwoord met een gemopperde goedkeuring, hele gangen voorbijgingen zonder dat er een woord werd gesproken. Haar moeder leek de maaltijden ook moeilijk te vinden, want na de eerste paar avonden stond ze toe dat ze tijdens het eten naar de radio luisterden. Zelfs de vele slechte nieuwsberichten – met name de val van Tobruk in de derde week van juni was ontmoedigend – waren beter, vond Rebecca, dan het tinkelen van de glazen en het tikken van de staande klok.

De dokter kwam de eerste week dagelijks en daarna om de dag. De kerk van haar moeder had een rooster ingesteld, zodat er vrijwel elke middag iemand bij haar op bezoek kwam. Mevrouw Fainlight verzachtte in hun bijzijn, en was dan minder afkeurend.

De ruzie werd veroorzaakt door een bezoekje van een van de kerkleden. Of nee, het was geen ruzie, bedacht Rebecca nadien, maar een explosie van lang onderdrukte verbittering. De bezoekster, ene mevrouw Macdonald, een ernstige jonge vrouw van in de twintig met vooruitstekende tanden, had haar zoontje Peter meegenomen. Peter was een schattig jongetje van veertien maanden dat net had leren lopen en dat door de tuin trippelde terwijl hij vrolijke onzin uitkraamde tegen de bloemen en de kat van de buren.

Nadat het bezoek weer was vertrokken, viel mevrouw Fainlight in slaap in een leunstoel in de serre. Toen ze een uur later wakker werd, gaf ze Rebecca een standje dat ze haar te lang had laten slapen.

'Ik dacht dat u de rust wel kon gebruiken, mama.'

'Je weet hoe moeilijk ik 's avonds in slaap kom als ik overdag te lang slaap. En je hebt de melk in de tuin laten staan. Het geld groeit me niet op de rug, Rebecca, en straks zijn de bonnen op.'

Rebecca liep de tuin in om de melk te halen. Terug in huis zette ze een ketel water op en zette thee. Ze bracht een kopje naar haar moeder, die er achterdochtig naar keek.

'Je hebt toch niet die melk uit de tuin gebruikt, hè?'

'Natuurlijk niet, mama. Ik heb de koude uit de provisiekast gepakt.'

Rebecca dronk haar thee in de keuken op. Andere moeders en dochters zouden samen thee hebben gedronken terwijl ze over koetjes en kalfjes zouden kletsen. Ze voelde een golf van jaloezie en verbittering om haar eigen situatie. Iets aan haar moeder irriteerde Rebecca mateloos, concludeerde ze, iets fundamenteels waardoor hun karakters botsten. De drie lange uren die ze nog had te gaan voor het avondeten strekten zich als een oneindigheid voor haar uit.

Ze haalde diep adem en liep de serre binnen. 'Zullen we een spelletje kaarten, mama?'

'Ik keur kaartspelletjes niet goed, Rebecca.'

'Ik bedoel voor de gezelligheid. Ik stel niet voor dat we ons hele fortuin gaan vergokken.'

Ze had het als grapje bedoeld, maar het klonk sarcastisch. Haar moeder tuitte haar lippen. 'Je weet heel goed dat je tijdens je huwelijk met Milo om geld kaartte.'

'Om penny's.'

'Dat is tenminste nog iets van compensatie. Je bent in elk geval gestopt met gokken.'

Rebecca was even stil. Toen vroeg ze: 'Compensatie voor de scheiding, bedoelt u?'

'Inderdaad.' Mevrouw Fainlight ging ongemakkelijk anders zitten. 'Ik heb het maar niet in de kerk verteld. Dat leek me beter.'

'Schaamt u zich voor me, mama?'

'Ik vind niet dat iemand het hoeft te weten, verder niet.'

'Maakt u zich maar geen zorgen, ik zal geen onkiese details gaan bespreken met de oudjes van St. Andrew's.'

'Je hoeft niet zo onaangenaam te gaan doen, Rebecca.'

'Dat is niet mijn bedoeling. Ik zeg alleen hoe het is.'

Er viel een gespannen stilte. Mevrouw Fainlight zat een moment onbeweeglijk, maar kwaad in haar stoel. Toen barstte ze uit.

'Had dan tenminste een kind gekregen! Dat schattige jongetje! Dat zou nog wat goed hebben gemaakt!'

Rebecca's woede borrelde naar boven en kookte over. 'Een kind?' herhaalde ze. 'Wilt u weten waarom er nooit een kind is gekomen? Dat zal ik u vertellen! Omdat ík geen kind kon krijgen!' Haar stem ging de hoogte in. 'Al die jaren dat we getrouwd zijn geweest zonder anticonceptie te gebruiken…'

'Rebecca!'

'… en er is nooit iets gebeurd! Maar Milo heeft ondertussen wel een kind, wist u dat, mama?'

Mevrouw Fainlight was wit weggetrokken. 'Nee,' fluisterde ze.

'Nou, dat heeft hij! Hij is anderhalf jaar geleden opnieuw getrouwd. Ik heb het u niet verteld omdat ik wist dat u me ermee zou gaan kwetsen. Hij is met een Amerikaanse getrouwd, hij geeft les aan een Amerikaanse universiteit en ze hebben een dochtertje dat Helen heet. Dus als er geen kind was, kwam dat door mij, niet door Milo. Het kwam alleen door mij!'

Rebecca liep de kamer uit. Ze pakte haar jas van een haak en liep de keuken uit, waarbij ze haar uiterste best moest doen om zichzelf ervan te weerhouden met de deur te slaan.

De achtertuin van Hatherden grensde aan velden. Rebecca liep een maïsveld in, dat ze door een mist van tranen zag. Ze snoot met bevende handen haar neus.

Milo had haar zelf laten weten dat hij was hertrouwd. Hij had haar geschreven om haar te vertellen dat hij met Mona Greer ging trouwen, die hij in Boston had leren kennen, waar hij gastdocent was aan de universiteit. Rebecca nam aan dat Mona Greer een van zijn studentes was.

Roger Thoday, Milo's redacteur, had haar over het kind verteld. Ze was Roger tegen het lijf gelopen in Hatchards op een dag dat ze in Londen was om bij Simone Campbell op bezoek te gaan. Milo en Mona, had Roger verteld, hadden een dochtertje dat Helen heette. 'Ik nam aan dat je het niet op de achterflap van een boek zou willen lezen,' had Roger toegevoegd. 'Hoewel het bijna onmogelijk is om in deze tijden iets gepubliceerd te krijgen, en Milo's laatste twee titels helaas geflopt zijn.'

Een kind. Een dochter. Helen Rycroft. Ze had zichzelf voorgehouden dat ze er niet mee zat. Milo had niets meer met haar te maken. En wat typerend voor Milo, bedacht ze, om hem naar Amerika te smeren als de oorlog het thuis moeilijker maakte.

Nu ze door dat maïsveld liep, vroeg ze zich ineens af of ze er toch moeite mee had. Milo had een prestigieuze aanstelling aan een Amerikaanse universiteit weten te bemachtigen, hij had een nieuwe vrouw en een dochtertje. Een kind om de baby die hij had verloren te vervangen. Terwijl zij het nog steeds moeilijk had, had Milo een nieuw leven. En zij had niets.

Ze liep een bosje door en kwam uit op een pad met aan weerszijden hoge heggen die waren overwoekerd door kamperfoelie en hondsroos. Het had al een week niet geregend en de modder op het pad vol gaten was hard geworden. Rebecca liep verder, en haar pijn en zelfmedelijden ebden met elke stap van haar voeten op de grond verder weg. Ze had wél wat. Ze had heel veel. Ze had een baan, en haar kunst nam haar steeds meer in beslag. Ze hield van haar zus en van haar vrienden. Ze had haar correspondentie met Connor, die ze koesterde. Ze wist niet wat de toekomst zou brengen, maar waarom zou ze dat willen weten? Dat wist tegenwoordig toch niemand meer?

En haar moeder... Het was heel goed mogelijk dat haar moeder altijd gebreken in Milo had opgemerkt waarvoor ze zelf heel lang blind was geweest. En het was ook heel goed mogelijk dat sommige van de snibbige opmerkingen die ze maakte voortkwamen uit een gevoel van bescherming... dat er onder dat gemopper en al die kritiek liefde lag verborgen. Rebecca keek op haar horloge. Het was kwart over zes. Wat zou haar engel haar nu overdragen? Ze probeerde zich zijn gezicht voor de geest te halen, zijn vriendelijke, zachte glimlach. Ze dacht dat hij tegen haar zou zeggen dat ze naar huis moest gaan en eten moest koken. En dat ze het moest blijven proberen, ook al werkten zij en haar moeder elkaar nog zo op de zenuwen.

Ze liep rustig terug over het pad, door het bosje en langs het veld, en liet zichzelf door het tuinhek binnen.

Mevrouw Fainlight stond in de keuken met een schort om aan het aanrecht aardappels te schillen. Toen Rebecca binnenkwam, keek ze op.

'Ik ben maar vast begonnen.'

Rebecca herkende dit als een zoenoffer. 'Wat lief van u, mama,' zei ze, 'past u wel op dat u uzelf niet uitput?'

Ze trok haar jas uit en hing hem aan de haak. Toen haalde ze de makreel door de bloem en sneed een groene kool. Ze stonden zij aan zij te werken. Na een tijdje zei haar moeder plotseling: 'De aardappels zijn glazig. De groenten van meneer Wright vallen de laatste tijd erg tegen,' waarop Rebecca zei: 'Ik kan een groentetuintje voor u aanleggen, mama. Bij de kolenschuur is nog genoeg ruimte, en als ik terug ben naar Mayfield kan Meriel komen wieden.'

Toen mevrouw Fainlight later die avond naar bed was, zat Rebecca aan de keukentafel de wilde bloemen te tekenen die ze van haar wandeling had meegenomen. Ze had een glas sherry gedronken en een aspirientje genomen, waarvan ze was opgeknapt. Het begon donker te worden, haar potlood kraste zacht over het papier en in de verte klonk uit iemands radio muziek, die door de stille tuinen vloeide en de open keukendeur binnenstroomde.

Het appartementje van Max was boven een kruidenier in Frith Street. Boven op de overloop speelde een jongetje met een speelgoedtrein. Hij zat geknield op de vloer en maakte geconcentreerd treingeluiden terwijl hij de trein over de vloer duwde.

Freddie klopte op Max' deur. 'Ik ben het! Ik weet dat je er bent!' Geen reactie, dus klopte ze harder. 'Max! Doe open!'

Ze hoorde dat er een grendel werd opengeschoven. Het kind pakte zijn trein en rende naar beneden.

De deur ging open. Max zag er kwaad uit. 'Kom je me controleren?'

'Ik kwam kijken hoe het met je is.'

'Zoals je ziet gaat het uitstekend.'

Hij maakte aanstalten de deur weer dicht te doen. Ze zag door de kier de boeken, papieren en kleren die over de vloer in zijn kamer lagen verspreid, en de lege flessen op de tafel.

'Nou,' zei ze kwaad. 'Echt uitstekend. Je ziet er niet uit, Max.'

'Ga weg, Freddie. Zoek maar iemand anders om te betuttelen.'

'Max.'

'Ga weg.'

'Nee.'

Hij kneep zijn oogleden half dicht. 'Ik neem aan dat dit een of ander barmhartigheidsbezoekje is?'

'Ray vertelde dat Marcelle en jij uit elkaar zijn.'

'Ik neem aan dat je heel goed weet dat wé niet uit elkaar zijn gegaan. Marcelle heeft me laten vallen.' Max' bovenlip krulde op. Zijn starende blik, met bloeddoorlopen ogen en minachtend, rustte op haar. 'Er zijn dagen dat je me aan Tessa doet denken. Jij bent net zomin als zij in staat om de realiteit te onderkennen.'

Ze zei in eerste instantie niets, maar toen knikte ze. 'Prima. Als je er zo over denkt.'

Ze maakte aanstalten om de trap weer af te lopen toen ze hem hoorde zuchten. Ze keek over haar schouder.

'Sorry, Freddie. Ik ben een klootzak. Ik snap niet waarom je dit voor me doet. Kom binnen, dan zet ik koffie.'

In Max' kamer stonk het naar peuken en alcohol. Terwijl hij de ketel vulde en op zoek ging naar schone mokken, keek Freddie door een mist van condens op het raam naar buiten. Het regende pijpenstelen uit een houtskoolgrijze lucht. Het was laat in de avond; schaduwen vielen over de dichtgetimmerde winkelramen en spreidden zich uit naar de panden met zandzakken ervoor. De Blitzkrieg was spannend geweest; een levenslust was erdoor aangewakkerd, die had doorgezet ondanks de angst en het ongemak. Sinds de Luftwaffe haar aandacht had gericht op het enorme Rusland waren de aanvallen op Londen veel minder frequent en zwaar, maar de vermoeidheid, de rantsoenen en de somberheid hielden aan.

Freddie vroeg: 'Wat is er gebeurd?'

Max haalde zijn schouders op. 'Niet veel. We hebben ruzie gehad. Ik weet de details niet eens meer. Ik zal wel iets hebben gedaan wat haar irriteerde, waarover zij dan een scène is gaan trappen, waarop ik wel tegen haar zal hebben gezegd dat ze een verwend nest is. En daarop zal zij wel hebben gezegd dat ik kon oprotten. Zoiets.' Max lachte verbitterd. 'Ik maak mezelf belachelijk. Gereduceerd tot idioterie door een meisje dat half zo oud is als ik.'

'Ik zie niet in wat leeftijd ermee te maken heeft.'

'Je zou denken dat je zou leren van ervaring, toch? Het rationele deel van me heeft altijd geweten dat het nooit iets blijvends zou worden tussen Michelle en mij. Ik weet dat ik voor haar altijd tweede keus ben geweest. Ik ben te oud, te lelijk en te buitenlands.' Hij stak een hand op om haar te beletten iets te zeggen. 'Het is niet anders, Freddie.'

Ze zag dat zijn hand beefde terwijl hij koffie in de mokken schepte. 'O, Max,' zei ze. 'Hoeveel heb je gedronken?'

'Te veel. Niet genoeg. Het is mijn zwakte. We hebben allemaal zwakheden, Freddie, zelfs jij. Melk?'

'Graag.'

Hij opende een fles, rook eraan en trok een vies gezicht.

'Maakt niet uit,' zei ze. 'Zwart is ook lekker.'

Hij gaf haar een mok koffie, zocht onder wat kussens en streek met een hand over de zakken van zijn jasje. 'Waar zijn mijn sigaretten? Jij hebt er zeker geen, hè? Misschien heb jij toch geen zwakheden.' Hij vond een verfrommeld pakje en viste er een sigaret uit. 'Ik weet niet wat Marcelle wil,' zei hij zacht. 'Ik vraag me af of ze dat zelf wel weet. Ze is een mooi, interessant en verward meisje dat van ruziemaken houdt. Het is per slot van rekening niet voor het eerst dat we uit elkaar zijn.' Hij begon aan een volgende zoektocht, deze keer naar lucifers, waarbij hij papieren en jasjes opzij gooide, waardoor de kamer nog rommeliger werd. 'Ze maakt ruzie om niet aan haar vader te hoeven denken, dat weet ik. En misschien omdat ze geniet van het gevoel van macht dat ruziën haar geeft. Ik heb haar nog niet zo lang geleden gefotografeerd. Ze had die jas met die bontkraag aan. Ze was net de Sneeuwkoningin. Ik zal wel een splinter ijs in mijn hart hebben.'

'Arme Max.'

'Nee hoor.' Hij streek een lucifer aan. 'Ik verdien je medeleven niet, Freddie. Ik weet hoe ze in elkaar zit en toch wil ik haar. Ik laat haar mijn hart breken. Zoals ik al zei ben ik een idioot.'

'Zal ik je helpen opruimen?'

'Geen sprake van. Ga zitten. Praat met me. Er zijn zoveel andere dingen waarover ik me veel drukker zou moeten maken dan om een gesjeesd, egoïstisch meisje.'

Freddie maakte een plekje op de bank vrij en ging zitten. 'Ik weet niet of het zo werkt.'

'Ik heb vrienden en familie in Duitsland. Ik heb geen idee hoe het met hen is. Ik weet niet eens of ze nog leven. Soms wil ik om hen huilen. Maar eerlijk gezegd denk ik veel meer aan haar.' Hij keek Freddie geconcentreerd aan. 'Sorry voor wat ik net zei, over Tessa. Ik ben gewoon een verbitterde ouwe vent. Je weet hoeveel ik van Tessa hield. Je hebt zeker niets van haar gehoord?'

Freddie zuchtte. 'Ik heb die eerste brief gehad, in 1940, en een halfjaar later een kort berichtje, helemaal verkreukeld. Ze waren allebei gestuurd via een vriend van Tessa in Zweden, en geen van beide bevatte heel veel informatie, behalve dat ze gezond en veilig was. Ze noemde geen namen, waarschijnlijk omdat ze bang was iemand in de problemen te brengen. En sindsdien heb ik helemaal niets gehoord, helaas.' Ze voelde zich altijd zo als ze aan Tessa dacht: een vreselijk gevoel van verlies vermengd met angst. 'Maar ik weet wat je bedoelt, Max. Ik vind het vervelend als er geen zitplaatsen zijn in de bus en ik vind het vervelend als mijn shampoo op is en er nergens nieuwe te koop is. Maar het enige wat me echt interesseert, is of het goed gaat met Tessa.' Ze nam een slok koffie. Hij smaakte bitter, naar cichorei. Toen zei ze: 'Ik ben hier om afscheid te nemen.'

'Ga je weg?'

'Ik ben overgeplaatst naar Birmingham. Ik ga de techniek-opleiding doen. Ze gaan me leren hoe ik vliegtuigen moet maken.'

'Mijn god.' Zijn wenkbrauwen schoten omhoog. 'Geen papieren meer schuiven bij het ministerie van Oorlog, dus?'

'Dat ben ik al een hele tijd zat. En ik ben een alleenstaande vrouw zonder specialisme, dus ze kunnen me overal naartoe sturen. Het klinkt behoorlijk deprimerend, vind je niet?'

'En volledig onterecht.' Zijn ogen, vriendelijk en teder bruin, bestudeerden haar. 'Denk je dat je het leuk vindt om vliegtuigen te bouwen, Freddie?'

'Ik hoop het. Maar ik vind het wel vreselijk om mijn vrienden achter te laten.' Ze glimlachte naar hem. 'Zelfs de chagrijnige. Ik probeer van iedereen afscheid te nemen voordat ik vertrek.'

Hij pakte nog een sigaret en tikte ermee tegen het pakje. 'Ga je ook nog naar Michelle?'

'Dat denk ik wel.'

'Wil je haar iets van me doorgeven?'

'Max...'

'Ze neemt mijn telefoontjes niet aan. Alsjeblieft, Freddie.'

Haar hart ging naar hem uit. Zijn zwarte haar begon grijs te worden bij de slapen en hij moest nodig naar de kapper. Hij had blauwige schaduwen onder zijn ogen. Zijn gezicht was ingevallen en hoekig: hij zag eruit, vond Freddie, als een vermoeide en verfomfaaide kraai.

'Als je dat wilt, doe ik dat Max, maar is het geen beter idee om te wachten tot ze contact met jou opneemt?'

'Te doen alsof het me niet raakt, bedoel je?'

'Laat haar even in haar eigen sop gaarkoken. Dan gaat ze je misschien meer waarderen. Waarom wacht je niet tot zij haar excuses aanbiedt?'

'Omdat ze dat niet gaat doen. Nooit. Dat weet ik.' Max zag er wanhopig verdrietig en een beetje beschaamd uit. 'Ik weet dat ik meer van haar hou dan zij van mij. Dus blijf ik als een trouw hondje achter haar aan lopen, ook al gaat ze me daardoor minachten.'

Ze kon zich er niet van weerhouden te zeggen: 'Maar is zo'n liefde wel de moeite waard?'

'Als dat alles is wat je wordt aangeboden wel, ja.'

Freddie vertrok een kwartier later met een briefje van Max in haar zak. Ze nam de metro naar South Kensington en liep van daar naar Cheyne Walk in Chelsea. Ze rook de olieachtige, rottende lucht van de rivier toen ze Marcelle Scotts huis naderde. Er waren twee planken over de voordeur van het pand gespijkerd, dus ze nam de trap naar de kelder en klopte op het keukenraam.

Marcelle liet haar binnen. Ze droeg een zwarte cocktailjurk; om haar hals had ze een collier van jade dat het groen van haar ogen schitterend complementeerde. 'Freddie,' zei ze, en ze bood haar wang aan om te worden gekust.

Het was koud in de grote keuken. Betty Mulholland stond in een lichtblauwe onderjurk bij de gootsteen haar haar in krullen te steken en ze met een suikeroplossing te deppen om ze te verstevigen.

'Lewis ligt boven te slapen,' zei Michelle.

Freddie herinnerde zich Lewis Coryton van die avond in het Dorchester, met zijn donkere haar en elfachtige gelaatstrekken.

'We doen ons best om stil te zijn,' fluisterde Betty. 'Die arme Lewis heeft weken niet geslapen. Hij zat op de oversteken over de Atlantische Oceaan. Hij heeft een afgrijselijke tijd achter de rug.'

Freddie vertelde dat ze naar de Midlands was overgeplaatst. Betty zei dat ze met haar te doen had, en dat zij naar Plymouth moest, kilometers en kilometers van Frances vandaan, die op een luchtbasis in East Anglia zat. Toen ging ze naar boven om zich aan te kleden.

Marcelle was de schone vaat aan het opruimen. Freddie haalde de brief van Max uit haar zak. 'Max heeft me deze voor je meegegeven.'

'Heb je hem gezien?'

'Ja, net.' Ze wachtte tot Marcelle zou vragen hoe het met Max was; toen ze dat niet deed, zei Freddie toch maar: 'Het gaat slecht met hem.'

Marcelle zette een soepterrine op een plank en deed de kastdeur dicht. Toen scheurde ze de envelop open. Ze las vluchtig de brief, legde hem op de keukentafel en ging verder met opruimen.

Freddie vroeg: 'Ga je met hem praten?'

'Dat weet ik niet. Misschien.'

'Hij mist je.'

'Ik wil het er liever niet over hebben.'

'Ik wel.'

Marcelle zei zacht: 'Het gaat je niets aan, Freddie.'

'Jawel. Max is mijn vriend.'

'Natuurlijk. Dat was ik even vergeten. Max Fischer, de grote vriend van de gezusters Nicolson.' Marcelles toon was neerbuigend.

Max was jaren verliefd geweest op Tessa, maar Freddie kon zich niet herinneren dat ze hem ooit zo ongelukkig had gezien als nu. Het verschil was, dacht Freddie, dat Tessa nooit onaardig tegen hem was geweest. In ieder geval niet opzettelijk.

Marcelle stond met een theedoek bestek op te poetsen. Haar haar viel in soepele krullen over haar schouders en haar vingernagels waren dezelfde felle kleur rood gelakt als altijd. Freddie

343

vroeg zich af waar ze in oorlogstijd zulke nagellak op de kop tikte… Of had ze ergens een geheime voorraad die haar de oorlog door moest helpen?

'Als je niet om hem geeft,' zei ze, 'zou het dan niet aardiger zijn om hem dat eens en voor altijd duidelijk te maken?'

Marcelle draaide zich naar Freddie om. 'Ik ben erg op Max gesteld.' Haar wangen waren roze geworden.

'Ik denk niet dat het genoeg is dat je op hem bent gesteld. Hij houdt van je. Snap je niet dat dat niet kan? Zo doe je mensen pijn, echt heel veel pijn.'

De keukendeur ging open. Lewis Coryton kwam knipperend met zijn ogen en gekleed in een rode zijden kamerjas waarvan ze vermoedde dat hij van Marcelle was de keuken binnen.

'Ik zou een moord plegen voor een kop thee,' zei hij.

'Ik zet er wel een voor je, lieve Lewis.' Marcelle vulde de ketel.

Lewis keek met gefronste wenkbrauwen naar Freddie. 'Wacht even. Freddie Nogwat… Freddie Nicolson.

'Hallo, Lewis.' Ze bood hem haar hand aan.

'Je was in het Dorchester,' zei hij. 'Je droeg een zwarte lange jurk met een paars collier, net pruimen.'

'Lewis heeft een geheugen als een olifant,' zei Marcelle snibbig.

Freddie was verheugd dat Lewis nog wist wie ze was. Ze kon zich herinneren dat ze hem destijds een knappe man had gevonden. Hij was nog steeds knap, ondanks zijn warrige haar en die belachelijke rode kamerjas.

Betty kwam de keuken in rennen. 'Mijn oorbellen? Heb jij mijn oorbellen gezien?'

'Op de vensterbank,' zei Marcelle.

Betty haakte de diamanten in haar oorlellen. 'Ga je met ons mee, Freddie? Denny komt ook. En Clare, toch, Lewis? En hoe zit het met die jongens van de RAF die we in de trein hebben leren kennen?'

'Die zeiden dat ze ook komen.' Marcelle schonk kokend water in de theepot.

'En Jack?' vroeg Betty.

'Dat denk ik niet.'

'Kousen,' mompelde Betty. 'Ik moet ergens een goed paar kousen vandaan zien te toveren.' Ze rende weer naar boven.

Lewis pakte een kop thee van Marcelle aan. 'Ik moest maar eens een bad gaan nemen. Goed om je weer te zien, Freddie. Jij bent er vanavond toch ook wel?'

Ze gaf een vrijblijvend antwoord. Zodra Lewis weg was, vroeg Freddie aan Marcelle: 'Heb je Jack gezien?'

'Mijn neef Jack? Ja, natuurlijk.' Michelle schonk thee in en fronste haar wenkbrauwen. 'Jij kent hem ook, toch? Dat was ik vergeten.'

'Was hij in Londen?'

'Ja, een paar weken. We hebben het heerlijk gehad. Ik ben nog steeds uitgeput van al die feesten.' Michelles stem klonk hard en tinkelend. 'Ik hoop dat hij verliefd wordt op Frances. Met Jacks blonde haar en het rode van Frances zouden ze geweldige kindertjes krijgen, denk je ook niet?' Ze haalde haar lippenstift en compactpoeder uit haar tasje. 'Wil je vanavond mee, Freddie? Ik heb vast wel ergens iets wat je past.'

'Nee bedankt. Ik ben eerlijk gezegd ontzettend moe. Ik denk dat ik eens vroeg naar bed ga.'

Freddie vertrok kort daarna. Het regende nog steeds, dus ze zette de capuchon van haar regenjas op en stak tijdens het lopen haar handen in haar zakken.

Ze verlangde er voor het eerst naar om weg te gaan uit Londen. Sinds die avond in het Dorchester had ze aan de zijlijn van de groep van Jack en Marcelle geleefd. Ze liep door de regen en voelde ineens een sterke antipathie jegens Marcelle. Hoewel ze rationeel wist dat een deel van de ellende van Max zijn eigen verantwoordelijkheid was, haatte ze Marcelle om hoe achteloos ze met hem omging. Een bepaalde afstandelijkheid kenmerkte Marcelle, waardoor het misschien gemakkelijk voor haar werd om mensen te kwetsen. En had Jack, Marcelles neef, niet diezelfde eigenschap? Ze was Jack in 1939 van pas gekomen, maar zodra hij haar niet meer nodig had gehad, had hij haar laten vallen. Misschien moest ze zich niet gekwetst voelen dat hij in Londen was geweest en geen contact met haar had opgenomen, zoals hij had beloofd te doen, maar dat voelde ze zich wel. De herinnering aan hun vlucht van Florence naar Frankrijk stond haar nog steeds zo levendig bij, maar hij, vermoedde ze, was alles vast direct nadat ze afscheid hadden genomen al weer vergeten. Op de boot op weg naar Frankrijk had hij tegen haar gezegd: *we kunnen altijd samen vluchten.* Wat zou er zijn gebeurd als ze daar ja op had gezegd? Woonden ze nu dan in Buenos Aires of Valparaiso, verdiende hij zijn geld met iets losbandigs en onfatsoenlijks en zat zij met een gardenia achter haar oor cocktails te drinken op een strand? Of zou hij na een maand of twee weer zijn vertrokken, om zichzelf te bevrijden van alles wat in de verste verte ook maar riekte naar vastigheid?

Maar was zij zo anders? De gedachte bracht haar in verwarring. Haar relatie met Angus was drie maanden nadat ze voor het eerst hadden gevreeën ten einde gekomen toen zij zijn huwelijksaanzoek had afgewezen. Ze had van hem gehouden, maar niet genoeg. Hoewel ze sindsdien vriendjes had gehad – een soldaat die ze in een danszaal had leren kennen, een Canadese piloot met wie ze in de bus een keer aan de praat was geraakt – waren die vriendschappen nooit van lange duur. De soldaat moest naar Devon en de piloot was neergeschoten boven Duitsland. Haar langste relatie was met een Amerikaanse journalist die in Londen verbleef om verslag te doen van de invloed van de oorlog op Groot-Brittannië. Hij had haar uiteindelijk de bons gegeven. 'Je bent een leuke meid, Freddie,' had hij na een avondje uit tegen haar gezegd, 'en je bent beeldschoon, maar ik heb het gevoel alsof ik door een glazen muur heen met je praat. Jullie Engelsen. Niets raakt jullie, hè? Het lijkt wel of jullie ergens op wachten, al heb ik geen idee op wat. Niet op mij, dat weet ik wel zeker. Je hebt je verdedigingsmuur opgetrokken en laat niemand daar doorheen breken.'

Als Tessa had geloofd dat je ten koste van alles moest voorkomen te trouwen, was zij dan door naar Tessa's voorbeeld te kijken tot de conclusie gekomen dat je niet het huwelijk, maar de liefde koste wat kost moest voorkomen? Of was het eenvoudigweg dat ze ergens op wachtte, zoals haar Amerikaanse journalist had gezegd – om Tessa weer te zien? – en dat al dat wachten en hopen haar vrijwel al haar emotionele energie kostte?

Het stak haar dat Max had gezegd dat hij van Tessa hád gehouden, niet dat hij van haar híeld, alsof Tessa alleen nog in het verleden bestond. Het stak haar dat Ray, die ooit van Tessa had gehouden, nu nauwelijks nog over haar sprak. En wat haar nog het meest stak, na drie jaar van haar gescheiden te zijn, was dat de Tessa die ze zich herinnerde begon te vervagen, zodat ze nu, wanneer ze zich haar voor de geest probeerde te halen, meer en meer de beelden zag die bestonden op foto's en in tijdschriften. Alsof Tessa een definitieve vorm aan het aannemen was, alsof ze bevroor, gevangen in die specifieke periode van haar leven, losgesneden van de toekomst.

Ze wilde zo snel mogelijk uit Londen weg. Ze wilde opnieuw beginnen, met nieuwe mensen, nieuwe dingen doen. Ze duwde haar capuchon van haar hoofd en rende de trap af naar de metro.

12

Maddalena Zanetti zat op een bank in de *salotto*, de zitkamer van de villa. Olivia zat naast haar en Faustina hing overdwars in een leunstoel. Guido liep heen en weer door de ruimte met zijn dochtertje op zijn schouders. Elke keer dat hij onder een kroonluchter door liep, strekte Luciella een hand uit en probeerde hem te raken, waarop Guido een waarschuwing brulde en Luciella het uitgilde van opwinding.

'Maak haar niet te moe lieverd,' zei Maddalena. 'Dan eet ze straks haar bord niet leeg.'

Guido zwiepte zijn dochter, hulpeloos van het lachen, naar de vloer. Tessa ging op het kleed naast Luciella zitten. Luciella liet Tessa haar poppenserviesje zien, dat bestond uit piepkleine kopjes, schoteltjes en bordjes van het fijnste porselein en dat was beschilderd met bloemetjes. Ondertussen werd er achter hen een gesprek gevoerd. Tessa had het gevoel dat er spanning tussen Guido en zijn vrouw was, een gebrek aan eenheid: van zijn kant de neiging alles wat zij zei te weerleggen, die door haar werd beantwoord met stilte. Tessa had eerder die dag dezelfde spanning gevoeld toen het gezin gezamenlijk had geluncht nadat Guido, Maddalena, Luciella en haar kindermeisje in de villa waren gearriveerd. Ja, had Maddalena hun verteld, het ging goed met haar ouders. Ja, het was momenteel moeilijk in de steden, met de voedseltekorten en dergelijke, maar ze hoopte dat dat snel beter zou worden. Waarop Guido een minachtend snuivend geluid had gemaakt en Olivia om de spanning te ontzenuwen had aangeboden dat ze eten mee terug naar Florence zouden nemen.

Guido was nadat hij gewond was geraakt in Noord-Afrika halverwege het jaar teruggestuurd naar Italië. Olivia en Faustina waren bij hem op bezoek geweest, eerst in het militaire hospitaal en daarna in Florence. Hij had nu twee weken verlof en ging dan weer terug naar het leger.

'Wat heerlijk dat je er bent, Guido,' zei Olivia.

Faustina, die van plagen hield, zei: 'Volgens mij kan Guido niet wachten tot hij terug mag, zodat hij weer de held kan uithangen.'

'Zo heldhaftig is het daar anders niet,' zei Guido fel, terwijl hij Faustina kwaad aankeek. 'Schuilen in een godvergeten gat als een muis in zijn hol.'

Faustina draaide een lok sluik haar om een vinger. 'Je kunt je hele leven al geen verveling verdragen, Guido.'

'Liever gevaar dan verveling.'

'Maar wij moeten die verveling anders wél kunnen verdragen, hoor.' Faustina duwde zich omhoog en pakte een koekje van een bord. 'Vooral vrouwen. Het meeste wat vrouwen moeten doen is doodsaai.'

'Het is trouwens geen kwestie van verveling. Het is een kwestie van eer.'

Maddalena zei zacht: 'Guido, niet nu.'

Guido pakte een piepklein zilveren lepeltje en legde het weer neer. 'Ik ga liever terug naar Noord-Afrika.' Zijn stem klonk gespannen. 'Maddalena is het er niet mee eens.'

'Is dat zo onredelijk?' Maddalena's ogen spuwden ineens vuur. 'Waarom zou ik willen dat je naar het front wordt gestuurd? Waarom zou ik willen dat je sneuvelt, Guido? Wat zouden Luciella en ik daarmee opschieten?'

'Ik laat me door niemand de wet voorschrijven. Ik laat me...'

'Guido,' zei Tessa zacht.

Maddalena stond op. 'Wat is er belangrijker voor je? Je vrouw en kind of je eer?'

'Dat is niet eerlijk,' zei Guido onderkoeld. 'Dat weet je zelf ook.'

'Het spijt me, Olivia.' Maddalena's stem beefde. 'Luciella moet eten. En ik heb hoofdpijn.' Ze tilde het kind op en liep de kamer uit.

Olivia mompelde: 'Het is ook zo heet…'

Er viel een lange stilte. Toen zei Guido: 'Het spijt me, moeder.' Hij stond op en verliet ook de kamer.

Het was het einde van de eerste week van september en het had al een maand niet geregend. Stoffige witte wegen kronkelden over heuvels vol gebleekt, droog gras en daarboven hing hoog in de staalblauwe lucht de zon als een platte, bleke schijf. In de villa hingen de gordijnen slap in de vochtige lucht, en zonlicht perste zich door de smalle openingen tussen de blinden en scheen in felle strepen op de vloer.

Tessa had die avond het gevoel dat er een sfeer van rampspoed in de lucht hing. Maddalena had met een wit gezicht van woede haar dochter, de kinderjuf en hun koffers in de auto geduwd, en was vertrokken naar het landhuis van haar ouders in de buurt van Impruneta. Guido was niet naar buiten gekomen om hen uit te zwaaien.

Later, na het eten, luisterde het gezin naar de radio. Er werd verslag gedaan van verliezen voor de asmogendheden in Noord-Afrika, bij Alam Halfa. Een tijdelijke terugslag, zei de nieuwslezer, maar nadat Olivia de radio had uitgezet, zaten ze stil in de luchtloze hitte en hadden niets om het over te hebben.

Tessa kon die nacht niet slapen. Ze trok heel vroeg de volgende ochtend een broek en een hemdje aan en liep naar beneden. In de keuken schonk ze een glas water voor zichzelf in, maakte onder de stromende kraan een kommetje van haar handen, waste haar gezicht en haalde haar natte handen door haar haar. Ze liep de keuken uit en wat kamers en gangen door. De marmeren vloeren voelden koel onder haar blote voeten; een licht in het midden van het huis trok haar naar de binnentuin.

Guido zat op een stenen bankje tussen de terracottapotten in de open, betegelde rechthoek onder de nachthemel. Onder de bogen van de loggia stond een olielamp; stoffige motten met koperkleurige vleugels fladderden eromheen. Ze zei zacht zijn naam.

Guido draaide zich om. 'Tessa,' zei hij. 'Ook een slapeloze nacht?'

'Het is te heet om te slapen.' Ze zette haar glas water neer en ging naast hem op het bankje zitten. 'Als het dit soort weer is, heb ik altijd het gevoel dat het ergens naartoe opbouwt.'

'Er komt onweer. Kijk maar.'

Ze staarde naar de rechthoek lucht boven zich en zag dat de sterren achter een dik wolkendek waren verdwenen.

'Ik ben even gaan wandelen,' zei Guido. 'Om mijn hoofd leeg te maken.'

'Hoe is het met je been?'

'Prima. Het doet nog wel pijn, maar de artsen zeggen dat wandelen het beste is wat ik kan doen.' Hij trok zijn rechter broekspijp op. Zijn kuit was een lappendeken van rode littekens en het weefsel zag er klonterig en oneffen uit op de plaatsen waar het om gaten en sneden heen was samengehecht.

Tessa dacht terug aan hoe Guido in de vijver van villa Millefiore had gezwommen, hoe ze had genoten van de soepele bewegingen van zijn perfect gespierde ledematen, en van de manier waarop hij uit de vijver was geklommen. Hoe het water pareltjes had gevormd en van zijn gebruinde huid was gegleden.

'Arme Guido,' zei ze.

'Ik heb geluk gehad. Mijn been zit er nog aan.'

'Het zal wel pijn hebben gedaan.'

'Dat kun je wel zeggen, maar toen ik morfine kreeg ging het meteen beter.' Hij begon te lachen. 'Lekker duo zijn wij, zeg. Stelletje wandelende gewonden.'

Hij strekte zijn arm, veegde met zijn hand haar pony opzij en liet zijn duim over het litteken op haar voorhoofd glijden. Ze moest op haar onderlip bijten om te voorkomen dat ze zou gaan huiveren.

'Je bent nog net zo mooi als toen,' zei hij zacht. 'Je moet nooit geloven dat dat is veranderd.'

Ze schudde haar hoofd en staarde naar de vloer.

'En jij, Tessa? Ben je nog op andere plaatsen gewond geraakt behalve je hoofd?'

'Aan mijn been, mijn arm... en mijn sleutelbeen.'

'En volgens mij ook hier.' Guido maakte een vuist en drukte die bij zijn hart tegen zijn ribben.

'Je had Maddalena niet zo mogen laten vertrekken,' zei Tessa. 'Je had met haar mee moeten gaan.'

'Misschien.'

'Niet misschien, zeker. Ze maakt zich zorgen om je. Kun je haar dat kwalijk nemen?'

'Tessa, bemoei je niet met dingen die je niet begrijpt.' Hij klonk boos.

'Ik begrijp dat Maddalena van je houdt en dat ze zich zorgen maakt.'

Guido stond op en liep een paar meter weg. Toen bleef hij staan, en hij keek op naar de hemel. 'Er komen steeds meer wolken.' Ze voelde dat hij probeerde zijn ergernis te onderdrukken. 'Verlang jij ook zo naar regen?'

Een briesje deed de bladeren van de oleanders en citroenbomen een beetje bewegen. Tessa schudde haar haar naar achteren en genoot van de koele lucht op haar blote armen en gezicht. 'Ik krijg nooit genoeg van de zon,' zei ze. 'Ik heb te lang in Engeland gewoond.'

Guido haalde zijn sigarettenkoker uit zijn zak en bood haar een sigaret aan. Tessa hoorde de klik van zijn aansteker en zag de vlam in de duisternis flikkeren. De bladeren ritselden, terwijl het briesje in kracht begon toe te nemen en over de binnenplaats woei.

Hij ging weer naast haar zitten. 'Het is niet de eerste keer dat Maddalena en ik ruzie hebben. Eerlijk gezegd,' – hij lachte bitter – 'begint het nogal een gewoonte te worden.'

'Dat komt omdat jullie zo lang uit elkaar zijn geweest. En doordat je gewond bent. Dat moet angstaanjagend voor haar zijn geweest. Angst kan zich uiten in woede.'

Guido staarde over de binnenplaats, zijn blik was broeierig. 'We hebben altijd ruzie over hetzelfde. Maddalena's vader is zeer vermogend. Hij heeft nooit hoeven werken voor zijn geld. Hij is zo iemand die overal de juiste mensen kent en die altijd precies de goede dingen tegen iedereen zegt. Ik haat hem.'

'Maar je wist toch waar je aan begon toen je met Maddalena trouwde?'

'Dat zal wel.' Hij maakte een geïrriteerd gebaar. 'Ik dacht toen dat het niet uitmaakte. Ik dacht dat het voor ons niet uitmaakte.'

'Maar nu wel?'

'Ze hoeft maar in zijn oor te fluisteren en dan kan hij zorgen dat ik ergens achter in de Alpen word gestationeerd, waar ik niets gevaarlijkers te doen zou hebben dan nu en dan achter een boer aan gaan die probeert zijn belastingplicht te ontduiken.'

'En Maddalena wil dat je dat gaat doen?'

'Ja. Maar dat kan ik niet, Tessa. Ik zou niet met mezelf kunnen leven. Eer...' Guido lachte verbitterd. 'Wat zal ik pretentieus hebben geklonken, vanmiddag. De mannen die deze oorlog zijn begonnen, die hem willen, weten niet eens wat eergevoel is. God mag weten hoe het verder gaat als we nog meer verlies lijden in de woestijn. Er is een limiet aan de hoeveelheid troepen die Duitsland ernaartoe kan sturen. Ze zijn nu al overbelast, ze vechten op te veel fronten tegelijk en op dit moment hebben ze al hun manschappen in Rusland nodig.' Hij was even stil en zei toen: 'Een weersverandering wordt altijd ingezet door een koude wind. Ik voel dat het weer aan het omslaan is. De Britten weten dat de Amerikanen in de coulissen staan te wachten. Al die manschappen, al die vliegtuigen, tanks en geweren. Als de geallieerden Noord-Afrika innemen, hoe gaat het dan verder?'

Tessa dacht aan de plattegrond van het Middellandse Zee-

gebied, de kralenketting van eilanden tussen de Noord-Afri-
kaanse kust en de teen van Italië.

'Denk je dat ze hiernaartoe komen?'

'Ja.'

'En Maddalena?'

'Die is nooit geïnteresseerd geweest in politiek. Toen ik jong
was, dacht ik er ook niet over na. Maar nu vind ik dat je het je
niet kunt veroorloven om te beweren dat je niet in politiek bent
geïnteresseerd.' Hij glimlachte grimmig. 'Ik heb ruzie met mijn
vrouw over een oorlog waarin ik nooit heb geloofd. Geen wonder dat ze razend van me wordt. Maar weet je, mijn mannen zijn
daar nog, in de woestijn. Ze hebben dingen te verduren die mijn
schoonvader en zijn soort zich niet eens kunnen voorstellen. En
ik ben het hun verschuldigd om terug te gaan. Toen Maddalena
aan het inpakken was om te vertrekken, kregen we weer ruzie.
Ze zei...' Zijn stem ebde weg en hij schudde zijn hoofd.

'Wat, Guido?'

Hij raapte een blad op dat op de tegels was gewaaid en ver-
pulverde het in zijn vuist. 'Ze zei dat ik, als ik voor haar niet in
Italië wilde blijven, dan tenminste moest overwegen om voor
Luciella te blijven.'

'O, Guido.'

'Ik heb gezegd dat alles wat ik doe voor haar en Luciella is.
Wat voor vader – en wat voor echtgenoot – zou ik zijn als ik
alles waarin ik geloof de rug zou toekeren? Mijn loyaliteit,
mijn vertrouwen... als ik dat zou verraden?' Hij wachtte tot
Tessa wat zou zeggen; toen ze dat niet deed, zei hij verbitterd:
'Jij bent ook een vrouw. Je zult er wel hetzelfde over denken als
Maddalena.'

'Inderdaad. Maar ik snap jou ook, Guido.' Ze fronste haar
wenkbrauwen. 'Ik dacht altijd dat ik naar mijn principes leefde.
Daar was ik trots op. Mijn principes waren niet dezelfde als van
anderen, maar dat maakte me niets uit.'

'En nu?'

'Mijn principes zijn bijna mijn ondergang geworden. Dat soort dingen kunnen me niet meer schelen.'

'Volgens mij ben je geen spat veranderd, Tessa. Je bent stiller, en verdrietiger. Maar daaronder ben je nog precies hetzelfde.'

Ze drukte haar sigaret uit in een bloempot. 'Misschien had ik toch terug moeten gaan naar Engeland.'

'Misschien is dit je thuis wel.'

'Misschien.' Ze haalde haar schouders op. 'Volgens mij begrijp ik nu beter wat loyaliteit is. Het heeft lang geduurd, maar nu begrijp ik het. Ik dacht altijd dat je moest weglopen van een liefdesrelatie die niet meer werkte. Dat je je niet moest binden. Dat heb ik in mijn jeugd geleerd, dus dat is wat ik steeds heb gedaan. Ik dacht dat ik daarmee loyaal aan mezelf was, dat ik loyaal aan mijn principes was.'

'En toen?' Toen ze daar geen antwoord op gaf, zei hij: 'Er is toch een "en toen", Tessa?'

'Uiteindelijk kwam ik iemand tegen van wie ik niet kon weglopen.' Ze trok haar knieën tegen zich aan en sloeg haar armen eromheen. 'Hij was slim, aantrekkelijk en charmant. En getrouwd. Ik kende een heleboel slimme, aantrekkelijke en charmante getrouwde mannen. Ik hield mezelf voor dat het geen probleem was, omdat ik hen niet van hun vrouwen wilde afnemen.' Ze keek omhoog naar de hemel. 'Wat houden we onszelf toch voor de gek als we verliefd worden. Misschien kwam het door de maan en het ijs. Soms lijkt het net of die stille, Engelse plekjes betoverd zijn.'

'Wat is er gebeurd?'

'Niets goeds,' zei ze verdrietig.

Een bliksemflits verlichtte de binnenplaats met een lavendelkleurige gloed. 'Ik hoop dat het gaat gieten,' zei Guido, die omhoog keek. 'We kunnen wel een flinke bui gebruiken.'

'Stefano zal zich vanwege de druiven wel zorgen maken dat het gaat hagelen.'

'Je wordt al een echte plattelandsvrouw, Tessa. Wie had dat

gedacht.' Zijn stem klonk licht spottend. Toen zuchtte hij, en hij zei: 'Wie weet waarom we verliefd worden? De maan en het ijs zijn net zo'n goede reden als elke andere. Ik weet wat je zult denken over Maddalena en ik: jeugdvrienden, rijke familie. Dat we zijn getrouwd vanwege de dynastie, dat we zijn getrouwd omdat onze ouders dat wilden.'

'Nee, Guido.' Haar toon was liefdevol. 'Ik ken je. Jij trouwt alleen uit liefde.'

In de verte klonk onweersgerommel, alsof iemand meubels in een lege kamer stond te verschuiven. Tussen hen in hing een gedeeld gevoel van verlies, een bewustzijn van wat had kunnen zijn.

'Als Mussolini zou worden afgezet,' zei Guido, 'zou dat de familie van Maddalena schaden. Het zijn loyale patriotten. Je zei net dat je loyaliteit begrijpt, Tessa, dus vertel me dan maar wat ik moet doen. Moet ik hier bij mijn familie blijven om iedereen te beschermen als het misgaat, of moet ik terug naar de woestijn en mijn mannen?'

Ze bestudeerde zijn profiel, dat er strenger uitzag door de donkere schaduwen die de nacht op hem wierp. 'Dat kan ik niet voor je zeggen, Guido. Dat zul je zelf moeten beslissen.'

Nog een donderklap, harder deze keer, al snel gevolgd door een flits.

'Toen Freddie bij me op bezoek was,' zei Tessa, 'zijn we naar villa Millefiore geweest. De tuin is helemaal overwoekerd, maar hij is nog steeds mooi.'

Hij keek haar geamuseerd van opzij aan. 'Weet je nog, die middag dat je me met mijn kleren aan de vijver in liet springen?'

'Je was altijd zo'n ijdeltuit, Guido. Ik kon het niet weerstaan.'

'Het was de eerste keer dat we hebben gekust.'

Hun kleding, nat van het zwemmen, de geur van de laurier en het zonlicht dat als diamantjes boven hen scheen. En die hitte, net als vandaag, en zijn lichaam, vlak tegen dat van haar. Ze voelde een intens verlangen naar het verleden, naar onbezorgde tijden.

356

'Ik heb spijt dat ik niet achter je aan ben gegaan naar Londen,' zei Guido zacht. 'Dat had ik moeten doen. Ik had een manier moeten bedenken.'

'Het zou niets zijn geworden.' Ze zei het zonder pijn, alsof ze een feit opdreunde.

'We hadden kunnen zorgen dat het iets zou zijn geworden.'

Als ze haar arm had uitgestrekt en hem had aangeraakt, wat zou er dan zijn gebeurd? Maar dat deed ze niet. In plaats daarvan stond ze op, en ze zei opgewekt: 'Guido, ik was de dochter van de minnares van je vader. Hoe hadden we er in vredesnaam iets van kunnen maken? Nee. Jij en ik, we leefden allebei in compleet andere werelden.' Een bliksemflits brak de hemel in tweeën en de eerste druppel regen maakte een donkere cirkel op een tegel. 'En hoe dan ook,' zei ze, 'we pasten helemaal niet bij elkaar.'

'Hoe kun je dat nou zeggen?'

'Omdat het waar is. We gaan allebei veel te graag onze eigen gang. Als je al ruzie hebt met Maddalena, hoe vaak zou je dan wel niet ruzie hebben gehad met mij?'

'Zo cynisch was je vroeger niet, Tessa.'

'Het is niet mijn bedoeling om cynisch te zijn. Maar ik ken mezelf, en ik ben niet geschikt voor het huwelijk, dat ben ik nooit geweest.'

'Hoe kun je dat weten als je het nog nooit hebt geprobeerd?'

'Ik ben te veel op mijn vrijheid gesteld. Ik vind het moeilijk om compromissen te sluiten, ik weet niet hoe dat moet, ik heb het nooit gedaan. En als je getrouwd bent, moet je compromissen sluiten. Allebei, anders werkt het niet.'

Druppels regen tikten op de tegels. Tessa keek omhoog en ademde de frissere lucht, die naar citroen rook, diep in. Het stof en de hitte werden weggespoeld.

'Begrijp het dan. Voor míj had het nooit wat kunnen worden,' zei ze zacht. 'Ik weet niet veel, maar dat weet ik wel.'

'Wat ga je dan met je leven doen, Tessa? De oorlog komt een keer ten einde. Wat ga je dan doen?'

'Daar wil ik nog niet aan denken.'

'Mijn moeder vertelde dat je lesgeeft op het schooltje.'

'Inderdaad. Ik vind het geweldig.'

'Dus breng je de dag door met het zorgen voor de kinderen van andere vrouwen zonder er zelf een te hebben?'

De planten bewogen nu wild in hun potten; de wind was aangewakkerd. 'Tessa?' vroeg hij.

Het regende ondertussen harder; de druppels sloegen tegen haar gezicht. 'Ik heb je verteld dat ik nooit ben getrouwd, Guido,' zei ze. 'Ik heb niet gezegd dat ik nooit een kind heb gehad.'

Ze hoorde in het gekletter van de regen en het naderende onweer zijn voetstappen niet, die op haar af kwamen lopen.

'Tessa? Hoe bedoel je?'

'Je kunt ook een kind krijgen zonder te trouwen, hoor.' Haar stem klonk koel en afstandelijk, bijna uitdagend, en ze zag dat hij geschokt was. 'Je weet helemaal niets over me, Guido. Ik ben veranderd, dat zei ik al. Wat je ook over me denkt, het klopt niet. Wat voor herinneringen je ook hebt, die betekenen niets, helemaal niets.'

Ze liep van hem weg naar de beschutting van de loggia. Toen keek ze over haar schouder naar hem. 'Maar dit weet ik wel,' zei ze hartstochtelijk. 'Dit is wat je moet doen. Je moet voor je kind zorgen. Zorg dat ze veilig is, Guido. Zorg dat haar nooit iets ergs overkomt. Dat is het enige wat belangrijk is, echt het enige.'

Toen John en Romaine Pollen Mayfield Farm bij het uitbreken van de oorlog hadden verlaten, lieten ze de pottenbakkersoven achter die John had gebouwd, evenals het gekleurde glas waarvan Romaine haar glas-in-lood had gemaakt. Het glas bestond uit scherven, die op kleur gesorteerd in blikken waren opgeslagen. Het transparante glas had iets aanlokkelijks en Rebecca liep soms zonder erover na te denken de ruimte in waar de oven stond, waar ze dan een stuk glas uit een blik pakte en het ophield naar het raam om er licht doorheen te laten schijnen.

Op een dag probeerde ze wat scherven in elkaar te passen om er een afbeelding mee te maken. Ze stond aan de werkbank waar John Pollen zijn potten had gemaakt en schoof de puzzelstukjes heen en weer, waarbij ze goed oplette dat ze zich niet in de vingers sneed. Tegen de tijd dat ze iets had gemaakt wat haar beviel, zag ze tot haar verrassing dat er uren waren verstreken.

Ze liet het glaspatroon liggen en kwam er de daaropvolgende dagen nu en dan naar terug, hier en daar een stukje anders leggend. Op een avond ging ze in de werkplaats op zoek naar het lood dat Romaine Pollen had gebruikt om de stukken glas aan elkaar te bevestigen. Ze vond maar een paar klontjes; óf Romaine had zoveel mogelijk opgemaakt voordat ze Mayfield had verlaten, óf ze had het lood, dat vast duur was, meegenomen. Toen bedacht Rebecca dat ze haar schilderijtje van glas ook zonder lood kon maken, als ze de koeloven van John Pollen gebruikte. Op een avond stookte ze de koeloven op. De volgende dag, toen het glas was afgekoeld, haalde ze het eruit: de scherven zaten aan elkaar vast, de kleuren waren samengesmolten.

Het was een zware herfst. Mayfield Farm stond open en bloot in wind en regen. Zware stormen bliezen van het Kanaal naar de Weald en vervormden de kleigrond tot kleverige modder. Toch moesten de velden geploegd en de gewassen gezaaid. In het zwaarste weer beschermde Rebecca zich met truien en jassen, sjaals, handschoenen en een hoed, en dan trok ze twee paar sokken en een paar oude wandelschoenen aan voordat ze de velden in trok. Met het geweer van David Mickleborough leerde ze schieten op de kraaien die de zaden pikten en op konijnen die ze in stoofpotten konden verwerken. Ze vierde begin november de geallieerde overwinning bij El Alamein in Noord-Afrika met het gezin Mickleborough en de landarbeidsters, waarbij ze toostten met zelfgemaakte cider.

Rebecca experimenteerde die hele winter met glas. Soms smolten de stukjes niet samen, terwijl ze bij andere gelegenheden wel samensmolten, maar vervolgens barstten tijdens het afkoelen.

Als ze na het branden de oven opendeed voelde ze zich altijd opgewonden als ze de stukken die ze had gemaakt eruit haalde. Glas, zo ontdekte ze, kon een heel vergevend medium zijn. Haar fouten konden worden omgesmolten en tot iets anders worden gevormd. Zelfs de gruwelijkste mislukking kon tot een nieuw idee inspireren, kon haar een andere weg doen inslaan.

Meriel en zij gingen om de beurt een weekend naar hun moeder in Abingdon. Rebecca had het huis van haar moeder altijd tochtig en oncomfortabel gevonden. Ze had het er vaak koud, terwijl ze het zelden koud had op de boerderij. De kou was door de eeuwen heen uit Mayfield weggetrokken; daarbij vergeleken leek Hatherden grof, in elkaar geflanst, utilistisch en poreus, gekocht voor de lange termijn en vanwege de lage kosten. Ze herinnerde zich nog dat dat een van de dingen was die haar in eerste instantie tot Milo hadden aangetrokken, dat hij het zo vanzelfsprekend had gevonden dat je voor jezelf en je omgeving zorgde. Dat was een openbaring voor haar geweest, een toegang tot een nieuwe wereld waarin genot niet altijd beladen was met schuldgevoel.

En toch waren in deze ellendige vierde oorlogswinter de oude gewoontes die ze in haar kindertijd had aangeleerd, het beknibbelen en het rondkomen van niets, nogmaals van levensbelang. Ze gleed probleemloos terug in haar oude manieren, gebruikte elke kruimel brood, schraapte het laatste beetje eiwit met haar nagel uit de schaal zodat er niets werd verspild. Soms, als ze terugdacht aan de achttien jaar dat ze met Milo getrouwd was geweest, leken ze korter te worden. Ze waren een deel van haar leven geweest, een kleurrijk en spannend deel, vol passie en pijn, maar niet meer dan een deel. Het was niet vanzelfsprekend, zoals ze een tijd had gedacht, dat haar toekomst vervolgens saai en kleurloos moest zijn.

Ik heb zo genoten van je verslag over die reis naar de Burren, schreef ze Connor Byrne. *En wat heerlijk voor je dat Brendan mee is geweest. Het klinkt als een ruige en geweldige streek! Als*

de oorlog voorbij is, zou ik er ook wel eens naartoe willen. Ik stel
het me voor met wind en zee, bewoond door oeroude goden, door
elementaire wezens van steen. Ik zie jullie samen over het strand
lopen op zoek naar schelpen en zeeglas.

Connor had een foto van zichzelf en Brendan bij de Burren in
de envelop bijgesloten. Brendan was een aantrekkelijke jongen,
maar het was het beeld van zijn vader waar Rebecca's blik steeds
naartoe werd getrokken. Connor lachte op de foto. Hij was
warm aangekleed in zijn overjas en een sjaal, en zijn wilde donkere haar werd door elkaar geblazen door de wind; de zee sloeg
tegen de rotsen achter hem.

De winterzon scheen door het glas dat ze die ochtend uit de
koeloven had gehaald. Gekleurde vormen, groen, brons en
goud, ruwweg driehoekig van vorm, reduceerden de vallei, de
bossen en heuvels van de Weald tot pure vorm. Het glas ving het
licht, verstilde het. Ze bedacht opgewonden dat ze het zou kunnen matteren, als zeeglas. Dat ze het voor het oog vloeibaar als
water kon maken. Dat ze er vormen mee kon creëren die leefden
als Connors stenen goden.

'Het is bietencake,' zei Meriel. Ze zette het cakeblik op de keukentafel van haar moeder. 'Klinkt gek hè, maar volgens het recept
is het heel erg lekker.'

Het was paasvakantie en de meeste leerlingen van Westdown
waren vier weken naar huis. Hoewel het Rebecca's weekend was
om naar Hatherden te gaan, had Meriel die ochtend gebeld en
voorgesteld dat ze zou komen lunchen.

Ze aten in de achterkamer, die uitkeek over de tuin. Het was
de warmste kamer van Hatherden, op het zuiden en met grote
ramen. Rebecca serveerde gehaktbrood met worteltjes en Meriel
vertelde over haar recente bezoekje aan haar vriendin Monica
in Cleethorpes.

'Monica was helemaal van streek omdat een van de andere
vrijwilligsters van de Women's Volunteer Service onaardig tegen

haar was.' Er volgde een lang en ingewikkeld verhaal: het dienstrooster voor het busje van de WVS, de conclusie dat Monica niet hard genoeg haar best zou hebben gedaan, dat de kat van Monica ziek was geworden en dat Monica zo lang had moeten wachten bij de dierenarts, en hoe onhebbelijk het toch was om het achter iemands rug om over hem te hebben.

Het gesprek viel tijdens het dessert een beetje stil. Mevrouw Fainlight zag er moe uit en Meriel zei niets, Rebecca wist niet of dat werd veroorzaakt door die rare bietencake of doordat haar zus ergens door was afgeleid. Ze vermoedde het laatste.

Mevrouw Fainlight ging na de lunch naar haar slaapkamer om een dutje te doen en Meriel hielp Rebecca met afruimen. In de keuken liet Rebecca de gootsteen met water vollopen, en ze begon aan de afwas.

Meriel zocht in haar tas naar sigaretten en lucifers. 'Ik moest met je praten,' zei ze plotseling. 'Er is zoiets ergs gebeurd.'

'Wat dan?'

'Met Deborah.' Meriel leek niet in staat verder te gaan. Ze duwde een sigaret tussen haar lippen en streek een lucifer aan.

Rebecca schraapte wat gestolde jus van een bord. 'De vrouw van dokter Hughes?'

Meriel knikte. 'Ze is dood.'

'Dood?' Rebecca staarde haar zus aan.

'Ja. Ik heb het gistermiddag gehoord. Van Milly Fawkes.' Millicent Fawkes was het hoofd van een van de andere schoolhuizen van Westdown. 'Ze zei dat Deborah bij een nicht in Worthing logeerde en dat haar huis is geraakt bij een bomaanslag.'

'O, Meriel, wat afschuwelijk.'

'Deborah en haar nicht waren op slag dood. Ze vertikte het altijd om naar een schuilkelder te gaan, dat heeft dokter Hughes me wel eens verteld, en die nicht zal ook wel zijn gebleven, om haar gezelschap te houden.'

Rebecca zette een ketel water op. 'Arme dokter Hughes.'

'Ik heb zo met hem te doen. Ze waren al twintig jaar getrouwd.'

Meriel droogde wat glazen af en zette ze in de kast. 'Over de doden niets dan goeds, maar Deborah was niet gemakkelijk.'

'Ze was in slechte gezondheid, toch?'

Meriel knikte. 'Daarom was ze naar Worthing, voor de zeelucht.'

'Heb je dokter Hughes al gesproken?'

'Ik heb hem gisteravond gebeld, maar hij zat te wachten op een telefoontje van Deborahs moeder, dus ik kon hem alleen even snel condoleren.'

'Hoe klonk hij?'

'Geschokt, de arme man. Denk je...' – Meriel nam bedachtzaam een trekje van haar sigaret – 'denk je dat ik hem moet aanbieden te helpen haar spullen uit te zoeken? Dat is zo'n vreselijke taak voor een man om alleen te moeten doen, en Deborah had geen zussen en haar moeder is slecht ter been. Ik wil me natuurlijk niet opdringen, en misschien dat iemand anders het aanbiedt, maar...'

'Dat lijkt me heel attent,' zei Rebecca stellig.

'Ik heb Deborah maar een paar keer gezien en moet toegeven dat ze me niet aardig leek, maar dit gun je niemand, kilometers van huis en dan ook nog op vakantie. Ik heb maar niets gezegd met mama erbij, want ik was bang dat ze overstuur zou raken. Eerlijk gezegd ben ik alleen van streek omdat hij van streek is. Deborah was nogal gecompliceerd en veeleisend, dus heel erg rouwig om haar verlies ben ik niet, maar met hem leef ik des te meer mee.' Meriel keek Rebecca aan. 'Is dat heel vreselijk van me?'

'Helemaal niet.' Rebecca klopte Meriel geruststellend op haar schouder. 'Ik vind het heel begrijpelijk.'

De trein kwam tussen Rugby en Coventry tot stilstand. Freddie deelde een coupé met een slapende soldaat en een man in een pied-de-poule-jas met een vilthoed. Toen ze in Euston was ingestapt hadden er ook nog twee dames van middelbare leeftijd gezeten, wat de reden was dat Freddie de coupé had gekozen. Juffrouw Fainlight had haar leerlingen op Westdown altijd geïnstrueerd in de trein een coupé te kiezen waar andere vrouwen zaten, een tip die Freddie nog steeds volgde. Maar de twee dames waren in Rugby uitgestapt en nu stak de man in de pied-de-poule-jas een verfommeld bruin zakje naar haar uit, en hij vroeg: 'Snoepje, juffrouw?'

'Nee dank u,' zei ze.

'Jonge dames, altijd bang dat ze te dik worden.' Ze wist wat er nu zou komen, en daar kwam het al: 'Maar u heeft niets om u zorgen om te maken, hoor juffrouw.'

Nu werd er waarschijnlijk van haar verwacht dat ze een pruillip zou trekken en dat ze hem zou bedanken. In plaats daarvan staarde ze door het raam naar buiten, waar een bruine rivier, aangezwollen door de regen, door de velden kronkelde. Ze spoorde de trein in haar hoofd aan om vooral weer op stoom te komen.

'Waar gaat u naartoe, juffrouw?'

'Birmingham,' zei ze.

'Dat is toevallig, ik ook. U klinkt helemaal niet als een Brummie, als ik zo vrij mag zijn. Sigaretje?' Er werd een pakje sigaretten gepresenteerd, waarbij een hand quasi per ongeluk haar knie raakte.

Haar boek zat in haar tas op het bagagerek. Ze overwoog het te pakken om zich erachter te kunnen verschuilen, maar ze wilde niet opstaan. Ze was bang dat hij onder haar rok zou proberen te gluren.

'Nee dank u,' zei ze.

'Gaat u graag naar de film?'

'Ja hoor. Met mijn vriend.'

'Een meisje als u heeft vast heel veel vriendjes.'

'Heel veel,' zei ze onderkoeld.

De trein kwam schuddend in beweging en sleepte zich een afstandje over de rails voordat hij weer tot stilstand kwam. 'Als u me wilt excuseren,' zei Freddie, en ze liep de coupé uit.

Ze liep door de gang van het ene treinstel naar het andere. Als ze de tijd nam voor haar wandeling, zou die man in die pied-de-poule-jas misschien wel net als die soldaat in slaap vallen voordat ze terugkwam. Ze was moe en wilde zelf eigenlijk ook best even een dutje doen. Ze onderdrukte een gaap terwijl ze door de verbindingstunnel van rubber en metaal naar het volgende rijtuig liep.

Iets maakte dat ze in een coupé naar binnen keek, en toen zag ze in een hoekje een man in een marine-uniform zitten slapen. Het was Lewis Coryton.

Ze deed de deur open. Lewis had de hele coupé voor zichzelf. Ze dacht dat hij haar misschien niet zou herkennen, maar hij werd wakker en glimlachte slaperig naar haar.

'Hé. Freddie Nicolson.'

'Hallo, Lewis.' Ze liep de coupé in.

Hij stond op en gaf haar een hand.

'Wat leuk je te zien,' zei ze.

'Dat is wederzijds. Wat een saaie reis. Ik begon me net af te vragen of dat ding ooit nog verder zou gaan rijden. Ben je net ingestapt?'

'Nee, in Euston. Ik moest uit mijn coupé vluchten omdat er een man zat die me snoep en sigaretten probeerde op te dringen.'

'Kom dan bij mij zitten.'

'Leuk. Dan ga ik mijn tas even halen.'

Lewis bood aan met haar mee te lopen. Ze liepen de gang door terug naar Freddies coupé. De man in de pied-de-poule-jas keek haar gekwetst aan terwijl Lewis haar tas pakte en zij in de deuropening bleef staan. Toen ze op weg terug naar Lewis' coupé waren, keken ze elkaar aan en schoten in de lach.

'Hij zat al aan mijn knie te friemelen,' zei Freddie terwijl Lewis de deur van de coupé achter hen sloot. 'Het was vast ook nog een billenknijper.'

Lewis haalde een zilveren heupflesje uit zijn zak en bood het haar aan.

'Wat zit erin?'

'Rum. Wat heeft een marineman anders bij zich? Neem maar, dat warmt je op.'

Freddie nam een slok en genoot van de branderige warmte in haar keel. 'Hoe is het, Lewis? Ben je met verlof?'

'Ik ben op weg terug naar mijn schip. Ik heb net twee weken vrij gehad. Hemels.'

'Hoe is het met Clare?'

Zijn gezicht vertrok. 'We zijn een paar maanden geleden uit elkaar gegaan.'

'Wat jammer.'

Hij nam een slok uit het flesje. 'In eerste instantie was ik er kapot van, maar nu gaat het wel weer. Haar ouders hebben me nooit zien zitten. Clare heeft het aan haar hart, wist je dat, en haar ouders orkestreren haar hele leven.'

'Wat heeft ze dan?'

'Een hartruis. Ze valt om de haverklap flauw. Ze is enig kind en ze zijn vreselijk bezorgd om haar. En ze willen natuurlijk het beste voor haar, wat ik niet ben.' Hij nam nog een slok rum, schroefde de dop op het flesje en stak het terug in zijn zak. 'Ze heeft al een ander, een of andere vent met wie haar ouders altijd hebben gewild dat ze zou trouwen.'

'O, Lewis.'

'Maanden weg op zee heeft ook niet echt geholpen.' Hij haalde zijn schouders op. 'Zo werd het wel erg gemakkelijk om een ander tegen te komen.'

'Gaat het echt wel?'

'Ja hoor, prima. En jij, Freddie? Wat doe jij tegenwoordig?'

'Ik woon in Birmingham.'

'Bevalt het?'

'Enorm. Ik heb er leuke mensen leren kennen, er is van alles te doen en ik was Londen eerlijk gezegd een beetje beu. Ik werk in een fabriek.'

'Echt?' Zijn lichtbruine ogen glinsterden. 'Hoe vind je dat?'

'Wel leuk, geloof ik. Ik ben ondertussen machineconstructeur.'

'Wat goed van je. Vind je het niet... Nou ja, het lijkt me nogal zwaar voor een meisje.'

'Dat is het ook,' gaf ze toe. 'In het begin vond ik het vreselijk, maar ik ben er ondertussen aan gewend. Het is daar een herrie van jewelste, en de radio staat de hele dag *Music While You Work* te blèren, maar dat hoor je nauwelijks omdat die machines zo'n kabaal maken. Mijn overall schittert helemaal van het metaalstof. Moet je kijken,' – ze liet hem haar handen zien, met een rouwrandje onder elke vingernagel – 'ik krijg het stof niet meer onder mijn nagels vandaan. Toen ik naar Rays bruiloft ging, heb ik uren staan schrobben.'

'Is Ray Leavington weer getrouwd?'

'Gisteren. Een besloten ceremonie, zoals de kranten het noemen. Daarom was ik in Londen. Max noemt het de triomf van optimisme over realisme.'

'Was het een leuk feest?'

'Ja. Bijna net als vroeger.'

'Die avond in het Dorchester vroeg ik me af of er iets was tussen jou en Jack.'

'Tussen mij en Jack?' Freddie begon te lachen. 'Hemel, nee zeg. Jack en ik hebben altijd ruzie. Ik heb hem al in geen jaren gezien.'

'Volgens mij zit hij in het buitenland. Ik heb van iemand gehoord dat hij iets vreselijk geheims doet.'

Vreselijk geheim en vreselijk gevaarlijk, dat kon niet anders. Ze keek naar buiten en zag dat zich condens op het raam had gevormd, waardoor het platteland alleen nog een groenbruine veeg was.

'Kwam die trein nou maar eens in beweging,' zei ze.

'Heb je ergens een afspraak?'

'Niet echt. Gewoon, wassen en strijken, en brieven schrijven.'

Lewis trok een raam naar beneden en stak zijn hoofd naar buiten. 'Niets te zien. Er staan wat kerels te praten. Zou de motor kapot zijn?'

'Dat vind ik toch zo vervelend,' zei ze geïrriteerd. 'Alles is tegenwoordig zo onbetrouwbaar.'

'Gewone burgers moeten het helaas met de afdankertjes doen.'

'Ik plan de dingen graag. Ik weet graag waar ik aan toe ben.'

'Hou je niet van verrassingen, Freddie?'

'Niet van het soort verrassingen waardoor je uren stilstaat in niemandsland. En jij? Hoe is het op dat schip van je? Nog steeds heen en weer over de Atlantische Oceaan?'

Dat beaamde hij. Ze had het gevoel dat hij het er niet over wilde hebben en probeerde een ander gespreksonderwerp te bedenken toen hij plotseling zei: 'Ik zit nu op een torpedojager. Dat is wel beter, je voelt je er minder een schietschijf dan op een korvet. Maar het kan een flinke hel zijn, hoewel het heel anders is dan mensen denken. Ik vind het er gek genoeg niet het ergst op de gevaarlijkste momenten, zoals wanneer we onder vuur liggen, hoewel dat behoorlijk angstaanjagend kan zijn. Maar dan ben je tenminste bezig, en je hebt dan geen tijd om na te denken. Waar ik het meest moeite mee heb is de nachtdienst. Dan heb ik het gevoel dat ik alleen op de wereld ben. Dan is alles grijs, en het enige wat je kilometers en kilometers om je heen ziet, is een lege grijze zee. Dat geeft me een... ik weet niet, een wanhopig gevoel. Alsof er niets anders op de wereld is en alsof er ook nooit meer iets anders komt.'

'O, Lewis toch,' zei ze meelevend.

'Sorry.' Hij glimlachte naar haar. 'Ik zit te kankeren, hè? Toen ik nog met Clare was, probeerde ik altijd aan haar te denken als ik me rot voelde. Wat ik aan haar zou gaan schrijven, dat soort dingen.'

'Als je dat leuk vindt, kun je mij schrijven. Ik weet dat het niet hetzelfde is, maar om je wat afleiding te geven. En ik schrijf graag brieven.'

'Jij zou me willen schrijven? Dat lijkt me heerlijk. Dat waardeer ik, Freddie.' Zijn ogen klaarden op, maar toen trok hij een pijnlijk gezicht. 'Ik ben een beetje bang dat ik begin door te draaien. In de pub zie je zoveel kerels die zichzelf lam zuipen voordat ze hun schip weer op gaan. Zo wil ik niet eindigen.'

Ze dacht aan de heupfles rum en de manier waarop hij zijn ogen had gesloten voordat hij zijn hoofd naar achteren had gedaan om te slikken. Ze haalde haar potlood en aantekeningenblokje uit haar tas en schreef haar adres op.

'Alsjeblieft,' zei ze. Ze scheurde het velletje papier los en gaf het aan hem. 'Schrijf me maar eens, als je zin hebt. Het maakt me niet waarover, ik vind het altijd leuk om post te krijgen.'

Lewis stak het papiertje in zijn zak. 'Schrijf je met veel mensen?'

'Met Max en Julian natuurlijk, en met wat meiden uit Londen.' Ze was even stil en toen zei ze: 'En soms schrijf ik naar Tessa, maar ik heb geen idee of mijn brieven haar bereiken.'

'Waar woont ze?'

'In Italië. Het laatste wat ik van haar heb gehoord is dat ze bij vrienden woonde in een villa in Florence.' Ze fronste haar voorhoofd. 'Ik voel dat ik weer hoop begin te krijgen, en dat is bijna nog erger. Ik begin te denken dat de oorlog op een dag misschien voorbij is. Daar heb ik tot nu toe zelden over nagedacht, want het leek altijd of hij voor eeuwig door zou gaan.'

'Als het Achtste Leger Tunesië in weet te nemen – en daar ziet het wel naar uit – zal Rommel gedwongen zijn zich over te geven. Dan is Noord-Afrika helemaal van ons en kunnen we over Europa gaan nadenken. Ben je bang dat Italië hierna aan de beurt is?

Freddie veegde wat condens van het raam. 'Het ziet er wel naar uit, nietwaar?' Ze keek hem aan en glimlachte. 'Wil je een stukje taart, Lewis? De vrouw van Ray, Susan, heeft me wat stukjes bruidstaart meegegeven.'

Samen deden ze zich te goed aan de taart, terwijl de trein bewegingloos op de rails stond en de lucht buiten donkerblauw begon te kleuren. Lewis trok de zonwering naar beneden en ze overwogen uit te stappen en door de velden te lopen; iets aan dat idee trok hen beiden aan. 'Maar zodra wij zijn uitgestapt,' wees Lewis haar erop, 'zul je zien dat dat ellendige ding weer in beweging komt.' Toen bespraken ze de mogelijkheid dat ze hier de hele nacht zouden staan... Lewis had iets gehoord over een trein die tijdens een sneeuwstorm een week in Cumbria had stilgestaan. En terwijl ze met hem sprak, terwijl ze keek naar zijn snelle geamuseerde glimlach en naar de manier waarop zijn ogen sprankelden als ze iets tegen hem zei wat hem aansprak, merkte ze dat de reis niet zo zwaar meer was en dat ze het niet zo erg had gevonden als de trein nog een paar uur bleef staan.

Uiteindelijk maakte de motor plotseling een zwaar geluid, alsof hij op adem was gekomen, en toen kwam de trein weer op gang. De lange dag en het ritme van de trein deden Freddies oogleden dichtvallen. Toen de trein uiteindelijk station New Street binnenreed en ze haar ogen weer opende, was Lewis naast haar komen zitten, en haar hoofd rustte tegen zijn schouder.

'Je zag eruit alsof je wel een kussen kon gebruiken,' zei hij.

'Dank je.' Ze stond slaperig op. Hij pakte haar tas van het rek en ze knoopte haar jas dicht.

Hij opende de deur van de coupé voor haar. 'Ik ga je schrijven,' zei ze.

Ze schudden elkaar de hand. Freddie stapte uit en liep het perron af. Toen hoorde ze rennende voetstappen achter zich. Ze keek om en zag Lewis door de menigte op haar afkomen.

Ze voelde opwinding door haar lichaam stromen. 'Je trein...' zei ze.

'Die kan me gestolen worden. Ik wil de rest van de avond met je doorbrengen. Als jij dat niet erg vindt, Freddie?'

Ze schudde haar hoofd. 'Helemaal niet.'

'Mooi. Ik hoopte al dat je dat zou zeggen.'

Ze stonden tegenover elkaar op het perron. Zijn hand gleed langs de hare.

Toen kwamen de zuigers van de trein in beweging, steeg er een pluim rook uit de schoorsteen op en reed de trein het station uit.

Lewis keek hem na tot hij een donkere, in rook gehulde veeg werd. Hij begon te lachen. 'Er komt er vast nog wel een.'

Freddie stond erop dat ze de treintijden controleerden voordat ze het station uit liepen. 'Ik wil niet dat je een maand aardappels moet schillen, Lewis, of wat het ook is dat ze zeemannen laten doen die ongeoorloofd met verlof zijn gegaan.' Een uur later vertrok er een trein naar Liverpool.

Ze liepen gearmd het station uit. Ze gingen een hotel iets verderop in de straat binnen. De bar had een hoog plafond en voelde als een grot; de muren waren een vale kleur beige geschilderd. De mahoniehouten bar zat vol krassen en vlekken, en op de klep van de piano die tegen de muur stond zaten vochtkringen. Soldaten en matrozen met hun liefjes en zakenlieden met attachékoffertjes stonden te kletsen, anderen zaten tegen hun koffer aan te doezelen of hingen onderuit in een stoel te drinken en roken.

Lewis kwam met de drankjes naar hun tafeltje lopen.

Freddie vroeg: 'Doe je dit soort dingen wel vaker?'

'Wat, de trein missen? Dat komt wel voor, ja. Sorry, ik was even vergeten dat je niet van verrassingen houdt.'

'Dat hangt van de verrassing af.'

'De leukste verrassing die ik in lange tijd heb gekregen, was jou in die trein te zien.' Hij keek om zich heen. 'Hoewel dit wel een beetje een trieste bedoening is. De volgende keer neem ik je mee naar iets met wat meer cachet.'

'De volgende keer?' herhaalde ze.

'Er komt toch wel een volgende keer, Freddie?'

Ze hoorde zichzelf zeggen: 'Dat hoop ik wel.'

'Mooi.' Hij pakte zijn sigaretten en bood haar er een aan. 'Soms begrijp ik niets van jou,' zei hij.

'Hoe bedoel je?'

'Ik dacht dat je net als de anderen was, maar ik begin nu toch te twijfelen.'

'Welke anderen? Marcelle en consorten?'

Hij knikte en stak hun sigaretten op.

'Ik heb het een beetje gehad met Marcelle,' zei ze.

'Hoezo?'

Ze haalde haar schouders op. 'Van alles. We zijn een tijdje vriendinnen geweest, maar dat is voorbij. Ik dacht...'

'Wat?'

'Dat ik mezelf aan elke groep kon aanpassen. Toen ik naar Engeland kwam om naar kostschool te gaan, heb ik de eerste twee weken nauwelijks een woord gesproken. Ik heb alleen maar gekeken en geluisterd, en uiteindelijk wist ik precies wat ik moest zeggen om in de smaak te vallen. Maar volgens mij ben ik dat verleerd. Of misschien kan het me niet meer schelen. Ik ben moe, en ik heb geen zin meer om de moeite te nemen te zeggen wat mensen willen dat ik zeg.'

Hij keek haar nieuwsgierig aan. 'Dus je bent niet in Engeland geboren?'

'Nee, in Italië. Ik ben hier op mijn twaalfde naartoe gekomen.' Ze lachte halfhartig. 'Het was nogal een schok. De kou, en alle andere meisjes leken zo... nou ja, normaal, denk ik, maar daarom vond ik ze juist zo anders. Ze kwamen uit gezinnen met een moeder én een vader en woonden al hun hele leven in hetzelfde huis in plaats van altijd rond te trekken.'

'Mijn god.'

'Wat?'

Hij schudde langzaam zijn hoofd. 'Ik zit al een paar uur mijn uiterste best te doen respectabel en welopgevoed over te komen en begin niet over mijn familiegeheimen, en nu vind je me vast een ongelooflijk saaie vent.'

Ze schoot in de lach. 'Nee hoor, helemaal niet. Heb je familiegeheimen?'

'Een paar. Een oom die wapens naar Ierland smokkelde... O, en een van mijn voorouders zou hem naar Sjanghai zijn gesmeerd. Ik zou er eigenlijk eens naartoe moeten om uit te vinden of er daar andere Corytons rondlopen. Ik kom niet bepaald uit een betamelijke familie, Freddie.'

'Ik ook niet.' Ze genoot ervan dat ze iets met elkaar gemeen hadden.

'Ik denk wel eens,' zei hij, 'dat de anderen een checklist hebben.'

'Hoe bedoel je?'

'Mensen als Marcelle en haar vrienden. Ouders met een titel, check. Landgoed in Wiltshire, check. Portretten van de voorouders, check. Mijn moeder is overleden toen ik twee was en mijn vader is er een jaar daarvoor vandoor gegaan. Ik ben opgevoed door drie tantes. Tante Florrie had een pub in Bermondsey, tante Lol was danseres en tante Kate was lerares... en communistisch pacifist. Ik woonde dan weer hier en dan weer daar: naar tante Florrie als tante Lol op tournee was en terug naar Kate als oom Morton weer aan de drank was.'

'Van wie hield je het meest?'

'Van Kate. Met haar wist ik altijd waar ik aan toe was. Ze heeft me aan het lezen gekregen en ging met me naar musea en galerieën. Ze heeft gezorgd dat ik een beurs kreeg. Zonder haar was er niets van me terechtgekomen.'

Freddie schudde haar hoofd. 'Dat geloof ik niet. Je komt over als een enorm energiek persoon, Lewis.'

'Ik laat nergens gras over groeien, dat is waar. Maar goed, tante Kate is overleden toen ze in de dertig was, aan longontsteking. Ik zat op school toen ze het vertelden. Vreselijk was dat. En arme tante Florrie is een paar jaar geleden verongelukt. Een bom op de pub; ze zat in de kelder, maar ze is nadien nooit meer de oude geworden en heeft het opgegeven. En Lol is vóór de oorlog naar Amerika vertrokken. Ze stuurt me af en toe een brief.' Hij maakte zijn sigaret uit. 'Ik heb altijd het gevoel dat er zoveel draadjes zijn die mensen als Jack en Marcelle bij elkaar houden. Het is alsof ze altijd een veiligheidsnet hebben om op terug te vallen.'

'Vind je dat moeilijk?'

'Niet echt.' Hij leunde achterover in zijn stoel en keek haar aan. 'Laten we eens kijken hoeveel we gemeen hebben. Wat zijn je drie favoriete films?'

Ze keek schuin omhoog en zei toen: '*Casablanca… Gaslight*, die is zo lekker eng… en, o, *Now Voyager*. Daar heb ik al mijn zakdoekjes opgemaakt.'

'Niet *Gejaagd door de wind*? Vrouwen noemen die altijd als eerste.'

'Ik vind die Scarlett zo'n heethoofd. Als ik vriendinnen met haar was, zou ik me binnen de kortste keren mateloos aan haar irriteren.'

'Liedjes?'

'Dat is niet eerlijk, jij bent aan de beurt. Nou ja, liedjes dan maar. "Jealousy", want ik ben dol op tango's. En "Apple Blossom Time". Vreselijk afgezaagd, dat weet ik, maar ik vind het een heerlijk nummer. En "As Time Goes By"…'

'Vanwege *Casablanca*.'

'Precies.' Ze keek steels naar de piano. 'Jammer dat er niemand speelt.'

'Kun jij pianospelen?'

'Helaas niet. Jij?'

Hij schudde zijn hoofd. 'Maar tante Lol heeft me wel leren zingen.' Hij begon te neuriën, eerst zacht, maar toen harder, de melodie van 'As Time Goes By'. Mensen om hen heen keken in eerste instantie even op en gingen weer verder met hun gesprek, maar ineens begon het liefje van een van de soldaten mee te zingen, haar stem een lichte sopraan tegen Lewis' volle bariton, en toen leek het wel, vond Freddie – die heen en weer werd geslingerd tussen gêne en de drang te gaan lachen – of vrijwel iedereen die in de bar zat meezong. Inclusief zijzelf, want het was onweerstaanbaar, en híj was onweerstaanbaar, en ze wist, toen hij opstond, haar hand pakte en haar met theatrale gebaren toezong, maar heel grappig en vreemd ernstig tegelijk, dat ze voor hem was gevallen en dat ze al haar verstand en behoedzaamheid kwijtraakte, iets wat haar nog nooit was overkomen.

Aan het eind van het liedje begon iedereen in de bar spontaan te applaudisseren, en Lewis maakte een buiging. Freddie moest wegkijken. Haar hart hamerde tegen haar borstkas. Ze voelde zich draaierig, snakte naar adem.

Ze stond op, onvast op haar benen. 'We moeten gaan.'

Ze liepen naar het station. Voor de deur zei hij tegen haar: 'Hier, voor een taxi,' en hij wilde haar een briefje van tien shilling geven. Ze wilde weigeren en zei dat ze wel een bus kon nemen.

'Neem nou maar aan, Freddie. Als je te laat bent, is dat mijn schuld. Als je het niet aanneemt, sta ik erop je naar huis te brengen en dan moet ik alsnog aardappels schillen.'

Toen zei hij: 'Ik heb een geweldige avond gehad. Dank je.' Ze stonden als een rotsblok in een rivier; reizigers stroomden om hen heen het station in, en hij kuste haar. Zijn lippen voelden koel tegen de hare, de druk van zijn handen op haar rug was licht, en toen werd ze weer overweldigd door dat heerlijke, zinkende, verdrinkende gevoel.

13

De eerste zes kinderen waren in het voorjaar gearriveerd, variërend in leeftijd van vier tot elf, vluchtelingetjes uit het gebombardeerde Genua. Hun kleren waren smerig en kapot, hun huid zat vol uitslag en zweren, en ze hadden hoofdluis. Tessa en Faustina wasten hen, verzorgden hun schrammen en zweren en regelden schone kleren voor hen. Ze schoren het haar van degenen met de ergste infecties en gingen met een kam met fijne tanden door de vervilte haardossen van de anderen. Toen kregen de kinderen brood en melk. Na het eten werden ze in bed gelegd in een grote kamer in de villa, die nu dienstdeed als slaapzaal. Die eerste nacht huilden de meesten zich in slaap.

Drie weken later kwamen er nog tien kinderen, en twee baby's in hun moeders armen. Een van de jongens was een jaar of zes en heette Tommaso. Tommaso's haar was vergeven van de luizen; je zag het bijna bewegen. Hij at als een wild dier, propte met twee handen tegelijk eten in zijn mond en keek steels om zich heen of niemand het op zijn maaltijd had gemunt. Hij had zweren op zijn gezicht, die maar niet genazen omdat hij de korstjes open bleef peuteren. En hij zei niets. Het deed Tessa denken aan Perlita's week van stilte, maar Tommaso was heel anders dan Perlita. Hij huilde niet, zoals de andere kinderen, en hij glimlachte niet, maar trok een grimas waarbij hij zijn tanden ontblootte. Het enige geluid dat Tommaso maakte was een vreemde weeklacht. Op school deed hij niet met de andere kinderen met de lessen mee, maar hij wiegde naar voren en achteren op een bankje, peuterde aan de korsten langs zijn wenkbrauwen en liet af en toe zijn jammerlijke klaagzang horen. Als iemand te dicht bij hem in de buurt kwam, probeerde Tommaso te bijten, waarbij hij een plotselinge sprong maakte, als een hagedis die zijn tong uitrolt om een vlieg te vangen.

Lina, die de kinderen van Napels naar villa di Belcanto had geëscorteerd, zei dat Tommaso niet in de klas toegelaten zou mogen worden tot hij tot rust was gekomen, omdat hij een ontregelende invloed op de andere kinderen had. Tessa kon niet anders dan met tegenzin met haar instemmen. Vanaf dat moment bracht Tommaso het grootste deel van zijn dagen door in de wasserij, waar hij in de gaten werd gehouden door de moeders en grootmoeders die daar werkten. Hij vond het leuk om door de tuin gereden te worden in de rieten mand op wieltjes die werd gebruikt om nat linnengoed naar de waslijnen te vervoeren. Soms, als iemand de kar snel trok, klonk er een vreemde, nasale lach, die eigenlijk nog verontrustender was dan die weeklacht. Het probleem was, zei Tessa op een avond tegen Faustina, dat ze niet wisten hoe Tommaso vóór de bombardementen was geweest. Misschien was hij opgevoed door liefdevolle ouders, of misschien was hij geslagen. Er werd aangenomen dat zijn ouders tijdens de bombardementen waren omgekomen, aangezien hij in zijn eentje dwalend door de straten van Napels was aangetroffen. Zelfs zijn naam was niet die van hemzelf; de zusters van de liefdadige orde die hem hadden meegenomen en eten hadden gegeven hadden deze naam voor hem gekozen voordat ze hem met Lina en de andere kinderen naar de relatieve veiligheid van het platteland hadden gestuurd.

Op mooie avonden nam Tessa de jongen vaak mee voor een ritje in de wasmand. Dan duwde ze hem over het gras en lachte Tommaso zijn verontrustende lach terwijl zij hem vertelde over de dingen die ze zag. Als hij ergens van schrok – het blaffen van een hond of geritsel in de bosjes – klauterde Tommaso uit de mand, rende weg en verstopte zich in een heg. Hij had een soort nestje in de heg gemaakt, van gedroogde bladeren en takjes, waar hij dingen verstopte: een roestig blik met regenwater, een stuk versleten deken, een korst brood. Op een avond was hij bang geworden van het geratel van een legertruck over een nabijgelegen weg en weigerde hij uit zijn schuilplaats te komen. Tessa zat op het gras naast de buksheg tot het donker werd en Tommaso in slaap viel, waarna ze hem in haar armen nam en naar binnen droeg.

Dokter Berardi zei tegen Tessa dat Tommaso zwakzinnig was en naar een inrichting moest. Tessa zei tegen dokter Berardi dat híj zwakzinnig was, niet Tommaso. Als alles wat je bekend was je was afgenomen, als je naar eten had gezocht in het puin en nacht na nacht alleen had geslapen, zou iedereen zich toch in een holletje willen verstoppen waar je je veilig voelt? En misschien zou je dan ook je eten wel zo snel je kon naar binnen schrokken, uit angst dat anderen het van je zouden afpakken. Tessa wist dat Tommaso geen verloren zaak was. Dat hij ergens in dat lichaam verborgen zat. Ze moest alleen de manier nog vinden om hem naar buiten te lokken.

Die zomer marcheerde het geallieerde leger, dat succesvol was geweest in Noord-Afrika, naar Italië, waarbij de eilanden Pantelleria en Sicilië als luchtbases en stapstenen over de Middellandse Zee werden gebruikt. Op Sicilië werd nog hevig gevochten toen de radio de val van Mussolini aankondigde, die na een bijeenkomst van de fascistische hoge raad werd afgezet. Maarschalk Badoglio, een held uit de Eerste Wereldoorlog, formeerde een regering, de fascistische militie werd ontbonden en de krijgswet ingesteld.

In de villa werden in geheime ruimtes die in het begin van de oorlog in de kelders en zolders waren gebouwd olijven en hammen verborgen. Voedselvoorraden werden opgeslagen in putten die in de grond werden gegraven. Nog meer geheime voorraden voedsel, kleding en schoenen werden opgeslagen in de omliggende boerderijen. Er was nauwelijks kleding en naaigaren te koop – nu en dan vonden Olivia en Faustina tijdens hun bezoekjes aan Florence wel eens wat op een rommelmarkt – en schoenen waren bijna onmogelijk te krijgen. Ze maakten luiers voor de baby's van oude lakens en handdoeken, en bloesjes en jurken voor de kinderen van gordijnen. Omdat er nergens breiwol meer was te krijgen, sponnen de vrouwen op het Belcanto-landgoed hun eigen wol. Sommige van de oudere vrouwen waren in het bezit van kleine draagbare spinnewielen, die ze onder hun arm meenamen. Ze sponnen terwijl ze van boerderij naar boerderij liepen, hun vingers onophoudelijk bezig. Een van de vrouwen, een overgrootmoeder die meer dan veertig centimeter kleiner was dan Tessa, met een gezicht dat gerimpeld was als de schaal van een amandel, leerde haar spinnen. Tessa ontdekte dat het getol van de spoel en de wolkachtige dot schapenwol die zich versmalde tot een draad iets hypnotiserends hadden.

Er vlogen nu en dan geallieerde vliegtuigen over de villa. Sommige kinderen keken dan gefascineerd op, maar Tommaso verstopte zich jammerend in zijn hol in de heg. In de verte klonk het diepe gedreun van bommen, maar die vielen niet op het Belcanto-landgoed.

Toen Faustina op een hete zomeravond na een reis naar Florence terugkwam in de villa, veegde ze de slappe slierten haar uit haar gezicht en wierp zich in een leunstoel. De zoom van haar jurk was wit van het stof.

'Het is allemaal zo'n uitputtingsslag,' zei ze. 'Hoe kunnen we hier op het landgoed nou weten wat de waarheid is en wat leugens zijn? Hoe kunnen we weten wat er echt gebeurt?'

Tessa schonk twee glazen koude witte wijn in en gaf er een aan Faustina. 'Hoe was het in Florence?'

'Gespannen. Je voelde dat het alle kanten op kan gaan. Een paar dagen geleden waren er rellen. Maddalena gaat alleen de deur uit als het echt niet anders kan.'

'Hoe is het met haar?'

'Goed, en met Luciella ook. Maar ze is bezorgd. Haar vader

is ondergedoken. Ze was blij met het eten dat ik had meegenomen.' Faustina voelde in haar zak en haalde er een verfrommeld papiertje uit, dat ze aan Tessa gaf. 'De geallieerden strooien deze boven de steden uit.'

Tessa las de kop op het pamfletje hardop voor: '"Weg met de Duitsers – of bereid je voor op vuur en staal".'

'Was het maar zo eenvoudig: het ene leger uitzwaaien en het volgende verwelkomen.' Faustina maakte een minachtend snuivend geluid. 'Dat rothaar ook!' Ze veegde het geïrriteerd nogmaals uit haar ogen. 'Ik knip alles eraf,' zei ze kwaad, en toen diepte ze een nagelschaartje uit haar tas op.

'Faustina, dat kan niet.'

'O nee? Wacht maar eens af, dan. Ik draag het alleen maar lang omdat mijn moeder vindt dat ongehuwde vrouwen lang haar horen te hebben. Belachelijk ouderwets, ik had het jaren geleden al moeten afknippen.' Ze begon met het nagelschaartje in haar haar te knippen.

'Als je het echt per se kort wilt hebben, laat mij het dan doen,' zei Tessa, die haar hand ophield om het schaartje in ontvangst te nemen. 'En niet met een nagelschaar.'

'Wat maakt het uit. Ik zou het eigenlijk moeten scheren, net zoals we bij de kinderen met luizen doen.'

Tessa ging een kam en haar eigen schaar halen. Toen ze door de koele, donkere gangen van de villa naar haar kamer liep, dacht ze aan het pamflet dat Faustina haar had laten zien. *Weg met de Duitsers – of bereid je voor op vuur en staal.* De bombardementen op Turijn, Genua en tal van andere Italiaanse steden hadden overduidelijk gedemonstreerd wat vuur en staal allemaal konden aanrichten.

Tessa liet Faustina op een krukje zitten terwijl ze haar haar kamde. 'Knip het maar zo kort als je wilt,' zei Faustina.

'Ik knip er een kapsel in dat bij je past. Vertel eens wat je allemaal in Florence hebt gehoord.'

'Een heleboel geruchten: er is een staatsgreep geweest, of de communisten vermoorden fascisten in allerlei steden, of Hitler heeft zelfmoord gepleegd. Zou dat nou geen opluchting zijn?'

Faustina zat met haar hoofd te knikken en Tessa zei: 'Stilzitten, anders wordt de ene kant korter dan de andere.'

'Dat kan me niet schelen.'

'Natuurlijk wel,' zei Tessa rustig. 'Wacht maar tot ik met je klaar ben, dan zie je er beeldschoon uit. Al dat uit je gezicht getrokken haar heeft je nooit gestaan, daar heb je een veel te hoog voorhoofd voor.'

'Dat komt doordat ik zo slim ben,' zei Faustina zelfvoldaan. 'Je bent veel te optimistisch, Tessa. Met een ander kapsel ga ik er heus niet heel anders uitzien.'

Tessa knipte en kamde. 'Was er verder nog nieuws?'

'Ik ben naar het ziekenhuis geweest om pluksel en verband te halen, en er werd daar gezegd dat de geallieerden binnenkort op de Toscaanse kust zullen landen. Klinkklare onzin natuurlijk, want waarom zouden ze dat hele eind naar Toscane varen als ze alleen de Straat van Messina over hoeven te steken? En Guido...'

'Guido?' De schaar stopte met knippen.

Guido was nadat hij was hersteld van zijn beenwond teruggekeerd naar Noord-Afrika, maar hij was al snel naar een opleidingskamp in Bologna gestuurd.

'Maddalena heeft een brief van hem gekregen. Ik heb hem gelezen.'

'Hoe klonk hij? Gaat het goed met hem?'

'Hij zei van wel. Hij verveelt zich, maar je kent Guido, die kan geen moment stilzitten.'

Faustina haalde haar vingers door haar haar, stond op en tuurde in een spiegel. 'O. Dank je, Tessa.'

Faustina's korte, veerachtige haar viel mooi om haar gezicht en verzachtte haar gelaat. 'Zo ben je heel modieus, *gamine*,' zei Tessa.

Faustina draaide zich om en keek Tessa aan. Haar glimlach verdween. 'In Florence zeggen ze dat Badoglio te lang heeft ge-

381

wacht en dat hij een week geleden een akkoord met ze had moeten tekenen. Ze vragen wat de regering gaat doen als de geallieerden op het vaste land landen, en of er een wapenstilstand komt, en zo ja, wat de Duitsers dan gaan doen. Ik heb in het ziekenhuis een chirurg gesproken. Hij zei dat de Duitse troepen over de noordelijke grenzen Italië binnenstromen. Je weet toch wat dat betekent, hè? Dat ze zich erop voorbereiden om voor elke vierkante centimeter Italiaanse grond te gaan vechten.'

Er was geen krant en er was geen post. Een deel van de telefoonlijnen was doorgesneden. Reizen per trein was vrijwel onmogelijk en de wegen waren gebarricadeerd.

Na de val van Sicilië, eind augustus, landden er geallieerde troepen op Reggio, aan de Calabrische kust. Vijf dagen later, op de middag van 8 september, werd er een Italiaanse wapenstilstand aangekondigd. Er werd die avond bij de huizen en boerderijen op het landgoed feest gevierd. Vreugdevuren werden aangestoken en er werd gedronken en gedanst.

Ze begroeven hun voorraad benzine in een put in de boomgaard en verwijderden de banden van de enorme oude Alfa van wijlen Olivia's vader. Niet dat dat zin had, want Duitse troepen marcheerden direct na de aankondiging van overgave het dorp binnen en rekwireerden de auto. De legerkapitein was beleefd maar onverbiddelijk; het maakte niet uit dat er geen banden op de Alfa zaten, die haalden ze wel ergens vandaan. De volgende dag arriveerden er twee soldaten met banden en benzine en werd de auto meegenomen.

Hun hoop begon te vervliegen. Ze hoorden via het Engelse en Zwitserse radionieuws dat hun keuzes steeds beperkter werden. In het prachtige weer in het begin van de herfst reden colonnes Duitse tanks en gepantserde auto's over landweggetjes naar het zuiden, naar de geallieerde bruggenhoofden ten zuiden van Napels. Als het niet de bedoeling was dat er gevochten zou worden, dan zouden er geen troepen zuidwaarts gestuurd worden.

Op 10 september marcheerde het Duitse leger Rome binnen. Er was geen verzet tegen de bezetting. Andere noordelijke en centraal gelegen Italiaanse steden volgden en Mussolini werd op 12 september na een gedurfde overval door Duitse paratroepen bevrijd. Drie dagen later kondigde hij aan weer aan de macht te zijn en vestigde een fascistische regering in Salò, bij het Gardameer.

Vreemdelingen reden over de stille weggetjes van het Belcanto-landgoed. Ze kwamen naar de villa en de boerderijen, vroegen om eten, kleding en een plaats om te overnachten. Het waren Italiaanse soldaten die van de wapenstilstand hadden gehoord en die vervolgens werden geïnformeerd dat ze zich moesten melden bij het Duitse hoofdkwartier. Ze hadden hun uniformen uitgetrokken en waren op weg gegaan naar huis. Ook waren er geallieerde krijgsgevangenen, die uit angst om naar Duitsland te worden gedeporteerd uit hun gevangeniskampen waren gevlucht en probeerden de geallieerde linies in het zuiden te bereiken. Het bos op het Belcanto-landgoed wemelde van de vluchtelingen. Nu en dan verscheen er een vader of zoon die jaren in Frankrijk of Joegoslavië had doorgebracht bij een van de boerderijen op het landgoed. Een Engelse gevangene die was gekleed in sleetse boerenkleding schoffelde een veldje of ruimde wat stenen van een akkerlandje in ruil voor voedsel en onderdak. Meer geruchten: over Britse krijgsgevangenen die waren doodgeschoten tijdens een ontsnappingspoging, over Italiaanse soldaten die hun barakken niet snel genoeg hadden verlaten en die in wagens en trucks waren gedreven die naar een onbekende bestemming in het noorden waren vertrokken.

Ze hoorden in de villa niets over het lot van Guido en Sandro.

Op een ochtend klopte er een Australische krijgsgevangene op de deur van de kliniek. Hij heette Sam Robbins, hij had hoge koorts en in zijn zij gaapte een open wond, die hij had opgelopen van het prikkeldraad dat om zijn kamp was gespannen.

Faustina reinigde de wond, verbond hem en maakte op de boven-verdieping van de villa een bed voor hem klaar.

Italianen die onderdak verschaften aan een krijgsgevangene moesten dat binnen vierentwintig uur bij de dichtstbijzijnde Duitse commandopost melden. Deed je dat niet, dan volgde de krijgsraad. Toen Sam op een dag erg ziek was en hoge koorts had, hielp Tessa Olivia zijn bed verschonen. 'Waarom doet u dit voor me?' hoorde ze Sam aan Olivia vragen. 'Waarom? Het kan u het leven kosten.'

Olivia streek de geborduurde rand van een kussensloop recht. 'Ik doe dit voor de zoon van een ander,' zei ze. 'Ik doe het omdat ik bid dat een andere moeder hetzelfde voor mijn zoon doet.'

Hij liep over een van de paden die de weg naar de villa kruisten. Hij was lang en tanig, met strokleurig haar, en een roodver-brande huid die vervelde op de neus. Hij droeg een met lapjes verstelde jas, laarzen en een versleten broek. Hij kon een deser-teur zijn, of een ontsnapte gevangene. Of een fascistische spion.

Ineens bleef hij staan en zei: 'Hallo, Tessa.'

Tessa stond als aan de grond genageld. De blonde man kwam grijnzend en met een uitgestrekte hand op haar af lopen.

'Desmond Fitzgerald,' zei hij. 'Een vriend van Paddy. Weet je nog?'

Desmond Fitzgerald... Een vriend van Paddy. Tessa riep: 'Het Mirabelle!' en toen sloeg ze een hand voor haar mond. 'Dat is jaren geleden. Julian ging Max bijna te lijf...'

'Ik had net een fortuin verwed op een of ander rotpaard.' Desmond klonk melancholiek. 'Ik ben daarna nog naar de ver-jaardag van de vriend van mijn zus geweest, waar een cham-pagnepiramide stond. Een of andere idioot stootte die hele toren glazen om, en ik heb mijn voet toen opengehaald aan een stuk glas. Ik heb weken mank gelopen. Weergaloze avond.'

Ze omhelsde hem. 'Wat leuk je te zien. Wat doe je hier in vre-desnaam, Desmond?'

'Ik ben op de vlucht.' Hij zag er zelfingenomen uit. 'En jij?'
'Ik woon hier,' zei ze.

Ze vroeg hem of hij wilde ontbijten en hij zei dat hij barstte van de honger, want hij had al een etmaal niets gegeten, dus liepen ze naar de villa. Hij vertelde haar tijdens de wandeling zijn verhaal. Hij was luitenant in een cavalerieregiment en was meer dan een jaar daarvoor gevangengenomen in Tobruk. Vervolgens was hij naar Italië gebracht, waar hij in een gevangenenkamp tussen Bologna en Florence terecht was gekomen. 'Zo erg was het er niet,' zei hij filosofisch. 'Sommige van de bewakers waren prima kerels, maar het eten was afgrijselijk. Hoewel niet erger dan op kostschool.'

De bewakers hadden hen de dag na de wapenstilstand gewaarschuwd dat er Duitse troepen op weg waren om het kamp over te nemen. 'Dus hebben we een gat gemaakt in het prikkeldraad en zijn ervandoor gegaan,' zei Desmond. 'Geen van ons had zin de rest van de oorlog in *Die Heimat* door te brengen.'

Een aantal van hen was de volgende dag weer gevangengenomen, maar Desmond was met een vriend naar het zuiden getrokken in de hoop daar de geallieerde linies te bereiken. Maar zijn vriend had zijn enkel verstuikt toen hij een rotsachtige geul in gleed, en hoewel hij had geprobeerd met een stok als kruk verder te gaan, had de vriend onderdak gevonden op een boerderij en hadden ze afscheid genomen.

Desmond was alleen verder gegaan. Hij had geluk gehad en had een hele ochtend in een over landweggetjes hobbelende hooiwagen liggen slapen, maar hij had het grootste stuk gelopen, zoveel mogelijk over voetpaden in plaats van wegen. Zijn nachten had hij doorgebracht in hooischuren of boerderijen, waar hij eten, wijn en onderdak voor een nacht had gekregen. Op sommige van die boerderijen had hij een paar dagen gewerkt, en voordat hij weer was vertrokken hadden zijn gastheren hem altijd een veilige weg en een adres om te overnachten gewezen. De ouwe Huppeldepup was een vrek en zou je zijn zuurste wijn geven, maar zijn vrouw was een fantastische kokkin. En bij dat en dat huis kon je beter uit de buurt blijven, want de eigenaren waren vriendjes met de *fascisti*. Hij was een paar keer ternauwernood ontkomen; de dag ervoor was hij nog pardoes in een rivier gedoken om zich voor een colonne Duitse troepen te kunnen verbergen.

'Het hele platteland wemelt ervan,' zei hij. 'Ze zijn overal.'

Tessa keek hem tijdens de wandeling af en toe aan, en ze kon niet geloven dat hij er echt was. Desmond Fitzgerald maakte deel uit van haar oude leven, haar leven in Londen, dat gedurende haar jaren in Italië steeds verder weg en onwerkelijker was gaan lijken.

Zo te zien voelde hij het ook zo. Hij schudde met een grijns op zijn gezicht langzaam zijn hoofd. 'Onvoorstelbaar. Tessa Nicolson. In Italië, nota bene. Hoe lang ben je hier al?'

Dat vertelde ze. Ze waren ondertussen bij de villa aangekomen. Ze zag dat hij zijn wenkbrauwen fronste. Ze vroeg: 'Wat is er?'

'Dan heb je het nog niet gehoord, van Paddy.'

Een naar gevoel bekroop haar. Tessa schudde haar hoofd.

'Hij is omgekomen tijdens de Slag om Engeland. In september 1940. Zijn vliegtuig is geraakt en hij is in zee gestort.' Desmond wreef over zijn vervellende neus. 'Sorry. Jammer dat ik je zulk slecht nieuws moet vertellen. Maar het was wel zo gebeurd, dat is tenminste nog wat.'

Ze dacht: o, Paddy toch. Ze herinnerde zich de tijd dat hij haar naar Parijs had gevlogen, hoe ze had gegild van plezier terwijl ze over de landingsbaan stuiterden toen ze op vliegveld Le Bourget waren aangekomen. Ze herinnerde zich Paddy's ambitie, zijn liefde voor het leven en zijn korte lontje; dat dinertje dat hij had verziekt door dronken te worden en de andere gasten voor schut te zetten; dat gevecht dat hij in die pub was begonnen. En zijn schreeuw van genot toen hij keihard over een verlaten weg was gescheurd; de onverwachte tederheid waarmee hij de liefde bedreef.

Dat was de ellende met weglopen. Je raakte je contacten kwijt. Hoe was het al haar andere Engelse vrienden vergaan? Hoewel logica haar ingaf dat hun leven net als het hare moest zijn veranderd, had een deel van haar hen zo graag hetzelfde ingebeeld, onaangeroerd. Hier was ze, als het ware opgesloten in haar eigen kasteel, en ze had geen idee. Er kon van alles zijn gebeurd.

Tessa maakte in de keuken van de villa een maaltijd voor Desmond klaar. Ze vroeg hem terwijl ze koffie aan het zetten was naar de anderen, naar Ray, Max, Julian en natuurlijk Freddie.

Maar die kende hij allemaal niet. Ze bewogen zich in verschillende kringen die elkaar nauwelijks overlapten, maar ze ontdekten dat ze toch een paar gemeenschappelijke kennissen hadden. Iemand die was achtergelaten in Duinkerken en iemand anders, een model, dat met haar dochtertje was omgekomen tijdens de Blitzkrieg. En Londen was Londen niet meer, hoewel je er nog steeds een hoop lol kon hebben.

Toen hadden ze het over de oorlog. Hij zei: 'Ik vrees dat het een lange, moeilijke uitputtingsslag gaat worden. De winter komt eraan, dus dat maakt het alleen maar moeilijker.' Desmond vertelde dat hij morgenochtend weer op pad zou gaan. Als hij een beetje opschoot, was de kans het grootst dat hij de geallieerden bereikte. Hoe langer hij onderweg was, des te meer vijandelijke troepen zich in het zuiden zouden hebben verzameld en des te moeilijker het zou worden om erdoor te komen.

'Ik moet er niet aan denken dat ik terug zou moeten naar dat gevangenenkamp,' zei hij. 'Het is zwaar geweest sinds ik er weg ben, maar ik kan je niet vertellen hoe heerlijk het is om vrij te zijn. Iedereen die ik de afgelopen weken ben tegengekomen is zo aardig voor me. Ik spreek nauwelijks Italiaans en zij spreken geen woord Engels, en in sommige huishoudens was het wel duidelijk dat ze moesten rondkomen van niets. Ze hadden geen idee wie ik was, maar ze lieten me in hun huis, gaven me eten en verstopten me. Ongelooflijk.' Desmond schudde langzaam zijn hoofd. 'Echt ongelooflijk.'

Hij vertrok de volgende ochtend bij zonsopgang. De herfstlucht begon te verkillen en de bladeren aan de bomen op de heuvels glinsterden koper- en goudkleurig. Tessa gaf hem een kus en wenste hem veel geluk. Toen hij de bosrand had bereikt, keek hij over zijn schouder en zwaaide naar haar. Toen slokte het bos hem op.

Een week later werd er een briefje afgeleverd in de villa. Op een velletje papier stonden het adres van het Belcanto-landgoed en wat woorden gekrabbeld. Het briefje was uit het raam van een treinwagon gegooid en was van hand tot hand gereisd tijdens de langzame, moeilijke route van Noord-Italië naar Toscane.

Het was bericht van Sandro. Hij was gevangengenomen nadat hij had geweigerd toe te treden tot het fascistische leger. Hij had het briefje geschreven in een trein die op weg was naar een onbekende bestemming. Hij zei dat het goed met hem ging en dat hij van hen hield.

Er kwam nog een brief, deze keer van Maddalena. Een kameraad van Guido uit het leger was in Florence bij haar op bezoek geweest. Hij had haar verteld dat Guido na de wapenstilstand uit zijn barakken in Bologna was verdwenen. Niemand wist waar hij was, en er was sindsdien niets meer van hem vernomen. Maddalena zelf vertrok met haar dochter naar het noorden om in te trekken bij een tante in Rimini. Ze durfde zonder haar vader of Guido niet in Florence te blijven. Ze schreef dat ze behoefte had aan gezelschap. Ze was het beu om alleen te zijn.

Lewis' trein was meer dan twee uur te laat. De twee jongetjes die naast Freddie in de wachtkamer zaten, waren elkaar plagerig aan het schoppen en gilden het bij elke trap theatraal uit. Hun moeder zei tegen Freddie: 'Als die trein nog lang op zich laat wachten, wurg ik die jongens. Gilbert! Brian! Hou daarmee op!' Ze gaf beide jongens een tik tegen hun been. 'Moet ik tegen papa zeggen dat jullie stout zijn geweest? Nou?'

Er klonk gemompel uit de luidspreker. Freddie liep de ruimte uit om te luisteren. Toen zag ze Lewis in de drukte bij het hek, en ze rende naar hem toe. Ze las zijn ongeduld in de onrustige blik die hij op zijn horloge wierp en in de scherpe beweging van zijn kaartje naar de neus van de conducteur.

'Sorry!' riep hij toen hij haar zag. 'Sorry dat je zo lang moest wachten, die verdomde treinen ook!'

'Dat geeft niet.'

Ze kusten elkaar, en toen raakte een onzorgvuldig gemikte plunjezak haar op de rug, waarvan ze schrok.

Lewis gromde iets naar de soldaat, die een verontschuldiging mompelde.

'Gaat het, Freddie?'

'Prima.'

'Stomme idioot.'

'Echt, het geeft niets. Wat heerlijk om je weer te zien!'

'Je ziet er beeldschoon uit.'

'Je bent een schat, Lewis,' zei ze glimlachend. 'Ik heb geen lippenstift meer en kon geen kousen zonder ladders vinden.'

'Ik hou niet van gezichten die vol poeder en lippenstift zitten.'

Zijn opmerking irriteerde haar. Mannen zeiden dat, maar wat ze echt bedoelden was dat ze er niet van hielden als het te veel opviel dat een vrouw lippenstift en poeder droeg. Als je er mooier van werd, zaten ze er niet mee.

'De ochtend is al bijna voorbij,' zei hij, en hij keek nogmaals op zijn horloge.

Ze liepen het station uit. Het regende hard. Lewis zag er zwaar teleurgesteld uit. 'Wat een rotweer.'

'Je kunt geen mooi weer afdwingen, Lewis.'

'Het regent pijpenstelen en het heeft geen zin een galerie of museum in te vluchten, want die zijn allemaal leeg.'

Er begon een hol gevoel in haar te knagen. Dit was niet hoe ze zich hun reünie had voorgesteld. Had ze zich haar gevoelens voor Lewis ingebeeld? Had ze ze opgeroepen uit eenzaamheid en verveling?

Ze vermande zichzelf om er meteen korte metten mee te maken.

'Ben je teleurgesteld me weer te zien?'

Hij draaide zich naar haar toe en de regen droop van zijn pet. 'Teleurgesteld? Hoe zou ik teleurgesteld kunnen zijn?'

'Mensen voldoen niet altijd aan de herinnering die je van ze hebt.'

'Freddie, je bent in het echt nog beter dan in mijn herinnering. Hoezo? Ben jij teleurgesteld?'

'Nee, natuurlijk niet. Je ziet er gewoon niet zo gelukkig uit, dat is alles.'

'Sorry.' Lewis kreunde. 'Sorry dat ik zo zeur. De reis duurde eindeloos; er waren geen zitplaatsen en het enige wat ik wilde was hier bij jou zijn.' Hij nam haar in zijn armen en gaf haar een knuffel. 'Hoe zou ik nou teleurgesteld in jou kunnen zijn? Je bent perfect. Ik wilde dat het een perfecte dag zou zijn. Ik heb de minuten af zitten tellen, Freddie. Ik wilde dat de trein op tijd zou zijn, en de hemel blauw en fris... dat leek me niet te veel gevraagd.'

Ze kuste hem op zijn koude wang. 'Ik zal je niet kwalijk nemen dat het rotweer is, Lewis.'

Ze liepen naar een café aan Euston Road. Nadat hij koffie had besteld, vroeg Lewis naar haar werk. Ze was de maand daarvoor overgeplaatst naar een fabriek in Slough. Er werden propellers gemaakt.

'Het gaat prima,' zei ze. Maar toen voegde ze toe: 'Ik mis mijn vrienden uit Birmingham. Maar ik woon in een leuk pension. De anderen klagen over de kamers, maar ik ben zo blij dat ik uit die jeugdherberg weg ben. Het is zo'n opluchting een eigen kamer te hebben.'

'Zijn de mensen leuk?'

Ze haalde haar schouders op. 'Gaat wel.'

'Niet waar.' Lewis' mondhoeken kropen omhoog in een glimlach. 'Wat is er aan de hand?'

'Het is zo saai...'

'Mij verveel je niet met je verhaal.'

'Jawel. Mannen willen niks horen over het gedoe tussen meiden. Ze begrijpen er niets van en vinden het doodvervelend.'

'Het maakt me niet uit waar je het over hebt. Als ik je stem hoor ben ik blij.'

'Oké dan. Maar als je je gaat vervelen, moet je het zeggen. Een van de meiden heet Shirley, en iedereen haat haar. We werken met zijn twaalven aan dezelfde werkbank. Als we naar de bioscoop gaan, vragen we Shirley nooit mee.'

'Wat is er mis met haar?'

'Ze is gewoon raar. Dat is het probleem: als ze nou bazig of onaardig was, zou ik haar waarschijnlijk gewoon negeren. Maar dat is ze niet. Ze zegt altijd precies het verkeerde, ze kleedt zich afzichtelijk en haar haar zit helemaal verkeerd. Dus sluiten de andere meiden haar buiten, en dat haat ik.'

'Dat ze zich met zijn allen tegen haar keren, bedoel je? Dat bewonder ik erg aan je, Freddie, dat je principes hebt.'

'Is dat zo?' vroeg ze terneergeslagen. 'Ik overweeg ze overboord te gooien. Want het enige resultaat is dat ik straks in de pauze in mijn eentje met Shirley zit opgescheept, en sorry dat ik het zeg, Lewis, maar ze is echt doodsaai.'

Hij schoot in de lach. 'Op mijn eerste schip zat ook zo iemand. Deed alles precies verkeerd en de eerste luitenant was een bullebak en maakte zijn leven tot een hel. Ik had vreselijk met die jongen te doen, maar hij tuinde er elke keer met wijdopen ogen in.' Lewis keek uit het raam. 'Volgens mij stopt het met regenen. Zullen we het erop wagen?'

Ze namen de bus naar Oxford Street. Freddie zocht op de fourniturenafdeling van Selfridges naar knopen voor haar regenjas, maar ze waren er niet in de goede maat. Lewis zei dat hij haar iets cadeau wilde doen, zij zei dat dat niet hoefde, en daarna ontstond er iets wat bij benadering op ruzie leek. Uiteindelijk stemde ze ermee in dat hij iets kleins voor haar zou kopen, maar ze zei het nogal onbeholpen en toen ze alle verdiepingen hadden afgestruind zonder iets leuks te vinden, raakte Lewis weer geïrriteerd. Om hem op te vrolijken stelde ze voor dat ze zouden gaan lunchen.

In het restaurant liepen ze een stel tegen het lijf dat Lewis kende, een collega marineofficier uit Dartmouth met zijn zwangere echtgenote, een mooie vrouw met krullend bruin haar. Aangezien het erg druk was in het restaurant besloten ze met zijn vieren een tafeltje te nemen. Freddie betrapte zichzelf er tijdens het gesprek – dat voornamelijk over de marine ging – op dat ze wat terughoudend was. Toen ze elkaar drie maanden daarvoor toevallig in de trein hadden getroffen, had Lewis een kwetsbare kant laten zien die ze aantrekkelijk had gevonden. Maar nu ze hem met zijn vrienden zag was hij net als al die andere opschepperige jonge mannen met wie ze de afgelopen jaren uit was geweest; aantrekkelijk, ja, maar te gretig om echt indruk te maken, te amuseren, een show op te voeren. Ze voelde dat hij zich ook niet op het gesprek concentreerde; zijn blik ging nu en dan door het restaurant en als ze oogcontact maakten gaf hij haar zijn vriendelijke, zelfverzekerde glimlach. Misschien deden ze het beter als ze met zijn tweeën waren… of misschien waren ze gewoon moe. Het idee dat ze hem eigenlijk helemaal niet kende joeg haar angst aan. En ze werd bang van de gedachte toe te moeten geven hoeveel ze zelf had verwacht en gehoopt van deze dag.

Na de maaltijd namen ze afscheid van het echtpaar. Lewis zei: 'Sorry.'

'Dat geeft niet.'

'Lief dat je dat zegt.' Hij schudde zijn hoofd. 'Jezus, dat was moeilijk, zeg.'

'Hoezo?'

'Toen ik Trevor in Dartmouth leerde kennen was hij verloofd met iemand anders. En toen hoorde ik een paar jaar geleden van Clare dat hij zich met een ander had verloofd.'

'Twee verloofden?'

'En nu een vrouw. Ik heb geen idee of Sally van de anderen weet. Ik was als de dood dat ik mijn mond voorbij zou praten.'

Aangezien het toch nog steeds regende, gingen ze naar de film: *The Man in Grey* in de cinema aan Leicester Square. Lewis pakte tijdens de film haar hand en strengelde zijn vingers door de hare. Toen ze daar zo in het donker met hem zat, wist ze weer wat hem in haar had aangetrokken: hij had iets betrouwbaars, gaf haar het gevoel dat hij onder dat zorgeloze uiterlijk degelijk en serieus was. Ze dacht terug aan hoe ze wakker was geworden in die treincoupé en had ontdekt dat ze met haar hoofd op zijn schouder had geleund. Het was een zowel extreem aangenaam als geruststellend gevoel geweest. Ze keek nu in het flikkerende licht van de bioscoop naar zijn gezicht en probeerde te bedenken wat ze zo aanlokkelijk aan zijn uiterlijk vond. Hij was niet aantrekkelijk zoals Clark Gable dat was, maar hij had iets ondeugends, iets veranderlijks, en hij glimlachte snel en had vaak lichtjes in zijn ogen. Ja, misschien dat dat het was.

Ze vond het gemakkelijker om bij hem te zijn als ze niet praatten. Ze wist dat ze moe en gespannen was, zo voelde ze zich al heel lang, uitgeput van de lange werkdagen, de constante eisen die de oorlog aan burgers stelde en het ongemak dat hij veroorzaakte. Ze bedacht dat ze vervelend werd als ze moe was, overdreven kritisch en veroordelend. Dit was nog erger dan stijfjes: stijfjes en veroordelend. Mijn god.

Toen ze de bioscoop weer uit kwamen, was het donker. Ze liepen arm in arm over Charing Cross Road en toen het weer begon te regenen doken ze een klein antiquariaat in.

Lewis bekeek een rij paperbackthrillers, terwijl Freddie op de andere planken neusde. Haar blik werd gevangen door een naam op de rug van een boek en ze pakte het van de plank. Op het omslag stond een schilderij dat ze onmiddellijk herkende als een Italiaans landschap, het groenzwart van de cipressen tegen een kobaltblauwe lucht. Het boek heette *De duistere en verre heuvels* en het was geschreven door Milo Rycroft.

Het duurde even voor ze de naam kon plaatsen. Toen wist ze het weer. Milo Rycroft was een vriend van Tessa. Zijn telefoonnummer stond in Tessa's agenda. Milo Rycroft was niet naar de begrafenis van Angelo gekomen, maar zijn vrouw wel. *Ik ben hier om hem te vertegenwoordigen,* had ze gezegd. Hoe heette ze ook al weer? Rebecca Rycroft.

'Heb je iets gevonden?' vroeg Lewis.

Freddie liet hem het boek zien. 'Mijn zus kende hem.' Ze draaide het boek om. 'Milo Rycroft,' zei ze, half tegen zichzelf. 'Daar had ik nog niet aan gedacht.'

'Hoe bedoel je?'

Ze stak haar kin op en keek hem aan. 'Ik neem aan dat Marcelle je wel over Tessa heeft verteld.'

'Ze zei dat je zus een kindje heeft verloren. Hoezo? Dacht je dat ik dat zou veroordelen?'

'Doe je dat?'

'Nee, natuurlijk niet.' Hij zag er gekwetst uit. 'Ik zou nooit over zoiets oordelen. Echt niet.'

'Sorry.' Ze schaamde zich dat ze dat had aangenomen. 'Sorry, Lewis.'

'Vreselijk om zoiets te moeten meemaken, dat is alles wat ik dacht.'

Er prikten onverwachts tranen achter haar oogleden en ze moest met haar ogen knipperen om ze terug te dringen. Ze streelde hem over zijn haar; zijn lippen beroerden de hare.

Toen nam Lewis het boek van haar aan, draaide het om in zijn hand en las de korte beschrijving op de binnenflap. 'Het speelt zich af in Toscane,' zei hij. 'Daar woont je zus toch?'

'Ja.' Alweer voelde ze tranen achter haar ogen prikken. 'Ik maak me voortdurend zorgen om haar. Ik probeer aan andere dingen te denken, maar ze is er altijd, op de achtergrond.'

'Als ze verstandig is en zorgt dat ze niet opvalt...'

'Tessa is nooit verstandig. En volgens mij heeft ze haar hele leven nog nooit ook maar overwogen om niet op te vallen.'

'Zo te horen ben je boos op haar.'

'Ze is zomaar vertrokken!' De woorden tuimelden uit haar mond. 'Ze heeft me gewoon achtergelaten!'

Hij bekeek haar eens goed. 'Arme Freddie,' zei hij, en hij kuste haar. 'Laat me dit even voor je afrekenen, dan weet ik wel een plekje waar we rustig kunnen praten.'

Ze liepen naar een bushalte. 'Ik heb geen idee wat je ervan vindt,' zei hij. 'Ik weet niet eens of het nog bestaat. Toen ik op Winchester zat, kwam tante Kate me na een periode op kostschool altijd op het station ophalen en dan nam ze me mee naar een heel leuk eetcafeetje om te lunchen.'

De bus reed hen naar Bloomsbury, in de buurt van het British Museum. Het eetcafé bevond zich in de kelder van een hoog pand dat er, net zoals alle andere panden in Londen, verwaarloosd uitzag. Houten stutten hielden het dakje van de voorgevel omhoog en de stenen trap naar de kelder was gebarsten.

Binnen stonden een stuk of zes tafeltjes. Freddie ging aan een leeg tafeltje zitten, terwijl Lewis naar het buffet liep. Aan de muren hingen planken vol boeken. Er stond een klein geëmailleerd fornuis met een kronkelende schoorsteen en een Russische samowaar prijkte op het buffet. Het meubilair in het eetcafé was in verre staat van verval: de leren kussens op de stoelen waren gescheurd, de ruggen van de boeken hingen nog aan één of twee draadjes en regen lekte door de gaten rond het raam.

Achter het buffet stond een oudere vrouw in meerdere vesten met gaten erin en haar grijze haar opgestoken in een slordig knotje.

Lewis bestelde thee en nam die mee naar hun tafeltje. 'Sonya is communist,' zei hij terwijl hij in de richting van de vrouw in de vesten knikte. 'Ze zal wel dolblij zijn dat Stalin nu aan onze kant staat. Tante Kate en Sonia waren hartsvriendinnen.' Hij keek om zich heen. 'Als kind vond ik altijd dat het hier zo raar rook.'

'Houtrook en sigaretten.'

'En condens en natte wol. Wat vind je ervan? Leuk?'

Ze stak haar hand over tafel uit en pakte de zijne. 'Geweldig. Ik zou hier uren kunnen blijven zitten, het is hier zo gezellig en lekker warm.'

'Fijn. Hoe oud was je toen de baby van je zus overleed?'

'Achttien.'

'Nog een kind, dus. Dat zal wel moeilijk voor je zijn geweest, om je neefje zo te verliezen.'

Het drong tot haar door dat hij de eerste was die dat tegen haar zei. Lewis begreep dat zij ook een verlies had geleden.

'Het was afschuwelijk,' zei ze. 'Het ergste was nog dat ik de begrafenis moest regelen. Ik had geen idee of ik het goed deed… of Tessa het anders zou hebben gewild. Ik hoop echt dat ik mijn hele leven nooit meer zoiets vreselijks hoef te doen.'

Ze had al heel lang niet meer nagedacht over Tessa's vrienden, maar nu deed ze dat wel. Ze kon zich niet herinneren dat Milo Rycroft naar Tessa's appartement was gekomen of dat hij tot de groep had behoord die in het Ritz of het Mirabelle dineerde. Wat op zich al interessant was. *Zo te horen ben je boos op haar*, had Lewis gezegd, en hij had gelijk. Ze was boos op Tessa dat ze haar had achtergelaten en ze was kwaad dat Tessa had geweigerd haar de naam van de vader van de baby te vertellen. Het had haar het gevoel gegeven dat ze als een kind werd behandeld, dat haar zus haar niet vertrouwde. Tessa had haar verteld dat ze van de vader van Angelo hield, maar Freddie had het gevoel gehad dat Tessa's liefde voor hem alleen maar destructie had gebracht. Ze had zelfs een kloof tussen hen doen ontstaan.

Plotseling zei Lewis: 'Sorry dat ik zo afwezig ben vandaag. Ik slaap slecht.' Hij begon te lachen. 'Niemand slaapt goed aan boord: veel te veel herrie en gebroken nachten. Maar drie of vier uur lukte me altijd wel. Nu niet meer. Ik lig uren wakker, over van alles na te denken. Ik probeer aan jou te denken, Freddie, maar zelfs dat voelt af en toe zo surrealistisch. Ik zie alleen vluchtige beelden van je. Die avond in het Dorchester en, weet je nog, die twee minuten in het huis van Marcelle? En die avond in de trein. Het lijkt wel of je nergens echt thuishoort, of je niemand echt nodig hebt. Ik ben zo bang dat je me ontglipt. En dat zou ik niet overleven.'

Zijn handen grepen de hare vast. Ze schudde haar hoofd. 'Ik ontglip je niet, Lewis.'

'Nee?' Hij glimlachte. 'Dat is dan maar goed ook. Ik ben namelijk verliefd op je, Freddie.'

Af en toe kon Tessa het zich bijna herinneren. Het was een gek gevoel, het je bijna herinneren, als distelpluis die wegwaaide, voortgeduwd door luchtstromen die je handen veroorzaakten als je hem probeerde te pakken.

Die bijna-herinneringen kwamen over het algemeen zodra ze 's ochtends wakker werd. Dan deed Tessa haar ogen open en fixeerde haar blik op het bleke gordijn waar het licht doorheen scheen. Ze zag in haar herinnering een lange, rechte weg voor zich die grijs was van regen. Aan de zijkant van de weg bewoog iets: een vlag of een uithangbord, blauw met oranje. Dan was het beeld al verdwenen, dan sloot ze haar ogen weer en probeerde terug te zakken in de ontspannen, dromerige toestand waarin de bijna-herinneringen waren ontstaan. Angelo was verkouden, zei ze dan tegen zichzelf. Ze had geen werk en het was slecht weer. Het was deprimerend om in het appartement te moeten blijven met al die regen en een baby die huilde omdat hij niet goed kon eten. Max was op bezoek gekomen… maar dat kon ze zich niet herinneren, dat wist ze omdat Max het haar nadien had verteld.

Het was alsof je iets in een ooghoek zag. Een flits, een glinstering, een gedachte die vorm kreeg. Ze had het gevoel dat ze er schuin naar moest kijken. Dat als ze te hard haar best deed, het misschien wel zou verdwijnen en nooit meer terugkwam.

In de winter, toen de sneeuw in een dikke laag op de grond lag, was ze elke avond nadat de duisternis was gevallen naar de vallei gelopen. Ze had de bontjas van haar moeder gedragen, met een paar rubberlaarzen, en ze had twee grote manden bij zich. De geknotte stronken van de wijnranken staken in zwarte rijen uit de sneeuw, als stippen die stonden te wachten tot iemand ze met een lijn verbond.

Als ze dan aan de rand van het bos was gekomen, liep ze een stukje onder de bomen en wachtte. Dan scheen er al snel een gedempt licht en hoorde ze krakende voetstappen. En dan trad een van de mannen – Desmond, Roy of Chris misschien – uit de schaduwen. Ze zagen er allemaal uit als struikrovers; ongeschoren, hun haar wild en hun kleding een gerafeld samenraapsel van alles wat hen warm zou kunnen houden. Dan gaf ze hun het eten uit haar manden en kletsten ze even, waarna zij zich weer onzichtbaar maakten in het bos en Tessa weer naar de villa terugging.

Als je oorlogen met elkaar vergeleek, had Tessa de indruk dat deze wel erg ingewikkeld was. Er speelden zich simultaan een wereldoorlog en een burgeroorlog af in één, bergachtig land. De geallieerden probeerden het bruggenhoofd bij Anzio te behouden en trachtten gelijktijdig door de met man en macht verdedigde Gustav-linie ten zuiden van Rome te breken. Dan had je de partizanen in de bossen en bergen, een ratjetoe van Italiaanse deserteurs, patriotten en geallieerde krijgsgevangenen, die nu en dan lukraak op de fascistische militie schoten, een brug opbliezen of een Duits konvooi overvielen. De represailles op de partizanen en hun families waren snel en wreed.

Er schuilden meer dan honderd mannen in de beboste heuvels van het Belcanto-landgoed. Tessa kende er velen bij naam. Ze hadden veel verschillende nationaliteiten: Brits, Canadees, Australisch, Nieuw-Zeelands, Indiaas, Frans. Sommigen, onder wie Desmond Fitzgerald, hadden meermalen geprobeerd de geallieerde linies te bereiken, maar waren gedwongen rechtsomkeert te maken. Desmond was half december teruggekomen naar Toscane, nadat hij voor de tweede keer gevangen was genomen en voor de tweede keer was ontsnapt.

Naarmate de gevechten ten zuiden van Rome heviger werden, vluchtten er meer en meer mensen naar het noorden. Hun huizen, steden en dorpjes waren in het strijdgewoel tot puin vermalen. Uitgehongerde mannen, vrouwen en kinderen, allemaal met uitgemergelde gezichten, sommigen gewond geraakt tijdens de bombardementen en velen ziek, kwamen naar de boerderijen en villa op zoek naar voedsel en onderdak. Olivia stuurde niemand weg. Maar hun voorraden begonnen erg te slinken. Olivia vertelde Faustina en Tessa in vertrouwen dat ze bang was dat ze binnenkort gedwongen zou worden te kiezen tussen het voeden van de bewoners van het landgoed of de vluchtelingen.

Krijgsgevangenen, deserteurs en partizanen meldden zich op de kliniek. Dan werd er 's ochtends vroeg zacht aangeklopt of keek Faustina in het tuintje achter de kliniek en zag ze een gewonde man schuilen in de schaduw van de kastanjeboom. Ze lapten de zieken en gewonden op en probeerden een veilige plek voor hen te creëren waar ze konden herstellen. Eind mei werden er waarschuwingspamfletten uit vliegtuigen gegooid. Eenieder die eten of onderdak aan een partizaan verstrekte, werd doodgeschoten. Elk huis waarin een rebel schuilde werd met de grond gelijkgemaakt.

Op een middag keerde Tessa terug naar de villa nadat ze een van de boerderijen had bezocht. Haar route bracht haar langs de rand van een veld. Terwijl ze de villa naderde, hoorde ze het dichtslaan van autoportieren en het gekraak van laarzen op grind. In de luwte van een haag hield ze even stil. Behoedzaam stapte ze naar voren tot ze tussen de takken door kon kijken. Twee gepantserde Duitse auto's stonden voor de ingang van de villa en zes soldaten staken het erf over. Een soldaat was achtergebleven bij de auto's. Tessa keek toe hoe hij zijn pet afnam, zich verveeld op zijn hoofd krabde, zich daarna omdraaide, zijn geweer hief en naar de haag liep.

Tessa deed een stap naar achteren. Er liep een pad langs het veld, omlaag naar de vallei. Terwijl ze zich bij de villa vandaan haastte, voelde ze de blik van de soldaat in haar rug. Er liep een tinteling langs haar ruggengraat.

Maar er klonk geen stem en er floten geen kogels door de lucht. Toen ze achteromkeek, was het pad leeg. Snel verschuilde ze zich achter de takken van een kastanjeboom. Ze gokte erop dat de Duitse soldaten de villa doorzochten. Misschien had een gerucht de autoriteiten bereikt dat de Zanetti's sympatiseerden met de partizanen, of dat een ontsnapte krijgsgevangene zich tot de villa di Belcanto kon wenden voor asiel. Een fluistering, afgedwongen door omkoping of dreigementen, was genoeg. Goddank waren er op dit moment geen vluchtelingen in de villa. Maar er hingen wel degelijk kledingstukken in de kast met Engelse labels, en haar adressenboek, met een lijst Engelse namen en een brief die ze begin 1941 van Freddie had gehad, lag verstopt achter een losse baksteen in de haard. Als die werd ontdekt, dan zou iedereen kunnen weten wie ze werkelijk was. En allemaal kenden ze mensen die uit hun huizen waren weggehaald, waren beschuldigd van verraad of spionage en waren gevangengenomen of gedood.

Boven haar, tussen de groene bladeren van de kastanjebomen, glinsterden flarden saffierblauwe lucht. Op sommige plekken doorboorde zonlicht het bladerdek en viel het in stralen op de grond. Nog niet zo lang geleden had het haar weinig kunnen schelen of ze bleef leven of niet. Maar nu ontdekte ze dat ze een fel verlangen had om te blijven leven, om vrij te zijn, om de oorlog te overleven.

De avond was al gevallen voor ze weer naar de villa terug durfde te gaan. Faustina trof haar in de binnenplaats. De Duitse troepen waren op zoek naar drie ontsnapte gevangenen, vertelde ze Tessa. Ze doorzochten alle huizen en boerderijen in de omgeving.

In haar kamer controleerde Tessa of haar adressenboek nog steeds op de vertrouwde bergplaats lag. Het was er nog. De spieren in haar benen trilden, ze drukte haar vingers tegen haar mond.

400

Haar gedachten dreven naar Guido. Waar was hij? Was hij gevangengenomen? Als dat zo was, zouden ze dat dan niet van het Rode Kruis hebben gehoord? Of zat hij verschanst in de bergen met al die andere Italiaanse soldaten? Ze dacht terug aan dat gesprek dat ze die zomernacht op de binnenplaats hadden gehad. Ze herinnerde zich Guido's passie, zijn geloof in loyaliteit en principes. Loyaliteit en principes waren nu gevaarlijke eigenschappen. Heel veel mensen moesten ze met de dood bekopen.

Laat hem nog in leven zijn, dacht ze. Laat hem veilig zijn. Laat hem in vredesnaam in leven zijn.

Het strijdperk kwam steeds dichterbij. Je zorgde dat je bezig bleef, wat niet moeilijk was, want er was genoeg te doen. De dagen en nachten werden onderbroken door formaties bommenwerpers die laag over het platteland scheerden. De heuvels en valleien leken te schudden door de kracht van de explosies. Gevechtsvliegtuigen richtten hun machinegeweren op wegen, bruggen en passerende auto's. Rookpluimen stegen op in de lucht boven een geruïneerd huis of de wrakstukken van een vliegtuig. Soms dwarrelde de zilverkleurige koepel van een parachute naar de grond.

Als de vliegtuigen in de buurt van de villa naar beneden doken, brachten ze de kinderen snel naar de kelder. Er woonden er nu twintig op Belcanto, inclusief een zes weken oud baby'tje, Cara, wier moeder tijdens de bevalling was overleden. Cara had de neiging in slaap te sukkelen terwijl ze werd gevoed; dan moest Tessa haar zachtjes heen en weer schudden en onder haar voetjes kriebelen om haar wakker te houden.

Als de bommen in de buurt van de villa neerkwamen huilden en schreeuwden sommige van de kinderen, maar anderen, die ondertussen aan de herrie waren gewend, speelden rustig verder en keken nauwelijks op naar de lucht. Tessa zorgde altijd dat ze Tommaso's hand vasthield zodra het lage gerommel van de bommenwerpers hoorbaar werd. Ze wilde voorkomen dat hij zich terugtrok in zijn hol in de heg.

In de kelder probeerde Tessa de kinderen af te leiden door een verhaal te vertellen of liedjes met hen te zingen. De ruimte werd verlicht door kaarsen en het enige raam werd beschermd door een rooster. Schaduwen maakten de hoeken van de koele stenen kelder donker. Tessa zat op een dag de kinderen voor te lezen toen ze voelde dat iemand zijn hoofd op haar schoot drukte. Ze keek naar beneden en zag dat het Tommaso was. Wat werkelijk een wonder was, bedacht ze terwijl ze zijn krullen streelde.

Het was 5 juni, de dag nadat de geallieerden Rome hadden bevrijd.

Faustina was degene die hem vond, hoewel ze hem niet direct herkende. Het begon donker te worden en vleermuizen scheerden boven de daken van de gebouwen. Faustina stond op het punt om van de kliniek naar de villa te vertrekken, toen er werd aangeklopt. Ze deed de deur open, hoorde voetstappen wegrennen en zag twee mannen de hoek van de weg om verdwijnen. Toen zag ze een derde man, die in elkaar was gezakt in de stoffige berm bij de kliniek. Ze hoorde het onrustige schrapen van zijn ademhaling toen ze de weg naar hem overstak.

'Rustig maar,' zei ze zacht. 'Je bent hier veilig. Probeer langzaam te ademen, in en uit, ja, goed zo.'

Toen veegde Faustina zijn smerige zwarte haar uit zijn gezicht en ademde scherp in. 'Guido,' zei ze. 'O, Guido.'

Ze droegen hem naar de kliniek, waar ze zijn kleding van zijn lichaam knipten. Guido was in zijn schouder geschoten en Faustina vermoedde dat hij longontsteking had.

Stefano de rentmeester werd gestuurd om dokter Berardi te halen. Terwijl ze op hem wachtten, haalde Faustina het geïmproviseerde verband van Guido's schouder. Al die tijd praatte ze tegen haar broer. 'Dat is echt typerend voor je, Guido, ervandoor gaan en tegen niemand zeggen waar je bent. Moeder maakte zich vreselijke zorgen, maar ik wist dat je wel weer zou opduiken.

En dan die dramatische rentree van je, zeg, natuurlijk weer net op het moment dat ik wilde gaan eten.' Er ging een vluchtige glimlach over Guido's gezicht.

Dokter Berardi verwijderde de kogel uit Guido's schouder en hechtte de wond. Faustina's diagnose dat Guido longontsteking had werd bevestigd. De dottore nam Faustina en Olivia apart. Als hij het overleefde, zou Guido wekenlang intensieve verzorging nodig hebben. Alleen volledige rust en stilte zouden hem de kans geven om op krachten te komen.

Die eerste nacht verpleegden ze Guido in de kliniek. De volgende ochtend vroeg droegen Stefano en een van de andere mannen hem in dekens gewikkeld naar een kar. Olivia nam afscheid en toen reed Stefano Faustina, Tessa en Guido weg van de villa en de weg op.

Het plan, zoals het de avond ervoor was bedacht door de drie vrouwen, was dat ze Guido naar de verst weg gelegen boerderij op het landgoed zouden brengen. Ze zouden om beurten voor hem zorgen, twee of drie dagen lang. De kleine stenen boerderij – twee kamers en een opslagruimte voor hout en gereedschap – werd al jaren niet gebruikt, maar het grootste deel van het pand was nog solide. Aan een kant van het huis lag een stuk bos en aan de andere een brede vallei. Er kwamen maar zelden mensen langs. Indien nodig zou het bos beschutting en een plek om onder te duiken bieden.

De kar reed de weg af en sloeg een graspad in. Een kleine kilometer later werd het een wandelpad. Guido lag bewegingloos achter in de kar. Faustina liet Stefano nu en dan stoppen zodat ze kon kijken hoe het met haar broer ging. Dan ging de reis weer verder, steeds verder omhoog. De weilanden stonden vol bloemen en de lucht was hier frisser. In de verte was aan een kant van de heuvel een dicht, donkergroen bos.

Het voetpad smolt al snel samen met de weide. Nu was er niets meer wat hun route markeerde.

Toen ze 's ochtends heel vroeg opstond om te kijken hoe het met Guido was, hoorde Tessa de vogels in het bos zingen. Terwijl ze het zweet van zijn koortsige huid veegde, was haar hoofd gevuld met het lied van de vogels, het geruis van de bomen in het bos en Guido's ademhaling, het moeizame inhaleren en het korte, hijgende uitademen. Als zijn ademhaling te snel werd, pakte ze zijn hand en telde voor hem: in, één twee drie, uit, één twee drie, tot zijn ademhaling weer rustiger werd.

Toen de koorts minder werd, vroeg hij waar hij was. Toen knipperde hij met zijn ogen en vroeg: 'Ben jij dat, Tessa?' maar dan had hij zijn ogen alweer dicht voordat ze antwoord kon geven. Ze herinnerde zich nog hoe zij zich in het ziekenhuis had gevoeld, na het ongeluk was alle helderheid verdwenen en had ze nergens iets van begrepen. Guido's jukbeenderen lagen vlak onder zijn huid en hij was broodmager geworden. Hij was donkerbruin geblakerd en zijn lichaam zat vol oude littekens. Als ze zijn rug masseerde, zoals Faustina haar had geïnstrueerd, voelde ze het op en neer gaan van zijn ribben. Als hij moest hoesten bood ze hem een bekertje water aan. Het was een ander soort intimiteit, bedacht ze, een andere manier van elkaar leren kennen, die voelde als een geschenk.

Ze sliep op de vloer naast zijn veldbed… Nou ja, slápen kon je het niet echt noemen. Het was meer een waken en wegdoezelen, waaruit ze opschrok door de minste beweging die hij maakte of wanneer hij kreunde als ze een koel doekje op zijn voorhoofd legde en tegen hem praatte tot hij weer rustiger werd. Op een nacht leek zijn toestand te verslechteren; hij had een klamme huid en was heel kortademig. Toen de koorts erger werd, waste ze hem met lauw water. De manier waarop ze hem verpleegde had iets vastberadens, een weigering zich te laten verslaan. Ze zou hem niet laten sterven, ze zou hem niet laten wegglijden. De volgende ochtend was zijn koorts gezakt en lag hij diep te slapen.

Het voelde vreemd om Guido bij Olivia of Faustina achter

te laten en terug te gaan naar de villa. Haar leven op de villa leek in deze vervreemdende periode minder echt dan dat in het boerderijtje.

Vanuit het boerderijtje zag ze een keer een herder, zijn schapen als wolkjes tegen het groene gras in de vallei. Een andere keer zag ze twee figuren over de heuvel lopen, hun zwarte vormen als uitgeknipte papieren poppetjes. Ze schatte de afstand van het huis naar het bos en vroeg zich af of ze in staat zou zijn om Guido over het gras te helpen, zodat ze zich konden verstoppen tussen de bomen. Maar de twee figuren liepen verder en verdwenen over de heuvel. Toen ze er uiteindelijk van overtuigd was dat ze niet terug zouden komen liep ze van het raam weg en ging ze weer aan zijn bed zitten.

De grote gebeurtenissen van de oorlog – de val van Rome en de geallieerde landing in Normandië twee dagen daarvoor – leken zo ver weg. Als ze 's nachts aan Guido's bed zat, dacht Tessa niet aan de oorlog, maar aan liefde, en de manier waarop die wegstierf, en de manier waarop die op andere momenten juist bleef bestaan, ondanks afstand en misverstanden. Hoe ze glans over alles heen kon werpen, zoals de maan en het ijs hadden gedaan op die avond dat ze Milo had leren kennen, en hoe je je als de magie weer was verdwenen soms niet eens kon herinneren waarom je hoe dan ook van iemand was gaan houden. Alle keren dat ze de laatste jaren aan Milo dacht, zag ze alleen ijdelheid, egoïsme en hebzucht.

En toch, hoewel liefde kon aanhouden, kon ze ook veranderen. Ze was op haar zeventiende verliefd geworden op Guido Zanetti. Ze had toen van hem gehouden omdat hij de snelste zwemmer was, omdat hij met zijn kleren aan in de vijver was gesprongen en de manier waarop hij naar haar keek haar had doen smelten.

Hoewel er veel was veranderd, vaag geworden door tijd en ervaring, merkte ze terwijl ze aan zijn bed zat dat ze nog steeds van hem hield. Ze hield van hem om zijn vastberadenheid en moed, maar ook om zijn kwetsbaarheid. Wat gek, bedacht ze, dat je helemaal opnieuw verliefd kon worden op een man vanwege de vragen in zijn ogen.

Hij vroeg: 'Tessa?'

Ze stond bij het raam. Ze draaide zich naar hem om en glimlachte. 'Dag Guido. Hoe voel je je?'

'Beter.'

Hij zag er verward uit, dus ze legde uit: 'Je bent ziek geweest. Olivia, Faustina en ik zorgen voor je.'

Hij probeerde overeind te gaan zitten. Ze hielp hem omhoog en plaatste wat kussens achter zijn rug. Ze ging op het randje van het veldbed zitten en legde een hand op zijn voorhoofd. Dat voelde koeler.

Hij vroeg: 'Hoe lang ben ik hier al?'

'Een week.'

Hij zag er geïrriteerd uit. 'Ik weet niet meer…'

'Twee vrienden van je hebben je naar de kliniek gebracht.'

Hij fronste zijn voorhoofd. 'Ik werd neergeschoten.'

'Ja, in je schouder. De wond heelt goed.' Ze wilde hem niet vermoeien met een gesprek. 'Denk je dat je iets kunt eten?'

'Ik zal het proberen.'

Tessa verwarmde wat soep op de oliekachel. Ze voerde hem met een lepel, waar hij kleine nipjes van nam.

Na een stuk of zes slokjes schudde Guido zijn hoofd. 'Jezus, ik word gevoerd als een baby!'

'Over een dag of twee kun je het zelf, wacht maar af.' Ze zette de soep weg. 'Je moet nog heel even geduld hebben.'

Hij kreeg rimpeltjes in zijn ooghoeken nu hij glimlachte. 'Je weet dat geduld nooit mijn sterkste kant is geweest.' Hij greep ineens haar hand. 'Luciella… Maddalena… Hebben jullie iets van hen gehoord?'

'Het gaat goed met hen, Guido. Olivia heeft vorige week nog een brief van Maddalena gekregen. Het gaat uitstekend.'

406

'Godzijdank,' verzuchtte hij, en hij sloot zijn ogen.

'Ze wonen in Rimini.'

'Rimini?' Zijn ogen vlogen weer open.

'Maddalena woont met Luciella bij een tante van haar. Dat leek haar veiliger. Je hoeft je geen zorgen te maken. Je kunt hun schrijven zodra je wat sterker bent.'

'Is ze erg kwaad op me?'

'Geen idee. Maddalena mist je vast enorm, Guido.'

Zijn stem werd lager. 'Toen ik deserteerde, wist ik dat ik haar ook verliet.'

Tessa pakte de soepkom weer. 'Probeer nog wat te eten. Hoe meer je eet, des te sneller je weer op krachten bent.'

Ze vertelde over de brief die Sandro uit de trein had gegooid. 'Dus we weten dat hij nog leeft,' voegde ze toe.

'Dat hij op dat moment nog leefde, bedoel je.' Guido zag er kwaad uit. 'Sandro is niet geschikt voor het soldatenleven.'

'Jij wel?'

Hij probeerde zijn schouders op te halen, maar hij huiverde van de pijn. 'In eerste instantie had ik er geen moeite mee. Maar ik werd het zat. Ik hou er erg van als alles helder en voorspelbaar is, maar oorlog is het grootste deel van de tijd een onoverzichtelijke chaos.'

'Stil maar,' zei ze. 'Probeer ergens anders aan te denken.'

Zijn blik dreef naar het raam. 'Toen we klein waren,' zei hij zacht, 'speelden Sandro en ik vaak in het bos. We zijn eens verdwaald. Mijn oma moest de mannen op pad sturen om ons te zoeken. Tegen de tijd dat ze ons hadden gevonden, was het al middernacht. Toen we ouder werden, prentten we elke boom en elk pad in ons hoofd. We konden zelfs in het donker onze weg naar huis vinden.'

Hij liet zich in de kussens zakken en sloot zijn ogen. Het drong tot Tessa door dat ze zijn kaaklijn en de hoek van zijn kin uit haar hoofd kon natekenen. Ze legde haar hand op de zijne en keek hoe zijn borstkas op en neer ging.

'Toen ik net was gedeserteerd,' vertelde Guido haar, 'hield ik mezelf in eerste instantie voor dat ik een verstandige keuze had gemaakt. Ik zou me verbergen in de heuvels en afwachten tot het weer rustiger zou worden. Maar in mijn hart wist ik dat hoe langer ik zou wachten, hoe moeilijker het zou worden om naar het zuiden te gaan. Dus uiteindelijk ben ik maar gewoon blijven zitten waar ik zat.

Ik kwam steeds meer mannen zoals ik tegen, deserteurs en mannen die hun dienstplicht ontweken. Uiteindelijk waren we met tientallen. De winter was bitterkoud. We bouwden schuilplaatsen, maar we moesten uitkijken met vuur, want de rook zou gezien kunnen worden. En het was moeilijk om droge brandstof te vinden.'

Hij glimlachte naar Tessa. 'Als het sneeuwde droomde ik over Belcanto in de zomer. Dan probeerde ik me voor te stellen dat ik hier lag, zoals nu, op het gras in de zon. En toen kwam uiteindelijk godzijdank het voorjaar. We hadden geluk: we hebben een munitie-opslag overvallen, waar explosieven en wapens lagen. We hebben met dynamiet een spoorweg opgeblazen en een trein met troepen laten ontsporen. Na een tijdje kwamen we erachter dat we het effectiefst waren als we in kleine groepjes opereerden. We hebben een auto met officieren overvallen en telefoonlijnen onklaar gemaakt. De mannen die we hadden gedood hebben we begraven, want als er geen lichamen werden gevonden, dan was de kans op represailles ook veel kleiner. Maar toen werd ik ziek. Ik had een hoest die maar niet overging. We waren allemaal uitgeput en half verhongerd. Ik wilde de anderen niet tot last zijn. Stom van me… Ik was een gevaar voor mezelf en de rest.'

'En toen?' vroeg ze. 'Wat is er met je gebeurd, Guido?'

'Iemand kwam met het plan een brug op te blazen. Ik was het er niet mee eens; hij werd te goed bewaakt en we hadden niet genoeg wapens, maar uiteindelijk besloten ze het toch door te zetten. Alles liep fout. We hadden veel minder mannen en maakten geen enkele kans. Ik werd in mijn schouder geschoten, sommige mannen werden gedood en anderen gevangengenomen. Wat neerkomt op de doodstraf. Daarna waren de heuvels niet veilig meer, dus moesten we opsplitsen. Een stel vrienden heeft me naar het zuiden geholpen. Zonder hen zou ik het nooit hebben gehaald.'

Guido was zo lang stil dat Tessa dacht dat hij in slaap was gevallen. Maar toen zei hij: 'Ik zei net dat ik erover droomde hier te zijn. Maar ik had ook andere dromen. Ik dacht terug aan die nacht op de binnenplaats, toen het zo onweerde. Ik probeerde je voor me te zien. Ik probeerde me te herinneren hoe je eruitzag en wat je had gezegd. Alleen stelde ik me het einde van die nacht altijd anders voor dan hij in het echt gegaan is. In mijn dagdromen liep je niet van me weg, Tessa. Je bleef bij me, onder de loggia, en we omhelsden elkaar terwijl we naar de regen keken.'

Ze ging naast hem liggen op het veldbed en legde haar hoofd in de holte onder zijn goede arm. Ze voelde zijn hartslag, en merkte dat de hare vertraagde. Ze sloot haar ogen en haar hele wereld bestond even uit niets anders dan zijn ademhaling.

Faustina zei dat Guido's longen schoon waren en dat zijn schouderwond prima genas. Guido mat zijn herstel aan de afstand die hij kon lopen. In het begin twee rondjes om het huis. Dan moest hij naar binnen en op bed gaan liggen, met een bonkend hart en het zweet op zijn voorhoofd. De volgende dag liep hij het bos in, over het kronkelpad onder de bomen.

Soms scheerden er vliegtuigen door de saffierblauwe lucht, ze hoorden het gedreun van bommen en zagen aan de blauwgroene horizon de rookwolken opstijgen. Ze lagen graag op een open plek in het bos, in de vlekkerige schaduw van de takken boven hen. Zo konden ze uren liggen, elkaar strelend en kussend. Ze was vergeten dat er zoveel manieren waren om te kussen, als een regenboog van verschillende kleuren. Zachte kussen, hongerige kussen en kussen die haar in vuur en vlam zetten. Kussen die zo licht en vergankelijk waren als poeder dat over haar huid dwarrelde.

Ze vond dat ze kusten als tieners. Tieners die half bang waren voor de volgende stap. Tieners die dachten dat ze alle tijd van de wereld hadden.

Een paar meter het bos in vormden de bladeren en takken een groen dak waar hier en daar flikkerend licht doorheen scheen. Doornstruiken vormden barricaden op de bosgrond.

Guido kende de paden die door het bos weefden, de groene tunnels van bladeren, takken en struikgewas. Hij wist waar het land steil omhoog schoot. Er groeiden boompjes uit de rotswand, en klimop probeerde zich vast te grijpen aan de kale grond. Hij pakte haar hand en ging haar voor. Boven op de helling, in een bosje van berken, kusten ze.

Ze waren op weg terug naar de boerderij toen ze stemmen hoorden. Guido's hand verstarde op haar onderrug. Ze stonden beweginloos als de bomen.

Drie mannen in een grijs uniform liepen de heuvel af richting de boerderij. Guido drukte een vinger tegen zijn lippen. Verroer je niet, gebaarde hij woordeloos. Tessa wenste dat ze die roze jurk niet had aangetrokken. Hij was knalroze, Schiaparelli-roze. Niet bepaald een kleur die je veel tegenkwam in het bos. Wat als een van die soldaten het bos in tuurde en haar knalroze jurk zag?

De Duitse soldaten liepen de boerderij in. Tessa hoorde een vreugdekreet. Een van de mannen kwam naar buiten met een fles wijn in zijn ene hand en een brood in zijn andere. Hij ging op het trappetje zitten om te eten. Hij was jong en blond en droeg een versleten en smerig uniform. De anderen volgden al snel, met hun armen vol buit, en ze gingen met zijn drieën op het gras tussen het huis en het bos zitten. Tessa rook de geur van hun tabak. Haar spieren protesteerden tegen het lange stilstaan.

Uiteindelijk pakten de soldaten hun plunjezakken weer op en liepen de heuvel af. Tessa hoorde Guido uitademen; een paar minuten later liepen ze terug naar de boerderij.

Binnen waren alle manden en voorraadpotten geplunderd;

kleding en beddengoed waren door door de ruimtes gegooid. Ze stonden met hun gezichten naar elkaar toe en hun handen ineen gestrengeld. Zijn lippen streelden haar mond en voorhoofd. Toen knoopte hij haar jurk open en liet zijn handpalmen over haar huid glijden.

Ze kende hem al zo lang. Er was meer dan tien jaar verstreken sinds ze voor het eerst de liefde bedreven in de tuin van villa Millefiore. En toch had ze als hij nu de liefde met haar bedreef het gevoel dat ze hem helemaal niet kende. Ze leerde hem opnieuw kennen: de schaduwen en geheimen van zijn lichaam, de smaak van zijn huid en de aanraking van zijn hand. Ze leerde hoe het voelde om helemaal één met een man te zijn, haar ogen te sluiten en te weten dat zij een deel was van hem en hij van haar, en dat ze samen één waren.

Later zei ze: 'Ik wil je over mijn zoon vertellen. Hij heette Angelo, Angelo Frederick Nicolson. Ik vond het altijd zo'n grootse naam voor zo'n piepklein baby'tje. Hij is omgekomen bij een auto-ongeluk. Het was mijn schuld, ik zat achter het stuur. Als je zoiets overkomt, verlies je een deel van jezelf. Ik weet niets meer van de dag van het ongeluk. Ze hebben me achteraf verteld dat het slecht weer was en dat ik in een slip ben geraakt. Ik ben nog steeds bang dat ik impulsief met hem de weg op ben gegaan, dat ik me verveelde vanwege de regen en van het thuis opgesloten zitten. Ik verdraag de gedachte niet dat Angelo om een triviale reden zou zijn gestorven. Hij is dood en ik leef nog, en sinds hij is gestorven heb ik zo vaak gewenst dat ik samen met hem was omgekomen.'

Hij kuste haar op haar kruin. 'En denk je dat nog steeds, Tessa?'

Ze zei: 'Nu niet meer. Nooit meer.'

'Ik heb er spijt van dat ik je niet naar Engeland ben gevolgd,' zei hij. 'Ik heb er spijt van dat ik je heb laten gaan. Je zei dat je denkt dat we alleen maar ruzie zouden hebben gekregen, maar dat weet ik zo net nog niet. Volgens mij zou het een avontuur zijn geworden. Volgens mij zouden we elkaar nooit zat zijn geworden.'

Haar hoofd rustte op zijn schouder en zijn ademhaling vertraagde tot ze wist dat hij sliep. Ze voelde de randjes van het canvas bedje tegen haar rug en zag op de grond de kledingstukken liggen die ze van zich af hadden gegooid: een roze jurk, een sandaal die naar de deur was geschopt. Haar oogleden gingen open en dicht terwijl ze naar het zingen van de vogels en het briesje in de bomen luisterde.

De volgende ochtend verliet Guido de boerderij. Hij zou naar het zuiden trekken, zei hij, naar de linies van de geallieerden. Als hij onderweg partizanen tegenkwam, dan zou hij zich bij hen aansluiten.

Tessa liep met hem tot aan de voet van de steile rotswand het bos in. Daar namen ze afscheid en ging hij alleen verder. Liefde duurt zolang ze duurt, dacht ze terwijl ze toekeek hoe hij de helling opklom. Boven aangekomen keek hij achterom en zwaaide naar haar.

Toen ze hem niet meer zag, kneep ze haar ogen dicht. 'Wees veilig Guido,' fluisterde ze. 'En wees voorzichtig. En als dit allemaal achter de rug is, ga dan terug naar je vrouw en kind en wees gelukkig.'

14

Het was druk op station Charing Cross, de rijen bij de loketten stonden tot op straat. Rebecca liep naar station Embankment om niet over te hoeven stappen. Daar was het ook druk, en de wachtende passagiers stonden met zo velen op het perron van de District Line, dat ze twee metro's aan zich voorbij moest laten gaan voordat ze kon instappen. Ze keek op haar horloge: het was kwart voor twee. De bezoektijden in het verpleeghuis waar haar moeder sinds twee weken was opgenomen, waren erg krap: in het weekend tussen drie en vier 's middags, en 's avonds een halfuurtje. Ze zou niet tot vanavond blijven; reizen ging moeizaam met het onbetrouwbare openbaar vervoer, ze hadden haar nodig op de boerderij en toen ze elkaar eindelijk aan de telefoon hadden, had Meriel verteld dat mama zoveel pijnstillers kreeg dat ze nauwelijks merkte dat er iemand was.

Er waren recent grote dingen gebeurd, maar alles was voor Rebecca overschaduwd door het ziekbed van haar moeder. Hoewel ze zowel opluchting als vreugde had geuit toen de geallieerden in Normandië waren geland, was het nieuws niet echt doorgedrongen. Mevrouw Fainlight was twee weken geleden thuis ingestort en naar het ziekenhuis gebracht. Daar hadden röntgenfoto's tumoren op haar ribben en linkerheup aangetoond. Het bot in haar heupgewricht was aangetast en zou haar gewicht binnenkort niet meer kunnen dragen. Na twee weken in het plaatselijke ziekenhuis was haar moeder naar een verpleeghuis in Kensington overgebracht, waar ze zou blijven tot haar toestand stabiel zou zijn, zo had de consulterend geneesheer

Rebecca en Meriel medegedeeld. En daarna? had Rebecca hem gevraagd. Hij leek van zijn stuk gebracht door haar directheid en had zijn vingertoppen tegen elkaar gedrukt. Ze moesten begrijpen dat hun moeder terminaal was. Ze hoopten dat ze de pijn konden verlichten, maar aan de kanker konden ze niets doen. Als mevrouw Fainlight naar huis wilde, zou ze daar niet voor zichzelf kunnen zorgen. Er moest wat worden geregeld. Beide zussen hadden in tranen het ziekenhuis verlaten. Het was later tot Rebecca doorgedrongen dat ze daarna om beurten hadden gehuild: Meriel op weg naar de bushalte en Rebecca in de bus. Alsof het tot hen was doorgedrongen dat ze nu alleen elkaar nog hadden en dat een van hen in staat moest zijn om de bus aan te houden en kaartjes te kopen.

Ze was vroeg. Ze ging eerst nog even een kop thee drinken in een cafeetje bij Holland Park. Er hing een deken van sigarettenrook in de ruimte en de thee smaakte naar afwaswater, maar Rebecca dronk hem toch maar op. Een vermoeid uitziende vrouw zat aan het tafeltje naast haar. Met krachtige streken over haar wangen en voorhoofd werkte ze haar make-up bij met een grijzig poeder dat ze gedreven van de randen van een vrijwel lege poederdoos veegde. Toen verdween de poederdoos in de handtas van de vrouw en kwam er een doosje rouge tevoorschijn. Ook dat was zo te zien nagenoeg leeg. Vervolgens mascara en een minuscuul stompje lippenstift. Rebecca's hand snakte naar een potlood om de transformatie vast te kunnen leggen, het vegen van het poeder, het strak samenpersen en weer ontspannen van de lippen, de fronsende blik in de handspiegel. Toen de vrouw klaar was, stond ze op, en ze streek haar jurk glad over haar heupen. Toen draaide ze zich op haar hakken om en liep het café uit.

Ze had nog een halfuur, en aangezien Rebecca dit deel van Londen goed kende van toen ze net bij Milo weg was, besloot ze een stukje te gaan wandelen. Ze liep langs het eetcafé waar ze vroeger wel eens had ontbeten als ze er te veel tegen op had gezien om in de eetzaal van het hotel te zitten, en langs dat winkeltje waar ze knopen en kousen had gekocht. Als ze terugkeek op die tijd voelde ze een mengeling van medelijden en ongeduld. Ze was zo doelloos geweest, zo kwetsbaar.

Ze liep verder. Londen zag er somber en vervallen uit. Er waren maar weinig panden ongeschonden, en de meeste waren onbewoonbaar. Bommen hadden grote gaten tussen de huizen geslagen en er waren er veel met de grond gelijkgemaakt; op sommige plaatsen waren kraters geslagen, die vol lagen met bergen puin, kapotte bakstenen, stukken hout en steen. Groen onkruid groeide tussen de brokstukken. Kinderen speelden tussen het puin, in te grote of te kleine kleren, de meisjesvesten met gaten erin, de billen van de broeken van de jongens versteld of tot op de draad versleten. Ze renden gillend achter elkaar aan door de vervallen panden. Een jongen van een jaar of negen stond te plassen in een poeltje, de uitdrukking op zijn magere, ratachtige gezicht een mengeling van concentratie en genot.

Het drong tot Rebecca door dat ze niet meer wist waar ze was. Straten die er hadden moeten zijn waren verdwenen en panden die ooit markeringspunten waren geweest waren onherkenbaar. De kinderen leken haar verwarring op te merken; een jongen bleef even staan op een berg puin, en een meisje dat het onderstel van een wandelwagen duwde staarde haar aan. Er plonsde iets in de plas toen Rebecca erlangs liep; een van de kinderen had een steen naar haar gegooid. De jongen bukte en raapte een kapotte baksteen op. Rebecca zag opwinding in de ogen van het meisje. Ze tilde haar rok op en ging naast Rebecca lopen, theatraal met haar heupen wiegend en haar lippen tuitend. De toekijkende kinderen brulden het uit van plezier. Toen raakte de baksteen de achterkant van Rebecca's regenjas, waarop ze tegen de jongen schreeuwde dat hij moest oplazeren en het hele stel gillend en met opzij gestrekte armen rondjes begon te rennen, als wilde spreeuwen.

Uiteindelijk zag ze weer waar ze was; een paar minuten van het verpleeghuis vandaan. Ze veegde de modder van haar jas en haastte zich verder. In het verpleeghuis aangekomen zat haar moeder, gekrompen en verschrompeld door haar ziekte, omhoog geduwd tegen wat kussens, met geborsteld haar en haar mooiste nachtpon aan. Het doel van Rebecca's bezoekje vandaag was te achterhalen of haar moeder naar huis wilde of dat ze liever in het verpleeghuis wilde blijven. Het gesprek liep anders dan gepland. Mevrouw Fainlight was ongewoon praatlustig, bijna opgetogen. Had Rebecca de krant gelezen? De oorlog moest nu toch snel voorbij zijn. Dat stond in dat artikel, Rebecca moest het erbij zoeken en voorlezen. 'Nou,' zei haar moeder verwachtingsvol terwijl ze haar recht aankeek, waarop Rebecca zei: 'Nou, dat klinkt spannend, hè, mama.' Toen vertelde mevrouw Fainlight een lang verhaal over een van de verpleegsters, die uit Shrewsbury kwam, waar zij zelf als kind ook had gewoond. Het verhaal was nog niet af toen de ogen van mevrouw Fainlight ineens dichtzakten en ze pardoes in slaap viel. Een paar minuten later stak een verpleegster haar hoofd om de deur en zei: 'Nou, u heeft haar wel uitgeput, zeg,' en toen was het al bijna vier uur, dus gaf Rebecca haar moeder een kus en liep ze de kamer uit.

Ze overwoog nog een gesprek aan te gaan met een van de artsen, maar besloot dat toch maar niet te doen, aangezien het geen enkele zin zou hebben. Het was nu aan haar en Meriel; ze zou maandag gaan bellen met de thuiszorg. Als haar moeder naar huis wilde, zouden ze haar naar huis brengen. Zij zou voor hun moeder zorgen als er school was; misschien dat Meriel het in de vakanties kon overnemen.

Het was een opluchting het verpleeghuis uit te lopen; het rook er naar vloerpoets en desinfecterend middel. Ze wilde niet meteen weer die luchtloze, drukke metro in, dus ze ging lopen. Dat overbekende schuldgevoel bekroop haar weer, maar het was nu vermengd met verdriet. Ze had in haar relatie met haar moeder altijd een intens verlangen gevoeld het haar naar de zin te maken, dat gepaard ging met de wetenschap dat er steevast iets was wat haar moeder teleurstelde.

Ze liep het kleine stukje naar Kensington Road en ging richting Gloucester Road. Hier leek het straatleven gewoon door te gaan, zonder de dreigende sfeer van haar eerdere wandeling langs die gebombardeerde huizen. De zon scheen, de lucht was blauw en in de tuinen bloeiden rozen. Op Gloucester Road zelf liepen mensen in en uit de winkels, en bij de slager stond een rij tot op de stoep. Een platinablonde vrouw leunde uit een raam op de derde verdieping en riep iets naar iemand op de stoep. In een zijstraatje aan de overkant kwamen twee meisjes een huis uit. Ze waren een jaar of veertien. De ene droeg een blauwe jurk en zwaaide met een boodschappenmand, de andere had een jurk met groene strepen aan.

Rebecca hoorde een raar geluid – bzzz, bzzz – dat harder werd en vervormde tot een jengel. Mensen keken op. Toen was het stil en toen, net vóór de enorme explosie, zag Rebecca een donkere vorm in de lucht.

De kracht van de ontploffing kwakte haar tegen een muur. Ze zag een lichtflits, een regen van puin en een lichaam dat door de lucht vloog. Ze hoorde niets meer en het was net of alles zich vertraagd afspeelde. Een auto werd omhoog gezogen alsof er een reuzenstofzuiger boven hing, en hetzelfde gebeurde met een fiets, een wandelwagen en een verkeersbord. Het lichaam van de blonde vrouw werd in een sierlijke boog uit het raam getrokken en plofte op straat.

Rebecca's gehoor kwam weer terug. Mensen schreeuwden, sirenes gilden en stukken baksteen, hout en glas kletterden op de grond. Toen er niets meer viel, stond Rebecca op. Ze controleerde of ze gewond was. Ze zag dat het epicentrum van de inslag tussen dat zijstraatje en Gloucester Road lag. Ze dacht aan die twee meisjes, het ene in de blauwe jurk en het andere in de groen gestreepte. Ze zette een paar stappen. Ze wist niet zeker of die rozerode dingen op straat uit de slagerij kwamen of dat het menselijke resten waren. Ze ging over haar nek. Toen liep ze behoedzaam naar de andere kant van de straat, waar ze een stuk groen-witte stof zag liggen.

Het meisje in de groene jurk was dood. Rebecca zag het meisje in het blauw nergens. Ze begon met haar handen in de berg bakstenen en stucwerk te graven. Wit stof dwarrelde door de lucht en de kapotte bakstenen sneden in haar handen. Ze zat geknield in het puin en stof, trok er stukken hout uit en gooide ze aan de kant, leunde naar voren en trok met al haar kracht blokken van een stuk of zes bakstenen aan de kant. Ze groef gehaast, bang dat het meisje zou stikken voordat ze haar kon bereiken. Hoewel ze zich ervan bewust was dat er politieauto's en reddingsvoertuigen arriveerden keek ze niet op of om en concentreerde zich met al haar kracht op haar taak.

Uiteindelijk zag ze een stuk kleding, wit geworden van stof. Ze ging nog sneller graven, lepelde stof en gruis op, schraapte met een stuk hout glasscherven opzij. Daar was een been van het meisje, glad en wit.

Een stem zei: 'Dank je wel, lieverd. Wij nemen het wel over,' maar ze bleef graven. Het drong tot haar door dat ze moe was, dat haar spieren niet meer deden wat ze wilde, en ze kon wel huilen van frustratie.

De man knielde naast haar neer en legde zijn hand op haar schouder.

'Je hebt geweldig geholpen, maar nu moet je ons het verder laten doen. Wij kunnen haar sneller los krijgen, echt.' Toen hielp hij haar overeind.

Ze moest blijven kijken hoe de brandweerlieden het meisje uit het puin bevrijdden. Iemand sloeg een deken om haar schouders en een ander duwde een kop thee in haar handen. Haar tanden klapperden tegen de rand van het bekertje.

Toen het meisje eenmaal uit het puin was bevrijd, zag Rebecca dat ze nagenoeg naakt was: haar jurk was letterlijk van haar lijf geblazen door de kracht van de ontploffing. Haar lichaam, wit van stof, zag er helemaal gaaf uit.

Een van de brandweermannen drukte een vinger tegen de hals van het meisje.

'Leeft ze nog?' vroeg Rebecca.

De brandweerman knikte. 'Nog net. Kent u haar?'

Rebecca schudde haar hoofd. Twee vrouwen tilden het meisje op een draagbaar en brachten haar snel naar een ambulance. Rebecca liep weg; ze gleed uit over het puin en baande zich een weg tussen de omgevallen muren en vernielde auto's door. Ze liep uiteindelijk Cromwell Road in en ging op weg naar station South Kensington. Haar handtas hing nog aan haar schouder, en ze haalde er geld uit voor een metrokaartje. Ze voelde zich nu vreemd rustig, en toen de man achter het loket vroeg of het wel ging, knikte ze tot haar eigen verbazing, en ze zei: 'Ja, dank u, prima.' Maar toen ze uitstapte op station Embankment, wist ze even niet meer welke kant ze op moest lopen, dus bleef ze op het perron staan en keek om zich heen terwijl haar gedachten van haar af gleden als stukjes glas op puin.

Wonderlijk genoeg stond er op Charing Cross een trein naar Tunbridge Wells te wachten. Rebecca vond een zitplaats. Tegenover haar zat een vrouw van ongeveer haar leeftijd. Ze droeg een grijze rok, een grijs jasje en een grijs hoedje met een trosje nepkersen eraan. Ze keek naar Rebecca en vroeg: 'Gaat het wel?' waarop Rebecca nogmaals, maar nu vermoeid en geïrriteerd, antwoordde: 'Ja, bedankt. Prima.'

'U bent nogal stoffig,' zei de vrouw.

Rebecca keek naar zichzelf. Ze zag dat ze was bedekt met een dikke laag wit stof, net zoals dat meisje in het puin. 'Dat was me nog niet opgevallen,' zei ze. 'Er is een bom gevallen. Zo uit de lucht.'

'Alstublieft,' zei de vrouw. Ze bood Rebecca een zakdoek en een handspiegeltje aan.

Rebecca keek in het spiegeltje. Ze zag er heel bijzonder uit, viel haar op. Haar haar en huid waren bijna helemaal wit; de enige kleur was het groen van haar ogen.

'Hemel,' zei ze gegeneerd. 'Wat zie ik eruit.'

Ze probeerde het stof met de zakdoek van zich af te vegen, maar dat lukte niet omdat haar handen zo beefden. Dus nam de vrouw de zakdoek van Rebecca over en maakte ze Rebecca's gezicht ermee schoon. Rebecca dacht terug aan hoe haar moeder vroeger haar gezicht en dat van Meriel schoonmaakte door op haar zakdoek te spugen en hen er dan mee te boenen. De vrouw met de kersenhoed spuugde niet.

De trein ratelde door het platteland van Kent. Rebecca sloot haar ogen en viel half in slaap. Gedachten raasden levendig en helder door haar hoofd. Dat jongetje dat in die poel stond te plassen... haar moeder die geanimeerd vertelde over die verpleegster uit Shrewsbury... die vrouw in dat café die zich zat op te maken. En om de een of andere onverklaarbare reden zat ze ineens te denken aan een reisje dat ze een keer met Milo naar Londen had gemaakt, toen ze twee pakjes had gekocht, een rood en een bruin.

Ze dacht aan het meisje in de blauwe jurk. Ze voelde weer hoe belangrijk het voor haar was geweest. Waarom? vroeg ze zich af. Dacht je dat je het daarmee goed kon maken? Dacht je dat het beter zou voelen als je een leven zou redden voor het leven dat je hebt genomen? Was haar koortsachtige graaftocht in het puin een manier geweest om boete te doen?

Nee, dacht ze. Dat was het niet. Ik wilde alleen dat ze zou leven.

Na de val van Rome vluchtte de Wehrmacht via Toscane naar het noorden voor het geallieerde Vijfde en Achtste Leger uit. Villa di Belcanto stond nu midden in het slagveld. Een afdeling van de Duitse infanterie had de villa gerekwireerd en had geschutemplacementen in de schuren en achter muren opgezet. Hun kapitein, een beschaafde man, probeerde zijn mannen ervan te weerhouden de vrouwen in de villa lastig te vallen.

Het pand waar het schooltje ooit was gevestigd, werd gebruikt als opslag voor munitie en brandstof.

Tessa en Faustina hadden de kinderbedjes, kleding en het speelgoed naar de stallen verplaatst. Die avond pakten ze een koffertje voor zichzelf in. Tessa stopte wat kleding en een extra paar schoenen, haar adressenboekje, een stuk zeep en een handdoek, een borstel en wat haarspelden in haar koffer. En verder? Ze opende de la van haar kaptafel, staarde naar de inhoud en richtte haar blik toen op de spiegel. Haar haar was lang geworden tijdens haar jaren in Italië en was gebleekt door de zon. Ze droeg het in een knotje laag in haar nek. Haar gezicht was bruin en zat vol sproeten, en haar jurk, een oude blauwe van katoen die ze zelf had gemaakt, was flets geworden en sleets bij de naden. Haar armen zaten vol schrammen – ze had geen idee waarvan – en ze had kraaienpootjes in haar ooghoeken. Achtentwintig jaar, dacht ze, en nu al rimpels. Mama had altijd gezegd dat de Italiaanse zon slecht was voor de Engelse huid. Geen wonder dat de soldaten die hun intrek in de villa hadden genomen haar over het algemeen met rust lieten. Tessa's hand hing boven de la. Toen pakte ze er een schaar, een pincet en een klaproosrode lippenstift uit, klikte haar koffer dicht en liep naar beneden.

Twee dagen daarvoor was er een bom op de binnenplaats van de fattoria gevallen. De kracht van de inslag had de buitenmuur van de boerderij omgeblazen, waardoor de kamer erachter bloot lag, en alle ramen in de omliggende huizen en de villa waren gesprongen. Er zaten barsten in de voorgevel van de villa, die de grootste klap van de explosie had opgevangen. De villa di Belcanto uit Tessa's herinnering, een plek van koelte, stijl en elegantie, een veilige haven voor de buitenwereld, bestond niet meer. Binnen lagen de vloeren nog vol stukjes glas. Een hevige regenbui had de gordijnen van Zanetti-zijde doordrenkt, dus die hingen nu slap, hun frisse kleuren uitgeblust en met witte kringen van het water in het damast. De soldaten hadden meubels, kleden en serviesgoed meegenomen naar hun legerplaatsen in de tuinhuizen en de tuinen, en naar de salotto, die ze nu gebruikten als gemeenschappelijke ruimte. Mannen lagen op de banken te slapen of gingen op strooptocht door het huis op zoek naar eten of wijn. Een pak speelkaarten lag uitgespreid op een kleed; in een open haard smeulde papier, knisperend zwart in de vlammen.

Onder de bomen bij de villa stonden militaire voertuigen geparkeerd, die waren gecamoufleerd met takken. Soldaten hingen in de schaduw, slapend of rokend, met ontbloot bovenlijf of hun strijdtenue opengeknoopt in de hitte. Iemand had de grammofoonspeler uit het huis gehaald, en in de hete avondlucht klonk een kwartet dat Mozart speelde. De muziek werd geaccentueerd door het ra-ta-ta van machinegeweren in de verte.

Nu en dan, als het wapengekletter veel harder werd, haastten de soldaten zich naar hun geschutemplacementen. Dan begon de herrie weer, oorverdovend, een vloedgolf van geluid en trillingen die dwars door je heen sneden. Niet ver weg, in de vallei, vlogen granaten als felle, brandende vlekken door de lucht.

Tessa pakte in de stallen nog een koffer in, deze voor de kinderen, met schoon ondergoed en een paar schone sokken voor elk kind. Ze vond truien en regenjassen, zocht kledingstukken, luiers en flesjes bij elkaar voor de kleintjes en legde alles in de wandelwagen. Nadat ze had gecontroleerd of alle kinderen sliepen, liep ze naar de keuken.

Faustina stond kaas en worst in stro in te pakken en legde het in mandjes. Tessa hielp haar. Ze kletsten over niemendalletjes: de hitte; een reisje dat Tessa ooit naar Marokko had gemaakt, vóór de oorlog; een meisje dat ze zich allebei nog herinnerden van een lunch in de villa van mevrouw Hamilton, en het vreselijke eten dat daar altijd werd geserveerd. Maar niets over de oorlog.

Tessa ging om elf uur naar bed. Ze lag wakker op haar smalle veldbedje en vroeg zich af waar ze melk voor de kleintjes vandaan moesten halen, hoe Olivia, die niet in orde was, het zou redden als ze heel ver moesten lopen, en hoe de kleintjes het zouden doen.

Maar waar moesten ze naartoe, en wanneer moesten ze vertrekken? Die vragen baarden haar zorgen. Ze had de Duitse kapitein eerder die dag gesproken. Hij had haar aangeraden om met de kinderen weg te gaan, omdat de villa door de positie boven op de heuvel een militair doelwit vormde.

Tessa kon niet tot een beslissing komen. Zouden ze de levens van de kinderen niet juist in gevaar brengen als ze hen uit de betrekkelijke veiligheid van de villa haalden? Aan de andere kant: hoe lang zou het duren voor de villa deel uit zou maken van het slagveld? En áls ze vertrokken, waar moesten ze dan naartoe en via welke route? Tenslotte boden de heuvels weinig beschutting en de wegen lagen vol mijnen en werden bestookt door machinegeweren.

Ze zou morgen beslissen, nam ze zich voor. Nu moest ze slapen. Ze vroeg zich af waar Guido was en wat hij nu aan het doen was. Ze werd overvallen door een intens verlangen om zijn stem te horen en zijn glimlach te zien, om de warmte van zijn armen om haar heen te voelen. Hun liefde voor elkaar was altijd op de verkeerde momenten gekomen, bedacht ze, en ze hadden nooit echt een toekomst met elkaar gehad. Ook al had Guido verteld hoeveel spijt hij had dat hij haar niet naar Engeland was gevolgd, zelf voelde ze geen spijt. Guido hoorde thuis in Florence. Ergens anders had hij nooit gelukkig kunnen zijn. Hij was geen vagebond, geen doler zoals zij.

Tessa sloot haar ogen en dwong zichzelf te gaan slapen.

Vroeg de volgende ochtend was het even stil. Tessa keek op haar horloge. Het was kwart over vijf.

Ze liep naar buiten. Achter het huis was een deel van de tuin tot nu toe ongeschonden de oorlog doorgekomen. Lavendel groeide in smalle bloembedden en rozen klommen over pergola's. Vanaf het kiezelpad kon je de vallei in kijken. De granaten vielen nu dichterbij. Er was er een ingeslagen in de olijfgroeve tegen de heuvel, waardoor de vergroeide boomstammen waren gespleten. Langs de weg staken de cipressen als zwarte vlammen tegen de lucht af. Het licht van de vroege ochtend deed de dauw op het gras schitteren als diamantjes. Tessa bedacht hoe nieuw de wereld eruitzag, hoe schoon.

Net voordat ze wakker was geworden had ze gedroomd. Ze keek de vallei in en groef in haar geheugen. Er klonk een stem: *Hij heeft iemand anders gevonden. Een of andere del in Oxford.* Het was alsof de stem het vanuit een andere kamer tegen haar zei.

Wie had er gesproken? Milo's vrouw natuurlijk. Tessa herinnerde zich waarom ze naar Oxford was gereden. Ze was op weg geweest naar Milo, omdat ze bang was geweest dat ze hem kwijt was. Het regende hard en Angelo huilde omdat hij verkouden was, en ze was moe en van streek geweest. Ze herinnerde zich de regen die tegen de voorruit en dat metalen uithangbord kletterde, dat wapperde in de wind, en een fietser in een gele regenjas, de voorlamp op zijn fiets als een glinsterend cyclopenoog. En die vrachtwagen, die de heuvel op was gekropen.

Toen begonnen de geweren vanuit hun geschutemplacementen weer te schieten, snijdend door de stilte, en ze draaide zich om en liep terug naar de stallen.

Ze vertrokken halverwege de ochtend. Er was een granaat ingeslagen op het terras waar Tessa die ochtend had gewandeld, en de leidinggevende officier van de infanteriedivisie had zijn mannen opgedragen alle brandstof en munitie naar de kelder te verplaatsen. Dus was het nergens meer veilig.

Ze gingen op weg naar Greve, in Chianti, een kronkelende slang van vrouwen en kinderen. De kinderen droegen zonnehoedjes en hun vest, en de volwassenen – Tessa, Olivia, Faustina, Perlita's moeder Emilia en Maria, die in de wasserij werkte –

droegen de koffers en manden. Emilia, die klein en stevig was gebouwd, duwde de wandelwagen over het ongelijkmatige wegdek.

Ze liepen langs de rand van het veld, parallel aan de weg. Hondsroosjes vormden een warrige heg en in het dikke gras groeiden klaprozen. Ze waren op weg naar hogergelegen grond, waar de ruwe struiken en bosjes vol greppels en geulen hun beschutting konden geven. De vliegtuigen beschoten de wegen nu onophoudelijk. Toen ze over haar schouder keek, zag Tessa de grijze veeg van een lichaam in de berm liggen. Dus keek ze niet meer om. Ze zou nergens aan denken, behalve dat ze haar ene voet voor de andere moest zetten en dat ze moest zorgen dat de kinderen veilig zouden aankomen.

Ze lieten de velden achter zich en begonnen aan de klim de heuvel op. Tessa controleerde zo nu en dan of de kinderen er allemaal nog waren en verzekerde zich ervan dat er geen achterop was geraakt. Ze stopten in een bosje jonge berken om te rusten. Het was midden op de dag en de zon schitterde boven hun hoofden. Sommige kinderen renden achter elkaar aan tussen de bomen, andere lagen in de schaduw op hun duim te zuigen. Tessa zorgde dat iedereen wat water dronk en een stuk brood met worst at. Ze gaf Olivia, die helemaal wit was van vermoeidheid, een paar extra slokken water. De baby'tjes lagen te slapen in de wandelwagen en op dat moment viel het allemaal best mee. Faustina, die daar goed in was, las de kaart en keek op het kompas. Nog negen kilometer, zei ze zacht tegen Tessa. Het zou goed zijn als ze Greve vóór het donker zouden bereiken. Ze moesten door.

Tessa riep de kinderen bij elkaar, telde ze nog een keer en controleerde of iedereen zijn vest had. Het was nu misschien veel te heet voor een vest, maar het weer kon zomaar omslaan. Twee van de kinderen moesten huilen, dus Tessa pakte hen bij de hand en zong voor hen. Al snel zong iedereen mee, zelfs Faustina, die geen toon kon houden. Toen klonk het gebrul van een vliegtuig, dat naar beneden dook in de lucht, en ze renden naar een ondiepe greppel. Kogels ketsten tegen het wegdek. Tessa zat met haar knieën tegen de stenen geperst en ze had een mond vol stof.

Het vliegtuig steeg weer op en verdween. Ze klommen de greppel uit en liepen verder. Het pad versmalde en weefde door een bos van pijnbomen, waar ze stopten om te overleggen. Ze zouden de wandelwagen nooit door dat bos geduwd krijgen. Emilia stelde voor dat ze de wagen over een van de lagergelegen paden zou duwen. Perlita moest bij Tessa blijven, hoger, waar het veiliger was. Olivia besloot met Emilia mee te lopen. De heuvelpaden waren te steil voor haar.

Olivia en Faustina voerden een gemompeld gesprek. Toen omhelsden de twee vrouwen elkaar, en liep Olivia met Emilia en de wagen de heuvel af. Olivia hield de wandelwagen vast. Faustina had tranen in haar ogen. Ze tilde het kleinste kind op en liep het smalle pad op. De meisjes liepen hand in hand en de jongens schopten tegen dennenappels. Faustina liep voorop en wees de weg.

Onder de bomen was het koeler. Het ongelijkmatige pad was bezaaid met dennennaalden. De kinderen leefden een beetje op in de schaduw. Misschien konden ze hier, waar het koeler was, de volgende pauze nemen. Ineens zag Tessa in een ooghoek iets bewegen tussen de bomen. Er renden soldaten tussen de dennen. Ze kon in de schaduw de kleur van hun uniformen niet zien. Ze haastte de kinderen voor zich uit en telde ze nogmaals, zich door haar angst steeds vergissend. Ze werd overspoeld door de drang om naar huis te gaan, maar ze kon niet bedenken waar dat dan was.

Ze liepen het bos uit en het felle zonlicht in. Het pad kronkelde omhoog en hagedissen schoten over de rotsblokken. De vliegtuigen waren zo te zien vertrokken. De begroeiing werd spaarzamer en Tessa keek over haar schouder. Er viel nu een gestage regen van granaten, lager in de vallei. Rookpluimen kropen omhoog de lucht in.

426

Faustina ging met de landkaart voor zich uitgespreid op een omgevallen boomstam zitten. Haar haar kleefde aan haar bezwete voorhoofd. Tessa gaf iedereen water en een stuk fruit. Het was bijna drie uur en de hitte voelde als een deken. Sommige kinderen deden een dutje met hun vest als kussen. Tessa plakte een pleister op een blaar, schudde een steentje uit een schoen. Een van de meisjes zat met een stokje in het zand te tekenen, een ander wiegde haar pop. Tommaso lag op zijn rug, met opgetrokken knieën en zijn donkere blik op de lucht gericht. 'Niet in de zon kijken hoor, dan doe je je ogen pijn,' zei Tessa vriendelijk tegen hem, waarop ze zijn zonnehoed over zijn gezicht duwde. Maar die duwde hij direct weer terug, en hij staarde weer naar de lucht.

Tessa ging naast Faustina zitten, die glimlachend in haar hand kneep, maar niets zei. Perlita kroop tegen Tessa aan en drukte zich in haar rokken. Tessa streelde het meisje over haar haar en sloot haar ogen. Ze dacht terug aan haar droom en het stille, rustige gevoel in de tuin vroeg die ochtend. Dus dat is er gebeurd, dacht ze. Ze herinnerde zich hoe moeilijk het was geweest om in haar eentje voor Angelo te zorgen, hoe anders de realiteit van het moederschap was vergeleken bij wat ze zich had voorgesteld. Wat was ze jong geweest, en onwetend, en alleen. Ze was naar Oxford gereden vanwege dat telefoontje van mevrouw Rycroft, omdat ze van Milo Rycroft had gehouden en bang was geweest hem te verliezen. Dat was helemaal niet triviaal. Liefde was nooit triviaal, dat wist ze ondertussen. Als ze iets had geleerd dan was het dat wel.

Faustina ging staan, klopte wat stof van zich af en zei dat Greve nog een kleine vijf kilometer verder was. Ze moesten voortmaken. Tessa telde de kinderen: achttien, dat klopte. Ze nam de kleinsten bij de hand; Perlita liep jammerend een paar meter achter haar. Faustina hees een jongetje op haar rug en ze liepen de heuvel af. Het was ondertussen onmogelijk geworden om aan iets anders te denken dan het plaatsen van je ene voet voor de andere. Niet aan Guido, niet aan Angelo. Er was enkel dit moment, en de hitte, en het pad.

De vliegtuigen kwamen van achter hen, een formatie van zes, hun gebrul oorverdovend en echoënd door de heuvels. Ze renden een ondiepe geul in, duwden de kinderen erin, riepen dat ze zich moesten bukken. Een, twee, drie, vier... Tessa telde ze weer. Waar was Perlita? Ze keek op en zag dat het kind een stukje verderop op het heuvelpad stond, als aan de grond genageld van angst. Tessa rende de geul uit en griste het kind van het pad. De vliegtuigen waren verdwenen, maar toen ze opkeek, zag ze boven haar hoofd een fel licht zweven.

Toen waren ze weer in de geul. Perlita was veilig. Tessa keek naar zichzelf. Bij haar middel zat een rode vlek op haar blauwe jurk. Ze raakte de vlek verward aan. Toen ze haar handpalm omdraaide, was die rood.

Ze was moe en ze had het ineens koud. Ze ging op de grond zitten. Faustina kwam naar haar toe en knielde naast haar neer. Ze raakte de rode vlek aan en zei iets tegen Tessa. Tessa kon niet horen wat. Ze wilde tegen Faustina zeggen dat ze dacht dat ze gewond was, en dat ze even moest rusten voordat ze verder kon lopen, maar ze kreeg de woorden niet uitgesproken.

Het deed geen pijn. Maar ze had het zo koud. Ze ging in de geul liggen. Even richtte ze haar blik op de boomtoppen en de blauwe lucht. Daarna wiste de duisternis ze geleidelijk uit.

15

De brief van Faustina Zanetti kwam begin september aan op Freddies adres. In de brief stond het nieuws van Tessa's dood. Haar zus was omgekomen terwijl ze een groep kinderen vanuit de villa van de Zanetti's naar Greve in Chianti begeleidde, schreef Faustina. Tessa was geraakt door een granaatscherf, die een slagader had geraakt. Ze was vrijwel meteen gestorven, zonder pijn. Faustina sloot haar brief af met de mededeling dat Tessa's overlijden haar diep had geraakt en dat ze veel affectie voor haar voelde. *Ze was een heldin*, schreef Faustina. *Ze was sterk, loyaal en moedig, en we zullen haar altijd blijven herinneren en missen.*

Freddie zat in haar kamer in het pension op de rand van haar bed en las Faustina's brief door. Ze probeerde hem daarna nog eens te lezen, maar dat lukte niet omdat ze zo moest huilen.

Ze schreef Ray, Max en Julian, en nog een stel van Tessa's vrienden, hoewel dat er nu een stuk minder waren dan vroeger. Julian, die met ziekteverlof was sinds hij gewond was geraakt tijdens een bombardement door de RAF in Duitsland, belde een paar dagen later om te zeggen dat ze die avond met een stuk of tien mensen zouden samenkomen om Tessa te herdenken, in het Ritz, waar Tessa altijd zo graag kwam. Freddie zei dat ze geen tijd had om te komen. Wat de waarheid was: ze werkte zes dagen per week van acht uur 's ochtends tot zes uur 's avonds in de fabriek, en als het erg druk was nog een uur langer. Op de dagen dat ze vrij was, sliep ze het grootste deel van de tijd. Vroeger, tenminste. Nu waren al haar dagen en nachten gebroken.

Ze vertelde niemand op haar werk over Tessa. Haar kleine vriendinnengroepje was een tijdje geleden uit elkaar gevallen: een van hen was vertrokken omdat ze een kind kreeg, een ander om voor een broer te zorgen die gewond was geraakt in Normandië, en een derde was overgeplaatst. Ze probeerde geen nieuwe vriendinnen te maken. Ze probeerde in de fabriek nergens aan te denken. Ze vermeed tijdens de pauzes gesprekken en nu was het een opluchting dat er in de fabriek te veel herrie was om te kunnen praten. Ze voelde zich verbitterd als ze aan de maanden en jaren dacht dat ze hoop voor Tessa had gekoesterd. Als ze nu terugdacht aan de opgetogenheid die ze had gevoeld in augustus, toen de geallieerden Florence hadden bevrijd, werd ze kwaad. Tessa was toen al dood geweest. Dat had ze niet geweten, zij had nog hoop gehad, zinloze hoop.

Ze schreef Lewis en vertelde hem over Tessa. Er kwam geen brief terug; zijn brieven bleven regelmatig onderweg ergens steken. Soms verstreken er weken zonder nieuws en dan kreeg ze er ineens zes tegelijk. Maar deze keer vroeg ze zich af of ze hem ook kwijt was. Ze vond het volkomen plausibel dat zijn schip zou zijn getorpedeerd en dat hij was verdronken. Of hij had eenvoudigweg besloten dat het de moeite niet was, deze stotterende, haperende liefdesrelatie.

Op een dag zaten ze aan de werkbank in de fabriek toen ze begon te huilen. Nu ze eenmaal was begonnen, kon ze niet meer stoppen, en uiteindelijk werd er een dokter gehaald, die haar naar huis stuurde en zei dat ze twee weken niet mocht werken. Terug in het pension huilde ze nog steeds, en ze snoot haar neus tot ze door al haar zakdoeken heen was. De hospita kwam kopjes thee brengen en ze deed haar best die op te drinken. De volgende ochtend kwam Rays vrouw Susan naar het pension. Ze pakte Freddies koffer in en nam haar mee naar hun appartement in Piccadilly.

Freddie had Susan altijd nogal nietszeggend en oppervlakkig gevonden, maar ze bleek heel vriendelijk en tactvol, en Freddie schaamde zich dat ze dat niet eerder had gezien. Ray was in

Frankrijk en Susan zat veel bij de BBC, en Susan had Tessa nooit gekend, wat Freddie, bedacht ze, heel wat weet-je-nog-toen-gesprekken bespaarde. Zoveel mensen dachten dat ze Tessa hadden gekend. Zoveel mensen leken te denken dat Tessa van hen was. Ze probeerden hun eigen verdriet en hun herinneringen met haar te delen. Susan vroeg of ze over haar zus wilde praten, waarop Freddie nee zei, dank je wel, en daarna hadden ze het alleen nog over de BBC en Susans familie en hobby's.

Overdag, als Susan naar haar werk was, ging Freddie de deur uit. Ze ging nergens naartoe, ze dwaalde gewoon wat rond. Ze koesterde zich in de deken van uitputting en wanhoop die over Londen hing. De komst van de V1- en V2-bommen had de gruwelen van de Blitzkrieg weer naar de stad teruggebracht, maar het was ondertussen vier jaar later en niemand leek nog enige reserve te hebben. Ze vroeg zich wel eens af wat ze zou doen als er een bom over haar hoofd zou vliegen, of ze dan naar een schuilkelder zou gaan of niet, maar dat gebeurde niet, dus daar kwam ze nooit achter.

'Telefoon,' zei Susan. 'Voor jou.'

Freddie nam de hoorn aan. Een stem aan de andere kant van de lijn vroeg: 'Freddie?'

'Lewis? Ben jij dat?'

'Ik heb je overal gezocht. Ik heb er een eeuwigheid over gedaan om je te vinden.'

'Ik heb je meerdere brieven geschreven... Sorry.'

'Ik ben niet boos, ik was alleen bezorgd.'

'Wat klink je dichtbij,' zei ze. 'Ben je in Liverpool?'

'Ik ben in Londen. Ik ben meteen gekomen toen ik het hoorde. Ik logeer bij Marcelle. Ga je mee uit eten?'

'Ik heb geen honger.' Het drong tot haar door dat dat nogal lomp klonk, dus voegde ze toe: 'Het spijt me Lewis, maar ik heb echt geen honger.'

'Nou, ik wel. Ik heb om acht uur een tafeltje bij Quaglino geboekt. Dus trek een jurk aan en spring in een taxi, dan zie ik je daar.'

De ober wees Freddie bij Quaglino naar een hoektafeltje. Lewis stond op en kuste haar. 'Freddie,' zei hij. Hij omhelsde haar stevig. 'Wat vreselijk, van je zus.'

'Dank je,' zei ze automatisch, en ze ging zitten.

De ober kwam hun bestelling opnemen. Toen hij weg was, zei Lewis: 'Ik vind het allemaal zo ellendig voor je. Marcelle vertelde dat het niet zo goed met je gaat.'

'Marcelle?' Ze keek hem licht verrast aan.

'Nieuws verspreidt zich snel.'

'Ik ben niet ziek hoor, ik ben gewoon moe. Ik begrijp niet waarom het zo'n schok was nadat ik me al die jaren bezorgd had gemaakt over Tessa, maar dat was het dus wel.'

'Dat kon ook niet anders,' zei hij vriendelijk. 'Je hebt zo lang moeten wachten. Je was zo trouw.'

'Toen ik jonger was…' – ze volgde met een vingertop het motief op het tafelkleed – 'nadat de baby was gestorven, heb ik geprobeerd erachter te komen wie de vader was. Ik gaf hem namelijk de schuld van alles wat er met Tessa was gebeurd.'

'En heb je hem gevonden?'

'Nee. Als ik er nu op terugkijk, vraag ik me af waar ik mee bezig was. Alsof het verschil had kunnen maken. Alsof ik verschil had kunnen maken. Tessa is altijd eigengereid geweest. Ze luisterde naar niemand.'

Hij pakte haar hand. 'Ik zou je graag willen helpen, Freddie.'

'Dat kun je niet.'

De ober serveerde hun soep; toen hij weer weg was, zei ze met harde stem: 'Hoe kun jij nou iets doen? Kun jij Tessa terugbrengen?'

'Nee, dat weet ik. Dat bedoelde ik ook niet.' Hij fronste zijn wenkbrauwen en ze zag die kwetsbaarheid weer in zijn ogen. Die wilde ze niet zien, want die zou haar misschien pijn doen en ze had al genoeg pijn.

432

'Wat ik bedoel is dat je je niet alleen hoeft te voelen. Laat mij voor je zorgen, Freddie.'

'Ik heb niemand nodig die voor me zorgt.'

'Nee, natuurlijk niet.'

Ze waren allebei stil. Ze had spijt van haar felle woorden; ze herkende dit niet in zichzelf. 'Ik hou van je, Lewis,' zei ze zacht. 'Maar ik voel het nu even niet. Ik voel helemaal niets.'

'Dat gaat weer voorbij, Freddie. Geloof me. Het duurt even, maar het gaat voorbij.'

'Dat zegt iedereen.'

'Misschien heeft iedereen wel gelijk.'

Ze keek naar haar soep. 'Volgens mij heb ik het niet meer in me. Volgens mij heb je niets aan me.'

'Ik hoef ook niets aan je te hebben, ik wil gewoon dat je er bent. Trouw met me, Freddie.'

Haar hart sloeg over. 'Lewis...'

Hij kneep in haar hand. 'Het gekke is dat ik altijd heb betwijfeld of ik de oorlog heelhuids zou overleven, en toch ben ik altijd diep geschokt als ik hoor dat iemand anders iets is overkomen.'

'Maar het gaat toch wel goed met je?'

'O ja hoor, prima.' Maar hij zag er getergd uit. 'Ik heb altijd het gevoel dat ik ergens op wacht.'

'Waarop dan?'

'Tot ik aan de beurt ben of iets dergelijks.' Hij lachte ongemakkelijk. 'Als we op zee zijn ben ik ziek van angst; als ik wacht tot ik weer naar zee ga ben ik ziek van het vooruitzicht. Volgens mij zit ik te wachten tot dit allemaal achter de rug is.'

Ze had zijn hand vast alsof die het enige was wat kon voorkomen dat ze zou verdrinken.

'Het probleem is,' zei hij, 'dat ik al vijf jaar wacht en dat ik een hekel heb aan wachten. Ik heb jaren op Clare gewacht, maar ik ga niet eeuwig op jou zitten wachten, Freddie. Daar heb ik genoeg van. Als je niet met me wilt trouwen, zeg dat dan nu. Maar denk er eerst even over na. Ik wil iets beters dan dit. Ik wil een huis, een gezin en een toekomst. Denk jij dat je hetzelfde wilt? Ik denk dat je dat wilt, diep vanbinnen. Ik denk dat jij het net zo zat bent als ik dat van alles je maar overkomt. Volgens mij weet jij ook dat je het leven nu en dan bij zijn nekvel moet grijpen en eens goed door elkaar moet schudden.' Hij wuifde de ober weg, die om hen heen draalde om de soepkommen mee te nemen, en boog zich met een brandende blik in zijn ogen over tafel. 'Volgens mij wil jij hetzelfde als ik, Freddie. Als dat zo is, zeg het dan alsjeblieft. Ik weet zeker dat we samen een nieuw leven kunnen opbouwen. Want ik hou van je. Ik hou van je en ik wil altijd bij je zijn. Dus, wat vind je ervan? Wil je met me trouwen?'

Ze was het zat om alleen te zijn. Ze had zijn hand nog vast; ze wilde hem nooit meer loslaten.

'Ja, Lewis,' zei ze.

Deel 4

Loslaten

1945-1951

16

Ze trouwden in februari 1945. De dienst vond plaats in een kerk-je in Slough. Lewis zag er heel aantrekkelijk uit in zijn marine-uniform en Freddie droeg een violetblauwe jas over een crème-kleurige jurk tot op de knie. Haar trouwjurk was een afgeknipte avondjurk en de jas was van Tessa geweest, van voor de oorlog. Freddie was dol op de rijke kleur, had verzucht dat het te vroeg was voor viooltjes, maar liep in plaats daarvan met een bosje sneeuwklokjes. Er waren dertig gasten op het huwelijksontbijt, marinevrienden van Lewis, en Susan Leavington (Ray was nog altijd in actieve dienst op het vasteland van Europa), Julian, Max, Monty en Betty Douglas (die waren de herfst daarvoor getrouwd) en wat van Freddies vriendinnen uit Birmingham. En Marcelle Scott. Lewis had erop gestaan, want Marcelle was degene ge-weest die het hele stel in december 1940 in het Dorchester bij elkaar had gebracht. Als Marcelle er niet was geweest, merkte hij op, zouden ze elkaar misschien nooit hebben leren kennen.

Om drie uur 's middags vertrokken ze door een sneeuwbui op huwelijksreis. Een vriend had Lewis de sleutel van zijn huis in Surrey gegeven. Freddie had zich een bungalow voorgesteld, of misschien een halfvrijstaand huis, maar het bleek een enorm, oud pand op een eigen landgoed. De kamers waren koud en klam, maar de prachtige structuur van het gebouw straalde nog door de verwaarlozing heen. Houtgesneden balustrades liepen in een boog naar boven langs een brede trap en Freddie liet haar vingertoppen langs de rimpels in het briefpaneel glijden. Lewis maakte de haard in de bibliotheek aan, waar ze op een kleed voor gingen liggen en elkaar passages voorlazen uit boeken die ze lukraak van de planken trokken: saaie Victoriaanse preken en essays over het huishouden. Ze giechelden als tieners de spanningen van die dag weg. Die avond vreeën ze in een hemelbed. De muren waren behangen met aquamarijnkleurige zijde. Lewis bedreef de liefde lief en gepassioneerd, en ze viel nadien in zijn armen in slaap.

Waren ze gelukkig geweest die dag, zij en hij? Ze dacht van wel, hoewel ze zich later herinnerde dat Lewis teleurgesteld was geweest dat hij maar achtenveertig uur verlof had gekregen, en over het magere buffet dat het hotel had geserveerd. En hij had niet gewild dat zij weer aan het werk zou gaan, en ze hadden ruzie gehad voordat hij weer naar zijn schip was vertrokken, waarbij zij had uitgelegd dat eenzaam in een pension in Portsmouth of Devonport zitten erger zou zijn dan de fabriek en waarbij hij voet bij stuk had gehouden en bang was dat haar hang naar onafhankelijkheid een uiting was van een gebrek aan vertrouwen in hem.

Mevrouw Fainlight stierf drie weken na 8 mei, Europese bevrijdingsdag. Rebecca en Meriel hadden haar gedurende het laatste jaar van haar leven thuis verzorgd, met de hulp van een nachtzuster. Na de begrafenis hadden ze de deprimerende taak de spullen in het huis uit te zoeken. Geen van beide zussen had ruimte voor de grote, logge meubelstukken die hun ouders tijdens hun huwelijk hadden aangeschaft. Meriel had uiteindelijk een theeservies, wat schilderijen en een stoel met een door haar moeder geborduurde zitting uitgezocht. Rebecca was door het huis gelopen in een poging te beslissen wat ze wilde hebben. Maar ze wilde helemaal niets. Alles in Hatherden voelde beladen door emoties die ze niet meer wilde oproepen: een verlammende saaiheid, het onderdrukken van ambities en een volledig gebrek aan levenslust en plezier. Uiteindelijk koos ze wat tuingereedschap en een set literaire klassiekers, die ze als jong meisje graag had gelezen. Het gereedschap was van goede kwaliteit en zij en haar moeder hadden tijdens de laatste jaren van mevrouw Fainlights leven hun plezier in tuinieren gedeeld. De meubels gingen naar de kringloop en ze verkochten het huis.

Na de dood van haar moeder bleef Rebecca zich rusteloos voelen. Ze besloot niet terug te gaan naar Mayfield Farm; de boerderij was altijd een noodoplossing voor haar geweest – een noodoplossing waarvan ze zeven jaar lang gebruik had gemaakt – en ze wist dat het tijd was om een nieuw pad in te slaan. Ze begon te zoeken naar een eigen plekje, maar door het ernstige woningtekort dat volgde op het einde van de oorlog duurde haar zoektocht meer dan een jaar.

In de herfst van 1946 stuurde een makelaar haar de beschrijving van een cottage tussen Andover en Hungerford. Rebecca haalde de sleutel op en reed over smalle kronkelweggetjes naar het noordwesten. Het platteland was een aantrekkelijke mengeling van bos en kalkheuvels.

De cottage was echter een stuk minder aantrekkelijk. Hij was klein, vierkant en laag, in de jaren 1920 opgetrokken uit rode baksteen en bijna uitdagend lelijk. Maar de aanwezigheid van een atelier naast de woning deed Rebecca beslissen het huis toch even te bekijken. Het atelier was gebouwd met dezelfde rode bakstenen als de cottage, maar het had een dak van golfplaat en was voor de oorlog gebruikt als smederij.

Toen ze de voordeur opendeed, vloog er een spreeuw naar buiten. Het interieur van het atelier was donker en rommelig; ze had een zaklamp mee moeten nemen. Haar ogen wenden aan het licht en ze zag een gegalvaniseerde emmer, roestig gereedschap en, als het skelet van een prehistorisch beest, een eg. Grijze asvlekken op de flagstones markeerden de plaats waar het aambeeld ooit had gestaan. Erachter lagen bergen doorweekte kranten en rottend stro, en door de gaten in het dak kon je het daglicht zien. Rebecca trok een spinnenweb los en veegde met een gehandschoende hand een ruitje schoon. Licht scheen nu de ruimte in. Op dat moment drong het tot haar door dat dit het perfecte glasatelier zou zijn. De achtermuur zou een groot raam worden. Ze zou haar oven op die flagstones zetten en haar werkbank langs de buitenmuur plaatsen.

De cottage zelf was tijdens de oorlog gerekwireerd door de RAF en toonde nog sporen van bezetting. Aan een haakje hing een gasmasker, ergens anders lag een verrekijker in een leren koker. Het huis bestond uit een keuken, een zitkamer, een eetkamer en twee slaapkamers. Er was ook een binnentoilet – godzijdank – maar geen badkamer. Achter het huis was een achtste hectare overwoekerde tuin, grotendeels gras, en een wirwar van braamstruiken en brandnetels. Achter de tuin lag een beukenbos; ze vond de manier waarop tuin en bos in elkaar overliepen erg prettig.

De cottage moest rond de vijfhonderdtwintig pond gaan opbrengen. Rebecca's deel van de opbrengst van de verkoop van haar moeders huis was ongeveer driehonderdtwintig pond geweest. Ze had nog steeds een flinke som geld op de bank dankzij de verkoop van Mill House – ze had nauwelijks iets uitgegeven in de jaren dat ze op Mayfield woonde en had gewerkt voor haar kost en inwoning daar – dus ze kon het zich prima veroorloven om de cottage te kopen. Het weekend daarna bracht ze tijdens een veiling het winnende bod op het huis uit. Toen het papierwerk eenmaal rond was liet ze haar inboedel, die in de opslag stond sinds de verkoop van Mill House, naar de cottage verhuizen. Ze maakte opnieuw kennis met stoelen, tafels en banken die ze voor het laatst had gezien toen ze nog met Milo was getrouwd, en ze bedacht dat ze gedoemd leek te worden achtervolgd door haar vorige levens. Je kon het verleden nooit helemaal van je afschudden. Maar ze was blij met haar keukenspullen en servies, met haar goede pannen, haar porselein en de glazen, en ze hoefde in elk geval niet meer voor de opslag te betalen.

Op mooie avonden keek ze uit het keukenraam naar de ko-

440

nijnen die over het gras hopten. Er hupte wel eens een Vlaamse gaai over een tak heen en weer, pronkend met zijn blauwe veren. De postbode en de dorpelingen spraken over de cottage als De Smederij, dus zo bleef hij heten. Ze maakte eerst de cottage bewoonbaar en begon toen aan het atelier. Ze ruimde de rotzooi op, verbrandde het papier en het stro en sleepte de roestige eg het lange gras in, waar hij een bepaalde artistieke waarde had, vond ze. Er hingen vogelnesten tussen het dak en de muren en er zaten ratten. Ze leende een geweer van een boer, schoot de ratten dood, en reisde het platteland af op zoek naar golfplaten om het dak te repareren. Er was een ernstig tekort aan bouwmaterialen. Eerlijk gezegd was er ernstig tekort aan vrijwel alles, inclusief eten, dus legde ze een groentetuin aan en plukte bessen uit de heggen langs de weg. Ze vond een timmerman die een raamkozijn voor de achtermuur van het pandje maakte en een jongen uit het dorp hielp haar de oven te bouwen. Toen ging ze aan het werk.

Nadat hij was afgezwaaid bij de marine was Lewis samen met duizenden andere ex-soldaten op zoek gegaan naar werk. Een vriend die een garage in Bristol bezat bood hem een baan aan, maar daar vertrok Lewis na drie maanden weer. Er werd nauwelijks autogereden, aangezien de benzine nog steeds op de bon was en er geen materiaal was om nieuwe auto's van te bouwen. Hij wilde geen baan die speciaal voor hem was gecreëerd, zei hij tegen Freddie, hij wilde niet ergens zitten duimendraaien omdat zijn vriend, een aardige vent, hem wilde helpen.

Ze verhuisden terug naar Londen. Ze gingen uit, vrolijkten zichzelf op, gingen naar het doopfeest dat Ray en Susan Leavington hadden georganiseerd na de geboorte van hun zoon en brachten wat uitbundige avonden met ex-marinemannen door. Freddie stelde voor dat ze een dinertje zouden organiseren – ze waren heel wat mensen een uitnodiging schuldig – maar Lewis keek om zich heen in het piepkleine gestoffeerde appartementje dat ze huurden en wilde wachten tot ze het wat beter hadden. Freddie had willen zeggen dat het mensen niets kon schelen als het servies niet bij elkaar paste en ze samen om een te kleine tafel geperst moesten zitten, maar zag toen dat Lewis die blik weer in zijn ogen had. Het was een blik die ze maar al te goed begon te herkennen, een mengeling van verontwaardiging, verbittering en schaamte.

Hij vond een baan als verkoper, waarvoor hij het hele land af moest reizen om kookboeken te verkopen. Hij was er goed in: hij was aantrekkelijk en welbespraakt en charmeerde de huisvrouwen die voor hem opendeden. Er was behoefte aan een degelijk, modern kookboek, zei hij tegen Freddie. Al die dames die in de vrouwelijke korpsen hadden gediend of in een fabriek hadden gewerkt waren nu weer thuis en hadden geen idee hoe ze voor hun gezin moesten koken. Maar zijn enthousiasme bekoelde naarmate de maanden verstreken. De lange afwezigheid van huis, de overnachtingen in vieze pensions, de snelle maaltijden, het slechte loon en het gebrek aan een leuk sociaal leven braken hem op. Toen werd er een nieuwe verkoopmanager benoemd. Lewis had gesolliciteerd naar de functie, maar die ging naar een vriend van de baas. Die vent was een sufferd, zei Lewis kwaad, hij liet hen van hot naar her rennen, de ene dag naar Exeter en de volgende naar Hull. Kort daarop nam hij ontslag.

Ze verhuisden naar Southampton. Op een avond in de pub leerde Lewis Barney Gosling kennen. Barney was ex-militair, bijna kaal, en op zijn roze scalp prijkten hier en daar wat kleine plukjes grijs haar, die eerlijk gezegd nogal op de veertjes van een jonge gans leken. Barney was de eigenaar van een tijdschrift dat *Varen en vissen* heette. Hij vond Lewis een geschikte vent en bood hem een baan bij het tijdschrift aan. Lewis zou het kantoor gaan runnen, artikelen schrijven en foto's maken. Barney had niemand aangenomen om die tijdschriften te verkopen, dus nam Lewis die taak ook op zich. Eindelijk had hij een baan gevonden die hij leuk vond. Het tijdschrift deed het niet al te best, er werden er niet meer dan een paar duizend van verkocht, maar Lewis was ervan overtuigd dat het wel goed zou komen. Hij opperde zijn ontslagpremie uit het leger voor de aanbetaling voor een huis in Southampton te gebruiken, en ze traden toe tot een nieuwe sociale kring, die van Barneys vrienden, die behoorden tot wat Tessa de 'jagers en vissers' zou hebben genoemd: rijke buitenlui die paarden en roedels honden bezaten. Het viel Freddie op dat Lewis in hun aanwezigheid zijn eigen verleden censureerde. Hij sprak over zijn vrienden in Winchester, maar niet over zijn drie tantes. Hij bood altijd aan het eerste rondje drankjes te betalen en ging nooit ergens op bezoek zonder een cadeautje voor de gastvrouw. Freddie hield van hem om zijn vrijgevigheid, maar was bezorgd om het geld. Als ze probeerde haar zorgen met hem te bespreken, veegde Lewis ze van tafel. Hij zei dat het prima ging. Het ging eindelijk de goede kant op, ze leerden eindelijk de juiste mensen kennen.

Een halfjaar nadat ze naar Southampton waren verhuisd werd Barney, die altijd al van een borrel had gehouden, op een avond stomdronken, zo dronken dat hij ervan moest huilen. Hij biechtte aan Lewis op dat er geen cent winst werd gemaakt met het tijdschrift, dat het een bodemloze put was, en dat er geen werk meer was voor Lewis. De mannen schudden elkaar de hand en namen afscheid. Twee weken later begon Lewis bij een verzekeringsmaatschappij. Het loon was de helft van wat Barney had betaald, en als ze in het weekend naar de kust gingen hoorde Freddie de ellende in Lewis' stem terwijl ze pratend over een kiezelstrand heen en weer liepen. Hij zei dat hij zich gevangen voelde. Hij kon niet tegen de hele dag stilzitten. Het werk was saai en eentonig, het was geen uitdaging, het leverde hem geen energie op en zijn gedachten dwaalden af. En het waren geen goede gedachten, drong het tot Freddie door. 'Stop er dan mee,' zei ze terwijl ze zijn gezicht vastpakte en hem in de ogen keek. 'Zoek iets anders.'

In de krant stond een artikel over de grote hoeveelheid exofficieren die nu voor de klas stond. Lewis was verbijsterd dat hij daar niet eerder op was gekomen. Een school in Leicestershire zocht een leraar wis- en natuurkunde, dus solliciteerde hij, en hij werd aangenomen.

In de periode waarin ze op zoek naar iets beters door het land hadden gezigzagd, hadden ze in koude, vermoeid uitziende pensionnetjes gewoond, in appartementjes met een automaat voor de elektriciteit en in vochtige, donkere cottages zonder enige vorm van stroom. De aanstelling in Leicester bood een woning bij de baan aan. Freddie voelde een golf van optimisme door zich heen gaan terwijl ze aan het inpakken was. Misschien dat ze nu geluk kregen. Ze stelde zich een leuk, wit gestuukt huisje in een groen landschap voor. Lewis zou genieten van het lesgeven en met het enthousiasme waarmee hij aan elke taak begon zou hij zijn leerlingen inspireren. En misschien was er daar ook wel werk voor haar, een paar uur per week op de administratie, of bij de directie. Want ook zij vond het moeilijk om zich aan te passen, ook zij verveelde zich met de weinige huishoudelijke taakjes die nodig waren als ze haar eenzame dagen probeerde door te komen. Ze was er na al die jaren in kantoren en fabrieken niet meer aan gewend zoveel alleen te zijn. En ze haatte de ruzies die ze altijd kregen als ze tegen Lewis zei dat ze werk wilde gaan zoeken. Ze vond zijn kille woede een beetje beangstigend, als ze heel eerlijk was omdat ze dan een kant van hem zag waarvan ze niet had geweten dat hij die had. Hun gesprekken sloegen de laatste tijd zo gemakkelijk om in ruzie. Als we een baby zouden hebben, zou je je niet vervelen, zei hij. Ze was nog niet aan een baby toe, zei zij. Wanneer dan wel? vroeg hij. Binnenkort, antwoordde zij dan. Het was niet dat ze geen kind wilde, maar ze wist van Tessa en Angelo dat een baby behoefte had aan stabiliteit en routine. En tot dusverre was hun leven alleen maar heel onrustig.

De school dus. Een paar kilometer buiten Market Harborough lag een samengeraapte zootje gebouwen onder in een mistige vallei. Hun woning was niet de leuke cottage die Freddie zich

had voorgesteld, maar een koud, vol appartementje op de boven-
verdieping van een van de schoolpanden. Toen ze er arriveerden
hoorde Lewis dat hij behalve wis- en natuurkunde ook rugby en
gymnastiek moest geven. O ja, en wat godsdienstlessen.

Hij hield het twee periodes vol. Er was iets met de sfeer op
school, iets waar hij zijn vinger niet op kon leggen, als de mist die
boven de velden hing. De rector en de conrector, beiden veteranen
uit de Eerste Wereldoorlog, hielden niet van kleine jongetjes. De
leraar Frans vond ze juist weer iets té leuk, en hij had de neiging
zijn favorieten in zijn kamer op de thee uit te nodigen, waar hij
met zijn hand door de blonde krullen van zijn pupillen ging of
hen in hun dijbeen kneep. De andere leerkrachten waren cynici
en dronkaards, of ze waren een zenuwinzinking nabij. De school
bleef bestaan omdat hij goedkoop was en de vaders van de leerlingen, militairen en zakenmannen die veel in het buitenland ver-
toefden, over het algemeen bekenden van de directieleden waren.
Freddie bespeurde bij de vaders een gevoel van: ik heb een rot-
jeugd gehad, zoon, dus waarom zou jij het beter hebben?

Omdat hij zijn best deed stakLewis af als een vlag op een mod-
derschuit. Hij organiseerde een rugbytoernooi en las 's avonds
zelfs in de bijbel zodat hij wist waarover hij het had als hij godsdienstlessen gaf. Maar de grijze, glansloze sfeer van de school
besmette hem. Hij ging meer drinken en sliep slecht. Hij vertrouwde Freddie zijn gedachten niet meer toe. Als ze probeerde
met hem te praten, snauwde hij haar af. Al barstte hij niet in
tranen uit, zoals die arme Barney, ze was er getuige van hoe de
school zijn geestdrift langzaam de kop indrukte.

Het patroon was op hun huwelijksdag begonnen: plotselinge
verwachtingen die werden gevolgd door teleurstelling. Het verschil tussen hen was, dacht Freddie, dat zij haar verwachtingen
de baas was, ze klein hield. Al die jaren die hij heen en weer had
gereisd over de ijskoude Atlantische Oceaan, alle angsten die hij
had uitgestaan en de gruwelen waarvan hij getuige was geweest,
die gaven Lewis toch wel recht op meer dan een reeks slecht-

betaalde en mistroostige banen? De wetenschap dat duizenden ex-militairen er precies hetzelfde voor stonden als hij bood hem geen soelaas. Ze kon hem niet kwalijk nemen dat hij het haatte, iedereen zou het hebben gehaat, maar ze vond het wel vreselijk dat ze hem niet kon troosten en dat zijn teleurstelling en wrok maakten dat hij afstand van haar nam. Ze hield nog steeds van hem, herinnerde zich nog steeds de Lewis die voor haar had ge- zongen in het café, de Lewis die de liefde met haar had bedreven op hun huwelijksnacht in een marineblauwe kamer, maar soms merkte ze dat ze zich afvroeg of deze boze, bittere Lewis nog wel van haar hield.

In het British Museum hingen colliers van meer dan tweeduizend jaar oud, blauwe glazen kralen afgewisseld met glazen visjes en kikkertjes, en een dikke blauwe vrouw met gestippelde vleugels. Er stonden een schaal van reepjes gekleurd glas als fijne groeven in het steen van een klif, en een Italiaans bord met vierkantjes en streepjes als Engelse drop. En er stonden Lalique-schalen, bleek doorzichtig als ijs; de fijne, geometrische vorm van een paardenbloemzaadje opgesloten in hun hart.

In het voorjaar van 1947 reisde Rebecca naar de oostkust van Schotland om een tijdje bij een groep glaskunstenaars door te brengen. Ze bestudeerde de technieken van samensmelten en bezinken, hoe ze glas kon polijsten en zandstralen, en hoe ze het in een oven kon gieten. John en Romaine Pollen waren terug uit de Verenigde Staten en woonden nu in Cornwall, in St. Ives, vlak bij Noel en Olwen Wainwright, dus die zomer ging Rebecca bij hen op bezoek. Ze wandelde met Romaine over paden langs het klif, waaronder golven tegen de rotsen sloegen en wit schuim vormden. John Pollen liet haar voordat ze weer vertrok zien hoe ze keramische gietvormen kon maken en Romaine gaf haar de naam van een galerie in Londen waar zij haar werk altijd liet zien.

Zijn potten en pannen het enige wat je tekent, Rebecca? had

Connor Byrne haar eens gevraagd en ja, op een bepaalde manier deed ze dat nog steeds. Ze vond het leuk om van iets alledaags iets moois te maken. Ze had nog metalen vormpjes, waar ze in de tijd van haar dinertjes in Mill House crêpes in had gebakken; die gebruikte ze nu als vormpjes voor glazen schaaltjes. Ze kocht vellen vensterglas bij een aannemersgroothandel en plaatste draden koper tussen de lagen glas, die door het groenige, golvende oppervlak schitterden.

Ik heb geprobeerd gedroogde blaadjes tussen lagen doorzichtig glas te leggen, schreef ze Connor. *Het vuur in de oven verbrandde het plantaardige materiaal, maar liet een afdruk achter, als de geest van de bladeren.*

Nadat de oorlog ten einde kwam, was Connor in Ierland gebleven. Aoife had een slechte gezondheid en er waren wat problemen met Brendan, die een aanvaring met de politie had gehad. *Niets ernstigs,* schreef Connor, *maar ik weet nog hoe ik zelf op die leeftijd was en hoe de verkeerde vrienden ervoor kunnen zorgen dat het een tot het ander leidt.* Hij had ernaar uitgekeken om haar weer te ontmoeten, schreef hij. Het speet hem dat ze al zo lang van elkaar gescheiden waren.

Op een ochtend zat Rebecca te werken in het atelier toen de postbode aanklopte met een brief. Rebecca legde haar gereedschap weg en scheurde de envelop open. Hij was van Meriel, die vertelde dat dokter Hughes en zij zich hadden verloofd.

Freddie en Lewis woonden in Lymington in Hampshire, aan de zuidkust, aan de westkant van de wijde riviermond van de Solent. Ene Jerry Colvin was een scheepswerf begonnen aan een verwaarloosde werf bij de zeewaterbaden. Niet ver ervandaan doken en gilden meeuwen, en de wadden glansden als taartglazuur. Jerry was vóór de oorlog botenbouwer geweest en was de kapitein van de eerste korvet waarop Lewis had gediend. Volgens Jerry was botenbouwer de baan van de toekomst. Zodra het land de oorlog weer een beetje te boven was gekomen zouden mannen hun eigen boot willen hebben, een leuke kleine jol, of een plezierjacht voor in het weekend. Freddie vond Jerry aardig: hij was een stille, vriendelijke, beleefde man, hoewel hij iets labiels had en zijn vingertoppen onder zijn afgekloven nagels rood en ruw waren.

Lewis vertelde haar dat dit de kans was waarop hij had gewacht. Hij was praktisch ingesteld, maakte zijn handen graag vuil. Jerry en hij zouden de verkoop samen op zich nemen, Jerry had contacten. Jerry zou het papierwerk doen en Walter, zijn scheepsbouwer, zou Lewis het vak leren. De scheepswerf bestond uit twee lage lange houten schuren vol zwarte teervlekken. De scheepshelling naar de riviermond kwam uit in het grootste pand, het kantoor was gevestigd in het kleinste.

Ze kochten een huis. Freddie maakte zich ongerust over hun financiën, maar Lewis stond erop. Iedereen van enig aanzien kocht een huis in plaats van het te huren, zei hij. Dit zou hem een betere positie in de maatschappij opleveren. Hij herinnerde haar eraan dat hij zijn ontslagpremie opzij had gezet voor een aanbetaling.

Het was een klein vrijstaand huisje met een rood dak aan de zuidkant van Lymington. Je kon door de bovenramen de zee zien. Freddie keek graag hoe de zee veranderde onder invloed van zon en wind, glinsterend als azuurblauwe zijde of met opgeklopte witte schuimkoppen op de golven. Hier zouden ze tot rust kunnen komen, dacht ze. Dit was een nieuw begin.

Ze genoot ervan dat Lewis fluitend thuiskwam van de scheepswerf en dat hij haar nu en dan als hij de deur achter zich had gesloten in zijn armen nam en naar de slaapkamer droeg. Rond het middaguur liep ze vaak naar het bootshuis. Op mooie dagen zaten Lewis en zij buiten over de riviermond uit te kijken, terwijl ze het brood aten dat Freddie was komen brengen. Als het regende schuilden ze in het bootshuis, waar het naar zout en teer rook. Als Jerry naar de stad was en Walter een dagje vrij had, vreeën ze in het bootshuis, omhuld door het halfduister terwijl het water tegen het dok kabbelde. De boze vreemdeling was verdwenen. Ze voelde zichzelf weer helemaal opnieuw verliefd worden.

Lewis stond erop dat Freddie een dagelijkse hulp in de huishouding aannam en dat ze op zaterdagavond uit eten of naar een feest gingen. Lewis was charmant en sociaal en maakte moeiteloos vrienden in kringen van bankiers, advocaten en zakenlieden. Lewis' vrienden kwamen met hun echtgenotes naar het huisje met het rode dak voor dinertjes en cocktailfeestjes. Freddie had niets gemeen met de vrouwen. Ze deed haar best en complimenteerde hen met hun japonnen en kapsels, en ze vroeg naar hun gezinnen. De vrouwen hadden het vrijwel over niets anders dan hun kinderen en hun tuin. Freddie had nog nooit een tuin gehad en had geen idee wat ze ermee moest. De enige tuin die ze ooit goed had gekend was die van villa Millefiore in Fiesole, maar ze betwijfelde of ze in staat zou zijn die grootse, nonchalante elegantie na te bootsen op dat vierkante grasveldje in Hampshire.

Na een maand of zes kwam Lewis niet meer fluitend uit zijn werk en wilde hij niet meer dat ze naar het bootshuis kwam voor de lunch. Hij werkte nu langere dagen, en ook in het weekend. Freddie kreeg minder huishoudgeld. Het speet Lewis, maar een verkoop waarop Jerry had gerekend was niet doorgegaan; hij wist zeker dat het wel weer goed zou komen. Freddie zei tegen de huishoudelijke hulp dat ze haar diensten niet meer nodig had. Ze knoopten de eindjes aan elkaar en wisten rond te komen, maar ze begon het gevoel te krijgen dat ze op de rand van iets leefden, dat wat ooit solide onder hun voeten was geweest nu begon te schuiven.

Toen Meriel zich aan het kleden was voor haar bruiloft prikte ze met een vingernagel een gat in haar kous. 'Hè, verdikkeme,' zei ze. 'Dat was mijn enige goede paar.'

'Trek de mijne maar aan,' zei Rebecca.

'Nee, nee. Ik doe mijn maillot wel aan.'

'Geen sprake van.' Rebecca trok een kous uit en gaf die aan haar zus. 'Hier.'

Ze waren in Meriels appartementje in Westdown. Meriel droeg een korenbloemblauw mantelpakje en een witte blouse en hoed. Toen ze de kous had aangetrokken, staarde ze in de spiegel en trok haar rok naar beneden.

'Denk je echt...'

Rebecca klikte haar poederdoos open en poederde haar neus. 'Wat?'

'Dat dit de juiste beslissing is? Is het echt niet bespottelijk om op je eenenvijftigste te trouwen?'

'Helemaal niet. Ik vind het geweldig.' Rebecca omhelsde Meriel. 'Je bent een plaatje.'

'Doe niet zo raar.' Meriels frons werd nog dieper. 'En ben ik er niet ontrouw mee aan David?' David Rutherford was de verloofde van Meriel, die was gesneuveld aan de Somme.

'Ik denk dat David zou hebben gewild dat je gelukkig zou zijn.'

Meriel kauwde op het hoesje van haar lippenstift. 'Wat jammer dat mama dit niet meer meemaakt, hè?'

Rebecca klikte haar poederdoos dicht. 'Nou. Hoewel ze zich op mijn bruiloft vreselijk heeft misdragen. Weet je nog?'

'Ze was zo tactloos over het eten. En tegen Milo. En jij? Vind jij het niet vervelend? Al dat gedoe. Je hebt zo hard moeten werken.'

Rebecca had de receptie, die bij dokter Hughes thuis zou worden gehouden, georganiseerd, ze had de catering geregeld en Meriels bruiloftstaart besteld. Maar dat was niet, voelde ze aan, wat Meriel bedoelde. Wat Meriel bedoelde was: vind je het niet vervelend dat ik ga trouwen terwijl jouw huwelijk met Milo in een scheiding is geëindigd? Vind je het niet vervelend dat onze rollen nu zijn omgedraaid?

'Natuurlijk niet,' zei ze stellig. 'Ik heb het met vreselijk veel plezier gedaan.'

Een auto toeterde en Rebecca tuurde uit het raam. 'Daar is de taxi.' Ze draaide zich om naar Meriel. 'Ben je zover?'

Toen ze naast haar zus in de auto zat, bekeek Rebecca haar eigen handen. Zoals altijd zaten ze vol eelt en sneetjes. Ze had tijd moeten maken om naar de manicure te gaan, bedacht ze. Ze snakte naar een sigaret en het voelde raar om een mantelpakje te dragen in plaats van een corduroy broek met een katoenen blouse. Ze droeg voor de bruiloft het kersrode pakje dat ze vóór de oorlog bij Selfridges had gekocht. Ze was afgevallen en had de taille van de rok moeten innemen en nieuwe baleintjes in de buste van het jasje moeten naaien. Het was een wollen pakje, nogal heet voor een warme dag in augustus. Ze voelde die gehate hitte weer in zich oplaaien. Druppeltjes transpiratie vormden zich op haar bovenlip en ze zou er alles voor over hebben gehad die stijve, ongemakkelijke kleren uit te kunnen trekken.

Ze legde Meriels bruidsboeket tussen hen in op de bank. 'Mag ik even een raampje opendoen?'

Meriel zag er ook verhit uit. 'Graag. Ik voel me net een gekookte worst.'

Rebecca draaide het raampje naar beneden, stak haar hoofd naar buiten, en de opvlieger trok weer weg. Ze dacht dat ze Meriels twijfel om na haar vijftigste nog te gaan trouwen wel begreep. Ze nam aan dat die te maken had met de onzekerheid over wat een vrouw op dat punt in haar leven hoorde te doen. Voor haarzelf, negenenveertig, in de menopauze en gescheiden, voelde de grens tussen zichzelf volledig laten gaan en zich krampachtig vast te klampen aan haar jeugd soms zo vaag. De artikelen in de modebladen en de kleding in de winkels benadrukten jeugdige schoonheid en het verwachtingspatroon dat een vrouw slonzig werd als ze eenmaal veertig of vijftig was. Dan hoorde je niet meer aantrekkelijk te zijn. Je hoorde zelfs geen verlangens meer te hebben. Die gedachte deprimeerde haar, hoewel ze zich er een tijdje geleden al bij had neergelegd dat ze de rest van haar leven waarschijnlijk alleen zou blijven. Connor was nog steeds in Ierland; de gevoelens die ze voor hem had gehad, leken nu nogal belachelijk, de fantasie van een eenzame vrouw die te veel maakte van iets wat objectief gezien eigenlijk niet echt iets was geweest.

Lewis zei dat de vermout op was en dat er nieuwe moest komen. Freddie dacht dat ze een paar dagen geleden nog had gekeken hoeveel er in de fles zat, en dat hij toen halfvol was, maar ze zou zich wel hebben vergist.

Ze keek in haar portemonnee. Drie shilling en drie penny. Een fles vermout kostte zeven shilling. Ze opende haar handtas, stak haar hand erin, voelde onderin en viste er anderhalve penny uit. Toen zocht ze in de zakken van haar regenjas en in het koperen schaaltje op de haltafel waar Lewis wel eens wat kleingeld achterliet. Beide waren leeg.

Ze trok de keukenla open, waar altijd geld lag voor de melkboer en de bakker. Zelfs als ze de vier munten van zes penny gebruikte die daar lagen, zou ze nog bijna drie shilling tekortkomen. De canapés stonden op tafel en de glazen stonden afgewassen, afgedroogd en gepoetst in het afdruiprek. Freddie beet bedachtzaam op een vingernagel. Toen liep ze naar de zitkamer, waar ze een hand tussen de kussens stak in de hoop dat daar misschien wat geld tussen was gevallen, maar ze trof alleen een snoeppapiertje en een potlood aan. Je geld zomaar laten slingeren was er niet meer bij; elke penny telde.

Ze kon naar de scheepswerf gaan en vragen of Lewis nog wat geld had, maar dat deed ze liever niet. Hij vond het tegenwoordig niet meer prettig als hij werd gestoord bij zijn werk. En misschien dat Jerry of Walter er was, en dan zou Lewis zich vernederd voelen als ze hem in hun bijzijn om geld zou vragen. Waarschijnlijk had hij toch niets op zak. Ze vroeg zich af of ze het zonder vermout zouden redden, maar het was een cocktailfeestje en zonder vermout kon je geen cocktails maken.

Ze liep naar hun slaapkamer boven, ging op het bed zitten en liet de muntjes op het dekbed vallen. Haar blik bleef hangen bij de ingelijste foto van hun trouwdag die op de kaptafel stond, met Lewis in zijn marine-uniform en zij in haar violetblauwe jas. Toen borstelde ze haar haar, bracht zorgvuldig haar lippenstift en poeder aan, pakte de muntjes en liep naar beneden.

Buiten trok een rukwind de blaadjes van de bomen. De modder en de zoutmijn bij de riviermond zagen er altijd doorregend uit, of de zon nu scheen of niet. Zee en land liepen er in elkaar over in de inhammen, trechtermonden en riethalmen. Als het eb was, kromp de rivier tot een smal kronkelend kanaaltje tussen de wadden. Ze was dol op hun huis, maar het landschap had iets vervreemdends. De zee klauwde naar de vaste grond, omsloot hem, verslond hem, en er waren dagen dat de wind voelde als een mes dat in je huid sneed.

Ze keek op en zag dat het eb was. Het licht dat op de zee scheen werd belemmerd door wolken, die schaduwen op de zoutgroeves wierpen, en de grond zag er vergankelijk uit, vervagend, alsof hij elk moment in het niets zou kunnen verdwijnen.

Ze probeerde het die avond niet eens met de vrienden van Lewis. Ze serveerde canapés terwijl Lewis drankjes inschonk en liep de hele tijd rond met de gedachte dat dit allemaal bedrog was, dit voorwendsel dat ze gecultiveerd en rijk waren, terwijl ze in werkelijkheid tussen de kussens van de bank naar geld zocht. De vrouwen kletsten over problemen met het personeel; Freddie zette vieze borden in de gootsteen en staarde het raam uit naar de inktkleurige wolken die door een opaalachtige lucht dreven.

De eerste gasten vertrokken rond halfnegen. Er werden afscheidsgroeten geroepen, vage suggesties voor dinertjes en borrels geopperd, en auto's werden gestart. Lewis deed de voordeur dicht en Freddie liep met een dienblad de woonkamer in. Ooit, bedacht ze, zou ze hebben gezegd dat het zo leuk was, ook als ze dat niet had gemeend. Vanavond zei ze niets terwijl ze het dienblad met lege glazen vulde.

Lewis schonk een borrel voor zichzelf in, en hij zei: 'Je had wel iets beter je best kunnen doen.'

Ze keek kwaad over haar schouder. 'Ik heb vreselijk mijn best gedaan. Ik ben de hele dag bezig geweest met schoonmaken en hapjes voorbereiden.'

'Dat bedoel ik niet.' Hij maakte dat weidse armgebaar dat haar vertelde dat hij te veel had gedronken. 'Ik bedoel vanavond. Je hebt geen woord gezegd.'

'Ik was moe.'

'Moe? Mijn god, Freddie. We zijn allemaal moe. Ik werk zeven dagen per week.'

Ze probeerde haar irritatie weg te slikken. Ze ging zitten. 'Ik maak me zorgen, Lewis.'

'O ja? Waarover dan?'

'Voornamelijk over geld.'

'Over geld.' Hij begon te lachen. 'Het heeft geen enkele zin om je zorgen te maken over geld.'

'Ik kon die fles vermout niet betalen. Ik moest tegen Ronnie van de pub zeggen dat ik hem morgen de rest van het geld kom brengen.'

'Maak daar maar eind van de maand van. Of eind van het jaar.'

Hij staarde haar aan met een leegte in zijn ogen die haar verontrustte: ze kon niet zien of hij kwaad was of haar uitlachte.

Ze koos voor lachen. 'Ik vind het anders allesbehalve grappig.'

'Nee, het is inderdaad niet grappig.' Hij stak de fles whisky omhoog. 'Borrel?'

'Nee, dank je.'

'Je moet gewoon wat zuiniger omgaan met je huishoudgeld,' zei hij.

Zuiniger omgaan met je huishoudgeld. Ze was al haar hele leven zuinig. Ze was een dochter van haar moeder en een zusje van Tessa: natúúrlijk was ze zuinig.

'Je geeft me niet genoeg geld, Lewis. Niet om ook nog feestjes van te geven.'

Hij stond ineens voor haar, met een hand op de armleuning van haar stoel, voorovergebogen, met zijn neus een paar centimeter van die van haar. 'Meer geld is er niet, Freddie. Ik kan je niets geven. Snap je dat dan niet?'

Ze zei geschrokken: 'Ik bedoel vijf of tien shilling, dat zou genoeg zijn.'

'Nee, sorry, ik heb niet eens vijf.' Hij liep van haar weg. 'De scheepswerf gaat over de kop.'

Nu wilde ze die borrel ineens wel. Ze gleed van de stoel, schonk wat whisky in, nam een slok en draaide zich naar hem om. 'Dat meen je niet,' zei ze. 'Jullie hebben het gewoon even moeilijk. Jerry haalt wel weer een opdracht binnen.'

'Ik heb Jerry al drie weken niet gezien.'

Ze staarde hem aan. 'Pardon?'

'Wat ik zeg. Jerry is drie weken geleden voor het laatst op de werf geweest.'

'Waar is hij dan?'

'Geen idee.'

'Maar dat moet je toch weten?'

'Dat zou je wel denken. Maar ik weet het echt niet. Hij heeft geen briefje achtergelaten en niet gebeld.'

'Zijn huis…'

'Daar is hij ook niet. Het is afgesloten en de gordijnen zijn dicht.' Lewis schonk zijn glas bij en ging op de bank liggen, met zijn hoofd op een kussen en zijn glas balancerend op zijn borstkas. Hij sloot zijn ogen. 'Jerry is hem gesmeerd,' teemde hij. 'Hij is hem gesmeerd, óf hij heeft zelfmoord gepleegd en ligt ergens in dat huis.'

'Daar mag je geen grapjes over maken,' zei ze fel.

'Dat doe ik ook niet. Ik overweeg er in te gaan breken.' Hij deed zijn ogen weer open en keek op zijn horloge. 'Misschien dat ik er vanavond maar even naartoe ga.'

'Lewis.'

'Zelfs als hij niet de pijp uit is, heb ik de boekhouding van de werf nodig. Er ligt helemaal geen papierwerk meer in het kantoor. Jerry zal het wel mee naar huis hebben genomen.'

Ze fluisterde: 'Drie weken... waarom heb je niets gezegd?'

'Ik wilde je niet bezorgd maken. Ik weet dat je er niet tegen kunt als we financiële problemen hebben.'

Dat was waar. Dezelfde ervaring die haar voorzichtig met geld maakte, maakte haar bang voor schulden. Ze voelde een golf van schaamte door zich heen gaan. Was ze zo rigide in haar overtuigingen, zo bang voor schaarste, hield ze zo weinig rekening met zijn problemen dat hij dacht dat hij haar niet in vertrouwen kon nemen? Of was zijn eigen gevoel van trots het probleem?

'Je had het me moeten vertellen,' zei ze.

Hij haalde zijn schouders op. 'Ik hoopte dat het zichzelf zou oplossen. Daarom wilde ik vanavond dat feestje. Tim Renwick overwoog een jacht aan te schaffen, maar die verdomde vrek zei vanavond dat hij zich heeft bedacht.'

Ze ging op het randje van de bank zitten en keek hem aan. Zijn mondhoeken hingen naar beneden en zijn lichtbruine ogen stonden somber. 'Laat me iets doen, Lewis,' zei ze. 'Laat me helpen.'

Hij pakte haar hand en kuste die. 'Blijven lachen. Dat is het beste wat je kunt doen, schat.'

'Ik bedoel dat ik werk kan gaan zoeken.'

Hij liet haar hand los en zei kwaad: 'Daar gaan we weer!'

'We moeten pragmatisch zijn. Deeltijd, als je dat prettiger vindt.'

'Nee, Freddie.'

'Lewis, ik wil werken. Ik vind werken leuk.'

'En wat zou je dan gaan doen?'

Ze trok haar schouders op. 'Wat dan ook. Dat maakt me niet uit. Iets in een winkel, op kantoor, schoonmaakwerk...'

'Schoonmaakwerk!' Hij kneep zijn oogleden halfdicht. 'Wat denk je dat de mensen dan zouden zeggen?'

'Dat zal me een zorg zijn. We hebben geen keuze. We hebben geld nodig, dat zei je net zelf.'

Hij stond plotseling op en schampte haar toen hij langs haar heen liep. 'We wonen in een hechte gemeenschap,' zei hij ijzig.

'Als ik je schoonmaakwerk laat doen, worden we nooit meer ergens uitgenodigd.'

'Laat me dan op de werf helpen. Als Jerry er niet is heb je iemand nodig om de boekhouding te doen. Ik heb jaren op kantoor gewerkt, ik weet hoe dat moet. En dan heb jij meer tijd om opdrachten binnen te halen.'

'Nee.' Lewis dronk zijn glas leeg. Toen zei hij op zachte en kwade toon: 'Je begrijpt het nog steeds niet, hè? Ik heb je niet ten huwelijk gevraagd om je bij een ander te laten schoonmaken. Dit is mijn heiligdom.' Hij sloeg met zijn vuist in zijn handpalm. 'Dit, ons huis, hier neem ik afstand van alle ellende in mijn leven. In dit huis, bij jou.'

Ze begon nu bang te worden. Ze fluisterde: 'Maar je bent hier niet Lewis, je bent aan het werk. En als je er wel bent, zeg je nauwelijks iets tegen me.'

'Dat is niet waar en dat weet jij ook.'

'Ik bedoel dat we niet echt praten. Je hebt me niet over Jerry verteld. Ik snap niet dat je dat voor me hebt achtergehouden, dat was fout van je.'

'Zoals ik al zei wilde ik je niet bezorgd maken.' Hij zette zijn lege glas op tafel. 'Ik los het wel op. Maar op mijn eigen manier en op mijn eigen moment.'

Hij liep de gang in en trok zijn jas aan. Ze liep achter hem aan. 'Wat ga je doen?'

'Ik ga naar Jerry's huis. Om te kijken of die idioot is vertrokken en of er aanwijzingen liggen waar naartoe.'

Lewis liep de voordeur uit. Het was gaan regenen en dikke druppels water spetten op het wegdek. 'Lewis!' riep ze, maar hij was al weg. Ze liep terug naar de zitkamer, schonk nog een glas whisky voor zichzelf in en dronk dat snel op, ondanks het feit dat ze misselijk was.

Toen ze de volgende ochtend wakker werd, was hij er niet. Hij moest wel thuis zijn geweest, want zijn kant van het bed was beslapen en het pak dat hij tijdens het feestje had aangehad hing aan een hanger. Lewis was erg netjes; zo had hij het in de marine geleerd.

Freddie ging overeind zitten. Ze had hoofdpijn. Ze moest in slaap zijn gevallen door de whisky. Ze had haar horloge, armband en ketting nog om en ze had een zure smaak in haar mond. Ze keek op haar horloge. Het was vroeg: tien voor zes. Ze liep naar de badkamer en waste haar gezicht met koud water. Ze dacht terug aan hun ruzie, aan de dingen die ze in hun woede hadden gezegd. Voordat ze getrouwd was zou ze zichzelf beschreven hebben als iemand die een hekel had aan ruzie en die altijd ontweek. Ze had zichzelf nooit gezien als iemand die ruziede.

Ze trok haar badjas aan en liep naar beneden. Het was koud, alsof de herfst zich ineens had bedacht en was omgeslagen in winter. Lewis was niet thuis, dat wist ze al voordat ze de kamers had gecontroleerd. Ze wist het altijd als hij thuis was, net zoals ze het altijd had geweten als Tessa er was. Dat kwam door hun uitbundige karakter, zo anders dan dat van haar, dat klein, bekrompen en middelmatig was.

Ze zette thee en dronk die staand in de keuken, tegen het aanrecht geleund. De vieze glazen en borden van de avond ervoor stonden op de tafel. Ze overwoog de afwas te doen, maar deed dat niet. *De scheepswerf gaat over de kop. Jerry is hem gesmeerd.* Lewis had de neiging gedeprimeerd te raken en zich overal het ergste bij voor te stellen. Het kon toch niet zo erg zijn als hij dacht? Hij werkte zulke lange dagen, geen wonder dat hij bezorgd was. En geen wonder dat hij zich verraden voelde. Hij had Jerry als vriend beschouwd.

Ze sneed brood, maakte sandwiches, pakte die in vetvrij papier en liep terug naar de slaapkamer om zich aan te kleden. Toen ze het huis verliet, zag ze dat de wind was gaan liggen en dat de zon op een gladde, glanzende zee scheen. De lucht was groots en blauw en monterde haar op. Ze zouden het wel oplossen, dacht ze. Het zou wel beter worden. Ze hielden nog steeds van elkaar, en dat was toch waar het om draaide? Het enige wat ze nodig hadden was een beetje geluk. Ze duwde de gedachte die zich aan haar opdrong weg: dat ze zich al de hele drieënhalf jaar dat ze nu waren getrouwd steeds voorhield dat het wel goed zou komen, maar dat ze zichzelf daarmee voor de gek hield.

Ze fietste naar de werf. Het was vloed en het water in het kanaal klotste lui tegen de houten steigerwanden. Meeuwen dreven op het grijze water en vissersboten met pruttelende motoren lagen krakend in het smalle kanaal. Een zwarte kat zat zich boven op een houten paal te wassen.

Freddie zette haar fiets tegen een muur en liep het houten pand in. Lewis zat aan het bureau, dat vol lag met papieren. Toen ze binnenkwam, keek hij op.

'Alsjeblieft,' zei ze, en ze legde de sandwiches op tafel. 'Ik wist niet zeker of je had ontbeten.'

'Bedankt.' Hij zag er bleek en afgetobd uit. Hij stond op, sloeg zijn armen om haar heen en pakte haar stevig vast. 'O, Freddie,' mompelde hij. Hij streelde haar haar en ze ademde zijn bekende geur in, vermengd met het zout en teer van de werf.

'Mijn sigaretten zijn op,' zei hij. 'Heb jij nog?'

'Nee. Ik fiets wel even naar het station, dan haal ik een pakje uit de machine.'

'Laat maar.' Hij deed een stap naar achteren en keek haar aan. 'Het spijt me, Freddie. Sorry dat ik zo gemeen tegen je was gisteravond. Ik moet niet kwaad worden op jou. Het is niet jouw schuld dat het zo'n bende is, dat heb ik helemaal aan mezelf te wijten.'

Ze streelde zacht over zijn gezicht. 'Het spijt mij ook. Je doet zo je best, Lewis. Je moet jezelf niets verwijten. Je hebt gewoon steeds pech.'

Hij lachte scheef naar haar. 'Zal ik dan maar koffie gaan zetten?'

'Lekker.'

Hij zette een ketel water op. Ze vroeg: 'Ben je nog naar Jerry's huis geweest?'

'Ja.' Hij glimlachte nogmaals. 'Een keurige inbraak zonder sporen.'

'Heb je iets gevonden?'

'De administratie, maar geen teken van Jerry. Godzijdank geen lijk in de badkuip, maar ook geen enkele aanwijzing waar hij naartoe is.'

'Je denkt toch niet dat hij…'

'Wat?'

'Dat hij opdrachten aan het zoeken is? Dat hij onderweg is, dat hij met klanten aan het praten is en heeft vergeten dat tegen je te zeggen?'

'Dat is een mogelijkheid.'

Hij stond met zijn rug naar haar toe koffie in twee bekers te scheppen. Ze zag aan zijn schouders dat hij geen woord geloofde van wat ze zei.

Ze zei wanhopig: 'Of misschien is hij ziek geworden.'

Lewis liep terug naar het bureau. 'Ik heb deze in zijn huis gevonden.' Hij pakte een stapeltje enveloppen op. 'Jerry heeft niet veel familie, alleen een zus in Londen. Dit zijn brieven die ze hem heeft geschreven. Ik heb ze gelezen. Ik weet dat het niet netjes is, maar ik moet weten wat er aan de hand is.'

'En ben je er wijzer van geworden?'

Hij schudde zijn hoofd. 'Niet veel. Alleen haar telefoonnummer, dus ik denk dat ik haar maar eens ga bellen.'

'Als je dat prettig vindt, wil ik het wel doen.' Ze zag dat hij wilde gaan protesteren en voegde snel toe: 'Ze vindt het misschien gemakkelijker om tegen een vrouw te praten.'

Hij fronste zijn voorhoofd. 'Misschien heb je gelijk.'

Het water kookte; hij zette koffie. Ze ging op een klapstoeltje zitten en dwong zichzelf te zeggen: 'Je zei dat de werf over de kop gaat, Lewis. Is het echt zo erg?'

'Nee.' Hij begon te lachen. 'We vinden wel weer een manier.

Maak je maar geen zorgen. Gisteravond… Ik had te veel gedronken.'

'Misschien dat Tim toch wel een boot wil.'

'Ja, wie weet.'

Hij zag er uitgeput uit, en een beetje ziek. Ze zei: 'Als je vandaag nou eens vrij neemt? Je ziet er zo moe uit. Het is een prachtige dag, we kunnen samen ergens naartoe, alles even vergeten.'

'Nee. Ik wil weten wat dit allemaal betekent.' Hij gebaarde naar de kasboeken en rekeningen die op tafel lagen. 'Ik zou me toch alleen maar zorgen blijven maken. Jerry heeft er een puinhoop van gemaakt. Zodra ik alles op een rijtje heb, gaan we een weekend naar Londen, naar vrienden, dat beloof ik, Freddie.'

'Eet tenminste wel je boterhammen op.'

'Dat zal ik doen. Dank je.'

Ze keek naar hem terwijl hij zat te werken. Het was koud in het houten pand; ze was blij dat ze een jas en handschoenen had aangetrokken. Haar blik ging over de planken achter het bureau, langs de rij dozen, kasboeken en dossiermappen. Het felle witte licht uit de riviermond scheen schitterend naar binnen tussen de kieren van de planken muren door.

Lewis keek ineens op van het bureau. 'Waarom moet het allemaal zo moeilijk zijn, Freddie?' vroeg hij. Hij zag er wanhopig uit. 'Waarom kunnen we niet eens één keer gewoon mazzel hebben? Het is niet dat ik het niet probeer. Ik heb wel eens het gevoel dat dit rotland me heeft opgevreten en weer heeft uitgespuugd. Als ik kon bedenken waar ik naartoe zou willen, zou ik zó weg zijn.'

Ze liep naar hem toe, haalde haar handen door zijn haar en kneedde met haar duimen zijn gespannen schouderspieren. Hij drukte zijn hoofd tegen haar zij en slaakte een zucht.

'Ik wil je niet teleurstellen.'

'Dat doe je niet. Alsjeblieft, lieverd, daar moet je niet eens aan denken.'

'Ik voel me zo'n mislukkeling. Ik weet niet wat ik moet als dit ook misgaat.'

'Het ergste wat er kan gebeuren is dat we weer opnieuw moeten beginnen. Dat hebben we al eerder gedaan en dat kunnen we best nog een keer.'

Hij keek naar haar op, maakte aanstalten iets te gaan zeggen, maar hield toch zijn mond.

'Hoe erg is het echt?' vroeg ze rustig. 'Je kunt het me vertellen. Het is minder moeilijk als we het kunnen delen.'

Zijn vinger stak naar het opdrachtenboek. 'Er komt geen werk binnen. Als we de komende dagen geen nieuwe orders krijgen, zal ik tegen Walter moeten zeggen dat er geen werk meer voor hem is. Ik houd hem bezig met kleine reparaties.'

'Misschien kun je er daar nog meer van vinden, om bezig te blijven.'

'Ja, wat een goed idee.' Zijn opgewektheid klonk geforceerd.

'Zijn er schulden?' Ze voelde dat ze zich schrap zette terwijl ze op een antwoord wachtte.

Hij wreef met een hand over zijn kin. 'Bij de bank natuurlijk.'

'Hoeveel?'

'Iets van vijftig pond, meer niet.'

Ze gaf hem een kus. 'Vijftig pond is niet zo erg.' Hoewel ze geen idee had hoe ze dat ooit moesten terugbetalen. 'We vinden er wel wat op, dat weet ik zeker.'

Hij leek ineens wat vrolijker. Hij trok haar op zijn knie en ze voelde hem ontspannen terwijl ze kusten.

'Ik zal wel een berg van een molshoop maken,' zei hij. 'Weet je wat? Ik bouw een boot voor ons en dan gaan we rond de wereld varen. Dan gaan we overal naartoe waar we altijd van hebben gedroomd. Lijkt dat je wat, Freddie?'

Later die dag fietste ze van de werf naar de telefooncel in de haven.

Ze belde de telefoniste. Jerry's zus heette mevrouw Davidson en ze woonde in Bayswater. Freddie vroeg de telefoniste haar door te verbinden met het nummer dat in de brief van mevrouw Davidson stond.

De telefoon ging een paar keer over en werd toen opgenomen door een man. Freddie vroeg naar mevrouw Davidson.

'Met wie spreek ik?'

'Met Frederica Coryton. Ik bel uit Lymington.'

Een stilte. Toen: 'Van de werf?'

'Ja. Het is heel belangrijk dat ik mevrouw Davidson spreek. Het is dringend.'

'Ik zal haar even roepen. Ogenblikje.'

Een langere stilte. Freddie hoorde kinderstemmen en – ze deed haar best de woorden te verstaan, maar dat lukte niet – volwassenen.

De hoorn werd opgepakt. 'Hallo? Met mevrouw Davidson.'

'Met mevrouw Coryton. Van...'

'De werf, ja, dat weet ik.' De woorden werden netjes en opgewekt uitgesproken. 'Wat kan ik voor u doen, mevrouw Coryton?'

'Ik ben op zoek naar uw broer, Jerry.'

'Die is hier niet.'

'Weet u waar hij is?'

'Ik heb al een tijdje niets van hem gehoord.'

'Heeft u enig idee hoe ik hem kan bereiken?'

'Nee, sorry. En nu moet ik helaas ophangen, ik heb bezoek.'

Freddie bedankte mevrouw Davidson en hing op. Haar optimisme van die ochtend was verdwenen; ze liep rillend de telefooncel uit en stapte op haar fiets. Mevrouw Davidson was te onverschillig, vond ze, niet nieuwsgierig genoeg. Mevrouw Davidson had tegen haar gelogen.

Het was zes uur 's avonds, het staartje van een miezerige dag die de straten van Londen grijs had gekleurd. Rebecca liep over Jermyn Street toen ze een man uit hotel Cavendish zag komen. Hij droeg een regenjas en was blootshoofds. Ze herkende hem aan de manier waarop hij liep, aan de beweeglijkheid van zijn tred.

Ze riep: 'Milo!'

Hij draaide zich om. 'Mijn god, Rebecca, wat een toeval.' Hij keek haar geconcentreerd aan; ze vermoedde dat hij stond te bedenken hoe vreselijk oud ze was geworden.

'Wat een verrassing.' Ze kuste hem op de wang. 'Wat doe jij in Londen, Milo?'

'O, iets met de publiciteit… een afspraak met Roger. En jij?'

'Ik ben een paar dagen bij een vriendin.' Ze logeerde bij Simone.

'Gezellig. Je ziet er goed uit.'

'Jij ook.' Hoewel hij was aangekomen, bedacht ze.

Milo keek op zijn horloge. 'Je hebt toch wel tijd om even iets met me te drinken, Rebecca?'

'Ja hoor. Leuk.'

Ze liepen het Cavendish in. Rebecca excuseerde zich en liep naar het toilet. Daar keek ze in de spiegel, haalde haar handen door haar haar en werkte haar lippenstift en poeder bij. Toen liep ze naar de bar.

Milo had gin met citroen voor haar besteld en whisky met soda voor zichzelf. Ze toostten.

Milo zei: 'Ik vond het altijd zo armoedig om iets anders dan water bij je whisky te doen. Maar in Amerika drinkt iedereen hem met soda.'

'Je klinkt helemaal niet Amerikaans. Ik dacht dat je ondertussen wel een accent zou hebben.'

'Iedereen daar is vreselijk gecharmeerd van mijn Engelse accent, dus daar houd ik me maar bij.' Hij leunde achterover in zijn stoel en keek haar aan. 'Hoe lang is het nou geleden dat we elkaar voor het laatst hebben gezien?'

'Die vreselijke keer bij die advocaat, vóór de oorlog. Volgens mij deed ik afgrijselijk tegen je.'

'Dat zal ik wel verdiend hebben.'

Rebecca zag in het felle licht in de bar dat zijn haar dunner begon te worden en dat hij dikke wallen onder zijn ogen had. Haar oogappel, Milo Rycroft, op wie ze verliefd was geworden op het Chelsea Arts Ball, werd nu kaal.

'Hoe is het met Mona en Helen?' vroeg ze.

'Prima. Blakend. En de kleine ook.'

Ze staarde hem aan. 'Milo! Wanneer?'

'Laura is negen maanden.'

'Laura... wat een mooie naam.'

'Haar doopnaam is Laurabeth.' Milo pakte zijn portemonnee, haalde er een foto uit en gaf die aan Rebecca.

Ze keek naar het kiekje. Het oudste meisje, Helen, stond naast haar moeder; de baby, Laura, zat bij Mona op schoot. De meisjes, allebei heel schattig, hadden het donkere, dikke haar van hun moeder. Mona was ook mooi, maar Rebecca merkte een onbuigzaamheid in haar gezichtsuitdrukking op die wel eens zou kunnen betekenen dat Mona Milo beter in toom zou kunnen houden dan haarzelf was gelukt, bedacht ze.

'Wat een schatjes,' zei ze. Ze gaf de foto aan Milo terug.

'Ik herken mezelf totaal niet in hen. Hoewel Helen heel goed kan lezen. Ze kan zich helemaal verliezen in een boek. Mona is er niet zo blij mee, ze zegt dat het slecht voor haar ogen is.'

'Je bent vast heel trots op hen.'

'Ja.' Hij stak de foto terug in zijn portemonnee. 'Eerlijk gezegd denk ik niet dat ik een goede vader ben. Daar ben ik veel te egocentrisch voor.'

'Wat een zelfinzicht,' merkte ze droogjes op.

Milo haalde zijn schouders op. 'Ik weet dat ik egocentrisch ben. Dat is geen nieuws. Als ik niet egocentrisch zou zijn, zou ik niet kunnen schrijven. Ik heb rust en stilte nodig en iemand die voor me kookt en strijkt. Iemand die niet gekwetst is als ik een lange wandeling ga maken. Anders kan ik het niet. Ik moet op een bepaalde manier denken om te kunnen schrijven, anders is het te ingewikkeld en kom ik er niet aan toe.'

'Je hebt stilte nodig,' zei ze. 'Niet alleen een gebrek aan geluid, maar mentale stilte.'

'Inderdaad.' Hij keek haar verrast aan. 'Dat is waar. Ik kan niet schrijven als de telefoon rinkelt en de kinderen praten.

Mona is een schat, ze houdt ze bij me uit de buurt, maar ze zijn er toch altijd, ik wéét dat ze er altijd zijn.'

'Kun je niet op de universiteit werken?'

'Dat probeer ik wel,' zei hij getergd, 'maar daar word ik aan de lopende band gestoord door studenten.'

'O hemel, Milo toch.' Ze kon een glimlach niet onderdrukken. 'Dus je hebt nog steeds je Maenaden?'

Hij zei berouwvol: 'Volgens mij zien ze me als een vaderfiguur. Ze verwachten dat ik hun problemen aanhoor… Het zijn allemaal van die onzinnige probleempjes, Rebecca, met vriendjes, en ruzies met de meiden in het studentenhuis. Als ik het allemaal niet zo doodsaai zou vinden, zou ik er een boek over kunnen schrijven. Eerlijk gezegd is het een enorme opluchting om hier te zijn. Drie weken alleen maar aan mezelf hoeven denken. En ik wilde Engeland zo graag weer zien.'

'Heb je ons gemist?'

'Meer dan ik voor mogelijk hield. Hoewel Londen… nogal een schok is. De oorlog is al meer dan drie jaar voorbij en het is hier nog steeds een puinhoop. Sommige straten herken ik nauwelijks.' Hij klonk gekrenkt.

'Er is geen geld, Milo,' zei ze geduldig. 'En we zijn uitgeput. Het zijn zware jaren geweest. Het is eerlijk gezegd nog steeds zwaar.'

'Natuurlijk. Ik bedoelde ook niet…' Hij was even stil en zei toen: 'Ik zal wel gewend zijn geraakt aan de Amerikaanse instelling dat alles mogelijk is. Ik kan me niet voorstellen dat ze het er in Amerika zo bij zouden laten zitten.'

Rebecca dacht terug aan die Spitfire die ze in de bosjes bij Mayfield Farm had zien neerstorten, en aan het meisje dat ze uit het puin had proberen te graven, dat tot een wit marmeren standbeeld was verworden door het stof.

Ze begon over iets anders: 'Dus je werk gaat goed?'

'Geweldig.'

Er viel een stilte. Haar blik dwaalde af naar de klok boven de bar. Tien voor halfzeven. Ze had om zeven uur bij Simone afgesproken voor het avondeten.

Ze wilde net afscheid nemen toen hij plotseling zei: 'Eerlijk gezegd heb ik al in geen vijf jaar meer iets gepubliceerd. Wat essays, recensies en een paar korte verhalen, maar niets substantieels. Geen boeken.'

Ze vond hem verslagen klinken. En moe. 'Zal ik nog een borrel voor je bestellen?' stelde ze voor.

'Alleen soda, dan.' Ze stak een hand op om de ober te gebaren, en toen voegde hij toe: 'Problemen met mijn lever. Ik mag van Mona thuis niet drinken. Ze drinkt zelf geen druppel. Wel voordat we kinderen kregen, maar nu niet meer. Ze vindt het een slecht voorbeeld. Dus hebben we nooit drank in huis.'

'Wat naar te horen dat je niet in orde bent, Milo.'

'Ik heb twee weken in het ziekenhuis gelegen.' Hij fronste zijn wenkbrauwen. 'Ik was nog nooit ziek geweest. Ik ben er flink van geschrokken. Ik moet afvallen, dus Mona houdt in de gaten wat ik eet.' Hij viste een pakje sigaretten uit zijn borstzak. 'En ze wil ook niet dat ik rook. Maar dat doe ik ook nog, als ik niet thuis ben.'

Hij bood Rebecca het pakje aan. Ze pakte er een. 'Dank je.'

Hij stak zijn sigaret op en gaf haar een vuurtje. 'Ik vraag me wel eens af of ik daarom niet meer kan schrijven.'

'Omdat je niet meer rookt en drinkt?'

Hij glimlachte. 'Dat ook. Maar ik bedoel dit.' Hij keek om zich heen. 'Misschien zou ik wel kunnen schrijven als ik weer in Engeland zou wonen.'

'Zou Mona dat willen?'

'Van zijn lang-zal-ze-leven niet. Haar hele familie woont in Boston. Haar ouders, broers en zussen.'

'O, Milo,' zei ze.

'Ik weet het.' Hij zuchtte. 'Ik kan niet over Amerika schrijven, omdat ik het niet goed genoeg begrijp en ik kan niet over Engeland schrijven, omdat ik het niet meer ken.'

'Schrijf dan over iets anders. Over familierelaties.'

'Ik denk niet…'

'Ik weet dat je altijd hebt geprobeerd een familieleven te ontlopen, maar zo te horen lukt dat de laatste tijd niet meer zo best,' zei ze sarcastisch. 'Of schrijf over de liefde, Milo. Ik neem aan dat je wel het een en ander hebt geleerd over de liefde.'

Hij was even stil. Hij blies rook door zijn neus. 'Ik kan over spijt schrijven,' zei hij toen.

Ik ook, dacht Rebecca, maar ze zei niets.

Milo tuurde in zijn glas. 'Ik denk soms aan Tessa,' zei hij. 'Ik kan me niet meer herinneren hoe ze eruitzag. Dan zeg ik tegen mezelf: blond haar, lang en slank, met een ongelooflijke glimlach. Maar ik zie haar niet meer voor me.'

'Was Tessa de liefde van je leven, Milo?' Het lukte haar het te vragen zonder verbittering in haar stem.

'Dat weet ik niet. Ik geloof niet dat ik erg goed ben met de liefde.' Hij keek Rebecca aan. 'Ik heb spijt dat ik haar heb gekwetst. En ik heb spijt dat ik jou heb gekwetst. Ik heb spijt dat ik niet zag wat belangrijk was. Je wordt ergens ontevreden over en dan verander je dat, maar wat je dan krijgt is niet per definitie beter dan wat je had. Het spijt me heel erg, wat er met Tessa en het kind is gebeurd. Ik heb wel eens het gevoel dat het allemaal mijn schuld is dat het zo is gelopen.'

Ze bedacht hoe eenvoudig het zou zijn om het nu te zeggen. *Ik heb Tessa Nicolson gebeld en heb gezegd dat je een ander had. Daarom is ze die middag op weg gegaan naar Oxford: ik had haar opgebeld.* Zou dat haar bevrijden?

Ze deed haar mond open om te gaan praten. Toen klonk een stem achter haar: 'Milo Rycroft! Wie had dat gedacht, Milo Rycroft!'

Rebecca keek over haar schouder en zag een lange man met grijs haar en een brede grijns op hen af komen lopen.

Milo's gezichtsuitdrukking sloeg om. Het verdriet en het verslagene waren als sneeuw voor de zon verdwenen en ze zag haar oude Milo: brallerig, opschepperig, genietend van het feit dat hij de altijd bijdehante, aantrekkelijke, beroemde Milo Rycroft was.

'Godfrey!' riep Milo, die opstond en een hand naar de man uitstak. 'Rebecca, herinner je je Godfrey Warburton nog? Hoe is het, Godfrey?'

'Prima, kerel, prima. En met jou? Verbluf je de yankees nog steeds met je briljante geest?'

'Ach, je weet hoe dat gaat,' zei Milo bescheiden. Toen zag hij dat Rebecca haar jas aan het aantrekken was. 'Je gaat toch nog niet weg, Rebecca?' vroeg hij. 'Eten we niet samen?'

'Sorry, maar ik heb een andere afspraak. Maar het was leuk je te zien, Milo. Doe de groeten aan Mona.'

Ze bood Milo haar wang aan voor een kus en schudde Godfrey Warburton de hand. Toen ze wegliep van het hotel drong het tot haar door dat Milo haar geen enkele vraag over haar leven had gesteld. Ooit zou ze dat erg hebben gevonden; nu amuseerde het haar. Ze wenste hem het allerbeste toe, maar ze had het gevoel dat ze ternauwernood ergens aan was ontsnapt.

De beginregels van een gedicht van William Shakespeare ontvouwden zich in haar hoofd: 'Vrees niet langer de hitte van de zon noch de razende winterstormen'… En de laatste stanza, vernietigend in haar brute oprechtheid: 'Gouden jongens en gouden meisjes moeten allemaal, als schoorsteenvegers, tot stof verworden'.

17

Freddie vond een baan en ging zes uur per week voor ene mevrouw Mayer werken. Renate – mevrouw Mayer wilde graag dat Freddie haar Renate noemde – woonde op het platteland in de buurt van Beaulieu Heath. Het was best een eind fietsen, maar dat had zo zijn voordelen. Lewis en zijn vrienden kenden mevrouw Mayer niet. Freddie zei tegen Lewis dat mevrouw Mayer een vriendin was en dat ze samen koffiedronken. Wat ook zo was. Ze vertelde Lewis echter niet dat ze tijdens haar twee ochtenden in het huis van mevrouw Mayer ook de vloeren schrobde, het toilet en de keuken schoonmaakte en haar lunch bereidde. En ze vertelde Lewis ook niet dat ze met de shillings die ze elke week verdiende zijn eten betaalde. Lewis informeerde niet hoe ze aan haar eten kwam, want Lewis wist niet hoeveel eten kostte, had nog nooit gekookt, was naadloos van het internaat overgestapt naar de universiteit, daarna naar de marine en daarna naar het huwelijk.

Renate Mayer was een weduwe van achter in de zeventig. Haar echtgenoot was hoogleraar scheikunde geweest. Ze hadden geen kinderen en zij en haar man hadden voor de oorlog en voordat Renate ziek was geworden over de hele wereld gereisd. Mevrouw Mayer woonde in een modern, licht en fris huis met enorme ramen en een balkon aan de grote slaapkamer aan de achterkant van het huis. Er hingen geen gordijnen, alleen crèmekleurige en grijze jaloezieën, en er lag geen vloerbedekking. Op de houten en betegelde vloeren lagen kleden met prachtige donkerrode, bruine en grijze patronen. Naast de open haarden en op de trap stonden grote ronde potten, steenkolengrijs met geometrische patronen, en borden in aardetinten, hun glazuur zacht iriserend. De vazen en borden waren van Bernard Leach, vertelde Renate. Freddie stofte alles twee keer per week af.

Aan de muren van het huis hingen foto's en schilderijen: een abstract olieverfschilderij in turquoise, groen en oranje; een naakt in zwart-wit, één en al rondingen en schaduwen, haar gezicht weggedraaid van de fotograaf. Freddie vertelde dat ze Max Fischer kende, waarop Renate zei dat ze die eens had ontmoet in een galerie, en dat ze zijn werk bewonderde. En toen waren ze vriendinnen.

Renate had reuma. Als Freddie om negen uur 's ochtends arriveerde, was Renate soms heel stil en kostte het haar enorm veel moeite om op te staan. Op slechte dagen kostte het haar een uur om zich aan te kleden. Ze wilde niet geholpen worden, redde het graag zelf, hoewel ze het wel prettig vond als Freddie tegen haar kletste terwijl ze moeizaam een gezwollen hand door een mouw duwde of een knoop dichtmaakte.

Die winter sloeg de regen tegen het raam in de achterpui van Renate Mayers huis. De hoge bomen in de tuin werden vaag en donker en zwiepten met hun toppen in de wind. Als Renate nu een slechte dag had, zat ze in elkaar gezakt in een stoel, haar vergroeide handen op haar schoot, en schoot haar blik nu en dan naar het raam, alsof ze het gevoel had dat er iets op haar loerde. Als ze het gevoel had dat Renate te moe was om te praten werkte Freddie in stilte, dan stofte ze de vazen af en volgde met haar doek de gladde, ronde vormen. Ze was graag in Renates huis. Het was er vredig. Het licht, de sfeer en de eenvoudige, prachtige objecten creëerden een gevoel van kalmte, heel anders dan bij haarzelf thuis, waar een sfeer van kwetsbaarheid hing, van vergankelijkheid, en waar het net leek of ze over een dun koord danste, zich er van bewust dat dat op een dag zomaar ineens zou kunnen knappen.

Lewis had niets meer van Jerry Colvin gehoord. Hij had geen

brief gekregen, was niet gebeld, en Jerry's huis was nog steeds afgesloten. Lewis zei tegen haar dat hij aan het opruimen was. Ze moesten het gewoon volhouden tot zich iets nieuws aandiende. Het verontrustte haar dat ze hem niet langer vertrouwde; het beschaamde haar dat ze geheimen voor hem had.

Het was de tweede zaterdag in het nieuwe jaar. Lewis was de hele dag aan het werk en Freddie deed de was, de boodschappen, ging naar de bibliotheek en schreef wat brieven. Lewis kwam om vier uur thuis. Ze dronken samen thee en toen streek Freddie zijn overhemd en stopte haar kousen, want ze zouden bij kennissen gaan eten. Lewis repareerde een elektrische lamp die steeds uitging. Toen hij naar buiten wilde lopen om een schroevendraaier uit de schuur te pakken, zag hij haar brieven op het haltafeltje liggen en bood aan ze even op de bus te doen. Het was al donker, wees ze hem erop, het kon wel tot morgen wachten. Geen probleem, zei hij, het was een mooie avond en hij had behoefte aan wat frisse lucht.

Ze dineerden die avond bij het echtpaar Renwick. Tim Renwick was advocaat en zijn vrouw, Diane, deed vrijwilligerswerk. Ze woonden in een groot achttiende-eeuws pand in het centrum van Lymington. Er waren nog twee stellen voor het eten uitgenodigd, vrienden van Tim van de universiteit; de vrouw van een van die vrienden was in verwachting. Diane serveerde geroosterd varkensvlees en een van Tims vrienden vroeg haar waar ze zo'n prachtig stuk vlees vandaan had, waarop Diane lachend tegen de zijkant van haar neus tikte.

Het viel Freddie op dat Lewis meer dronk dan gebruikelijk. Of meer dan hij dronk voordat hij zoveel was gaan drinken. Hij sprak veel, zijn stem klonk hard en niet al zijn verhalen leken ergens over te gaan. Maar alle mannen zaten behoorlijk te pimpelen, en sommige van de vrouwen ook, hoewel Freddie en de zwangere vrouw niet meededen. Misschien moest ze ook een drankje nemen, dacht Freddie, dan kreeg ze vast ook wel zin om te praten en zou Lewis haar er niet van beschuldigen dat ze haar best niet deed. Ze dronk snel nog een glas wijn en voelde zich ontspannen, voelde hoe haar gesprekken soepeler verliepen, dat ze zelfs een beetje flirtte met de mannen en de andere vrouwen aan het lachen maakte.

Het was na middernacht toen ze vertrokken. Toen ze naar huis liepen sloeg Lewis zijn arm om haar taille en kuste haar. 'Deed ik het goed?' vroeg ze, en hij zei: 'Je was geweldig. Heerlijk. Dank je, lieverd.'

Het was volle maan, dus ze zagen toen ze de hoek omkwamen de auto die voor hun huis stond geparkeerd. Het duurde even tot het tot hen doordrong dat het een politieauto was.

'Jezus, wat gaan we nou krijgen?' mompelde Lewis. Hij versnelde zijn pas en begon toen te rennen.

Freddie hield hem niet bij op haar pumps. Toen ze hun huis naderden, zag ze dat de chauffeur uit de auto was gestapt en met Lewis stond te praten. Haar verbeeldingskracht sloeg op hol: misschien was het lichaam van Jerry Colvin in een van de honderden rietveldjes langs de kust aangetroffen...

Toen ze bijna bij hem was, draaide Lewis zich met een verwilderde blik in zijn ogen naar haar om.

'De werf,' zei hij. 'Er is brand geweest. Alles is tot op de grond afgebrand.'

Er was niets van over. Het was twee weken droog geweest en de houten schuren waren in luttele uren volledig in de as gelegd. Als ze bij het echtpaar Renwick uit het raam hadden gekeken, zouden ze misschien de oranje gloed boven de riviermond hebben gezien.

Lewis en Freddie liepen de volgende ochtend naar de werf. Lewis staarde met een wit gezicht naar de onherkenbare objecten die uit de berg as en verkoold hout staken. De lucht rook scherp en als je door het puin liep, stegen er stoffige wolken op. Het deed Freddie aan de Blitzkrieg denken. Zwart geblakerde stukjes papier dreven in het bruine water van de riviermond. Een handjevol jongetjes had zich op de werf verzameld en stond stenen naar hen te gooien.

De politie en brandweer verhoorden Lewis. Er werd gebeld, er werden brieven aan de verzekering geschreven en er werden formulieren ingevuld. De schade-expert, een kleine magere man die meneer Simpson heette, kwam naar hun huis. Lewis en hij zaten de hele ochtend in de zitkamer opgesloten. Toen ze in de keuken de lunch stond klaar te maken, betrapte Freddie zichzelf erop dat ze zich inspande te horen wat ze zeiden. Toen de zitkamerdeur openging, schrok ze.

Lewis zei dat meneer Simpson haar ook wilde spreken, vond ze dat goed?

Natuurlijk, zei ze, hoewel haar hart om de een of andere reden oversloeg. Meneer Simpson schraapte zijn keel en keek in zijn aantekeningen. Meneer Coryton had hem verteld dat hij zaterdagmiddag om vier uur thuis was gekomen. De intonatie in de stem van meneer Simpson maakte een vraag van de mededeling.

Ja, zei ze.

Misschien wilde mevrouw Coryton hem vertellen hoe de rest van de dag was verlopen.

Freddie somde alle huishoudelijke details op: de kop thee, het strijkgoed, de lamp die Lewis had gerepareerd. En om tien over halfacht waren ze naar het huis van het echtpaar Renwick gelopen, zei ze.

Meneer Simpson schraapte nogmaals zijn keel. 'En was uw echtgenoot al die tijd bij u, mevrouw Coryton?'

'Hoe lang gaat u hier nog mee door?' onderbrak Lewis kwaad. 'Ziet u niet dat mijn vrouw van streek is?'

'Het gaat wel,' zei Freddie snel. 'Lewis is naar de schuur gelopen om een schroevendraaier te pakken om die lamp te repareren, maar verder zijn we de hele tijd samen geweest.'

Meneer Simpson bedankte haar. Lewis liet hem uit. Freddie

liep naar de keuken, waar ze aardappels schilde en in een pan deed, en toen herinnerde ze het zich weer.

Lewis kwam de keuken in lopen. 'Die brieven,' vroeg ze terwijl ze zich omdraaide om hem aan te kijken. 'Heb jij hem over die brieven verteld?'

'Brieven? Welke brieven?' Hij tilde een deksel op en tuurde in de pan.

'Mijn brieven. Die heb je naar de brievenbus gebracht, weet je nog?'

'O, ja hoor, ik heb dat akelige mannetje alles verteld.' Hij greep haar om haar taille en kuste haar in haar hals. 'Ik heb alles opgebiecht, baas.'

'En heb je hem ook verteld...' Haar stem ebde weg.

'Wat, Freddie?'

'Nou, dat de werf financiële problemen heeft?'

'Natuurlijk niet.' Zijn starende blik werd kil en hij liet haar los. 'Dan zou ik hem alleen maar op ideeën hebben gebracht. En alle boeken zijn ook in vlammen opgegaan. Ik zag er het nut niet van in het ingewikkelder te maken.'

'Maar als ze erachter komen... Ziet het er misschien verdacht uit.'

'Laten we dan maar hopen dat ze er niet achter komen, hè?' Hij pakte een glas uit de kast. 'Weet je wat, schat? Als we nou eens een weekendje weggaan om de zinnen te verzetten? We zijn maanden geleden voor het laatst in Londen geweest.'

Ze keek toe hoe hij de whiskyfles van onder de gootsteen vandaan pakte en de dop losdraaide. Toen zei ze: 'Ik vind dat je het moet zeggen.'

Hij draaide zich om. Zijn blik was razend. 'Hou je mond, Freddie. Je hebt geen idee waarover je het hebt.'

Ze deed een stap achteruit, alsof zijn woorden haar fysiek raakten. Voelde hij ook nog maar iets van liefde voor haar als hij zo tegen haar kon uitvallen?

Er viel een stilte; Lewis leek zijn best te doen tot bedaren te komen. 'Het komt allemaal goed, begrepen?' Hij schonk twee vingers whisky in. 'Het komt allemaal goed.'

Toen begon hij te lachen. 'Die vent heeft een heleboel vragen over Jerry gesteld. Ik moest vertellen dat hij hem is gesmeerd. Volgens mij denkt hij dat Jerry brand heeft gesticht. Belachelijk natuurlijk... Ik bedoel, kun jij je voorstellen dat Jerry zoiets zou doen? Het moet een ongeluk zijn geweest, iemand die achteloos een peuk heeft weggegooid of zo. Die houten panden branden als aanmaakhout.'

De volgende dag namen ze de trein naar Londen. Ze logeerden in een hotel op West End, want Lewis zei dat de verzekering zou gaan betalen. Toen ze naar hun kamer werden gebracht gaf Lewis de kruier een fooi en toen ze alleen waren trok hij zijn stropdas los en maakte het bovenste knoopje van zijn overhemd open. Toen slaakte hij een diepe zucht, wierp zich op het bed en viel in slaap.

Freddie waste haar handen en gezicht en deed nieuwe lippenstift op. Ze glipte de kamer uit en sloot de deur zachtjes achter zich.

Ze liep naar Green Park. Het was niet echt mooi weer, koud en klam, maar dat viel haar nauwelijks op. Ze moest nadenken. Ze kon niet meer nadenken als Lewis in de buurt was. Ze moest zichzelf geruststellen en niet meer bang zijn. Ze liep een stuk en ging toen op een bankje zitten. Lewis had de waarheid gesproken, zei ze tegen zichzelf. Hij had die schade-expert verteld dat hij die brieven was gaan posten, dat had hij gezegd. En het was verstandig geweest dat hij de financiële problemen op de werf niet had genoemd. Zoals hij al zei: waarom zou hij het onnodig ingewikkeld maken?

Maar het lukte niet, ze kon het ongemakkelijke gevoel niet weg redeneren. En het was niet alleen de brand op de werf of zelfs de toon waarop hij tegen haar had gesproken – *hou je mond, Freddie, je hebt geen idee waarover je het hebt* – waarover ze zich bezorgd maakte. Ze zag geen toekomst meer voor zichzelf. Lewis en zij waren zo vaak opnieuw begonnen, en de goede hoop van al die keren dat ze opnieuw waren gestart was verzuurd, en had haar huwelijk een bittere bijsmaak gegeven. Lewis deelde zijn problemen niet met haar en zij vertrouwde hem op haar beurt ook niets meer toe. Ze leefden aparte levens in hetzelfde huis. Hun ambities waren niet dezelfde en ze begon te vrezen dat hun gevoel van goed en fout ook niet hetzelfde was. Het voelde alsof er een knoop in haar maag zat. En ze was zo moe… Zo moe van het steeds maar blijven proberen er het beste van te maken, zo moe van het doen alsof er niets aan de hand was.

Ze liep terug naar het hotel. Lewis was niet in de kamer, dus liep ze naar beneden en dwaalde wat rond, op zoek naar hem. Uiteindelijk zag ze hem aan de bar zitten.

Hij stond op toen ze de ruimte binnenkwam. Hij zag er geïrriteerd uit. 'Waar was je?' vroeg hij.

'Wandelen.'

'Dat was een flinke wandeling, dan. Je had het wel even kunnen zeggen, Freddie.'

'Je lag te slapen.'

'Had dan een briefje neergelegd.'

'Dat leek me niet nodig. Ik had gewoon wat tijd voor mezelf nodig, verder niets.'

Hij vroeg op kille toon: 'Drankje?'

'Nee dank je. Ik ga even in bad.'

'Ik heb Marcelle gebeld.'

Ze keek hem aan. 'O ja?'

'Ze geeft vanavond een feestje. Ze heeft ons ook uitgenodigd.'

'Ik heb geen zin.'

'Ik heb gezegd dat we komen.' Hij keek haar aan en zijn stem verhardde. 'Alleen even wat drinken. Zo moeilijk is dat toch niet?'

Het viel haar op dat de andere mensen in de ruimte naar hen

477

staarden, en toen voelde ze die vermoeidheid weer over zich heen komen, en ze zei: 'Prima, als het niet anders kan.'

Ze liet het bad in de kamer vollopen en schudde er wat badzout in. Haar vingers waren blauwig; ze had niet gemerkt hoe koud het was. Ze stapte in het water en voelde de angst opkomen, in golven door haar heen stromen. Had ze zich ooit eerder zo eenzaam gevoeld? Na het ongeluk, bedacht ze, toen Tessa zo ziek was geweest, misschien toen. Maar deze eenzaamheid was toch anders: ondanks al haar afwezigheid en alle keren dat ze afscheid hadden genomen, ondanks alle geheimen die Tessa voor haar had gehad, ze hadden nooit langs elkaar heen geleefd. Zij en Lewis leefden nu langs elkaar heen; ze wist niet meer wat hij voor haar voelde. En hield zij nog van hem? Waarschijnlijk wel, anders had hij haar nooit zo kunnen kwetsen. Ze ging achterover liggen in het warme, geurende water, sloot haar ogen en probeerde te slapen, al haar zorgen te vergeten, nergens meer aan te denken. Maar het water koelde af en uiteindelijk stond ze op, stapte druipend op de badmat, wikkelde een handdoek om zich heen en liep de slaapkamer in.

Er kwam een gevoel van opstandigheid over haar toen ze de garderobekast opende en haar blik over de kleding aan het rekje liet gaan. Ze had haar lievelingsjurk mee naar Londen genomen, van zwart-wit gestreepte zijde, getailleerd en met een rok tot halverwege haar kuiten. Ze had hem in het voorjaar gekocht, toen ze geld hadden, of geld leken te hebben – misschien was dat ook een illusie geweest. Ze hield de Wakeham-granaten voor de jurk en genoot van hun donkerrode glans.

Ze zat zich aan de kaptafel op te maken toen Lewis de kamer binnenkwam. Hij pakte een schoon overhemd en manchetknopen. Hij keek haar van opzij aan.

'Is dat niet een beetje overdreven voor een cocktailfeestje?'

'Wat?'

'Dat collier.'

Waarschijnlijk wel. Freddie bestudeerde haar spiegelbeeld.

De juwelen waren te groot, donker en sensueel, bijna hoerig, een huwelijk van victoriaanse protserigheid en zwaarmoedigheid. Marcelle zou natuurlijk een keurig parelcollier dragen.

'Nee,' zei ze onderkoeld. 'Dat vind ik niet.'

Ze zeiden weinig in de taxi op weg naar Marcelles huis. Het was veranderd sinds de laatste keer dat Freddie er was geweest, de schade van de oorlog was weg gestuukt en opgeruimd. Marcelle droeg een lichtgroene jurk met een parelcollier en parelstekers in haar oren. Ze werden begroet met uitroepen en kussen. Toen bood een serveerster in het zwart hun iets te drinken aan. Freddie zei: 'Kijk Lewis, daar heb je Betty Douglas,' maar toen ze opzij keek, was hij van haar weggelopen. Ze keek toe hoe hij van het ene groepje gasten naar het volgende liep, de hele kamer door, met een brede glimlach op zijn gezicht, zijn slechte humeur vergeten; pratend, lachend, charmant.

Het geluid van de kletsende en lachende stemmen ketste tegen het hoge plafond. Ze was hier al vaker op feesten geweest, in de tijd dat Marcelle en zij vriendinnen waren. Ze voelde hoe ze werd opgenomen in een groepje gasten. Er was een man die Alan Lockyear heette, een boerderij had in het noorden van Engeland, en een vrouw, Pamela, die een kledingzaak had, en Pamela's verloofde, Gus Morris. En George en Alexandra – Freddie verstond hun achternaam niet in het tumult – hij lang, kalend en met een rood gezicht, met de neiging oneindig lang door te praten als niemand hem dat belette, en zij slank en mooi, haar bleke huid vol sproeten en haar kastanjebruine haar in een Franse vlecht, haar ogen verveeld, mokkend, de ruimte afzoekend.

Alan, Pamela en Gus versmolten in de menigte, maar George was nog niet klaar met zijn monoloog over wat hij allemaal van plan was met zijn woning in Norfolk. Zo te horen was het een groot huis, George noemde de balzaal en de stallen. Zijn toon was monotoon en hypnotiserend, en Freddies gedachten dwaalden af.

'Het probleem zit hem in de kroonlijsten en profielen,' zei

George. 'Het is tegenwoordig onmogelijk om nog ergens een vakman te vinden. Het punt is, moeten we er direct aan beginnen, of kunnen we beter wachten tot na de verjaardag van Rose? Want Marcia zegt dat we de balzaal nodig hebben voor haar eenentwintigste, begrijp je?'

'Georgie,' zei Alexandra geïrriteerd. 'Rose wil geen verjaardagsfeest. Dat heeft ze me verteld.'

'Dat geloof ik direct, lieverd. Hoe dan ook, daar gaat het niet om.'

Rose, dacht Freddie, en ze had haar aandacht er ineens weer bij. Rose, Marcia, George en Alexandra. En een huis in Norfolk.

Ze vroeg: 'Heb je een broer die Jack heet?'

George duwde zijn kin naar beneden en trok zijn wenkbrauwen op. 'Ja, toevallig wel. Hij is hier ook ergens. Ken je hem?'

Jack was er ook. Ja, die kende ze wel, zei Freddie. Ze wilde hem ineens vreselijk graag zien. Ze zag dat Lewis met Denzil Beckford stond te praten. Haar starende blik zocht verder en ze ving een glimp blond haar op.

Ze mompelde een excuus tegen George en Alexandra en wurmde zich door de menigte. 'Jack,' zei ze.

Hij draaide zich om. 'Freddie!' Er kwam een glimlach op zijn gezicht. Ze herinnerde zich die glimlach nog, geamuseerd en een beetje brutaal. En zijn blauwe ogen, en dat beetje ijdelheid dat subtiel duidelijk werd gemaakt met zijn mooi gesneden pak en stropdas van Italiaanse zijde. Ze keek hem aan, nam hem in zich op, merkte op dat hij vreselijk was veranderd en tegelijk nog precies hetzelfde was.

'Wat geweldig je te zien,' zei hij. 'Hoe is het, Freddie? Je ziet er fantastisch uit. Weet je zeker dat ik je ook nu niet kan overhalen er met me vandoor te gaan?'

Zonder enige waarschuwing en tot haar diepe, diepe ontzetting prikten er tranen in haar ogen. Ze stond als aan de grond genageld, met charmant knipperende ogen, sprakeloos.

'O god,' zei Jack. Hij haalde een hand door zijn haar en staarde haar aan. 'Het spijt me verschrikkelijk, Freddie. Wacht, dan haal ik even een borrel voor je.'

Tegen de tijd dat hij terugkwam met de drankjes, had zij zich weer vermand. Hij zei: 'Ik ben een tactloze idioot. Ik begin natuurlijk meteen weer over Italië met mijn grote bek. Daardoor moest je aan je zus denken, hè? Hier, neem een slok.'

Ze dronk een grote slok gin en liet hem denken dat ze huilde om Tessa, hoewel dat niet zo was. Ze moest huilen, dacht ze, omdat het tot haar door was gedrongen dat het verleden, en die uitzonderlijke reis die ze met Jack Ransome in Italië had ondernomen, nu zo veilig leken, zo overzichtelijk vergeleken bij het gecompliceerde doolhof dat haar huwelijk was.

'Ik hoorde het van Marcelle, over Tessa,' zei hij. 'Ik vind het zo naar voor je, Freddie.'

Marcelle Scott, dacht ze, het epicentrum van alle roddels. Maar ze was geroerd dat Jack Tessa's naam nog wist. 'Dank je, Jack.' Ze begon snel over iets anders. 'Ik sprak je broer George net. Ik weet alles over zijn lijstwerken.'

Jack schoot in de lach. 'Dat is genoeg om iedereen aan het huilen te krijgen van verveling.' Hij keek haar geconcentreerd aan. 'Gaat het weer een beetje?'

'Ja hoor. Ik ben gewoon moe.'

'Zullen we een rustiger plekje zoeken?'

Jack leidde haar naar een zitkamertje achter in het huis. Een dikke man met een paarse neus lag in een stoel te slapen. Hij had zijn vestje losgeknoopt. Een meisje van een jaar of twaalf lag op een kleed een boek te lezen.

'Hoi Peggy,' zei Jack. Het meisje glimlachte naar hem en richtte zich weer tot haar boek.

Ze gingen bij het raam zitten. Jack vroeg: 'Is Lewis er ook?'

'Ja, ergens. Hij stond net met Denny te kletsen.'

'Waar wonen jullie?'

'Aan de zuidkust, in Lymington.'

'Vind je het leuk daar?'

Nog een ontdekking: dat ze niet terug wilde naar Lymington. Dat ze bang was om terug te gaan.

'Ontzettend,' zei ze. 'Het is zo fijn om eindelijk een eigen huis te hebben. En heerlijk, zo vlak bij de zee.'

'Wat doet Lewis tegenwoordig?'

'Hij had een scheepswerf.'

Jack fronste zijn wenkbrauwen. 'En nu niet meer?'

'Er is tien dagen geleden brand uitgebroken.'

'Is er veel schade?'

'Alles is weg. Het kantoor, de werf. Alles.'

'Mijn god. Wat vreselijk. Arme Lewis, wat een klap.'

'Nou.'

'Ik neem aan dat jullie verzekerd zijn?'

'Ja, gelukkig wel.' Haar gedachten gingen terug naar het bezoekje van meneer Simpson, en Lewis die haar vertelde dat de schade-expert Jerry Colvin verdacht. Was dat een mogelijkheid? Kon Jerry de scheepswerf in brand hebben gestoken?

Ze glimlachte naar hem. 'En jij, Jack? Wat doe jij? Er zal wel niet veel vraag naar je specifieke talent meer zijn tegenwoordig.'

'O, dat zal je nog verbazen. Regeringen willen altijd weten wat andere regeringen doen, zelfs de regeringen die onze vrienden zouden zijn. Ik heb na de oorlog een paar jaar als diplomaat gewerkt. Maar ik had er ineens genoeg van. Het werd allemaal een beetje… smakeloos. Al dat bedrog. In de oorlog kan het niet anders, maar nu voelt het niet goed. Het maakt dat je anders gaat denken over de dingen. Dan kijk je naar mensen en vraag je je af wie ze echt zijn, wat zich onder de oppervlakte afspeelt. Dus heb ik ontslag genomen en ben teruggegaan naar Italië.'

'Naar Rome?'

'Ja. Daar was ik tijdens de oorlog ook, en ik wilde weten of het goed ging met de mensen die me toen hadden geholpen. O, en ik heb twee boeken geschreven.'

'Twee boeken?'

'Je hoeft niet zo verrast te klinken, hoor, ik ken mijn taal. Het zijn een soort reismemoires, hoewel dat afgrijselijk pompeus klinkt.'

'Hemel, Jack. Wat indrukwekkend. En... Getrouwd? Kinderen?'

'Helaas niet.'

'Dus Gabriella wilde niet met je in het huwelijksbootje stappen?'

'Daar is Gaby te verstandig voor. Bovendien wachtte ik op jou, Freddie. Toen ik hoorde dat je met Lewis Coryton was getrouwd, was ik er kapot van.'

Ze hadden het over Jacks familie, over zijn huis in Rome en over hun gemeenschappelijke vrienden. Toen klonk er uit de man in het opengeknoopte vestje ineens een harde snurk, waarna hij overeind schrok en vroeg: 'Hoe laat is het? Ik moet naar mijn schoonfamilie,' en hij de kamer verliet.

Freddie keek op de klok. Het was halfnegen. 'Laat ik Lewis maar eens gaan zoeken,' zei ze. 'Leuk je gesproken te hebben, Jack. En fijn je weer eens te zien.'

Ze kuste hem op zijn wang en liep terug naar de ontvangkamer. Het was minder druk geworden; er waren nog maar een stuk of twintig mensen en ze had al snel gezien dat Lewis er niet bij was. Ze liep alle kamers op de benedenverdieping in om hem te zoeken. Toen ging ze naar de kelder, waar een oudere vrouw met opgerolde mouwen in de keuken glazen stond af te wassen. Ze bedacht dat ze nog niet in de badkamer had gekeken. Ze liep naar boven, maar hij was ook niet in de badkamer.

Ze kreeg een onaangenaam gevoel in haar maag toen de waarheid tot haar doordrong: hij was zonder haar vertrokken. Ze bleef denken dat ze zich moest vergissen, dat hij dat nooit zou doen, dat ze zo direct zou opkijken en dat hij in de kamer zou staan, op zijn horloge zou kijken en snel naar het volgende feest zou willen. Maar hij verscheen niet, en ze stond besluiteloos in de kamer, haar vingers om de granaten om haar hals.

'Freddie?'

Ze keek op. Jack stond naast haar. 'Waar is Lewis?'

'Geen idee.' Ze lachte kort. Was Lewis kwaad op haar omdat ze zo lang met Jack had gepraat? 'Volgens mij is hij vertrokken.'

'Vertrokken?'

'Ja.' Ze kon niet bedenken wat ze verder nog kon zeggen. Ze had er de energie niet meer voor om iets te veinzen.

'Waar logeren jullie?'

Ze zei de naam van het hotel.

'Is hij daar misschien naartoe?'

'Dat denk ik niet. Je kent Lewis, die haalt graag het meeste uit een avondje stappen.' Hoewel ze de laatste tijd begon te denken dat ze Lewis helemaal niet kende.

Ze zei: 'Hij stond met Denny te praten. Misschien zijn ze samen ergens naartoe.'

'Denny ging met wat mensen naar het Criterion. Zullen we daar eerst even kijken?'

'Je hoeft niet met me mee te komen, Jack. Ik neem wel een taxi naar het hotel.'

De manier waarop hij haar aankeek verontrustte haar. Alsof hij recht in haar ziel keek en zag dat ze haar leven niet meer onder controle had.

'Ik heb wel zin om Lewis te zien,' zei hij achteloos. 'Ik heb hem jaren geleden voor het laatst gesproken.'

Op straat hield hij een taxi aan. Tijdens de rit naar Piccadilly probeerde Freddie te verwerken hoe geschokt en gekwetst ze was. Jack kletste over ditjes en datjes, waarop ze af en toe reageerde met een verbaasde uitroep, maar ze kon alleen maar aan Lewis denken, die was vertrokken alsof ze totaal onbelangrijk voor hem was.

In het Criterion, dat geheel was uitgevoerd in goud, mozaïeken en gedrapeerde fluwelen gordijnen, sprak Jack de ober aan en vroeg naar de tafel van meneer Beckford. Ze werden naar het midden van de zaal geleid. En daar zat Lewis, naast Denzil Beckford. Freddie was sprakeloos, heen en weer geslingerd tussen woede, tranen en het verlangen naar hem toe te rennen en te zorgen dat het goed kwam tussen hen, hoe dan ook.

'Hallo, Freddie,' zei Lewis, alsof er niets vreemds was gebeurd, en daarna: 'Nou, kijk eens aan, Jack Ransome.'

Er werden extra stoelen aangeschoven en couverts voor hen geregeld. Freddie bestudeerde Lewis zorgvuldig. Hij glimlachte nu en dan en lachte uiteindelijk. Een deel van de spanning viel van haar af. Het drong tot haar door hoeveel van haar geluk afhankelijk was geworden van Lewis' humeur. Ze was zo gespannen geweest sinds het bezoekje van die schade-expert... of nee, al sinds daarvoor, sinds het boothuis was afgebrand, of al sinds Lewis had verteld dat de zaak failliet ging en dat Jerry spoorloos was.

Een paar drankjes, een gesprekje. Ze vrolijkte weer op en op wonderlijke wijze werd het zo'n avond waarvan je jaren later zegt: Weet je nog, toen...? Het kwam allemaal goed, zei ze tegen zichzelf. Ze moest vertrouwen hebben in Lewis en ophouden zich dingen in te beelden. Ze had niets om zich zorgen over te maken. Als de verzekering uitbetaalde, konden ze het huis in Lymington verkopen en weer in Londen gaan wonen. Lewis was altijd gelukkiger in Londen.

Hun groep was de laatste die het restaurant verliet. Het was middernacht, en toen Lewis haar in de garderobe in haar jas hielp, zei hij: 'Ik heb Jack uitgenodigd om bij ons te komen logeren. Hij zei dat hij komt. Leuk hè, Freddie?'

Ze kuste hem en zei: 'Nou schat, geweldig.'

Ze gingen terug naar Lymington. Ze zetten het huis te koop en Lewis schreef brieven aan vrienden en kennissen in Londen om te vertellen dat hij op zoek was naar een baan.

Toen ze een paar dagen thuis waren kwam Jack op bezoek. Ze wandelden met zijn drieën langs de riviermond en over Beaulieu Heath. Jack had een auto; ze reden op een dag naar Bournemouth, wandelden over de boulevard en aten een ijsje,

485

terwijl een storm zich aandiende en steenkolengrijze wolken zich aan de horizon verzamelden. Hoger in de lucht glinsterden lichtere banden grijs. De golven trokken zichzelf omhoog voor ze op het zand kletterden. Freddie kookte die avond, en na het eten kaartten ze, en toen vertrokken de twee mannen naar de pub. De sfeer in huis was opgewekter, gezelliger, nu Jack er was.

Er arriveerde een brief van de verzekering. Lewis scheurde de envelop open. 'Is het de cheque?' vroeg Freddie.

'Nee, verdomme.' Hij fronste zijn wenkbrauwen en las de brief snel door. 'Ze willen dat ik naar hun kantoor in Southampton kom.'

'Waarom, Lewis?' Haar zorgvuldig bewaakte kalmte ontglipte haar; ze werd weer bang.

'Niets belangrijks. Jezus, Freddie, kijk niet zo, je bent geen stervende zwaan. Ik zal nog wel een berg van die rottige formulieren moeten invullen.'

'Wanneer ga je, Lewis?'

Dat was de stem van Jack. Ze keek op. Jack stond in de deuropening van de keuken.

'Vandaag dan maar meteen, denk ik.' Lewis keek op zijn horloge. 'Dan is het maar achter de rug.'

'Zal ik je een lift geven naar Southampton?'

'Nee dank je, ik ga wel met de trein.' Lewis propte de brief in zijn zak. 'Blijf jij Freddie maar gezelschap houden. Ik ben over een paar uur weer terug.'

Lewis vertrok een halfuur later. Freddie ruimde de ontbijtspullen op terwijl Jack hem naar het station bracht. Ze keek hoe haar handen bewogen en het zeepwater over de borden en schaaltjes droop.

Jack kwam terug naar het huis. Hij stelde voor dat ze naar Hurst Beach zouden gaan. Hij was gek op kiezelstranden in de winter... als ze de kou niet erg vond. Freddie trok haar gevoerde jas aan en deed een sjaal om. Ze wilde naar buiten.

Ze reden naar het westen. Jack parkeerde achter het kiezel-strand. Ze besloten naar het fort te wandelen. Ze stapten stevig door en hun schoenen zonken in de kiezels. Het was een heldere ochtend – de winter had besloten een dagje vrij te nemen – en de zee was net een gerimpeld grijsgroen stuk zijde. Er liepen nauwelijks mensen op het enorme strand, alleen een man met een hond en een stel dat schelpen zocht. Ze zagen het Isle of Wight aan de andere kant van het water. Op sommige dagen, zei Freddie tegen Jack, als ze hier met Lewis was, was het eiland helemaal opgeslokt door mist.

Jack zei: 'Wat een ellende voor Lewis, met de werf.'

'Nou.'

'Hij vertelde dat jullie het huis gaan verkopen.'

'Hij wil terug naar Londen en daar iets kopen.'

'En jij Freddie? Wil jij dat ook?'

'Ik denk het.'

Ze hoorde het zoute water ruisen terwijl het zich terugtrok over de kiezels en de kleinste meevoerde in het water. Ze hoorde Jack vragen: 'Waar ben je bang voor, Freddie?'

Ze keek hem aan en begon te lachen. 'Bang? Ik ben helemaal niet bang.'

Hij haalde zijn schouders op. 'Gespannen, dan. Gaat het om geld?'

'Valt het zo op?'

'Jullie zouden niet de enigen zijn. George heeft het familie-zilver verkocht.'

'Lewis en ik hebben geen familiezilver om te verkopen. Nou ja,' – daar klonk dat gefingeerde lachje weer – 'ik heb natuurlijk mijn granaten, maar alles uit de victoriaanse tijd is nu zo impopulair dat ze wel niets meer zullen opbrengen.' Haar gedachten dreven naar Lewis bij het verzekeringskantoor. Wat stelden ze hem voor vragen? Wat had hij hun verteld?

Ze liepen verder, hun schoenen krakend over de kiezels. Het wandelen ging langzaam en was vermoeiend, en een halfuur later leek het wel of ze nog niets dichter bij het napoleontische fort aan het eind van de landtong waren gekomen. Er lag een rottende houten golfbreker. Ze gingen erop zitten.

Jack zei: 'Volgens mij heeft iedereen moeite zich na de oorlog weer in het gewone leven te voegen.'

Ze keek hem van opzij aan. 'Jij ook, Jack?'

'Je kunt het zo vertellen dat er niets aan de hand lijkt, hè? Paar jaar diplomaat geweest, wat boeken geschreven, journalistiek werk gedaan, en dan sla je alle momenten dat je wanhopig was gewoon over.'

'Ik kan me niet voorstellen dat jij ooit wanhopig bent. Je lijkt altijd overal een antwoord op te hebben.'

'Is dat zo? Wat een irritante eigenschap. Geen wonder dat ik je zo op je zenuwen werk.'

'Je werkt me niet op mijn zenuwen…'

'Je noemde me lui.' Hij zat te glimlachen. 'En toen we elkaar net kenden heb je me op mijn voet gestampt.'

Hij had haar gekust toen ze elkaar net kenden. Nu ze zo naast hem op die golfbreker zat en hun lichamen elkaar af en toe raakten leek het gevaarlijk hem daaraan te herinneren.

Hij vertelde wat over de oorlog in Italië. Hij had contact moeten onderhouden met de partizanen die zich in de bergen en bossen ophielden. Hij had kleding en spullen gebracht en had hen met wapens leren omgaan. Hij was één keer gewond geraakt, had twee keer weten te ontsnappen en was ternauwernood aan een vuurpeloton ontkomen. Hij had dingen meegemaakt die hij nooit zou vergeten – dat dorp waar alle vrouwen en kinderen dood op straat waren achtergelaten, een represaille voor het verborgen houden van partizanen – maar ook momenten die hem zijn vertrouwen in de mensheid weer hadden teruggegeven. Hij vertelde haar over de vrijgevigheid van al die Italianen die zelf nauwelijks bezittingen hadden.

Hij vroeg haar naar Tessa. Ze vertelde dat Tessa bijna de hele oorlog in de villa van de familie Zanetti in Chianti had doorgebracht. Dat Tessa op het schooltje van het landgoed eerst aan de kinderen van de bewoners had lesgegeven, en daarna aan de vluchtelingetjes. Dat ze alom werd gerespecteerd en dat iedereen van haar hield, en dat ze was gestorven toen ze een groep kinderen in veiligheid probeerde te brengen. De villa waarin Tessa had gewoond was volledig vernietigd tijdens de oorlog, maar Faustina Zanetti zelf, haar moeder en haar twee broers, Guido en Sandro, hadden overleefd. Hoewel Sandro gedurende de laatste jaren van de oorlog veel tijd in een krijgsgevangenenkamp had doorgebracht, was Guido op vrije voeten gebleven en had hij zich in de heuvels schuilgehouden tot de geallieerden Toscane hadden bereikt.

Hij vroeg: 'Ben je er al geweest?'

'In Italië? Nee.'

'Waarom niet?'

'Omdat we dat niet kunnen betalen, om maar wat te noemen.' Ze besloot hem de waarheid te vertellen. 'En omdat ik niet weet of ik dat aankan.'

'Misschien helpt het wel.' Zijn stem klonk meelevend. 'Denk er maar eens over na. Als je bedenkt dat je er toch naartoe wilt, heb ik een logeerkamer in mijn appartement in Rome.'

'Meen je dat, Jack?'

'Ook voor Lewis, natuurlijk.'

'Natuurlijk.' Ze probeerde zich voor te stellen hoe het zou zijn om met Lewis naar Rome te gaan, daar dingen te zien die voor haar eens bekend waren geweest, maar ze kon de gedachte niet vasthouden, die leek zo onwaarschijnlijk.

Toen vroeg hij: 'Wat is er aan de hand, met jou en Lewis?'

'Niets.' Ze keek uit over zee. 'Helemaal niets.'

'Freddie, ik heb jullie vanochtend horen praten. En hij heeft je zomaar achtergelaten bij Marcelle.'

Ze maakte een afwijzend handgebaar. 'Lewis is gewoon bezorgd om de werf.'

'Heeft hij reden om bezorgd te zijn?'

'Nee, helemaal niet. Maar hij haat het wachten en al die formulieren.'

'Ik ben gekomen omdat ik me zorgen om je maak. Ik wil zeker weten dat het goed met je gaat.'

Ze merkte op hoe de kleinste kiezelsteentjes glinsterden als juwelen als de golven terugtrokken. 'Zoals je ziet gaat het prima met me, Jack.'

'Nee, dat gaat het niet, Freddie. Je had iets wat ik altijd in je heb bewonderd – moed, vastberadenheid problemen aan te gaan – en dat is weg. Of je hebt het verstopt.'

Ze dwong zichzelf kalm te blijven. 'Wat een onzin. Lewis en ik komen er wel uit. En het gaat je niets aan.'

Jack stond op, pakte een handvol kiezelsteentjes en liep naar het water. Ze keek hoe het briesje aan zijn blonde haar trok en zag de vanzelfsprekende gratie in zijn bewegingen terwijl hij de steentjes over het water ketste; het voelde alsof er iets in haar verschrompelde, en toen stond ze zonder erover na te denken op en ging naast hem staan.

'Het is hier af en toe verdorie zo eenzaam!' De woorden ontsnapten uit haar mond, ze hadden zo lang opgesloten gezeten. 'Soms haat ik het hier! Iedereen zegt dat de kust zo geweldig is, en dat we zoveel geluk hebben, maar ik zie dat niet, Jack!'

Hij liet de steentjes vallen en omhelsde haar stevig. Hij streelde haar haar. Ze voelde zich eindelijk veilig in zijn stevige omarming.

'Lieve Freddie,' zei hij. Ze dacht dat ze zijn lippen op haar kruin voelde – dat kon toch niet? – en keek vragend naar hem op, en toen stonden ze ineens te kussen, hun monden zoekend en hongerig, strak tegen elkaar aan, zijn handen om haar middel, terwijl de golven achter hen heen en weer deinden.

Zij was degene die zich uit de omhelzing losmaakte. 'Jack, dit kan niet,' zei ze, en ze wendde zich af, maar hij pakte haar hand en trok haar weer tegen zich aan. En ze kusten nogmaals, deze keer teder, tot ze haar hoofd tegen zijn schouder legde en haar ogen sloot.

'Luister, Freddie,' zei hij zacht. 'Ik heb je dit eerder geprobeerd te vertellen, maar het lukte steeds niet. Dus vertel ik het je nu. Ik weet dat mijn timing vreselijk is en dat je getrouwd bent en dat ik dit helemaal niet zou moeten zeggen, maar het moet. Ik hou van je. Ik hou al van je sinds ik je voor het eerst op station Santa Maria Novella zag staan. Al die onzin dat ik je had gekozen omdat je Engels was en er verstandig uitzag, sloeg nergens op. Het was iets anders – ik weet niet wat – genegenheid, aantrekkingskracht. Volgens mij was het liefde op het eerste gezicht.'

'Jack,' fluisterde ze. 'Alsjeblieft. Dit kan niet... Dit kan echt niet.'

Hij pakte haar bij haar bovenarmen en keek haar aan. 'Als ik had gedacht dat je gelukkig was, zou ik mijn mond hebben gehouden. Maar ik heb je de afgelopen dagen gadegeslagen en je bent allesbehalve gelukkig, toch, Freddie?'

'Jack, alsjeblieft.' Ze stak haar hand op om hem tot stilte te manen, schudde haar hoofd. 'Ik wil er niet over praten. Laten we gewoon van de dag genieten.' Ze voelde zich uitgeput, alsof ze elk moment in tranen kon uitbarsten, maar tegelijkertijd was ze blijer en voelde ze zich levenslustiger dan ze zich in heel lang had gevoeld.

Ze liepen arm in arm verder naar het kasteel, stopten even omdat Freddie wat schelpen wilde oprapen, en een andere keer om hun schoenen uit te doen en er wat steentjes uit te schudden en toen – idioot natuurlijk – om naar de zee te rennen en te pootjebaden in het ijskoude water. Toen ze op de kiezels zat te kijken naar zijn gekke bui begon ze zichzelf vragen te stellen. Hij had gezegd dat hij van haar hield. Waarom verheugde dat haar zo, waarom verrukte het haar? Hield zij ook van hem? Was dat mogelijk? Ze dacht terug aan hoe aangetrokken ze zich tot hem had gevoeld tijdens die eerste kus, en ze wist nog hoe ze naast hem wakker was geworden in de auto, toen ze op reis waren, en hoe ze op dat moment naar hem had verlangd. Ze herinnerde zich hun afscheid in Frankrijk en hoe ze meer dan een jaar later met hem had gedanst in het Dorchester. Ze herinnerde zich elk woord dat ze op al hun ontmoetingen hadden gewisseld nog, en elke keer dat ze elkaar hadden aangeraakt. Het stond allemaal in haar geheugen gegrift als door een diamant in glas. *Toen ik hoorde dat je met Lewis Coryton was getrouwd, was ik er kapot van...* En in het Dorchester had zij tegen hem gezegd: *Je hebt vast geen seconde meer aan me gedacht nadat we afscheid hadden genomen in Frankrijk*, en toen had hij haar aangekeken met een ernst in zijn ogen waarvan ze was geschrokken. *Integendeel*, had hij geantwoord.

Tijdens de wandeling terug naar de auto en de rit naar Lymington zeiden ze weinig. Jack pakte een keer haar hand en kneep erin, maar ze kreeg de indruk dat hij ergens anders was met zijn gedachten.

Eenmaal bij het huis aangekomen parkeerde hij de auto. Ze zag Lewis de voordeur uit komen.

'Ik vertrek morgen,' zei Jack. 'Het zou niet goed zijn om te blijven. Ik zal je missen, Freddie.'

Lewis was goedgeluimd uit Southampton teruggekomen. De verzekeraars hadden hem gevraagd een inventaris van verloren gegane zaken te controleren en ondertekenen. Toen hadden ze nog wat vragen over Jerry gesteld. Hij verwachtte de cheque binnen een week.

Ze probeerde de dagen daarna niet aan Jack te denken. Ze schaamde zich dat ze hem had gekust. Ze was met Lewis getrouwd. Ze híéld van Lewis.

Lewis en zij hadden woordeloos een wapenstilstand gesloten. Hoog in de bleekblauwe winterlucht dreven flarden wolken en Lewis sprak over de toekomst. Er waren hier alleen slechte herinneringen voor hem. *Ik heb altijd het gevoel alsof ik ergens op wacht*, had hij tegen haar gezegd op die avond dat ze zijn huwelijksaanzoek had aangenomen. Nu wachtte hij weer. Tot de tijd voorbijging, tot het was overgewaaid.

492

Er kwam nog een brief van de verzekering. Lewis scheurde de envelop open, trok een cheque tevoorschijn en slaakte een zucht van verlichting. Een nieuw begin, zei hij. Hij zwaaide met de cheque. Dat was het... een nieuw begin.

De volgende dag stapte hij op de trein naar Londen, voor een eerste verkenning, zei hij tegen Freddie. Zij bleef in Lymington. Het was een van haar ochtenden bij Renate en in het weekend zou er een stel komen om het huis te bezichtigen, dus ze moest schoonmaken.

Ze bleef lunchen bij Renate en deed op de terugweg wat boodschappen. Tegen de tijd dat ze thuiskwam was het al donker, en het had geregend. Ze droogde haar natte haar af en kwam net de trap af uit de badkamer, toen ze hoorde dat er werd aangeklopt.

Ze deed open: er stond een man. Hij was een jaar of veertig, gedrongen, in een kakikleurige regenjas, met een slappe vilthoed op en een smal zwart snorretje. Achter hem stond langs de weg een grote zwarte auto geparkeerd.

Ze nam aan dat hij de weg wilde vragen. 'Goedenavond,' zei ze. 'Kan ik u helpen?'

'Mevrouw Coryton?'

Niet de weg, dus. 'Ja.'

'Is uw echtgenoot thuis?'

'Nee. Ik verwacht hem morgenavond weer. Kan ik iets doorgeven, meneer...?'

'Kite. Frank Kite. Mag ik misschien even binnenkomen?'

Hij had iets over zich wat ze niet prettig vond. 'Dat komt niet zo goed uit,' zei ze.

Frank Kite keek opzij de weg op. 'Ik denk niet dat u dit gesprek in de deuropening wilt voeren. Dan horen de buren het misschien.' Zijn ogen, waterig grijsbruin, rustten op haar. 'Je mannetje is een heel stout jongetje geweest, mevrouw Coryton.'

Ze liet hem binnen. Haar hart bonkte.

Meneer Kite liep de gang in, sloot de deur achter zich en veegde wat regendruppels van de glanzende stof van zijn jas. 'Hè, lekker even uit de regen,' zei hij. 'Een kop thee zou er wel in-gaan, mevrouw Coryton.'

Ze liep automatisch naar de keuken en zette water op. Toen ze de kast had opengedaan, begon haar hand te trillen, en de kop en schotel kletterden tegen elkaar. *Je mannetje is een heel stout jongetje geweest.* Ze staarde uit het raam. Ze wilde de achterdeur opendoen en blijven lopen tot ze zich weer veilig zou voelen.

Een geluid achter haar maakte dat ze zich omdraaide. Frank Kite stond in de deuropening. 'Leuk optrekje,' zei hij.

Ze zette de thee op tafel. Hij was gaan zitten en dronk twee grote slokken, schijnbaar zonder er acht op te slaan dat de thee nog gloeiend heet was.

'Staat het te koop? Ik zag het bord.'

Ze zei niets, perste haar lippen op elkaar en bekeek hem ach-terdochtig, alsof ze een wilde hond in de gaten hield.

Nog een slok thee. 'Je mag Lewis een boodschap doorgeven,' zei hij. 'Zeg maar dat hij het geld dat hij Frank schuldig is niet mag vergeten. Dat zou heel dom van hem zijn, want als hij het zou vergeten, zou ik ervoor moeten zorgen dat de verzekeraars erachter komen dat hij die brand in de werf heeft gesticht.'

Haar hart sloeg over. 'Dat is niet waar. Het was een ongeluk.'

'Doe niet zo naïef, mevrouw Coryton. Lewis zit diep in de schulden en die tent was een faillissement nabij.'

'Dat geloof ik niet.'

'Nee? Weet je dat zeker?' Hij stak een arm uit en streelde over haar wang. 'Dat zou ik dan maar snel veranderen, want het is de waarheid.'

'Jerry...' fluisterde ze.

'Die arme Jerry zit in een gekkengesticht in St. Albans. Al drie maanden. Zenuwinzinking.' Hij zette zijn kopje neer en zei: 'Ik hou wel van een vrouw die thee kan zetten.' Toen knoopte hij zijn regenjas dicht en liep het huis uit.

Freddie zat in de koude kamer voor de haard die niet aan was en dacht terug aan de avond van de brand. De kapotte lamp, de brieven. Ze waren op weg naar het huis van Tim en Diane Renwick langs twee brievenbussen gekomen, dus waarom had Lewis er een uur eerder op gestaan ze voor haar te posten? Hoe lang was hij weggeweest? Tien minuten? Vijftien? Langer? Ze wist het niet meer. Ze had in bad gezeten en haar haar gedaan. Een fitte man als Lewis kon in twintig minuten heen en weer naar de werf rennen. Of hij kon haar fiets hebben gepakt en er in vijf zijn geweest. Genoeg tijd om wat aanmaakhout aan te steken. Dat waren allemaal dingen waar ze sinds de avond van de brand niet aan probeerde te denken, maar de gedachten waren gebleven, fladderend als motten in haar achterhoofd. Ze was onrustig geworden, bezorgd, angstig. De angst was nu ineens sterker dan ooit.

Ze zocht een zaklamp, trok haar regenjas aan en liep het huis uit. Ze liep naar de riviermond, naar waar de scheepswerf had gestaan. Natte, zwart geblakerde planken lagen op de steiger en zwarte poelen maakten de vloer van wat ooit het kantoor was glad. Op dat moment drong het met een emotieloze zekerheid tot haar door dat Lewis de verzekeraars niet had verteld dat hij die avond de deur uit was geweest. Ze wist dat hij tegen haar had gelogen. Als die Frank Kite met de verzekering zou gaan praten, zoals hij had gedreigd te doen, zou zij dan in staat zijn voor Lewis te liegen?

Ze scheen de zaklamp over de riviermond in de richting van de zoutmijn. Ze voelde zich gevangen in dit landschap; het was zo veranderlijk, het was zo glad, en ze had een hekel aan de manier waarop het tij alles twee keer per dag veranderde, alles opslokte. De wind deed de veerachtige kopjes van het riet wiegen, en ze voelde een golf van angst en afkeer door zich heen gaan. Ze draaide zich om en ging op weg terug naar huis.

Om zeven uur hoorde ze Lewis' sleutel in de deur.

Hij riep haar. 'Freddie, ben je thuis? Ik ben er weer. Freddie?'

Ze liep de gang in. 'Daar ben je,' zei hij. 'Kom eens hier.' Hij kuste haar. Toen snoof hij de lucht op. 'Is dat het eten? Ik sterf van de honger.'

'Er is ene Frank Kite voor je langs geweest,' zei ze.

Ze zag het in zijn ogen, er viel een luikje dicht. Hij hing zijn jas aan een haak. 'Is die híér geweest?' vroeg hij.

'Ja.'

'Wanneer?'

'Vanmiddag.'

Hij draaide zich naar haar om en zei kwaad tegen haar: 'Die had hier helemaal niet mogen komen!'

'Hij heeft een boodschap voor je achtergelaten.'

Nu was zijn gezichtsuitdrukking behoedzaam. 'Een boodschap?'

Ze bestudeerde zijn gezicht terwijl ze zei: 'Hij zei dat je hem geld schuldig bent, Lewis. En dat jij die brand in de werf hebt gesticht.'

Hij duwde haar opzij, liep de zitkamer in en schonk een borrel voor zichzelf in. 'Hij is een oplichter, Freddie.'

'Is dat waar? Heb jij de brand gesticht?'

Hij begon te lachen. 'Natuurlijk niet.'

'Maar je bent hem wel geld schuldig.'

Ze zag dat hij over zijn lippen likte. 'Ja.'

'Hoeveel?'

Hij nam een slok whisky. 'Ongeveer vijfhonderd pond.'

'Vijfhonderd pond!' Ze liet zich op de bank zakken. Ze was misselijk. 'Je zei net dat hij een oplichter is. Waarom leen je zoveel geld van een oplichter?'

'Waarom denk je?' Hij ging naast haar zitten. 'Omdat de bank weigerde me te helpen. Als ik geen geld had geregeld, zouden we een halfjaar geleden al failliet zijn gegaan. Wat moest ik anders? Denk je dat ik geld van een man als Frank Kite zou hebben geleend als het anders had gekund?'

'Je had het me kunnen vertellen…'

'En dan? Zodat je zou hebben geweten dat alles misging? En

dan die o-zo-geduldige-blik in je ogen te moeten zien? Die arme Lewis... hij heeft er weer een potje van gemaakt?'

Ze vroeg kwaad: 'Heb jij die brand gesticht, Lewis?'

'Hou op, Freddie. Laat me met rust.' Hij viste een pakje Senior Service uit zijn borstzak en stak een sigaret tussen zijn lippen.

'Ik wil dat je de waarheid vertelt.' Ze had haar vuisten gebald. 'Je moet het me vertellen. We moeten elkaar kunnen vertrouwen.'

'Vertrouwen?' Hij draaide zich naar haar om en keek haar aan. 'Vertrouw je me, Freddie? Zeg eens eerlijk?'

Ze kon geen antwoord geven.

'Dat dacht ik al,' zei hij verbitterd.

'Heb je de verzekering verteld dat je die avond weg bent geweest? Nou, Lewis?'

Hij klikte zijn aansteker aan. Toen fronste hij zijn voorhoofd en schudde zijn hoofd.

'O god.' Ze sloeg haar hand voor haar mond.

'Als ik dat had gedaan, zouden ze niet hebben betaald.' Zijn woede was ineens weg, en nu klonk hij moe. 'Ze waren aan het rondneuzen. De bank had verteld dat ik een schuld van vijftig pond had, en ik kon geen fictieve boten bedenken die we aan het bouwen waren, daar zouden ze veel te gemakkelijk achter zijn gekomen.'

Ze fluisterde: 'Je hebt tegen me gelogen.'

'Ja. En dat spijt me. Dat had ik niet moeten doen. Maar ik wist niet wat ik anders moest. Ik was bang dat we alles kwijt zouden raken.' Hij nam een trekje van zijn sigaret. 'De zaak... het huis... als ik die zou verliezen zou ik het wel overleven, Freddie, maar ik kon de gedachte dat ik jou ook nog kwijt zou raken niet verdragen.'

Ze dacht aan Jack Ransome en voelde een siddering van angst door zich heen gaan. 'Lewis...'

'O, ik weet ondertussen al een tijdje dat ik jou ook kwijtraak.' Hij glimlachte berustend.

'Nee, Lewis.'

'Je weet dat ik gelijk heb,' zei hij zacht. 'Ik zie het in je ogen, Freddie. Was het maar anders geweest. Wat een strijd om maar te blijven proberen door te gaan, altijd een show op te moeten voeren.'

'Je hebt voor mij nooit een show hoeven opvoeren.'

'O nee? Ik was het zat dat je altijd maar teleurgesteld in me was, ik was het zat het steeds maar te proberen en steeds maar te mislukken. Ik was bang dat je zou weggaan als je zou weten waar ik mee bezig was. Daar ben ik eerlijk gezegd nog steeds bang voor, Freddie. Ik ben bang dat je opstapt zodra dit gesprek klaar is.'

'Nee.' Ze perste de woorden uit haar mond: 'Nee, Lewis, dat doe ik niet. Dat beloof ik.'

'We raken het huis kwijt, Freddie.'

'Het huis?'

'Kite vraagt een exorbitant hoge rente. De schuld is al verdubbeld sinds ik hem heb. Hij gaat ons al het verzekeringsgeld en de winst op het huis kosten.' Zijn gezicht was asgrauw en hij zag er uitgeput uit.

Ze zei: 'Ik wil dat je me de waarheid vertelt, Lewis. Ik moet weten wat er op de werf is gebeurd.'

'Dat kan ik niet, Freddie.' Hij wreef met een hand over zijn gezicht.

'Luister naar me.' Ze pakte zijn handen en kneep er hard in. 'We beginnen opnieuw. Deze keer gaat het echt lukken, dat weet ik zeker. Maar dan moet je me wel vertellen hoe het zit.'

Na een korte stilte zei hij: 'Ik wist niet hoe erg het was tot ik de boeken bij Jerry heb gehaald. Ik wist dat we het huis zouden kwijtraken als ik niet snel aan geld zou komen. De eerste keer dat ik overwoog de boel in brand te steken dacht ik wat jij nu ook denkt. Dat het niet kon, dat het een misdaad was. Maar na een tijdje begon ik te denken: waarom ook niet? Er zouden geen gewonden vallen, ik had alleen die verzekeraars ermee en dat is toch een stelletje klootzakken. Die vent die hier is geweest, die Simpkins? Die heb ik gevraagd wat hij in de oorlog had gedaan.

Thuis zitten en formulieren invullen, dat heeft hij gedaan. Waarom zouden zulke mannen floreren, terwijl mannen als ik keer op keer over de kop gaan? Ik heb zo hard mijn best gedaan, Freddie. Ik heb me aan de regels gehouden, het spel gespeeld, en ik ben er niets mee opgeschoten. Dus heb ik het gedaan. Ik heb het overdag allemaal klaargezet, zodat ik voordat we naar het echtpaar Renwick gingen alleen maar een brandende lucifer naar binnen hoefde te gooien. Want ik had natuurlijk een alibi nodig. Ik moest een flink eind uit de buurt zijn als het in vlammen opging.' Lewis glimlachte. 'Ik wist niet dat ik in staat was om zoiets te doen. Maar eerlijk gezegd was het veel minder moeilijk dan heel veel dingen die ik in het verleden heb moeten doen. Mijn maten uit de zee vissen terwijl ze met olie waren besmeurd en levend verbrandden... dat was moeilijk.'

Ze lag die nacht wakker en dacht na. Ze was niet zoals Tessa, dat had ze geweten toen ze Jack Ransome op dat strand had gekust en ze wist het nu. Ze had al heel lang geleden geconcludeerd dat de minnaar van Tessa, Angelo's vader, een getrouwde man moest zijn geweest. Soms overkomt de liefde je gewoon, had Tessa gezegd, die keer dat ze hadden gepraat, in de tuin van villa Millefiore. En ze was erachter gekomen dat dat zo was. De liefde was haar overkomen, een week geleden op Hurst Beach, verpletterend, vreugdevol, en ze begreep nu eindelijk wat Tessa had bedoeld. Maar dat was het verschil. Tessa had haar liefde gevolgd en had zich er met hart en ziel aan overgegeven. En haar affaire had niets dan vernietiging gezaaid. Freddie kon dat niet. Ze wist niet meer wat beter of erger was: Tessa's geloof in het soevereine belang van de liefde, of haar eigen overtuiging dat ze trouw moest blijven aan een huwelijk waarin ze was gekwetst en bedrogen. Maar ze had geen keuze. Geheime afspraakjes in hotelkamers, die waren niets voor haar. Ze kende zichzelf te goed, wist wie ze was, en daarom zou ze hetgeen waarnaar ze het meest verlangde de rug toekeren.

De telefooncel stond aan het einde van de straat. Ze vroeg de telefoniste haar door te verbinden met het nummer van Jack Ransome in Londen. Terwijl ze wachtte wenste een deel van haar dat hij er niet zou zijn, wilde ze het moment zo lang mogelijk uitstellen.

De telefoniste zei: 'Ik verbind u door,' en toen hoorde ze zijn stem.

'Hallo?'

'Dag Jack.'

'Freddie. Wat fijn om je stem te horen. Hoe is het?'

'Prima. En met jou?'

'Uitstekend.'

Maar zijn toon was vragend, en ze zette zich schrap en zei: 'Ik wil niet dat je hier nog komt, Jack. Ik wil dat je niet meer bij ons op bezoek komt.'

Een korte stilte, en toen: 'Als je boos bent over wat er is gebeurd...'

'Ik ben niet boos. Maar het moet gewoon niet nog eens gebeuren. Ik heb het moeilijk gehad en ik was eenzaam. En meer is er niet gebeurd. Meer stelde het niet voor.'

'Voor mij wel.'

Ze zag hem voor zich, aan de andere kant van de lijn, verward, terwijl de pijn tot hem door begon te dringen, en ze verhardde haar stem. 'Het spijt me als ik de verkeerde indruk heb gewekt. Het was een vergissing, verder niets.'

'Een vergissing?'

'Ja.'

'Weet je...' ze hoorde zijn fronsende blik bijna, 'ik heb er veel aan teruggedacht de afgelopen dagen. Soms vind ik mezelf een enorme ellendeling dat ik de vrouw van een vriend heb gekust, maar op andere momenten denk ik dat je beter verdient dan een huwelijk dat niet werkt.'

'Het gaat prima met Lewis en mij.'

'Dat geloof ik niet.'

'Je zult wel moeten.' Ze werd ineens kwaad. 'Wat weet jij nou over ons? Wat weet jij nou over mij? Je loopt af en toe als het je zo uitkomt mijn leven binnen, maakt overal een chaos van en dan loop je weer weg. Ik weet niets over jou, Jack. Ik heb je huis nog nooit gezien – als je een huis hebt – en ik ken je vrienden niet. Ik heb geprobeerd te berekenen hoeveel tijd we samen hebben doorgebracht en ik kwam uit op ongeveer een week. Denk je nou echt dat ik Lewis zou verraden voor iemand die ik net een week ken?'

'Ik zal je zeggen wat ik denk, Freddie.' Zijn stem klonk laag en vlak. 'Ik denk dat het zo niet werkt. Ik denk niet dat je met een of andere wiskundige vergelijking kunt berekenen of je van iemand houdt. Je kunt na een uur al weten dat je iemand wilt. En je kunt iemand tien jaar kennen en op een dag ontdekken dat het voorbij is, dat er niets meer is, dat het op is.'

'Dat is romantische onzin en dat weet jij ook,' zei ze fel. 'Denk maar niet dat je zomaar ons leven binnen kunt walsen en dan kunt ruïneren wat Lewis en ik hebben, Jack.'

Ze hoorde hem inademen aan de andere kant van de lijn. Hij zei onderkoeld: 'Dat was ik ook helemaal niet van plan. Sorry als het zo op je overkomt.'

'Zo komt het inderdaad over, ja.'

'Laat me je één ding vragen, Freddie: hou je van Lewis?'

Ze keek de telefooncel uit, over de zoutgroeves en wadden. Toen fluisterde ze: 'Ja.' En toen, fermer: 'Ja, ik hou van hem. Heel veel.'

'Als hij echt is wie je wilt, zal ik je verder niet lastigvallen. Dag, Freddie.' Hij legde de telefoon neer.

18

Er brandde licht in de galerie in Pimlico. Rebecca bleef even staan en haalde diep adem voor ze naar binnen liep. Het was er erg druk en ze zag Connor Byrne nergens. Haar maag kneep angstig samen. Misschien zou ze hem wel niet herkennen; ze hadden elkaar zo lang niet gezien. Misschien zou hij haar niet herkennen – tenslotte was ze de afgelopen negen jaar veranderd. Ze besefte dat ze ouder was geworden.

Rebecca liep tussen de mensen door, haar blik getrokken door een standbeeld van iets wat krulde als een slang of zeeslang, met daarachter een hoge, zwarte steen met een gat in de vorm van een ei erin.

Midden in de ruimte stond streng en monumentaal een enorme grijze granieten vorm, die ze vaag herkende.

Een stem bij haar schouder zei: 'Manannán mac Lir, de zeegod van de Manx. Misschien ken je hem nog, Rebecca?'

Ze draaide zich om. Connor had een donker pak met een overhemd en stropdas aan. Zijn krullende haar, dat zilvergrijs begon te worden, was getemd in een zijscheiding.

'O, Connor,' zei ze, en al haar zenuwen waren verdwenen. 'Wat heerlijk om je te zien. En wat zie je er mooi uit.'

Zijn ogen glinsterden. 'Ik ben ingepakt als een kalkoen, ik kan nauwelijks ademen.'

'Je ziet er heel knap uit.'

'Je bent altijd zo vriendelijk, Rebecca.' Hij pakte haar handen en kneep erin. 'Ik ben zo blij dat je er bent.'

'Ik had het voor geen goud willen missen.'

Een lange man met blond haar kwam bij hen staan. Connor stelde hem voor als zijn agent, Adrian Calder. Het drietal praatte even en toen nam Adrian Connor mee om wat andere gasten te begroeten.

Rebecca vond een rustig plekje bij een muur. Ze keek toe hoe Connor mensen de hand schudde en met hen sprak. Ze herinnerde zich dat hij altijd iets had gehad wat haar aansprak. Connor was de enige die ze over haar engel had verteld. Ze dacht terug aan haar toevallige ontmoeting met Milo en hoe ze de drang had gevoeld hem over haar telefoontje aan Tessa Nicolson te vertellen, dat als een barst in een stuk glas de richting van hun leven zo radicaal had gewijzigd. Achteraf was ze dankbaar geweest dat Godfrey Warburton, lomperik als hij was, haar daarvan had weerhouden. Haar biecht zou van Milo zijn afgegleden als een druppel water van een veer. Maar ze had er wel het gevoel aan overgehouden dat ze een manier moest vinden om de waarheid te vertellen, want de waarheid maakte je vrij.

Een stem zei: 'Mag ik me even voorstellen? Michael Lyndhurst. Dokter Michael Lyndhurst.'

'Rebecca Rycroft.' Ze stak haar hand uit.

Hij was een jaar of vijftig. Een aantrekkelijke, gedistingeerd ogende man. 'Bent u geïnteresseerd in beeldhouwwerk, eh...' hij keek steels naar haar linkerhand, 'mevrouw Rycroft?'

'Ja, enorm. Ik ken Connor Byrne al jaren.'

'Is uw echtgenoot hier ook?' Hij keek niet om zich heen.

Het was altijd maar het beste, zo was haar ervaring, het meteen uit de weg te ruimen. 'Ik ben gescheiden,' zei ze.

Sommige mannen zagen haar status als een aanmoediging. Zo te zien behoorde dokter Lyndhurst ook tot die categorie. Hij glimlachte.

'Ik zal nog even een drankje voor u halen,' zei hij.

Toen hij terugkwam, praatten ze een tijdje over de tentoonstelling en toen verschoof het gesprek naar hun favoriete boeken en toneelstukken. Hij was welbespraakt en geïnformeerd, maar ze had moeite zich te concentreren, haar blik bleef maar door de ruimte dwalen op zoek naar Connor, en als ze die vond, nam ze de manier waarop hij bewoog en lachte in zich op.

Om acht uur begon het rustiger te worden. Rebecca excuseerde zich bij dokter Lyndhurst en liep naar Connor om afscheid van hem te nemen. Toen ging ze haar jas halen, en ze liep naar buiten.

Dokter Lyndhurst stond op de stoep te wachten. 'Wilt u met me dineren, mevrouw Rycroft?'

'Dat is heel vriendelijk van u,' zei ze, 'maar dat moet ik helaas afslaan.'

'Als u een andere afspraak heeft wellicht morgenavond?'

'Sorry, dat kan niet.'

Hij fronste zijn wenkbrauwen en zei ijzig: 'Als ik had geweten dat u er zo over dacht, had ik mijn tijd niet verspild.'

De deur van de galerie ging open en Connor kwam naar buiten. Dokter Lyndhurst liep weg.

Connors blik volgde hem. 'Viel die vent je lastig?'

'Niet echt.' Rebecca zuchtte. 'Er zijn nu eenmaal bepaalde mannen die denken dat ze het recht hebben met een vrouw van mijn leeftijd naar bed te gaan als ze de moeite nemen haar aan te spreken.'

'Als je wilt, geef ik hem een dreun.'

'O nee, dat is hij helemaal niet waard.' Ze glimlachte naar Connor. 'Moet jij binnen niet met kunstenaars en critici converseren?'

'Dat zal wel, maar als je me toestaat, ga ik liever met jou uit eten.'

'Dat lijkt me heerlijk.'

Ze gingen naar een Italiaans restaurant in Soho. De ronde tafeltjes stonden in een donkere kelder; in de hoek van de ruimte speelde een jazztrio.

Rebecca vroeg naar Connors gezin. Het ging goed met Aoife en Brendan, vertelde hij. Brendan begon in de herfst aan de universiteit van Dublin.

'Hij gaat geschiedenis studeren,' zei Connor. 'Het is een slimme jongen. Ik ben trots op hem.'

'Je bent een goede vader, Connor.'

'Nee, dat ben ik niet. Een goede vader was bij zijn moeder gebleven.' Hij stak voor beiden een sigaret op. 'Aoife werkt parttime in een kledingwinkel. Ik heb gezegd dat dat niet hoeft. Ik heb gezegd dat ik altijd voor haar en Brendan zal blijven zorgen.'

'Misschien wil ze wel werken. Ze zal Brendan wel gaan missen. Misschien wil Aoife ook iets anders om handen hebben.'

Connor schudde zijn hoofd. 'Aoife is vreselijk traditioneel. Ze heeft altijd geloofd dat de man het gezin hoort te onderhouden en dat de vrouw voor het huis en de kinderen moet zorgen.'

'Maar jullie regeling is allesbehalve traditioneel,' wees ze hem er vriendelijk op. 'Misschien heeft ze zich daarbij neergelegd.'

Hij gaf niet direct antwoord. Toen zei hij: 'Ze heeft me verteld dat ze elke dag bidt dat ik bij haar terugkom. Ze zal zich er nooit bij neerleggen, Rebecca. En daar wordt ze ziek van.'

'O, Connor.'

'Ik heb me afgevraagd of ze die baan heeft genomen om mij een schuldgevoel te geven. Vervolgens schaamde ik me diep dat ik dat dacht.'

'Voel je je schuldig?'

'Soms. En als dat het arme mens rust geeft, ben ik blij toe.'

'Misschien is dat de prijs van vrijheid. Dat niemand alles krijgt wat hij wil.'

Hij knikte. 'Ik zou eerder terug zijn gekomen naar Engeland, maar ik maakte me zorgen om Aoife. Vertel eens hoe het met jou is, Rebecca. Vertel eens over je zus en haar echtgenoot. Vertel me over je werk.'

Dus dat deed ze. Na het eten bestelde Connor cognac, die ze dronken terwijl ze naar de muziek luisterden.

'Ik vond je tentoonstelling geweldig, Connor,' zei ze. 'Ik kan niet kiezen welk beeld ik het mooiste vind. Ik denk dat ik altijd een zwak zal houden voor je zeegod. Ik weet nog dat je met

David Mickleborough dat stuk graniet met al die touwen en katrollen de schuur in hebt gezeuld. Ik weet nog dat ik door het schuurraam naar binnen keek en dat gezicht zag; het was zo sterk en streng. Ik mocht binnenkomen om het te bekijken. Dat was de eerste keer dat we elkaar echt spraken.'

'Ik voelde me door je geïntimideerd, Rebecca. Je hebt altijd iets ongetemds gehad.'

'Iets ongetemds?' Ze schoot in de lach. 'O nee, Connor, ik ben altijd vreselijk tam geweest. Met mijn tweed en mijn twinsetjes, mijn dagelijkse hulp in de huishouding en mijn feestjes, ik was juist helemaal niet ongetemd. Ik wist niet eens hoe ik dat moest zijn. Maar dat heb ik volgens mij wel geleerd.'

Hij schudde zijn hoofd. 'Nee, je hebt altijd iets ongetemds gehad. Dan zag ik je op Mayfield in de velden terwijl het stormde en regende, en jij de grond stond om te spitten.'

'Ik zal me wel hebben voorgesteld dat ik op Milo stond in te hakken.'

Hij begon te lachen. 'Je was net een godin, met je verwilderde zwarte haar, je bleke huid en die schitterende groene ogen.'

Ze strekte haar arm over tafel en pakte zijn hand. 'Ik ben altijd graag buiten geweest. Misschien ben ik een beetje gek geworden van al die tijd dat ik in Mill House opgesloten heb gezeten.'

'Denk je nog veel aan hem?'

'Aan Milo? Nee, bijna nooit. Heb ik je verteld dat ik hem een tijdje geleden ben tegengekomen, in Londen? Hij heeft twee dochtertjes. Helen en Laurabeth.' Rebecca trok haar neus op. 'Ik neem aan dat Mona de naam Laurabeth heeft uitgekozen. Milo heeft altijd een hekel gehad aan zelf samengestelde christelijke namen. Ik vind het zo grappig om aan hem te denken als man met een gezin.'

'Wat ben jij gemeen, Rebecca.' Hij draaide haar hand om in de zijne en wreef met zijn duim over de palm. Ze voelde de droge warmte van zijn huid en de sneetjes en stukken eelt die zijn hand ontsierden, net zoals ze de hare ontsierden.

Hij zei: 'Wist je dat ik wel honderd keer heb geprobeerd je te tekenen in Ierland, en dat het me nooit is gelukt? Je hebt een boog bij je wenkbrauwen die ik was vergeten, en die kuiltjes bij je mondhoeken. Ik zou je heel lang en geconcentreerd moeten bestuderen om je te kunnen tekenen.'

Ze had het gevoel dat zich een wonder voltrok, een verandering, een transformatie, waarop ze niet had durven hopen.

Ze vroeg: 'Zou je dat willen, Connor?'

'Je schoonheid boezemt me ontzag in.'

'O Connor.' Er sprongen tranen in haar ogen. 'Ik ben oud en versleten. Ik was ooit mooi, maar dat is verleden tijd.'

Hij schudde zijn hoofd. 'Je was toen beeldschoon en dat ben je nog steeds. En over tien of twintig jaar ben je nog steeds beeldschoon. Dat weet ik. Als ik alles wat ik je de afgelopen jaren heb willen vertellen opgeschreven zou hebben, zouden mijn brieven kilometers lang zijn geworden. Ik hou van je, Rebecca, en ik wil je naast me zien als ik 's ochtends mijn ogen open. En als ik 's nachts wakker word, wil ik dat jouw gezicht hetgeen is wat ik zoek. Ik wil niet meer alleen zijn en ik wil niet meer van jou gescheiden zijn. Ik wil altijd bij je zijn. Ik weet niet of het zou werken tussen ons, ik met mijn vrouw en kind en jij met je echtgenoot, ik met mijn steen en jij met je glas, maar dat is wat ik wil. Denk je dat jij dat ook zou willen?'

'Ja,' zei ze met jubelend hart. 'Ja, Connor.'

Freddie en Lewis verlieten Lymington in de zomer van 1949. Er was een bod op het huis en Lewis had werk gevonden bij een luchtvaarttechniekbedrijf in Croydon. Freddie was de laatste maanden in Lymington constant bang voor die klop op de deur of het rinkelen van de telefoon – de politie, de verzekering, Frank Kite – en dat hun verleden hen toch nog in zou halen.

Ze huurden een appartementje in St. John's Wood. Freddie vond werk in een galerie in Cork Street. De galerie was van Caspar de Courcy, die fluwelen smokingjasjes met gestippelde vlinderdasjes droeg. Meneer De Courcy had iets vrekkigs. Zijn vriendin, Tony, met wie hij boven de galerie woonde, liet zich eens ontvallen dat Freddie de helft van het loon van haar voorganster verdiende. Meneer De Courcy had getwijfeld of hij Freddie de baan van assistente wel zou geven (hij zei dat hij mannelijke werknemers betrouwbaarder vond), tot Freddie vertelde dat ze de dochter van Gerald Nicolson was. De ogen van meneer De Courcy begonnen te glinsteren: 'Je bent toch niet toevallig in het bezit van werk van hem, neem ik aan?' Ze zei dat dat jammer genoeg niet het geval was. Haar moeder had alle schilderijen die ze bezat verkocht om kleding en onderwijs voor haar dochters te kunnen betalen, en hoewel Tessa het in haar tijd als model had kunnen opbrengen om een aantal schilderijen van haar vader te kopen, had ze dat niet gedaan. Tessa had zich Gerald Nicolsons vurige temperament en sarcastische inslag misschien te goed herinnerd om nog aan hem herinnerd te willen worden.

Meneer De Courcy gaf haar de baan toch. Freddie kwam erachter dat de schilderijen van haar vader in waarde waren gestegen sinds zijn overlijden. Meneer De Courcy had een kinderlijk opschepperig karakter; ze hoorde hem nu en dan tegen potentiële kopers verklaren: 'Ja, de dochter van Gerald Nicolson, briljante meid.'

Ze wist dat Lewis het niet prettig vond dat ze in de galerie werkte, maar ze deed het toch, omdat beide, die baan en de verhuizing naar Londen, essentieel voor haar waren. Om haar leven weer onder controle te krijgen, moest ze haar eigen geld verdienen. En wat was het een opluchting om weer in Londen te zijn, het was er allemaal zo normaal, precies zoals het hoorde te zijn. Geen zoutgroeves en wadden meer, enkel de haar bekende straten en panden, de winkels, de kantoren, de mensen en de nodige afleiding waarvoor ze zorgden. Want ze hadden behoefte aan afleiding, Lewis en zij; er was zoveel waarover niet werd gesproken, zoveel dun ijs waar ze behoedzaam omheen moesten schaatsen.

508

In eerste instantie was Lewis zwaar gedeprimeerd. Ze gingen vrijwel nooit uit en brachten hun avonden door met lezen en wandelen in de Londense parken. Freddie werd 's nachts wel eens wakker en dan was zijn kant van het bed leeg. Dan hoorde ze hem in het appartement rommelen terwijl de radio aanstond. Lewis had Frank Kite afbetaald met het geld van de verzekering en de winst die ze bij de verkoop van het huis hadden gemaakt. Maar een deel van het louche gevoel bleef, er was iets in hun leven gesijpeld, een gif, en ze schrok nog steeds als er 's avonds laat werd aangebeld. Ze voelde nog steeds de angst, die ijskoude vinger die over haar ruggengraat gleed, dat schuiven van het vaste land onder haar voeten.

Het nieuwe decennium leek wat verlichting te geven. Lewis kreeg een promotie op zijn werk en begon eindelijk de erkenning te krijgen waarnaar hij altijd zo had verlangd. Ze verhuisden naar een groter appartement en hij begon zijn oude vrienden weer op te zoeken. Hij leek gelukkiger, tevredener, meer de oude Lewis. Hoewel Freddie hem vergezelde naar feesten en restaurants, prefereerde ze het gezelschap van haar eigen vrienden: Julian, Max, Ray en Susan Leavington, ooit vrienden van Tessa en nu die van haar. Julian was getrouwd en was vader van een zoontje; het tweede kind van Ray en Susan, een meisje, werd geboren in juli 1950.

Max had die zomer een retrospectieve tentoonstelling van zijn werk in een galerie in Soho. Veel van de foto's die werden tentoongesteld waren van Tessa, Max' muze. Tessa lachend bij de Serpentine-vijver, Tessa die avondjurken voor Dior showde, en daar was Tessa met de zebra, op die foto die ooit in haar appartement in Highbury had gehangen. Er was ook een foto die Freddie nog nooit had gezien. Max had hem kort voordat Tessa naar Italië was vertrokken genomen. Tessa zat op een bed in een lange broek en een truitje met korte mouwen. Haar armen waren om haar opgetrokken knieën geslagen. Ze was niet opgemaakt en haar haar viel uit haar gezicht, waardoor het litteken op haar voorhoofd zichtbaar was. En toch schenen haar schoonheid en fragiliteit erdoorheen. Op het bordje eronder stond: TESSA NICOLSON, 1916-1944.

Freddie zat op een ochtend in het kantoortje achter de galerie van meneer De Courcy de bon voor een verkocht werk te schrijven, toen ze de deurbel hoorde. Ze liep de galerie in. De klant was lang en blond, en haar hart stond heel even stil, maar toen hij zich naar haar omdraaide zag ze dat het Jack niet was.

Hij stelde zich voor als Desmond Fitzgerald en zei dat hij Tessa in Italië had gekend. Ze spraken af na Freddies werk.

Desmond Fitzgerald nam haar voor een drankje mee naar het Savoy. Hij zei dat hij heel lang naar haar had gezocht, maar dat het hem ontzettend veel moeite had gekost haar te vinden. Hij vertelde haar over zijn vriendschap met Tessa, vanaf het moment dat ze elkaar vóór de oorlog in het Mirabelle hadden leren kennen tot de dag dat Faustina Zanetti hem had verteld dat Tessa was overleden. 'Wat een manier om dood te gaan,' zei hij. Hij had tranen in zijn ogen. 'Dat wens je niemand toe.' Toen snoot hij zijn neus en vertelde Freddie hoe hij met vele andere Britse en geallieerde krijgsgevangenen bijna een jaar lang in de bossen op het Zanetti-landgoed had gewoond. En hoe Tessa hun in de winter eten had gebracht. 'We hadden afgesproken dat we 's avonds om beurten op haar wachtten,' zei hij. 'Anders zou iedereen elke avond hebben geprobeerd een glimp van haar op te vangen. Ze was een geweldige vrouw, Freddie, betere bestaan niet; je kunt trots op haar zijn.'

Na het eten namen ze afscheid. Desmond schudde haar de hand en ze beloofden contact te houden. Toen ze naar huis reed in de taxi die Desmond per se voor haar wilde betalen, dacht Freddie terug aan hoe zij en Tessa na de dood van hun moeder haar gedachtenis levend hadden gehouden. Terwijl ze met Desmond over Tessa's leven in Italië had gepraat, had ze zich dichter bij haar gevoeld.

Ze waren een keer uit eten met Marcelle Scott en haar vrienden toen iemand naar Jack vroeg. 'Jack is terug naar Italië,' zei Marcelle. 'Hij is een eeuwigheid geleden vertrokken.'

Freddie hoorde zichzelf vragen: 'Is hij nog wel eens hier? Komt hij wel eens op bezoek?'

'Nee, nooit.' Marcelle keek ontstemd. 'Ik ben ontzettend kwaad op hem. Normaal gesproken blijft hij nooit zo lang weg.'

Oktober 1950. Ze was net thuis van haar werk en stond uien en wortels te snijden om hutspot te maken. Ze hoorde Lewis' sleutel in het slot.

Hij kwam de keuken in. 'Freddie, we moeten praten.'

'Ik kom er zo aan.' Ze schepte de uien in de pan. 'Geef me even vijf minuten tot dit kookt.'

Hij draaide het gas uit. 'Nu graag, Freddie.'

Ze veegde haar handen aan haar schort af en liep achter hem aan de zitkamer in. 'Ga zitten,' zei hij. Hij pakte een fles gin en twee glazen.

'Ik hoef niet, dank je,' zei ze.

'Marcelle en ik zijn verliefd.'

Ze keek toe hoe Lewis gin inschonk en citroen sneed. Zijn woorden waren schokkend en onbegrijpelijk. Ze drongen niet tot haar door.

Ze schudde haar hoofd. 'Ik begrijp het niet.'

'Marcelle en ik zijn verliefd,' zei hij emotieloos, 'en we willen trouwen.'

'Dat kan niet. Je bent met mij getrouwd.'

'Ik wil scheiden, Freddie.'

Hij zette het glas naast haar op het tafeltje. Ze staarde ernaar, stak toen haar hand uit en veegde het van tafel. Het viel op de vloer en brak. 'Maar je bent met mij getrouwd!'

'Dit is geen huwelijk.' Hij ging op de bank tegenover haar zitten. 'Het is al jaren geen huwelijk meer. Je vertrouwt me niet en je hebt me niet nodig. Het spijt me als ik je kwets, maar je weet dat het zo is. Je bent veranderd, Freddie. Je bent niet meer het

511

meisje met wie ik ben getrouwd. Je wilt niet langer de dingen die we allebei wilden. Dat is natuurlijk mijn schuld, dat weet ik. Maar het probleem is dat ik wanneer ik bij jou ben alleen maar zie dat je het me kwalijk neemt. Ik zie dat je je herinnert wat ik heb gedaan. Het is niet je bedoeling neerbuigend te zijn, maar dat ben je wel. Bij Marcelle voel ik me anders. Ze weet het niet. En als ze het zou weten, zou ze me er niet om veroordelen.'

Ze stond op, met spieren die stijf voelden alsof ze een enorme berg had beklommen, en ging naar de keuken. Ze pakte het stoffer-en-blik uit de kast en liep terug naar de zitkamer. Daar knielde ze op de vloer en begon het glas op te vegen.

Ze vroeg: 'Dus wat zeg je nou? Dat je bij me weggaat?'

'Ja. Vanavond. Dat is het beste.'

Ze keek hem met half samengeknepen oogleden aan. 'Het beste voor wie, Lewis?'

'Voor ons allebei.'

'Marcelle en jij...' ze sprak haar naam venijnig uit, 'hoe lang is dat al aan de gang?'

Hij zag er beschaamd uit. 'Sinds begin dit jaar.'

Tien maanden, dacht ze. Tien maanden. Ze had een scherf in haar hand; ze kneep hem in haar handpalm. Bloed droop uit haar gebalde vuist. Lewis liep naar haar toe om haar te helpen, maar ze stond op, duwde hem weg en ging naar de slaapkamer, waar ze de deur achter zich sloot, haar hand in haar schort wikkelde en de prop stof tegen de wond drukte; ze moest de pijn voelen.

Rebecca dacht er al over sinds het gesprek dat ze met Meriel op haar trouwdag had gehad. Ze was begonnen aan een reeks figuren uit gegoten glas. Het waren er zeven en het waren allemaal vrouwen, echte vrouwen – oud, jong, dik, mager, zwanger, afgetobd, alledaags, mooi – in plaats van de in de kunst geïdealiseerde vrouwen.

Ze gebruikte voor elke figuur andere technieken. De eerste was in de oven gegoten uit een mal van klei: met brede jukbeenderen en volle lippen hield ze met gesloten ogen haar hoofd omhoog naar de zon. Haar lange haar viel in strakke krullen over haar schouders, zoals de krullen op de hoofden van de geschilderde figuren in Egyptische graftombes. Rebecca noemde haar Isis. De volgende vrouw was er een met brede heupen en rimpels rond ogen en mond. Het glas dat ze voor haar gebruikte was rijk gekleurd: turquoise en smaragdgroen, brons en bruin. Ze heette Elizabeth. Rebecca overwoog haar zwangere model Mona te noemen, wat ze toch maar niet deed, waarna ze voor Gaia koos.

Ze maakte de glazen beeldjes in een jaar tijd. Connor hielp haar bij het maken van de mallen. 's Nachts droomde ze over haar zeven vrouwen, die dan door de heuvels in Oxfordshire naar Mill House liepen, sterk en trots, met sterren in hun ogen en maanlicht dat op hun transparante gezichten scheen.

Het laatste stuk was technisch het moeilijkste. Het was een buste, geen hele figuur. Rebecca maakte het hoofd eerst van was, dat ze bestreek met een mengsel van gips en silica. Toen het gips hard was geworden, smolt ze de was eruit met stoom uit een ketel, waardoor een holle mal overbleef. Die vulde ze met stukjes glas.

Daarna volgde het moeilijkste deel. Ze gooide de eerste drie probeersels weg, die waren gebarsten in de oven of zagen er niet uit zoals ze wilde. De vierde keer vulde ze de mal maar deels met glas en kneedde een dun laagje poreuze klei halverwege het hoofd. Toen vulde ze de rest van de mal bij met glas.

Toen ze het afgekoelde en hard geworden object uit de oven haalde en het gips verwijderde, moest ze haar opwinding in bedwang houden. Het glas kwam transparant en vol licht uit zijn omhulsel. Ze verwijderde heel voorzichtig, eerst met haar vingers en daarna met een zacht kwastje, de poreuze klei, en zag dat er in het hoofd, precies zoals haar bedoeling was geweest, een scheur zat.

Freddie vertrok uit het appartement en verhuisde naar South Kensington. De nare wettelijke formaliteiten van de scheiding volgden, het onderhandelen en de uiteindelijke overeenkomst. Ze wilde niets van Lewis. Het enige wat ze wilde, was een gevoel van vrijheid zodra de scheiding erdoor was.

Maar vrij voelde ze zich niet. Je kon geen zes jaar huwelijk uitwissen met een stukje papier. Je kon de minachting die ze voor Lewis voelde niet uitwissen, noch de haat die ze jegens Marcelle Scott voelde. Het hield haar maanden obsessief bezig. Als ze aan het werk was in de galerie, als ze op weg naar huis was in de bus, speelden de scènes zich in haar hoofd af, de ingebeelde confrontaties met Marcelle. In haar fantasie waren haar woorden vloeiend, minachtend en vernietigend, terwijl Marcelle in elkaar gedoken smeekte om vergeving.

Toen werd ze op een ochtend wakker en was niet meer kwaad. In plaats daarvan was ze uitgeput. Het kostte al haar energie om haar tanden te poetsen, zich aan te kleden, naar haar werk te gaan. Ze huilde veel en als ze 's avonds thuiskwam van de galerie had ze de puf niet om ook nog te koken, dus nam ze een schaaltje Weetabix of een boterham. Haar vermoeidheid hield maanden aan; de huisarts, die ijzertabletten voorschreef, zei dat haar vermoeidheid een reactie was op het trauma van de scheiding. Maar toen ze erop terugkeek, drong het tot haar door dat er meer aan de hand was. De dood van Tessa, het geploeter tijdens de eerste jaren van haar huwelijk met Lewis, de brand in de scheepswerf: de gebeurtenissen hadden zich opgestapeld.

In de zomer van 1951 ging ze met Ray en Susan en hun kinderen mee naar Frankrijk. Achteraf ging ze die zomer als een keerpunt zien. Ray had een villa in de Provence gehuurd; Freddie hielp Susan met de kinderen, ze wandelde en las. Maar vaak deed ze niets anders dan in de schaduw liggen, een strohoed over haar gezicht getrokken, haar lichaam ingesmeerd met zonnebrand, en dan dacht ze na, deed dutjes, rustte uit.

Ze dacht veel aan Jack. Toen Lewis haar net had verlaten had ze zich te ellendig gevoeld om ook maar te overwegen contact met hem op te nemen. Instinctief had ze zich teruggetrokken, zich niet blootgesteld aan nog meer pijn. En toen ze uiteindelijk haar depressie begon te overwinnen, had ze het gevoel gehad dat ze er te lang mee had gewacht. Het was meer dan twee jaar geleden sinds ze hadden gekust op het strand, meer dan twee jaar waren voorbijgegaan sinds ze tegen hem had gezegd dat ze niet van hem hield. Ze had geen ruimte voor twijfel gelaten. Jack zou haar ondertussen vergeten zijn. Hij zou iemand anders hebben gevonden. Hij was waarschijnlijk hoe dan ook nooit serieus geweest: Jack nam zelden iets serieus.

Ze ontving een brief van Faustina, die contact met haar had gehouden sinds de oorlog voorbij was. Faustina was inmiddels getrouwd en woonde in Parijs, waar ze als kinderarts werkte. Ze schreef dat Olivia Zanetti was gestorven. *Ze is na de oorlog nooit meer dezelfde geworden. De oorlog had haar in zijn greep.* Maar ze had ook mooi nieuws: haar schoonzus, Maddalena, had een jongetje ter wereld gebracht. Guido had de naam gekozen: hij heette Domenico, naar hun vader.

Freddie voelde dat ze langzaam aan het herstellen was. Terug in Londen bracht ze haar zaterdagen door met neuzen in galerieën en antiekwinkeltjes. Ze ging op schattenjacht op de markt op Petticoat Lane. Ze werd wel eens mee uit gevraagd door iemand. Geen van haar vriendjes waren van lange duur. Ze vond hen te jong, te oppervlakkig, te onervaren. Die Amerikaanse journalist in de oorlog had gelijk gehad, bedacht ze. Niets raakte haar, ze had een verdedigingsmuur om zich opgetrokken. Zo Engels. De diepgewortelde aantrekkingskracht die ze meteen voor Lewis had gevoeld en daarna bij Jack, vond ze niet in deze mannen.

Jack, dacht ze. O god, wat miste ze hem.

Op een zaterdag keek ze in de etalage van een galerie in Lisle Street en zag een glazen vrouwenhoofd. Haar gelaat was Afrikaans en haar lange haar was strak ingevlochten. Het was een opmerkelijk gezicht: trots en verheven.

Freddie liep de galerie in. Langs een van de muren stonden nog meer glazen figuren. Een jonge man in een krijtstreeppak kwam naar haar toe. 'Kent u het werk van Rebecca Rycroft?' vroeg hij.

Rebecca Rycroft. Die naam kende ze natuurlijk. Rebecca Rycroft was getrouwd met Milo Rycroft, Tessa's vriend de schrijver. Rebecca Rycroft was naar de begrafenis van Angelo gekomen.

'Nee, helemaal niet,' zei ze.

'Enorm goede investering. De Amerikanen vinden het geweldig.'

'Wat fijn,' zei Freddie beleefd.

Ze liep van het ene glazen beeld naar het volgende. De zeven vrouwen verschilden in afmetingen en stijl. Sommige waren van gekleurd glas, en andere waren doorzichtig, maar wat ze gemeen hadden was hun energie en kracht. Elk stuk droeg een vrouwennaam: Isis, Elizabeth, Gaia, Rachel. Allemaal emblematische namen, merkte Freddie op.

Tot de laatste. Ze stond bij de sokkel van het laatste beeld, een buste. Hij was van mat glas, blauwachtig, als ijs. Het gezicht zou sereen en mooi zijn geweest als die scheur niet door het glas zou hebben gelopen, die zich uitbreidde vanuit één punt en het beeld bijna uit elkaar trok.

Freddie las de titel op het kaartje eronder. *Tessa*. Haar hart sloeg over.

Het was gemakkelijk genoeg om iets te mompelen over een opdracht en zo Rebecca Rycrofts telefoonnummer aan de man in het krijtstreeppak te ontfutselen. Ze liep naar de telefooncel aan het eind van de straat en dacht terug aan die andere keer dat ze mevrouw Rycroft had gebeld, na Tessa's ongeluk.

Er stond een rij bij de telefooncel. Freddie liet het terwijl ze stond te wachten allemaal nog eens de revue passeren. Milo Rycroft, Rebecca Rycroft, de glazen Tessa met de opzettelijke scheur erin.

Ze was aan de beurt. Ze liep de telefooncel in en belde de telefoniste.

Rebecca Rycroft woonde in Hampshire, op een flinke afstand van een station, dus leende Freddie Max' grote oude Alvis en reed ernaartoe. Na Weyhill versmalden de wegen tot ze niet breder waren dan de auto. Hoge heggen van hazelnoten en kardinaalsmuts, zwaar van het fruit, barricadeerden beide zijden van de weg. Het zonlicht werd hier en daar verdrongen door duisternis terwijl de auto door het bosland ploegde.

Bij een pub vroeg ze de weg naar het huis van Rebecca Rycroft, dat aan een nóg smaller weggetje stond, met aan twee kanten een rij beuken. De Smederij was een huis van rode baksteen; er stond een pandje van één verdieping naast met een dak van golfplaat. Freddie parkeerde de auto en stapte uit. Ze wilde net op de voordeur kloppen, toen er een vrouw uit het andere gebouw van één verdieping kwam, die haar handen afveegde aan een doek.

Rebecca Rycroft droeg een lichtgrijze katoenen broek met een wit linnen blouse. Haar haar zat gevangen onder een groene sjaal. Haar gezicht was gebruind, haar mond groot en mooi. Het opmerkelijkste aan haar waren haar ogen, die diep en levendig groen waren.

'Mevrouw Coryton.' Ze stak haar hand naar Freddie uit. 'Hoe was uw reis? U zult wel moe zijn. Ik vind het altijd erg vermoeiend om over van die smalle weggetjes te rijden.'

Een man, lang, met krullend grijzend haar, kwam uit de werkplaats naar buiten. 'Mevrouw Coryton is er, Connor,' zei mevrouw Rycroft. 'Mevrouw Coryton, Connor Byrne.'

Freddie schudde Connor Byrne de hand, die mevrouw Rycroft vervolgens een kus op de wang gaf en weer verdween in het lange, lage gebouwtje.

Mevrouw Rycroft zei: 'Zullen we naar de zitkamer gaan?'

Freddie volgde mevrouw Rycroft naar binnen. 'Uw echtgenoot, Milo…'

'Milo en ik zijn jaren geleden gescheiden. Milo woont in Amerika. Hij is hertrouwd en heeft twee dochters. Connor en ik leven als man en vrouw. Connor is beeldhouwer, we delen een werkplaats. We kunnen niet trouwen, want Connor heeft een katholieke vrouw in Ierland die niet wil scheiden. Maar misschien zou ik hoe dan ook wel niet hertrouwen. Ik hou zielsveel van Connor, maar ik heb nog steeds het gevoel dat één echtgenoot genoeg is.'

Freddie werd een zitkamer aan de voorkant van het huis binnengeleid. Er stond een leunstoel met bloemmotief, en de andere waren bekleed met een gestreepte stof. Een van de muren stond helemaal vol met boeken. Op een laag kastje stonden tientallen glazen objecten: schaaltjes, bordjes en figuurtjes.

'Gaat u zitten, mevrouw Coryton.' Freddie nam plaats op de bloemetjesstoel. Mevrouw Rycroft vroeg: 'Wilt u thee?'

'Mevrouw Rycroft…'

'Rebecca.'

Freddie bood Rebecca Rycroft daarentegen niet aan haar ook te tutoyeren. Rebecca verliet de kamer. Net als bij de werken in de galerie voelde Freddie zich aangetrokken tot de objecten op de kast. Ze strekte haar arm uit en streelde met een vingertop over de bellen, golven en punten in het gladde glas.

'Glas nodigt zo uit het aan te raken, hè?' Rebecca zette een dienblad met theespullen op een lage tafel. 'Ik kan natuurlijk geen glas vormen zoals Connor dat met steen doet, maar steen kun je weer niet vloeibaar maken, dat kun je niet verhitten en vormen.'

Ze gaf Freddie een kop thee. 'Maar u bent hier niet om het over glas te hebben. U bent hier om over uw zus te praten, Tessa.'

'Dat klopt.' Freddie keek Rebecca recht aan. 'Dat stuk in de galerie dat u Tessa heeft genoemd. Dat verwijst naar haar, toch?'

'Ik heb haar nooit gezien, maar volgens Milo was ze beeldschoon. En dat was ze, toch? Ik heb foto's van haar gezien in de bibliotheek, in tijdschriften en boeken. En ik ben naar een tentoonstelling van foto's van haar geweest.'

'Die van Max,' zei ze. 'Dat zijn foto's van Max.'

'Ja, Max Fischer. Ik zag wel waarom de camera zo van haar hield. Haar gezicht had zo'n prachtige openheid en fragiliteit. En iets mysterieus. Volgens mij heeft schoonheid altijd iets mysterieus. We begrijpen nooit waarom we ons er zo door aangetrokken voelen.' Ze keek naar Freddie. 'Ik vond het naar te horen dat ze is overleden.'

'Is dat zo?' vroeg ze. 'Ik had gedacht dat u haar zou haten.'

Rebecca vertrok geen spier. 'Dat was ook zo, een tijdje,' zei ze. 'Mijn beeld is deels een boodschap. Ik dacht dat als u het zou zien u zelf kon beslissen of u die wilde weten. Niet iedereen wil altijd de waarheid weten, toch? Mensen verstoppen zich er vaak voor. De biecht kan de biechteling bevrijden en de luisteraar vernietigen. Ik dacht dat u op deze manier tot een beslissing kon komen. En dat heeft u gedaan, toch, mevrouw Coryton? Anders zou u hier niet zijn.'

'Ik denk dat uw ex-man, Milo, de vader van Tessa's kind was.'

'Dat klopt.'

'En dat wist u?'

'O ja. Al heel lang.'

'Weet u,' zei Freddie met bevende stem, 'hij heeft vreselijk veel kwaad aangericht.'

'Inderdaad. En ik ook.'

'U?'

'Helaas wel. Wilt u dat ik vertel wat er is gebeurd?'

Een stilte. Toen knikte ze woordeloos.

'Ik hield zoveel van Milo.' Rebecca zat in een gestreepte stoel. 'Ik was altijd bang dat hij minder van mij hield dan ik van hem. Toen ik erachter kwam dat hij een verhouding had met uw zus, was ik razend. Er is geen ander woord voor. Hij had al eerder affaires gehad, maar deze was anders, vanwege het kind. Dus heb ik uw zus gebeld, en ik heb tegen haar gezegd dat Milo een ander had. Ik heb tegen haar gezegd dat hij niet meer van haar hield, dat hij niet om haar of het kind gaf.' Rebecca keek Freddie recht in de ogen. 'Daar was ze natuurlijk van streek over. Dat is waarom ze die middag op weg is gegaan naar Oxford. Ze ging naar Milo. Ze ging naar Milo om te achterhalen of ik haar de waarheid had verteld.'

Freddie fluisterde: 'Weet u dat zeker?'

'Ik kan het nooit helemaal zeker weten, maar ik ben ervan overtuigd dat het zo is gegaan.'

'En wist u dat... toen ook?'

'Ja. Ik hoopte op de begrafenis van het kindje van u te horen dat er een andere reden was dat uw zus die middag naar Oxford was gereden. Maar die was er niet.'

'Maar u heeft het me niet verteld!'

'Nee.' Rebecca fronste haar voorhoofd. 'Ik was op dat moment opgelucht. Ik zal wel gedacht hebben dat ik de dans was ontsprongen. En later zag ik niet in wat het voor zin kon hebben. Ik wist dat de baby was gestorven en dat uw zus nog leefde. Niets kon daar wat aan veranderen.'

Ik dacht dat ik de dans was ontsprongen. Freddie dacht aan de lange, afgrijselijke maanden die waren gevolgd op Tessa's ongeluk. Ze herinnerde zich Tessa's verdriet, Tessa's pijn.

Ze vroeg: 'Dus u bent gewoon... u bent gewoon doorgegaan alsof er niets was gebeurd?'

'Nee. Ik heb Milo verlaten en heb geprobeerd een eigen leven te creëren. Maar dat lukte niet, in geen enkel opzicht. Niet tot ik mezelf volledig had afgebroken en opnieuw was begonnen.'

'Tessa is degene die helemaal gebroken was, niet u!' Freddie kon haar woede niet meer beheersen. 'En die arme Angelo!'

'Inderdaad.' Diezelfde rechte, onbewogen blik. 'Dat is waar.'

En toch had Rebecca Rycroft ook geleden. Freddie dacht terug aan wat ze jegens Marcelle Scott had gevoeld nadat Lewis haar had verlaten. Hoe ze haar haatgevoelens had gecultiveerd, hoe ze er dag en nacht mee bezig was geweest. Was zijzelf niet ook gebroken door de ondergang van haar huwelijk? Als zij een kans had gezien om Marcelle te laten lijden, zou ze die dan ook niet hebben aangegrepen?

'Mijn verontschuldigingen,' zei ze stijfjes. 'Ik had niet tegen u moeten schreeuwen.' Ze nam een slok thee. 'U zei dat u helemaal opnieuw heeft moeten beginnen. Hoe heeft u dat gedaan?'

'Ik heb een engel ontmoet.'

'Een engel?'

'Ja. U mag denken dat ik gek ben als u dat wilt. Misschien was ik dat ook wel. Hij had geen vleugels en geen halo; hij droeg een pet en een rugzak. Maar ik geloofde toen en ik geloof nog steeds dat er die dag iets heel bijzonders is gebeurd. Hij zei tegen me dat ik het moest loslaten. Dat was zijn advies, dat ik het zou loslaten. Dus dat heb ik gedaan. Ik heb mijn leven losgelaten.'

Freddie had onlangs diezelfde impuls gevoeld. Het verlangen overviel haar als ze zich 's ochtends stond op te maken of als ze zich de roltrap af haastte naar de metro, een verlangen om haar huidige leven los te laten. Over het algemeen duwde ze die verraderlijke gedachte weg, maar nu en dan leek die haar te volgen, als door een lange gang.

Ze vroeg: 'Wat heeft u gedaan? Waar bent u naartoe gegaan?'

'Ik ben op een boerderij in Sussex gaan wonen. Dat is waar ik Connor heb leren kennen. Ik ben er het grootste deel van de oorlog gebleven, tot mijn moeder ziek werd. In het begin was het heel moeilijk. Ik was een uitermate comfortabel leven gewend, hoewel het als ik er nu op terugkijk in sommige opzichten erg leeg was. Gek hè, hoe we zo gemakkelijk in een leven terecht kunnen komen dat niet goed voor ons is. Ik ben er niet van overtuigd dat het goed is om geheel uit het hart te leven. Ik denk dat we tevens onze geest en onze handen moeten gebruiken. Ik ben aan het werk gegaan op de boerderij en uiteindelijk heb ik glas ontdekt. Het was net of ik een missend stuk uit mijn leven had gevonden. Dat is mijn verhaal. Als ik het verleden had kunnen veranderen, had ik dat gedaan. Maar dat kon niet, en ik kan het tot het einde der dagen met u over spijt hebben, mevrouw Coryton, en dat zou niets veranderen. Sommige gebeurtenissen zijn net een barst in een stuk glas. Ze gaan door en door en houden nergens op. En uiteindelijk is het enige wat je kunt doen accepteren dat het zo is en doorgaan.'

Freddie keek uit het raam. Ze dacht aan al de vreselijke consequenties van Rebecca's telefoontje. Ze dacht aan het ongeluk, aan Angelo's dood en aan Tessa's verwondingen en littekens. Als Angelo niet zou zijn gestorven, zou Tessa niet zijn teruggegaan naar Italië. En als Tessa niet was teruggegaan naar Italië dan zou ze er niet zijn gestorven. Rebecca Rycroft, Milo Rycroft… Ze verdienden allebei dat de waarheid bekend was. Waarom zou hun reputatie onbeschadigd blijven?

Maar als Tessa niet zou zijn teruggegaan naar Italië, wie zou er dan voor die kinderen hebben gezorgd in de oorlog? Wie zou er dan kleding en eten naar die geallieerde soldaten hebben gebracht – naar soldaten als Jack – in het hart van de Toscaanse winter? Wie had de kinderen dan in veiligheid gebracht? *Ze was een heldin,* had Faustina geschreven. *Ze was sterk, loyaal en moedig, en we zullen haar altijd blijven herinneren en missen.* En Desmond Fitzgerald: *Ze was een geweldige vrouw, Freddie, betere bestaan niet; je kunt trots op haar zijn.*

Als Tessa niet was teruggegaan naar Italië zouden heel wat levens veel armer zijn geweest. Zij zou Jack Ransome nooit hebben ontmoet. Ze zou geen liefde hebben gekend, ook al had ze die liefde door haar vingers laten glippen.

Ze wist dat Rebecca zat te wachten tot ze iets zou gaan zeggen. Als Rebecca haar de glazen Tessa als boodschap had gestuurd, wat wilde ze daar op haar beurt dan voor terug van Freddie? Vergeving, nam ze aan. Kon ze haar vergeven? Vergeving was misschien niet een van haar talenten. Haar onvermogen te vergeven had Lewis verdreven. *Neerbuigend*, had hij haar genoemd. *Je bedoelt het niet zo, maar dat ben je wel.*

Vergeven zou betekenen dat ze er een streep onder zou zetten. Misschien dat ze het daardoor los kon laten.

Ze stond op en pakte haar tasje en handschoenen. 'Dan ga ik maar,' zei ze. 'Dank u dat u me dit heeft verteld. Dat moet moeilijk zijn geweest.' Ze keek Rebecca aan. 'Tessa heeft nooit iemand willen kwetsen, maar ik vrees dat ze dat desondanks wel eens heeft gedaan.'

'Als u wilt mag u de glazen figuur van uw zus natuurlijk hebben.'

'Dank u.'

Rebecca liep met haar naar de voordeur. Freddie gaf haar een hand. Toen liep ze naar buiten, de zon in. Ze keek over haar schouder naar Rebecca.

'U moet uzelf niets verwijten, echt niet. Dingen gebeuren nu eenmaal, en daar kun je niemand de schuld van geven. En Tessa is altijd een belabberde chauffeur geweest.'

Er gebeurden twee dingen.

Een maand na haar gesprek met Rebecca Rycroft overleed Renate Mayer, die Freddie haar verzameling Bernard Leach-aardewerk en duizend pond naliet. Een paar weken later dreigde meneer De Courcy haar loon in te houden omdat ze drie minuten te laat terugkwam van haar lunchpauze, dus nam ze ontslag.

Pickfords vervoerde het aardewerk naar Londen. Het stond in Freddies zitkamer, aardekleurig en sereen, een herinnering aan het belang van schoonheid.

Max kwam het bekijken. Freddie vertelde hem over het geld dat Renate Mayer haar had nagelaten.

'Wat ga je ermee doen?' vroeg hij.

'Ik ga naar Italië,' zei ze.

'Echt waar?' Zijn ogen sprankelden. 'Wat goed van je, Freddie.'

Voordat ze uit Londen vertrok ging ze naar Hatchards om de boeken van Jack Ransome aan te schaffen. Ze las ze in de reeks lange treinritten van Londen naar Florence. Het eerste boek vertelde over Jacks ervaringen vóór en tijdens de oorlog. Het tweede beschreef zijn leven in het Italië van na de oorlog en zijn reis door het Middellandse Zeegebied.

Op haar eerste dag in Florence zwierf Freddie door de stad en leerde de straten en pleinen opnieuw kennen. Op de tweede ontdekte ze de winkeltjes en kocht ze ansichtkaarten en een leren tas. Ze ontbeet 's ochtends in een cafeetje aan het Piazza del Duomo en ging daar om elf uur opnieuw naartoe om koffie te drinken. Ze ging wel eens naar een galerie of museum, maar het grootste deel van de tijd zwierf ze gewoon door de stad, doelloos en tevreden.

Na een week maakte ze geen plannen meer. Er was iets van haar afgevallen, een spanning of drang waaraan ze gewend was geraakt en die haar pas opviel nu hij er niet meer was. De warmte van de zon en de vriendelijkheid van de mensen waren genoeg voor haar. Ze genoot van de geschiedenis en het spektakel dat haar begroette op elke straathoek, en van de bekende dingen, die haar eraan herinnerden dat een deel van haar in deze stad thuishoorde. Toen ze op een middag op het Piazza dell Signoria zat, herinnerde ze zich dat haar ouders elkaar hier hadden leren kennen. Haar moeder had haar verteld dat haar vader er had zitten werken, achter zijn ezel, die hij in de schaduw van het Palazzo Vecchio had opgesteld. Hij was de beelden van de Loggia dei Lanzei aan het schilderen. Hij was naar haar moeder toe gelopen, die met een tante door Italië reisde, en had aangeboden haar portret te schilderen. Hun liefde was in stilte ontluikt, want de chaperonne was geen moment van haar zijde geweken tijdens het schilderen van het portret. Maar ze hadden elkaar de liefde verklaard met blikken en gebaren, en een besluit genomen. Toen het portret klaar was, waren Gerald en Christina er samen vandoor gegaan. Drie weken later waren ze getrouwd in de Engelse kerk in Rome.

Het leek wel of de zon zich in haar huid nestelde. Freddie zat urenlang tevreden op het terras bij het café naar de mensen op het plein te kijken, waarbij haar blik nu en dan afdreef naar de als een zuurstok gestreepte Duomo. Ze lag wel eens een hele dag op het verdorde gras in de Boboli-tuinen een boek te lezen. Of ze zat op een bankje, een boek in haar tas, naar de Oceanus-fontein te kijken. Ze nam de bus naar Fiesole en ontdekte dat iemand villa Millefiore had gekocht. De verwaarloosde voorgevel was opnieuw gestuukt en geschilderd en naast de villa stond een bouwvakker cement in een mixer te scheppen. Ze herinnerde zich ineens hoe bang Tessa en zij voor de scheuren en schaduwen in de villa waren geweest toen ze net bij mevrouw Hamilton waren komen wonen. Ze herinnerde zich dat ze zwommen in de vijver en hoe het zachte, kantachtige wier tegen haar benen had gevoeld. Ze had zich zo vrij gevoeld.

Op een ochtend, drie weken nadat ze in Florence was aangekomen, werd ze wakker met hoofdpijn. Ze trok de gordijnen open en zag dat het bewolkt was. De hemel hing donkergrijs, zwaar en metaalachtig boven de hete, vochtige stad. Ze kreeg geen hap ontbijt door haar keel; haar doelloosheid voelde ineens deprimerend. Ze voelde zich niet langer verbonden met de stad en alle drukke levens om haar heen. Deze stad had ook een duistere kant, de bedelaars zaten in de steegjes, met uitgestrekte handen; fanatisme en wreedheid hadden de geschiedenis zwart gekleurd.

De lucht klaarde weer op en de zon brandde op haar huid toen ze naar de Galleria dell'Accademia liep. Binnen stonden toeristen te dringen voor de kunstwerken. Freddie stak haar hoofd omhoog om de schilderijen te kunnen zien. Een verwrongen lichaam hing aan het kruis en er golfde bloed uit de sneden in het witte, wasachtige vlees van Christus. Een man liep tegen haar aan; duizelig en overweldigd rende ze de straat op.

Ze liep naar het Piazza di San Marco. Daar vond ze een rustig cafeetje, waar ze een glas water en een kop koffie bestelde. Ze wist dat het niet Florence was waardoor ze zich zo voelde. Haar eigen moed was haar in de schoenen gezonken. Had ze het al die tijd verkeerd begrepen? Had ze na de dood van Tessa zelf besloten elke vorm van avontuur te mijden? En had ze daarmee ook de liefde vermeden? Had ze haar toevlucht in veiligheid gezocht, in veiligheid die een illusie bleek te zijn?

Ze had zichzelf schoonheid en liefde ontzegd. Ze was bang geweest voor hun kracht haar te veranderen, maar ze was niet van plan de rest van haar leven te blijven vluchten.

Waag een gok. Neem een risico. Ga op avontuur.

Haar hoofdpijn begon te zakken. Ze liep het café uit en het plein over naar het San Marco-klooster. De hoge muren hielden daar de zon buiten en maar een handjevol mensen bekeek de schatten in het Museo. Ze liep langzaam van het ene stuk naar het volgende, en toen bleef ze staan. Op een beschilderd houten kabinet knielde een engel voor Maria. Het was een engel met blond haar, en hij droeg een rozebruin gewaad. Hij had schitterende, veelkleurige vleugels, met strepen geel, kobaltblauw, zwart en rood, en één blauw oog, als in de veer van een pauw, op een ontvouwen vleugel. De engel van Rebecca Rycroft, met zijn pet en rugzak, was een heel Engelse engel. Deze engel, bedacht Freddie, met zijn veelkleurige vleugels en gouden krullen, was Italiaans.

Ze liep het klooster uit en ging op weg naar het postkantoor. Daar reserveerde ze een internationaal telefoongesprek. Later die dag stond ze in het hokje terwijl de telefoniste haar doorverbond met een internationale centrale, die haar weer doorverbond met een centrale in Londen. De telefoniste in Londen verbond haar door met het huis van Lewis en Marcelle in Chelsea. Marcelle nam op; na enkele onderkoelde beleefdheden vroeg Freddie naar Jacks adres en telefoonnummer in Rome. Er viel een korte stilte, alsof Marcelle nota bene overwoog te gaan weigeren, maar toen zei ze: 'Natuurlijk, geen probleem,' en las haar de gegevens voor.

Freddie bedankte Marcelle en verbrak de verbinding. Toen belde ze het nummer in Rome.

Freddie zat op het terras voor het café.

Zes in het zwart geklede priesters waren op weg naar de Duomo. Een stelletje, het meisje met haar hoofd tegen de arm van haar vriendje, bewoog door de menigte. Een kind zette het op een rennen, achter een rode ballon aan, en een stuk of tien duiven vlogen op. Een toerist richtte zijn lens op het doopvont; de sluiter klikte.

Toen zag ze hem in de verte, klein tegen de monumentale façade van de Duomo. Hij droeg een lichtgekleurd jasje met bijpassende broek en een donkerblauw overhemd; het zonlicht schitterde op zijn blonde haar. Was hij het? Ze wist het eerst niet zeker. Ze stond op en strekte haar nek uit. Hij was het – dat moest hij toch zijn – en haar hart nam een vlucht als een vogel die de lucht in scheert.

Jack had haar nu ook gezien; hij stak een hand op om haar te begroeten.

Ze stak het plein over naar hem toe.